L'EUROPE CENTRALE

II

L'EUROPE CENTRALE

par
P. GEORGE et J. TRICART

●

TOME PREMIER

Géographie physique et humaine

TOME SECOND

Les États

« ORBIS »
INTRODUCTION AUX ÉTUDES DE GÉOGRAPHIE
Collection dirigée par ANDRÉ CHOLLEY, Professeur à la Sorbonne

L'EUROPE CENTRALE

par

Pierre GEORGE

Professeur à la Sorbonne
et à l'Institut d'Études politiques de l'Université de Paris

et

Jean TRICART

Professeur à la Faculté des Lettres
et à l'Institut d'Études politiques de l'Université de Strasbourg

TOME SECOND

LES ÉTATS

PRESSES UNIVERSITAIRES DE FRANCE
108, BOULEVARD SAINT-GERMAIN, PARIS
—
1954

TROISIÈME PARTIE

LES ÉCONOMIES NATIONALES D'ORGANISATION CAPITALISTE

Chapitre Premier

L'ÉCONOMIE ALLEMANDE

I. — LES CARACTÈRES ORIGINAUX

L'étude de la structure de l'économie allemande est doublement intéressante : elle offre un type d'économie capitaliste particulièrement concentrée et elle constitue la pièce maîtresse de l'évolution économique de l'Europe centrale et occidentale capitaliste. C'est autour de la puissance économique allemande que s'effectuent les efforts de groupement européen suggérés par les États-Unis : communauté charbon-acier, communauté de défense européenne, conseil de l'Europe. D'où vient cette primauté accordée à un pays qui sort tout juste d'une défaite écrasante et dont le territoire, sérieusement réduit, est de plus divisé en plusieurs ensembles économiques ? C'est dans les particularités de structure de l'économie capitaliste de l'Allemagne occidentale qu'il faut en chercher l'explication.

La structure de l'économie capitaliste allemande est l'aboutissement d'une évolution qui s'inscrit dans les modalités générales de l'évolution du capitalisme mais qui n'en revêt pas moins des particularités originales. C'est sur ces dernières que nous insisterons. Il nous faudra ensuite examiner dans quelle mesure les événements récents, consécutifs à la défaite militaire de l'Allemagne nazie (division de l'Allemagne en zones d'occupation, décisions de Postdam sur la dénazification et la déconcentration économique), ont modifié le cours de cette évolution.

1° Les caractères structuraux de l'économie capitaliste allemande.

Ils résultent d'une évolution particulièrement rapide vers la concentration monopolisatrice et d'un caractère technocratique accentué.

a) *Les particularités de l'évolution du capitalisme allemand.* — La structure de l'économie capitaliste allemande est caractérisée par une concentration précoce. Dès 1860-1875, des précurseurs organisent dans la Ruhr les premières formes d'intégration verticale, associant des mines de charbon, des aciéries, des intérêts dans les chemins de fer, des ateliers de constructions mécaniques, comme Krupp, ou comme la Bochumer Verein, dirigée par Louis Baare. La concentration massive de moyens de production réalisée par l'intermédiaire du contrôle financier et associant des entreprises appartenant à des branches connexes apparaît vers la même époque, en particulier sous l'impulsion de F. Grillo. Dès lors, cette concentration se poursuit inéluctablement, mettant à profit toutes les conjonctures et les circonstances historiques, en grande partie provoquées par les chefs de l'économie. Ces derniers renoncent très vite au libéralisme de mode vers 1848 et s'associent étroitement à l'état semi-féodal et militariste organisé par la Prusse. Vote par classes, qui accordait 100 fois plus de voix aux riches qu'aux pauvres, qui persista en Prusse jusqu'en 1918 ; interdiction de la propagande socialiste, et mesures sociales paternalistes (assurances sociales dès 1883) ; création de « mouvements de masse » dont l'agitation fait pression sur le gouvernement et facilite l'orientation de la politique de l'État dans le sens désiré par les oligarchies (mouvements pangermaniste et militariste avant 1914, mouvement nazi entre les deux guerres) ; contrôle de la recherche scientifique et des universités par l'octroi d'abondants crédits et l'interpénétration entre les organismes d'enseignement public et les laboratoires privés des firmes ; union étroite, au moyen de compromis, avec la classe féodale des junkers et des gros propriétaires terriens, maîtres de l'armée, de la diplomatie, et, en grande partie, de l'administration, négociée par Bismarck puis conservée sans cesse depuis ; mainmise sur l'appareil d'État par le contrôle de nombreux députés, ministres, hauts fonctionnaires et conseillers du gouvernement sont les principaux moyens mis en œuvre. Rares sont les périodes où leur efficacité a été menacée. De Bismarck à Guillaume II, le système, malgré de courtes crises passagères et des frictions de détail momentanées, n'a fait que se renforcer. L'aboutissement a été la ruée de l'impérialisme allemand sur ses concurrents en 1914. Les lendemains de la première guerre mondiale ont été plus difficiles. La défaite avait aidé à une prise de conscience populaire, qui se traduisit par des soulèvements révolutionnaires. Mais les forces conservatrices étaient suffisamment maîtresses de l'État pour les mater et pour reprendre rapidement les quelques concessions faites sous les débuts de la République de Weimar. La conjoncture créée par l'inflation fut habilement utilisée à cet effet. L'aboutissement de cette période de réaction fut l'accès au pouvoir du nazisme, organisé par les oligarchies économiques. Les années 1935-1945 sont marquées par l'apogée de la puissance des Konzerne qui organisent à leur profit la concentration de l'économie par l'État nazi sous couvert de lutter contre l'anarchie de la production. Cependant, des heurts se produisent entre intérêts financiers et technocrates inféodés au national-socialisme. Ce dernier fait passer les intérêts militaires les premiers tandis que les oligarchies voient d'abord le profit. A partir de la défaite de Stalingrad, certains financiers et industriels se retournent vers le capitalisme occidental et désirent faire avec lui une paix séparée. Le fanatisme nazi les contrecarre. Une épuration des milieux industriels s'ensuit : Thyssen s'enfuit en Suisse, les nazis mettent en place, par la force, des personnes à leur dévotion dans les conseils d'administration. Mais la concentration n'en est que renforcée, par suite de l'intensification de la structure technocratique et de la création de gigantesques entreprises d'État (Hermann Gœring-Werke, Volkswagen).

Constamment maîtresses du pouvoir, les oligarchies économiques ont pu organiser l'économie allemande à leur profit. De là découle une structure particulièrement concentrée, qui résulte d'une évolution hâtée par les conditions propres à l'Allemagne. Dès 1879, Bismarck est obligé d'accepter l'adoption d'une politique douanière protectionniste, alors que le libéralisme règne en Grande-Bretagne jusqu'à l'entre-deux guerres...

Les principaux éléments de la situation dont la mise à profit par les oligarchies leur a permis de concentrer la puissance économique à leur avantage d'une manière particulièrement achevée et à une date particulièrement précoce, sont les suivants :

— Le maintien d'une puissante classe féodale, maîtresse de l'État, à la suite de la défaite française en 1814 et de l'échec de la Révolution de 1848. La noblesse a sauvegardé sa puissance foncière et l'a même accrue lors de l'abolition tardive du servage, au milieu du XIXᵉ siècle, lorsque les paysans ont été contraints de racheter leur liberté. Ceux qui ne purent payer — et ils furent nombreux — se virent expulser, le seigneur s'emparant de leurs terres. L'industrie en pleine croissance y gagna une masse de main-d'œuvre fort utile en un temps où les conditions de travail d'une dureté inouïe (jusqu'à quatorze et même seize heures par jour dans les mines vers 1850) provoquaient une rapide usure des hommes. Cette libération de main-d'œuvre permit de peser sur les salaires et de faire échec aux premières revendications ouvrières. Conservant sa puissance économique, la noblesse garda aussi sa puissance politique. Empêchant la pénétration des idées libérales, elle rendit impossible l'accès au pouvoir de la moyenne et petite bourgeoisie, noyau du radicalisme français. Une fois l'alliance réalisée entre les maîtres de l'industrie et les junkers, les oligarchies ont dominé la situation sans opposition sérieuse. Les années 1870-80 sont marquées par le passage des coïncidences occasionnelles d'intérêts à cette alliance permanente des maîtres de forge, des financiers et des junkers. L'adoption du tarif douanier de 1879 a permis à Bismarck de la sceller. Le protectionnisme en fut l'instrument : les junkers y gagnaient d'échapper à la crise rurale provoquée dans les pays libre-échangistes (comme la Suisse) par les importations à bon marché des pays neufs ; les industriels se voyaient assurés d'un marché allemand en pleine expansion, ce qui leur permit de pratiquer plus tard le dumping d'une manière systématique (les prix allemands élevés servant à combler les ventes à perte consenties à l'étranger pour évincer les concurrents) ; les technocrates de l'administration prussienne trouvaient dans les droits de douane une ressource financière nouvelle au moment où se tarissait le paiement des indemnités de guerre par la France et où les besoins de la politique militariste accroissaient les dépenses. Cette alliance s'est perpétuée jusqu'à nos jours en Allemagne occidentale. En 1914, les personnes possédant une fortune personnelle supérieure à 5 millions de marks-or appartenaient pour 57 % à la bourgeoisie et pour 43 % à la vieille aristocratie féodale. Malgré quelques « parvenus » dont l'ascension s'est effectuée grâce au nazisme, d'ailleurs souvent hommes de confiance des milieux dirigeants, la position de l'aristocratie reste encore très forte de nos jours dans l'administration, dans la diplomatie, dans les forces armées de l'Allemagne occidentale.

— L'adoption d'une politique militariste par l'Allemagne unifiée sous l'égide de la Prusse découle de cette persistance de la puissance de la féodalité. Elle a joué dans un sens très favorable à la concentration économique. Les marchés de guerre ont permis la fortune de Krupp, mais aussi celle du principal groupe textile, Dierig, qui profita des ventes d'uniformes, de la famille von Siemens, qui domine l'industrie des constructions électriques, dont les bénéfices furent gros dans la fourniture d'appareils de transmission puis dans l'équipement de la marine de guerre. Tous les konzerns producteurs d'acier, de métaux secondaires, de produits chimiques, sont dans le même cas. Le développement de la guerrre technique, dans lequel les Allemands ont joué un très grand rôle, étend les bénéfices de guerre et d'armement à l'ensemble des branches de l'industrie moderne. Les guerres successives de Bismarck (contre le Danemark, contre l'Autriche, puis contre la France) sont grandement responsables de l'essor des principaux konzerne métallurgiques. L'alliance avec la féodalité a transformé cette coïncidence momentanée d'intérêts entre l'armée et les konzerne en une liaison organique. Les grands konzerne de la mécanique, de l'électricité et de la chimie entretiennent des liaisons étroites avec l'état-major, dont les formes, variées dans le détail, concourent toutes au même objet : assurer à la fois la suprématie technique des firmes intéressées et de l'armée allemande en matière d'armement. Siemens, par exemple, a servi, en 1918, à abriter le personnel des services techniques de la marine. Les divers groupes de l'industrie électrique entretenaient des services secrets de recherche militaire touchant à des domaines fort éloignés de leur activité officielle : aviation, armes légères, marine, artillerie. Il en était de même, naturellement, des groupes mécaniques possédant officiellement des branches d'armement, comme Krupp. Les techniciens de Siemens, notamment, ont été prêtés aux services militaires jusqu'en 1945. Des frictions eurent lieu parfois, par exemple lorsque l'état-major voulut acquérir une copie de tous les brevets. Siemens, après avoir résisté, céda, ses techniciens en mission dans les services de l'armée lui permettant d'avoir connaissance des brevets des firmes concurrentes. L'interpénétration entre les oligarchies industrielles et l'état militariste était donc complète. L'I. G. Farben ne servait-elle pas, pendant toute la dernière guerre, de banquier au gouvernement allemand pour financer à l'étranger les mouvements hostiles aux Alliés, l'espionnage, la corruption, le sabotage ?

— Les variations de la conjoncture ont été très utilement mises à profit par les oligarchies économiques, fortes de leur influence sur l'état. Il leur a été ainsi possible de commander dans une très large part la conjoncture intérieure allemande, et de la faire coïncider avec leurs intérêts. Dès 1871, les annexions de Bismarck sont guidées par le désir des sidérurgistes de la Ruhr, dont le minerai local s'épuisait, de s'assurer la réserve de la minette lorraine pour le jour où le progrès technique permettrait de l'utiliser. L'indemnité de 5 milliards versée par la France vaincue permit à l'état prussien de racheter les chemins de fer, ce qui libéra d'énormes capitaux, dont profita l'industrie, et de développer le réseau ferré suivant un plan d'ensemble, ce qui améliora la desserte des usines et régions industrielles et assura en même temps d'importants débouchés. Les marchés profitèrent surtout aux plus puissants, capables de se faire écouter à Berlin. La politique impérialiste, amorcée dès 1871 avec l'annexion de la Lorraine, se poursuit et s'intensifie avec la pénétration balkanique du Drang nach Osten et les équipées maritimes et coloniales de Guillaume II. Les actions diplomatiques et militaires sont guidées par les intérêts des divers groupes économiques qui savent en cas de besoin forcer la main d'un gouvernement hésitant grâce à l'orchestration des « mouvements de masse ». L'affaire du Maroc, en 1911, est conduite à la demande de Mannesmann qui avait réussi à se faire concéder pour un bachich dérisoire 2.000 gisements métallifères par le sultan. La mainmise sur la Turquie et le projet du Bagdadbahn intéressaient presque tous les groupes, y compris Krupp, qui, grâce à la mission militaire allemande en Turquie, vendait avec un bénéfice de 1.000 à 1.200 % ses stocks de canons démodés. La domination politico-économique de l'Europe centrale et Balkanique par le Reich hitlérien a déjà été évoquée. La mainmise des oligarchies ne s'arrête pas aux opérations de politique étrangère. Elle a influé aussi beaucoup sur la politique financière. Par exemple, la crise de l'inflation galopante, en 1922-3, a été un moyen pour rétablir une situation affaiblie par la défaite de 1918. Les principaux groupes ont pu se débarrasser à vil prix de leurs dettes et s'approprier une bonne partie de la puissance économique qui restait aux mains de la moyenne et petite industrie. Les mesures autoritaires du nazisme ont répondu à la fois à des nécessités démagogiques et au désir d'accentuer la concentration en éliminant de nouvelles entreprises. Les emprunts massifs aux U. S. A., au lendemain de la première guerre mondiale, ont été un moyen de s'assurer un renflouement et de se concilier la bienveillance des créanciers américains, dont l'appui était nécessaire pour refuser le paiement des réparations à la France.

Les conditions propres à l'Allemagne ont accéléré dans ce pays la transformation du capitalisme libéral en capitalisme monopolisateur. L'alliance avec une féodalité encore très forte a permis de rejeter très rapidement les traditions libérales auxquelles, dans des pays comme la France, ou surtout la Grande-Bretagne, toute une importante fraction de la bourgeoisie est restée très longtemps attachée. Compte tenu d'un certain déphasage, l'évolution de la structure économique de l'Allemagne évoque celle du Japon.

Type de structure capitaliste très évoluée, l'économie allemande est caractérisée par deux traits principaux : la très forte concentration et l'influence technocratique.

b) *La concentration*. — Remontant à une date ancienne, la concentration de l'économie allemande revêt des formes multiples. A côté de la concentration financière, telle qu'elle domine par exemple en France, règne une concentration industrielle en entreprises géantes dont la forme rappelle un des traits de la structure économique des États-Unis. Enfin, de très nombreuses ententes, les cartels, viennent compléter l'organisation monopolisatrice.

— Les concentrations industrielles, *konzerne*, sont apparues très tôt, dès le milieu du xixe siècle, et ont précédé les concentrations financières, à la différence de ce que montre la France. Parties de l'industrie lourde (sidérurgie) elles ont gagné des branches très variées de la production : constructions mécaniques, automobile, équipement électrique, textile, produits chimiques, navigation.

C'est que la concentration s'est combinée à l'intégration verticale, apparue en même temps qu'elle. Dans les différentes branches industrielles, la concentration est maxima à un certain stade de la production puis sa part relative diminue aux autres, par l'apparition de sociétés semi-indépendantes échappant à la concentration industrielle bien que presque toujours prises dans les cartels et souvent dans la concentration financière. Par exemple dans la sidérurgie, en 1925, les entreprises intégrées (en fait les konzerne) employaient 95 % du personnel, possédaient 97 % des machines. Leur part décroissait ensuite dans la métallurgie de transformation, où apparaissent d'autres konzerne qui ont fait porter leur action de concentration sur cette phase de la transformation. Les konzerne sidérurgiques contrôlent la quasi-totalité de la production d'acier, mais ne transforment qu'une partie de leur production sidérurgique en produits finis. Ils vendent une fraction importante de leur acier. Au niveau de la transformation, les konzerne de construction mécanique les relaient : ils interviennent faiblement dans la production sidérurgique, mais concentrent la production d'outillage, de machines, d'armement, d'automobiles. Par suite de la diversité technique croissante de la production avec la transformation de plus en plus poussée, la concentration absolue (nombre de groupes) diminue légèrement, mais la concentration relative (part de la production monopolisée par les principaux groupes) se maintient.

Dans l'industrie métallurgique lourde, par exemple, le plus puissant konzern, les Vereinigte Stahlwerke, résultant lui-même de la fusion de plusieurs groupes au lendemain de la première guerre mondiale, est centré sur la production de l'acier et des produits sidérurgiques.

En 1938, le konzern fournissait 37,5 % de la production de fonte, 42,9 % de celle d'acier, et 30,3 % de celle de laminés du Grand-Reich (comprenant alors l'Autriche et la Sarre). A la même époque, la part de la plus grosse société sidérurgique ne dépassait pas 5 % en France et 10 % en Grande-Bretagne.

Les Vereinigte Stahlwerke contrôlaient également les sources de matières premières qui leur étaient nécessaires, notamment la houille. Leur filiale (participation à 100 %) Gelsenkirchener Bergwerks A. G. fournissait 14,7 % du charbon allemand en 1938 mais 21 % du coke. Ses concessions occupent 10,5 % de l'étendue totale des terrains houillers de la Ruhr. Le contrôle des minerais de fer est plus réduit : 8 % seulement en 1938. Par contre, le groupe produisait, par l'intermédiaire de toute une série de filiales, d'importantes quantités de produits réfractaires, de pierres, de chaux vive, utilisée comme fondant (2.200.000 t. en 1938).

Sur la production et la distillation de la houille se greffaient toute une série d'industries chimiques, destinées à utiliser les sous-produits de la fabrication du coke métallurgique, objet initial de l'intégration : pour l'essence synthétique, pour le benzol, pour le goudron, la firme participait en 1942 pour plus de 10 % à la production allemande totale.

Sur la production d'acier se greffe celle des demi-produits métallurgiques. En 1941, elle dépassait 40 % du total commercialisé sur le marché allemand pour les tubes, 29 % pour les fers en barres, 47 % pour l'acier marchand, 38 % pour les tôles épaisses, 13 % pour les tôles moyennes. Une faible partie de la production des Vereinigte Stahlwerke était fournie à leur filiale spécialisée dans la construction mécanique, la firme Hanomag (moteurs, camions) dont la production de camions dépasse actuellement 6 % du total de l'Allemagne occidentale.

Sur le complexe de hauts-fourneaux et de mines se greffe la production de ciment de laitier, de scories Thomas et, surtout, d'énergie électrique et de gaz d'éclairage. En 1938-39, cette dernière atteignait 4,3 milliards de mètres cubes, et la consommation seulement 3,4 ; pour l'électricité les chiffres respectifs étaient 2,5 milliards de kWh., et 1,1.

L'activité générale des Vereinigte Stahlwerke les amenait à effectuer d'importants transports, notamment ceux de minerai et de charbon. La firme les assurait au moyen de sa propre flotte de péniches et de remorqueurs, représentant environ 6 % de la flotte rhénane.

Le groupe familial Haniel offre un exemple de konzern centré au contraire sur la transformation. En 1939, il comptait 101.000 ouvriers répartis pour 44 % dans l'industrie mécanique : camions et autobus (marque Man), véhicules industriels, tracteurs, machines, installations électriques, matériel à vapeur (chaudières, compresseurs), locomotives, matériel de chemin de fer, construction de bateaux fluviaux, engrenages, câbles, fils électriques, mécanique de précision, presses industrielles sont ses principales productions dans ce domaine. L'industrie lourde est orientée essentiellement vers la fourniture des produits sidérurgiques indispensables à cette industrie de transformation. En 1940, Haniel employait 30.500 personnes dans l'industrie extractive (6 % du charbon, 6,6 % du minerai de fer de la Grande-Allemagne) et 21.100 dans la sidérurgie (6,2 % de la fonte, 5,2 % de l'acier, 5,5 % des laminés). Les cockeries entraînaient une branche d'industrie chimique de base : production de benzol, de goudron, d'ammoniaque, sur laquelle les besoins militaires ont fait greffer la production de l'essence synthétique (3 à 4 % du total allemand en 1943). La dispersion des usines de construction mécanique a impliqué le développement d'un très important secteur tertiaire dans le groupe Haniel : en 1940, il possédait 13,6 % de la puissance de remorquage rhénan et 8,7 % de la capacité des chalands. Le personnel des branches commerce et navigation se montait, en 1939, à 4.700 employés.

Dans l'industrie chimique, l'I. G. Farben montre un exemple d'intégration technique presque totale. Il part de la fabrication des matières premières de l'industrie chimique : soude, carbure de calcium, potasse caustique, acides. Pour la chimie organique, il exploite ses propres gisements de lignite, mais fait appel aux produits de distillation de la houille fournis par les cockeries des konzerns sidérurgiques. A partir de là, l'I. G. Farben accroît sa part dans la fabrication des produits finis. Avant 1945, elle était de 100 % pour le caoutchouc synthétique, pour la cellophane, pour les détersifs, pour les cires artificielles, pour les lubréfiants synthétiques, pour le méthanol, pour les sérums, de 98 % pour les colorants, de 95 % pour les gaz asphyxiants, pour le raffinage du nickel, de 94 % dans les produits de tannerie, de 92 % pour les matières plastiques, de 90 % pour les produits organiques intermédiaires, de 80 à 90 % pour les films et pellicules photographiques, les explosifs, le magnésium, de 75 % pour l'azote et les solvants, de 50 à 70 % pour le carbure de calcium, les produits pour l'imprimerie, les insecticides, produits pharmaceutiques, résines synthétiques, etc. Le groupe, de plus, produisait de la laine synthétique, de la rayonne, 15 % de l'essence synthétique allemande, etc.

Dans les constructions électriques, la concentration revêtait un aspect analogue : les deux groupes dominants, Siemens et A. E. G. ne possédaient pas d'installations d'industrie lourde et se procuraient leurs matières premières par achat. Mais ils avaient un quasi-monopole dans la fabrication des appareils ou des dispositifs et des demi-produits. A eux deux, ils concentraient, en 1942-44, 61 % des ventes et 66 % de la main-d'œuvre. Siemens, avec la possession de 26.000 brevets, détenait un véritable monopole dans ce domaine, qui lui permettait d'être seul producteur des appareils les plus compliqués, comme les téléscripteurs, et de s'adjuger 60 à 80 % de la production des appareils de transmissions (téléphone, télégraphe, radio, câbles sous-marins). A. E. G. avait un quasi-monopole pour les ampoules électriques (85 à 90 %, avec la marque *Osram*). D'autres groupes avaient une place analogue dans des spécialités marginales : Quandt dans les accumulateurs et piles (60 à 80 %), Bosch dans l'équipement électrique automobile (80 % des régleurs électro-magnétiques, 73 % des dynamos pour autos, 90 % des magnétos pour moteurs fixes, etc.).

— Les concentrations financières viennent compléter ces phénomènes d'intégration et de concentration industrielle. Elles lient divers konzerne entre eux et avec les principales banques, ce qui assure un enchevêtrement des intérêts propre à faire de l'économie allemande un bloc quasi homogène, où les oppositions de groupes sont réduites au minimum depuis longtemps déjà. Il y a là une des sources essentielles de puissance de l'impérialisme allemand, renforcée par les habitudes de discipline inculquées par des siècles de prussianisation.

On distingue plusieurs types financiers de konzerne, dont les différences se sont atténuées avec le temps. Plus que d'oppositions fondamentales, il s'agit de nuances, caractérisées par des proportions différentes des divers moyens de financement.

Certains konzerne, comme Krupp, comme Haniel, comme Siemens, comme Dierig ont une origine familiale. Un patron a réussi à s'enrichir au début de la période capitaliste et à agrandir son affaire à l'échelle d'un trust. La loi allemande a facilité la persistance de cette organisation en lui créant un cadre juridique : celui de la fondation familiale *(Familienstiftung)*. Généralement, cette dernière, composée des héritiers du fondateur, constitue un holding géré par certains de ses membres, délégués à la manière d'administrateurs de société anonyme. Mais ce holding n'est le plus souvent qu'une société à responsabilité limitée, ce qui permet de cacher les participations, de ne pas publier de bilan, etc. Il a fallu la guerre et le procès de Nuremberg pour que ce rideau de fer soit en partie percé. Le holding familial, à la manière des trusts féodaux du Japon, contrôle un grand nombre de sociétés industrielles et commerciales diverses, souvent plusieurs dizaines, même 200 ou 300. C'est par leur intermédiaire, principalement, que s'effectuent les liaisons avec les autres groupes. Certaines de ces sociétés sont mixtes, avec participation de banques ou d'autres groupes, voire de l'État ou des communes. Nombreuses sont, en effet, en Allemagne, les sociétés créées par des collectivités publiques, mais financièrement autonomes, dont les actions sont partagées entre les communes, les Länder ou l'État d'une part et des groupes industriels de l'autre. C'est surtout la production et la distribution du gaz et de l'électricité qui sont intéressées par ce type de structure.

D'autres konzerne, comme les Vereinigte Stahlwerke ou l'I. G. Farben se sont constitués dès le début comme des sociétés anonymes, holdings groupant les apports effectués par diverses sociétés qui se sont unies en leur sein. L'I. G. Farben, par exemple, résulte de la fusion de 8 sociétés, dont plusieurs étaient déjà de notoriété mondiale (Badische Anilin, A. G. F. A., Griesheim Elektron, Bayer à Leverkusen, Casella, etc.). Cette concentration s'est effectuée par étapes. Elle a commencé par une « communauté d'intérêts » *(Interessengemeinschaft)* entre la Badische Anilin, Bayer et A. G. F. A. (1904-5), chaque firme restant indépendante, mais les fabrications étant coordonnées, les procédés techniques échangés et les bénéfices mis en commun. Un autre accord du même genre associait les sociétés de la région de Francfort (Casella et Brüning). Les deux communautés d'intérêt fusionnent avec des participants supplémentaires lors de la première guerre mondiale. La crise de l'après-guerre se traduit par la fusion complète (1925), chaque société intéressée dans l'Interessengemeinschaft Farben-Industrie A. G. conservant cependant ses marques commerciales. Par l'intermédiaire de leurs participations dans les diverses sociétés associées, les autres groupes ou les banques peuvent détenir également des intérêts dans ce genre de konzern.

Il en résulte dans l'ensemble une étroite imbrication des intérêts financiers et de ceux des konzerne dans les diverses sociétés industrielles et commerciales. Les membres des conseils d'administration se retrouvent dans les banques les plus importantes et dans les grands konzerne. Rares sont les affaires qui, par un constant autofinancement et une méfiance avouée à l'égard des banques, comme Krupp, ont pu rester indépendantes. Le capitalisme bancaire a mis la main sur les konzerne et la concentration financière profite de la concentration industrielle. En 1942-1944, d'après Goudima, la moitié des actifs des 77 konzerne est entre les mains du capitalisme banquier.

Or, en 1943, le nombre des sociétés anonymes était d'environ 5.400, avec un capital nominal de 29 milliards de RM. Cinquante-sept pour cent de ce capital étaient constitués par les sociétés intégrées aux 77 konzerne existant à cette époque, pourcentage inférieur à la réalité car il ne tient pas compte des participations minoritaires ni des sociétés d'autre forme juridique. Plus de 11 % de toute la richesse nationale allemande appartenait à ces 77 groupes. Le capital banquier qui contrôle la moitié de leurs avoirs est lui-même très concentré : 5 banques principales possédaient 5,9 % de la richesse nationale et un actif total de 30 milliards de RM dont 11,4 pour la seule Deutsche Bank et 8,6 pour la Dresdner Bank. L'aryanisation de la période nazie a favorisé cette concentration financière et le développement de la mainmise bancaire sur l'industrie en éliminant la finance israélite. L'occupation des pays européens battus a permis l'acquisition de multiples participations à vil prix : le poste « participations » des 3 principales banques s'est accru de 50 % entre 1937 et 1943. En 1943, le personnel de direction de la Deutsche Bank (54 personnes) occupait 707 postes dans les conseils d'administration et les directions de sociétés industrielles celui de la Dresdner Bank (34 personnes), en occupait 451.

— Les cartels ont été également un moyen efficace d'arriver à la phase de structure monopolisatrice du capitalisme. Ils sont apparus très tôt (dès 1860-1870) et se sont multipliés avant même la fin du xixe siècle, où on en comptait plus de 2.000.

Les cartels portent sur la quasi-totalité des produits industriels. Ils sont de types variés. Certains, les plus rudimentaires, consistent seulement en ententes entre les producteurs pour tenir les prix de vente et supprimer ainsi l'action de la loi de l'offre et de la demande. Mais pour les principaux produits, les firmes, généralement très concentrées, sont allées plus loin. Elles ont créé des bureaux de vente communs, sous la forme de sociétés commerciales dont les dirigeants sont de simples exécutants. Ces cartels perfectionnés répartissent les commandes en fonction de quotas fixés d'un commun accord, non sans luttes parfois, à un prix uniforme et tiennent compte des possibilités de chaque usine, des frais de transport, etc. Le développement de ces cartels s'est effectué surtout pour conquérir les marchés étrangers : le capitalisme allemand, tard venu, supprimait les luttes intestines pour mieux abattre ses adversaires. Ces organismes ont favorisé la politique du dumping en permettant, grâce à l'absence de concurrence et aux barrières douanières, de pratiquer des prix intérieurs très élevés, destinés à subventionner les exportations à perte destinées à éliminer les concurrents.

Les industriels allemands ont presque toujours cherché à étendre ce système sur le plan international, pour acquérir le contrôle de leurs concurrents. Tel fut le cas pour la potasse, le sucre de betterave, les produits sidérurgiques. En 1926, par exemple, un accord franco-allemand, préface au pool charbon-acier, était signé à la suite de l'entente entre Krupp, Thyssen, Schneider et de Wendel, et célébré comme un gage de paix par les hommes politiques. On glorifiait déjà le mariage du charbon allemand et du fer français sur un ton lyrique..., surtout en Allemagne. Ce cartel, englobant l'Allemagne, la France, la Belgique et la Sarre, sous l'arbitrage de Mayrisch, président de l'Arbed luxembourgeois (dont les intérêts étaient aussi grands en Allemagne qu'en France), visait à empêcher la surproduction par la fixation de contingents, où l'Allemagne avait la part du lion (43,18 %).

Intégration et concentration industrielle, concentration financière, cartels, ont permis au capitalisme allemand d'aquérir précocement une structure monopolistique très achevée. Sa liaison avec les survivances féodales, la persistance de fondations familiales, de groupes industriels appartenant à des hobereaux silésiens lui assurent des traits communs avec le capitalisme japonais. La puissance de la concentration financière, la place des grandes banques, la mainmise sur l'État, sont aussi poussées qu'aux États-Unis.

c) *La technocratie.* — L'influence dominante des techniciens est une autre caractéristique. Il ne semble pas qu'il y ait d'autre pays au monde où elle soit aussi poussée, même en Amérique, malgré des progrès récents dans ce sens.

Le développement d'une forte base technique caractérise l'industrie allemande dès ses débuts. En 1860 déjà, alors que la Ruhr est un centre métallurgique embryonnaire, beaucoup moins important que les régions industrielles de la Grande-Bretagne, se fonde la Technischer Verein für Eisenhüttenwesen, qui réunit les ingénieurs pour discuter des progrès techniques. Ce n'est qu'en 1869 que se fonde en Grande-Bretagne un organisme analogue, l'Iron and Steel Institute de Londres. Werner Siemens fait fonder également dès la période 1860-1874 des chaires d'électro-technique dans les Universités, puis, en 1888, par un don de 500.000 marks, le Physikalischtechnische Reichsanstalt à Berlin-Charlottenburg, dont le directeur lui est tout dévoué. Même précocité dans le développement de l'enseignement moderne de la chimie. Liebig préconise les travaux pratiques dès 1824 à Giessen, mais se heurte au sénat de son Université qui n'en comprend pas l'intérêt. Cependant, les premiers laboratoires apparaissent et se multiplient rapidement vers 1840-1860, sous son impulsion et celle de son élève Hoffmann. Des moyens matériels considérables, des honneurs et des distinctions de toute sorte sont accordés aux chercheurs : on est loin de la mansarde de Branly. Aussi les résultats ne se firent pas attendre : la science allemande a à son actif de belles découvertes qu'un personnel abondant lui permit d'exploiter aussitôt à fond, en en tirant des applications pratiques qui sont à la base d'innombrables brevets. Les firmes allemandes, dans leur lutte contre les concurrents internationaux, ont pu s'appuyer sur la science appliquée allemande et sur toute une masse de chercheurs qualifiés travaillant en équipe sous la direction des principaux maîtres de l'Université, riches, chargés d'honneurs et englobés dans la haute bourgeoisie.

L'alliance avec la science profita essentiellement aux firmes les plus importantes, qui devinrent des sortes de banques de brevets, soigneusement défendues par une législation habile : dès 1877, le brevet doit avoir été « éprouvé », c'est-à-dire avoir fait l'objet d'une application ; il porte non seulement sur l'objet découvert mais sur les procédés de fabrication. De la sorte, l'utilisation des découvertes scientifiques joua un rôle important dans la concentration industrielle : c'est une des armes essentielles de Siemens ou de l'I. G. Farben, et non seulement en Allemagne, mais sur le plan international.

Parallèlement à la mainmise financière sur l'industrie, on observe un développement de la technocratie (prise de pouvoir économique des techniciens industriels). Les deux phénomènes découlent d'un même mécanisme, voulu à la fois, indépendamment les uns des autres, par les banquiers et par les ingénieurs supérieurs : le dessaisissement des actionnaires, forme de concentration, puisqu'elle élimine de la direction des firmes les épargnants, les gens des classes moyennes et même les participations minoritaires. Le phénomène n'est pas propre à l'Allemagne et caractérise d'une manière générale la phase monopolisatrice du capitalisme, mais il est particulièrement développé en Allemagne. A la différence des États-Unis, où il se produit également, ou de la France, il n'est pas l'œuvre de la seule haute finance, mais aussi des techniciens, qui, naturellement, en profitent également.

On peut prendre comme exemple de technocratie la plus achevée d'entre elles : l'I. G. Farben.

Le dessaisissement des actionnaires s'était effectué lors des périodes de fluctuations de l'entre-deux-guerres. La société avait profité de cours momentanément bas en Bourse pour racheter de gros paquets de ses propres actions et les inscrire au nom de ses filiales, méthode classique. L'opération avait porté principalement sur les actions privilégiées, dont le droit de vote était de 12,5 voix par action contre une pour les actions ordinaires. En 1944, sur 40.000 actions privilégiées de 1.000 RM chacune, 38.000 étaient enregistrées au nom de la

Ammoniakwerke Merseburg G. m. b. h., filiale à 100 % de l'I. G. Farben. Les 2.000 restantes avaient été raflées par la Deutsche Bank, banque de l'I. G. Farben, soit qu'elle les ait achetées en propre, soit qu'elle profitât d'actions détenues par le public, mais déposées dans ses coffres, ce qui lui permettait d'utiliser leur droit de vote. De la sorte, l'I. G. Farben aurait pu disposer, en cas de besoin, de 36,8 % des voix. Or, les 3.928.838 actions ordinaires étaient éparpillées entre les mains de plus de 140.000 actionnaires. Les plus importants : Dupont de Nemours (trust américain des produits chimiques), Solvay (trust international de la soude) et Imperial chemical industries (Grande-Bretagne) ne possédaient, au total, que 6,5 % des actions ordinaires. La dispersion des votes, conséquence de la multitude des actionnaires, permettait à l'Ammoniakwerke Merseburg de dominer les assemblées sans conteste possible. On est loin de la « démocratie des actionnaires » dont parlent certains manuels d'économie politique...

Or, l'Ammoniakwerke Merseburg c'est l'I. G. Farben elle-même. Son conseil de direction était donc entièrement libre de ses propres actions, puisque se contrôlant lui-même. Cette direction, de par les statuts, était sous la dépendance des techniciens. En effet, les statuts de 1925 la plaçaient entre les mains d'un conseil de 82 membres, mais dont, en réalité, seulement 24, sur place, effectuaient le travail et détenaient le pouvoir réel. Or, statutairement, 13 au moins d'entre eux devaient être des chimistes. Ils étaient toujours recrutés parmi les ingénieurs les plus éminents de la firme, employés avant de devenir directeurs. En 1944, on trouve dans le conseil restreint 16 chimistes, 1 ingénieur-mécanicien, 2 juristes, 5 commerçants ou financiers. La grande place attachée aux recherches scientifiques avait amené progressivement, dans les sociétés constituantes, à accorder un rôle sans cesse plus important à la direction technique. La structure de l'I. G. Farben en est l'aboutissement. Par le processus de l'évincement des actionnaires, cette direction technique se transforme en pouvoir absolu, la technocratie est réalisée.

Cette structure technocratique se reflète très étroitement dans la gestion de la firme. Les bénéfices ne vont pas aux actionnaires, qui ne reçoivent que des miettes : 4-6 % alors que le taux de profit atteint 30-40 % du chiffre d'affaires (1). Ils servent essentiellement à de nouveaux investissements qui développent la production du trust.

La technocratie engendre une idéologie de supériorité et de conquête. Elle est inséparable des doctrines pangermanistes et du racisme.

La gestion de la firme reflète la structure technocratique et l'idéologie qui en est l'émanation. Produire sans cesse davantage, faire progresser la science sont ses deux objets, étroitement interdépendants et poursuivis avec un fanatisme quasi religieux. La firme technocratique recherche le profit maximum par une accélération sans fin de la production. Tandis que la concentration de l'industrie lourde, à partir de 1890-1900, se traduit ailleurs par un ralentissement du rythme d'expansion de la production, tandis que les firmes dominées par l'oligarchie financière n'exploitent que ceux des brevets qui n'exigent pas un renouvellement coûteux de l'outillage, la firme technocratique se lance fougueusement dans la recherche et en exploite à fond les découvertes, d'où des besoins d'autofinancement énormes, mais un rythme accéléré de croissance de la production. Les besoins immenses de l'économie de guerre, la suppression de certaines contraintes du temps de paix sont les conditions qui permettent le mieux son épanouissement.

L'exemple de l'I. G. Farben s'impose à nouveau. De 1926 à 1944, la société a consacré 1.765 millions de RM à la recherche seule, soit 5,71 % de son chiffre d'affaires. Certaines années, le pourcentage a atteint 10 % (1928 et 1929) et même 13 % (1927). La proportion

(1) Notons que les actionnaires de l'I. G. Farben étaient *particulièrement* bien traités, ceux des grands konzerne métallurgiques ne recevant souvent plus rien.

a décru pendant la guerre par suite de l'élévation vertigineuse du chiffre d'affaires. Il en est résulté une avance technique considérable, que les spécialistes évaluaient à une dizaine d'années en 1944. La société l'a mise à profit en prêtant des brevets, en construisant des usines à l'étranger, toujours utilisées pour prendre pied dans le pays en acquérant des participations dans les firmes recevant une aide technique. Cet effort de recherche est d'autant plus important que la société a séparé radicalement les laboratoires de contrôle des laboratoires de recherche et que les dépenses ci-dessus ne s'appliquent qu'à ces derniers.

L'I. G. Farben, disposant d'abondants capitaux par suite du taux de profit très élevé et des faibles dividendes distribués, a pu sans cesse améliorer son outillage par autofinancement, condition primordiale du maintien de la structure technocratique. La position du groupe était beaucoup plus forte que celle des groupes étrangers de structure monopoliste financière. Ses immobilisations, moins élevées, lui permettaient cependant des chiffres d'affaires supérieurs :

CAPITAL IMMOBILISÉ, EN MILLIONS DE DOLLARS U. S.
DANS QUELQUES GRANDES FIRMES DE CLASSE INTERNATIONALE

	1926	1929	1932	1938	1943
United Steel	1.889,6	1.720,6	1.655,6	1.491,9	1.517,8
General Motors	634,1	953,8	860,7	1.045,9	1.239,4
Dupont de Nemours	307,9	451,1	500,7	636,8	726,2
Imperial Chemical	—	457,7	446,4	443,5	449,3
I. G. Farben	368,4	505	461	472,4	741,1

Ce tableau appelle les remarques suivantes : la progression des investissements de l'I. G. Farben est particulièrement rapide pendant la guerre, dépassant alors celle de toutes les autres sociétés. Seule l'économie de guerre lui permet de fonctionner à plein. Les bénéfices font l'objet d'investissements, à la différence, par exemple, des Imperial Chemical industries, dont les immobilisations restent stationnaires. Le « dynamisme » de l'I. G. Farben est comparable à celui des plus grands trusts américains, égal à celui de Dupont de Nemours, maître de l'énergie atomique. Mais la rentabilité des investissements de l'I. G. Farben, grâce à sa gestion technocratique, est supérieure : de 1926 à 1943, en moyenne, les investissements de Dupont de Nemours ont été de 25 % supérieurs à ceux de l'I. G. Farben, mais le chiffre d'affaires inférieur de 50 à 75 %.

La puissance d'investissement de l'I. G. Farben en fait vite la première firme allemande. Son chiffre d'affaires atteint 1.645 millions de RM en 1938, puis 3.116 en 1943, grâce à la guerre. Elle a fait, en 1938, 2,03 % du chiffre d'affaires de toute l'industrie allemande et 8,61 % de toutes ses exportations. Sa main-d'œuvre, 135.000 personnes en 1938, 189.000 en 1943, est cependant inférieure à celle des grands konzerne sidérurgiques ou mécaniques, conséquence de l'importance des investissements, les plus élevés par tête d'ouvrier de toute l'industrie allemande. Seule la guerre a permis à l'énorme machine de donner toute sa mesure. Elle équipe en quelques années une colossale industrie du caoutchouc synthétique : en 1938, la production allemande de cette denrée se limitait à 5.000 t., en 1943, elle en atteint 144.000. Il en est de même de l'essence synthétique. La guerre permit aussi aux techniciens de la chimie allemande de réaliser leur rêve de récupération intégrale : la carbonisation des corps des déportés dans les crématoires permit l'utilisation des os, des cheveux, voire de la graisse humaine. L'I. G. Farben installait des usines à côté des camps, comme à Auschwitz. Aboutissement conjugué de l'idéologie ultra-nationaliste et des rêves technocratiques.

Puissance financière, l'I. G. Farben, à la manière des grandes banques, a pénétré dans diverses branches de l'industrie allemande, en y prenant des participations. Elle a visé surtout celles dont les productions sont connexes de la sienne, mais l'industrie chimique touche à tant de domaines que ces participations embrassent les branches essentielles. Trois cent quatre-vingts firmes allemandes étaient contrôlées par elle de manière plus ou moins étroite. Les principaux domaines sont l'industrie chimique (Deutsche Solvay Werke, filiale allemande du trust Solvay que l'I. G. Farben surveillait, faute de pouvoir l'éliminer), les textiles artificiels (étroite entente avec les deux groupes associés, allemand de la Vereinigte Glanzstoff Fabriken et néerlandais de l'Algemeene Kunzijde Unie et divers autres), les métaux

secondaires et précieux (étroite entente avec la Deutsche Gold und Silber Anstalt et la Metall-
gesellschaft), la sidérurgie (participation de 44,7 % aux Rheinische Stahlwerke, membre des
Vereinigte Stahlwerke, de sorte que l'I. G. Farben contrôlait 16 % du capital de ce dernier
konzern ; entente avec Krupp). L'I. G. Farben possédait ses propres mines de charbon, ses
gisements de lignite, de sel, de potasse. La production d'essence synthétique (15 % du total
allemand) avait pour corollaire une forte participation à la Deutsche Gazolin A. G., investie
d'un monopole officiel de distribution (41 % du capital), qui avait permis à l'I. G. Farben
d'évincer les trusts anglo-américains du marché allemand en les mettant sous sa propre
dépendance. Des accords importants d'échange de brevets, qui se sont maintenus même
pendant la guerre, ont été conclus avec la Standard Oil (1).

La structure technocratique de l'I. G. Farben est la plus achevée de
toute l'industrie allemande. Elle marque une sorte d'aboutissement. Mais la
place primordiale du groupe dans l'économie allemande et même mondiale
oblige à en tenir un très grand compte, même si, par certains côtés, l'exemple
est exceptionnel. L'industrie mécanique montre cependant d'autres cas de
technocratie : Siemens s'en rapproche, constituant un type mixte à la fois de
konzern familial, de concentration financière et d'entreprise à influence
technocratique ; la firme d'automobiles Volkswagen (près de 40 % des
voitures de tourisme), fondée avec des capitaux fournis par l'Arbeitdienst
(service du travail nazi), dirigée par des techniciens, en est un autre exemple,
aussi achevé que l'I. G. Farben, mais moins universel. La structure technocratique des entreprises s'est renforcée pendant la guerre, lorsque certains
financiers et grands capitalistes ont été pris de doutes sur la victoire nazie.
Le parti national-socialiste a alors mis en place un certain nombre de technocrates dont l'idéologie était favorable à la guerre à outrance.

Les particularités de la structure capitaliste de l'Allemagne, liées à des
facteurs propres de l'évolution générale du capitalisme vers la phase monopolisatrice, sont donc les suivantes :

— Une concentration précoce et très poussée, égale à celle des pays où
le règne des monopoles est le plus incontesté, U. S. A. et Japon. Cette concentration multiplie les intégrations verticales et les groupes gigantesques dans
toutes les branches importantes de la production et pas seulement dans
l'industrie lourde.

— Une combinaison de la concentration financière et industrielle, et
une très étroite alliance avec l'État. Les sociétés semi-publiques et publiques,
nombreuses (mines, aciéries, usines diverses, production et distribution
d'énergie), sont sous la dépendance des grands groupes privés. A noter la
persistance de groupes d'origine féodale (particulièrement nombreux en
Silésie), ou patriarcale (fréquents dans la Ruhr), plus ou moins pénétrés par
le capital financier. La dépossession des actionnaires est aussi poussée qu'en
France ou aux U. S. A., la concentration financière qu'aux U. S. A., mais la
structure familiale de certains groupes rappelle le capitalisme japonais.

(1) Tiré de LEVASSORT, 1951, p. 78.

— Une évolution technocratique plus poussée que dans aucun autre pays du globe, étroitement associée au développement de l'impérialisme, mais favorable à une expansion économique plus rationnelle et plus rapide que les monopoles financiers ou industriels. Cette influence technocratique, sensible même dans les firmes dont elle ne caractérise pas la structure, se reflète d'une manière étroite dans les aspects géographiques de l'économie industrielle.

2° Les modifications récentes.

Dans quelle mesure la défaite militaire et l'occupation alliée ont-elles contribué à provoquer des modifications dans cette structure ? Tel est le problème que nous allons maintenant aborder.

Les Alliés sont arrivés, pendant la guerre, à la conclusion que la structure économique de l'Allemagne était responsable de sa politique impérialiste. Et, à un moment où on désirait écarter de l'humanité le spectre de la guerre, la décision fut prise de modifier la structure économique de l'Allemagne. En 1945, à la Conférence de Potsdam furent arrêtées les grandes lignes d'une politique de déconcentration de l'économie, de dénazification et de démontage des usines spécialement organisées en vue de la production de guerre. La position des troupes respectives déterminait la division de l'Allemagne en zones d'occupation. Le principe de l'unité du territoire national de l'Allemagne, à l'exclusion des terres de conquête (région à l'E. de la ligne Oder-Neisse, Autriche, Bohême, Alsace-Lorraine, Luxembourg) était solennellement affirmé, la coordination entre les divers commandants alliés des zones d'occupation devant la sauvegarder. Mais l'entente devait être de brève durée. Les soviétiques appliquèrent strictement les décisions communes, modifiant profondément la structure économique de leur zone. Les Américains, très indulgents dès le début, amenèrent les Anglais à suivre leur politique, fusionnant leurs zones en 1947. Finalement, la zone française s'adjoignit à la bizone pour former une Allemagne de l'Ouest, promue peu à peu au rang d'État (1948, monnaie différente de celle de l'Allemagne de l'Est, 1950, création du gouvernement de Bonn, puis de celui de l'Allemagne orientale). L'unité allemande fait momentanément place à plusieurs espaces économiques distincts, séparés par des barrières douanières. La Sarre est englobée depuis 1948-1949 dans l'espace douanier français et son sort reste incertain. L'Allemagne de l'Ouest et celle de l'Est organisent chacune de leur côté leur économie sur des bases qui leur sont propres. Tandis que l'Allemagne orientale, devenue la République démocratique allemande : *Deutsche Demokratische Republik*) adopte un plan quinquennal et entre dans le groupe des pays d'économie planifiée de Démocratie populaire, l'Allemagne occidentale, maintenant République fédérale allemande *(Bundesrepublik Deutschlands)* avec Bonn pour capitale, reste un État de structure capitaliste.

Nous devons examiner successivement les conséquences de la division de l'Allemagne, puis les modifications de la structure capitaliste en Allemagne occidentale, telles qu'elles résultent de l'occupation alliée et de la coupure du pays.

a) *Allemagne de l'Ouest et Allemagne de l'Est.* — La ligne de démarcation entre troupes occidentales et soviétiques, origine de la frontière interne de l'Allemagne, prend sur la côte de la Baltique aux portes de Lübeck, rejoint l'Elbe un peu en amont de Lauenburg, la suit vers l'amont sur une soixantaine de kilomètres, puis revient vers l'W. pour laisser Salzwedel à la République démocratique, et se dirige vers le S. Helmstedt, se trouve encore à l'W. ; le Harz est coupé en deux par le Brocken. De là, une avancée vers l'W. de la République démocratique vient aux portes de Witzenhausen, puis englobe la majeure partie du Thuringerwald et de la région de la Haute-Werra pour rejoindre la frontière tchèque au saillant d'Asch. L'agglomération berlinoise, divisée à l'origine en 4 secteurs d'occupation gérés en commun par le conseil des commandants alliés, est maintenant aussi divisée en deux : la partie W., avec Charlottenburg et Spandau, mais non Potsdam, forme une enclave de la Bundesrepublik tandis que la partie E. sert de capitale à la D. D. R.

Bien que les intérêts économiques aient joué un rôle important dans le découpage des zones d'occupation (1), la coupure de l'Allemagne, initialement prévue comme purement administrative, est géographiquement arbitraire. Cadre de l'évolution divergente de deux économies nationales de structure opposée, elle coupe à travers un corps organisé et rompt des liens traditionnels. Il est indispensable, pour comprendre l'état actuel, d'analyser ce traumatisme.

POPULATION ET SUPERFICIE DES DEUX ALLEMAGNES

	Superficie en km²	Population		Densité		Variation 1949/1938
		1948 (2)	%	1938	1948	
Bundesrepublik	245.400	47.000.000	69,1	160	192	120 %
Berlin (3)	900	3.300.000	4,9	4.778	3.667	77 –
Demokratische Republik	107.200	17.700.000	26	142	165	116 –

En gros, l'Allemagne orientale compte le quart de la population sur le tiers du territoire resté allemand. Sa densité de population, accrue dans les mêmes fortes proportions par l'arrivée de Volkdeutscher, reste légèrement inférieure à celle de l'Allemagne occidentale.

(1) L'insistance des Anglo-Saxons à s'installer au N.-W. de Berlin coïncide étrangement avec l'existence d'importantes usines d'appareillage électrique, appartenant à Siemens et, surtout, à l'A. E. G. dominée par la General Electric ; l'occupation momentanée de Ludwigshaffen par les troupes américaines en 1945 a permis la mainmise sur la plupart des brevets de L'I. G. Farben avant que les troupes françaises s'installent dans cette partie de leur zone.
(2) Dernière année pour laquelle existent des dénombrements simultanés.
(3) Y compris la zone soviétique de Berlin-Est.

Mais c'est surtout dans la répartition des ressources et des moyens de production que la différence est grande entre les deux Allemagnes.

Le tableau ci-dessous fait ressortir la part de chacune des deux Allemagnes actuelles dans la production globale de l'Allemagne d'avant guerre, et la diminution de puissance qui résulte de l'abandon des territoires de colonisation à l'E. de la ligne Oder-Neisse.

RÉPARTITION RÉGIONALE DE LA PRODUCTION ALLEMANDE AVANT-GUERRE (1)

	Bundes-republik	Demo-kratische Republik	Berlin	Régions rétrocédées	Total
	%	%	%	%	%
Production agricole (2)...	51	26		23	100
— industrielle (2)	61	24	9	6	100
Blé et seigle (3)..........	5,44	3,49		2,97	11,9
Orge et avoine (3)	4,71	2,66		2,59	9,96
Pommes de terre (3)	17,80	13,90		12,10	43,80
Viande (3)	1,91	0,61		0,79	3,31
Beurres et fromages (3) ..	0,38	0,12		0,16	0,66
Sucre raffiné (3)	0,52	0,76		0,34	1,62
Charbon (4)	84,1 (82)	3,2 (3)		22,5 (14)	109,8
Coke (4)	26,3	0,2		2,1	28,6
Lignite (4)	12,9 (38)	22,7 (55)		0,3 (6)	35,9
Energie hydro-électr. (4) .	3,8	0,3		0,8	4,3
Fonte (3)	14,8	0,2		0,3	15,3
Acier brut (3)	16,9	1,2		0,5	18,6
— fini (3)	15	1,4	0,1	0,5	17
Colorants (3)	0,45	0,08	0,03	0,01	0,57
Acide sulfurique (3)......	1,38	0,37	0,02	0,10	1,87
Soude (3)	0,38	0,34			0,72
Potasse (5)	0,25	0,30			0,55
Engrais azotés (6)	0,41	1,03			1,44
Coton filature (2)	79	17		4	100
— tissage (2)	79	14		7	100
Laine filature (2)	32	57		11	100
— tissage (2)	30	62		8	100
Machines outils	50	29	20	1	100
Industrie électrique......	39	12	48	1	100
Méc. de précision, optique	41	35	23	1	100
Céramique, verre	51	37	3	10	100
Industries chimiques.....	67	28	4	2	100
Papeterie...............	50	34		16	100
Chaussure	73	21	2	4	100

Les autres pourcentages relatifs à la production industrielle sont calculés sur le volume brut.

Données tirées du *Bull. écon. pour l'Europe de l'O. N. U.*, I, n° 3.

Bien que ce tableau ne tienne naturellement compte ni des destructions de guerre ni des implantations d'industries nouvelles dans le cadre de l'économie de guerre, il donne une idée d'ensemble de la structure économique des deux Allemagnes et des pertes subies à l'E. de la ligne Oder-Neisse.

(1) Année 1936.
(2) Pourcentage de l'équipement.
(3) En millions de tonnes.
(4) En millions de tonnes, équivalent en houille pour les sources d'énergie.
(5) En millions de tonnes, en potasse pure.
(6) En millions de tonnes, équivalent en azote.

A l'est de la ligne Oder-Neisse, les Allemands ont abandonné un territoire semi-colonial, où régnaient les Junkers et les trusts féodaux de la Silésie (Ballestrem, Schaffgotsch), resté relativement très peu industrialisé malgré des ressources en houille comparables à celles de la Ruhr. Le bassin charbonnier silésien sert maintenant de base énergétique principale au développement d'une économie harmonieuse en Pologne. La principale production des régions à l'est de la ligne Oder-Neisse était agricole (23 % de celle de toute l'Allemagne contre 6 % pour l'industrie) : céréales, blé, seigle, pomme de terre, viande, produits laitiers, sucre, étaient produits en excédent et vendus au reste de l'Allemagne par les Junkers, notamment à Berlin et à la Ruhr. Pour le blé et le seigle, les ventes atteignaient 1/3 de la récolte ; de même pour le beurre, le fromage, le sucre ; elles en représentaient encore 10 % pour l'orge et l'avoine. En dehors de l'extraction houillère, orientée vers la vente au dehors de charbon (10,9 millions de t., soit 40 %) et du coke (1,5 million de t., soit 70 %), surtout vers Berlin et la partie orientale du territoire allemand historique, les seules industries notoires étaient la papeterie, le textile (laine surtout), la céramique et verrerie. La puissance économique des grands konzerne n'a guère été touchée par cette perte. Par contre, Berlin et la République démocratique de l'Est dont les centres de consommation utilisaient la région à l'E. de la ligne Oder-Neisse comme base alimentaire et la Silésie comme source de charbon, doivent réorganiser leurs liaisons économiques régionales.

Le territoire de l'Allemagne orientale comporte un certain équilibre entre production agricole et industrielle, car il est beaucoup moins industrialisé que l'Ouest. Il manque de charbon, mais possède les plus grands gisements de lignite allemands, équipés d'industries chimiques puissantes pendant la guerre (essence synthétique notamment), mais les usines ont été, soit détruites par les bombardements, soit démontées par les Russes en tant qu'industries de guerre. Les gisements de sel gemme et de potasse sont importants, avec une production totale à peu près analogue à celle de la Bundesrepublik, ce qui assure un coefficient par tête 3 fois plus élevé. Mais l'industrie chimique se réduit à la grande industrie chimique minérale. L'essentiel des productions compliquées, notamment colorants et produits pharmaceutiques, reste l'apanage de l'Ouest. L'Allemagne orientale, en effet, exportait plus de la moitié de sa potasse (160.000 t.), la quasi-totalité de sa soude (280.000 t. sur 340.000) et une bonne proportion de son acide sulfurique (50.000 t. sur 370.000). La fabrication des engrais, également vendus au dehors, était sa principale branche d'industrie chimique. Par contre, dans la métallurgie, la situation était exactement l'inverse. Faute de bases de matières premières, la sidérurgie était des plus réduites, embryonnaire, mais l'industrie de transformation, au contraire, des plus développées, notamment dans l'agglomération berlinoise. Berlin concentrait 48 % de la construction électrique avec les grandes usines A. E. G. et Siemens, maintenant presque toutes dans le secteur occidental, 20 % de la production des machines-outils avec des usines dispersées dans toute la périphérie de l'agglomération et appartenant à divers konzerne de la Ruhr, 23 % de l'industrie mécanique de précision et de l'optique, 39 % de l'industrie du vêtement. Le territoire de la République démocratique présente des caractéristiques fort voisines avec les vieilles régions d'industrie de transformation de Saxe et de Thuringe. Sa place est prépondérante pour les machines textiles (54 %), importante pour l'optique, la mécanique de précision, la verrerie et la céramique, les machines-outils, le textile (de 30 à 37 % pour ces diverses branches). La production agricole, avec les régions rurales de moyenne propriété bien cultivées du nord-est de la zone hercynienne (Thuringe, Saxe) et les domaines des Junkers de Poméranie occidentale et de Mecklemburg, fournissait des excédents importants de blé et de seigle (850.000 t.), plus réduits d'orge, d'avoine, de pommes de terre et de sucre, absorbés en très grande partie par Berlin. Par contre, l'élevage était nettement déficitaire et la région, en dehors même de la consommation berlinoise, devait faire venir de la viande (15 % de sa consommation), du beurre et des fromages (40 %). L'agriculture était fondée sur les labours de manière trop prédominante pour permettre l'autonomie alimentaire.

La Bundesrepublik est caractérisée par la prédominance de la Ruhr, qui a fini par attirer sa capitale. Bien que la production agricole soit très développée sur son territoire, elle ne peut suffire à nourrir une population très dense et l'énorme région industrielle rhéno-westphalienne. C'est dans les produits de l'élevage que le déficit était le plus faible en 1936 (4,5 % de la viande et 5 % des produits laitiers), mais il était lourd pour les céréales panifiables (20 %), le sucre (30 %), l'orge et l'avoine (10 %). L'industrie dispose d'une énorme base charbonnière, parfaitement équipée, ce qui contraste avec la Silésie sous-exploitée. La sidérurgie permettait l'expédition de 2,4 millions de t. d'acier vers les autres régions allemandes et de 2,7 vers l'étranger. Elle servait de base à d'importantes industries de transformation (50 % des machines-outils, 39 % des constructions électriques, 41 % de la mécanique de précision, 44 % des machines textiles). La houille était à la base d'une puissante industrie de la céramique et du verre (51 %), des matériaux de construction (61 % des briqueteries), et, surtout, de l'industrie chimique diversifiée (67 % de toute la production chimique allemande). Les industries alimentaires (minoterie 62 %, margarine 81 %, alcools 58 %, sucre 46 %) et des biens de consommation (vêtement 39 %, textiles 58 %), attirées par l'énorme foyer de population de la Ruhr, avaient une place qui leur assurait une production par tête au moins égale à celle de la région orientale. La caractéristique essentielle de l'Allemagne de l'Ouest c'est la vigoureuse expansion industrielle, la diversité de la production.

Tandis que la perte des régions situées à l'est de la ligne Oder-Neisse a privé l'Allemagne d'un territoire semi-colonial sous-équipé, débouché de son industrie et fournisseur de matières premières (charbon, produits alimentaires), la division de l'espace historique du peuple allemand a produit un clivage entre l'Allemagne de l'Est, où manque l'industrie lourde (sauf l'industrie chimique) et l'Allemagne de l'Ouest, centrée sur la Ruhr, à la production industrielle hypertrophiée et diversifiée, qui se trouve être la patrie des principales concentrations financières et industrielles. Seuls, les grandes firmes de construction électrique sont installées principalement à Berlin, d'ailleurs dans les secteurs occidentaux surtout. La perte de la Silésie, par suite de son équipement insuffisant, n'a fait disparaître que des konzerne féodaux de deuxième grandeur. Le problème de la concentration économique, de par le découpage des zones, se pose essentiellement dans la Bundesrepublik.

b) *L'évolution de la structure capitaliste en Allemagne occidentale*. — La division de l'Allemagne en deux régions autonomes évoluant de manière divergente n'a guère gêné les plus grandes concentrations de puissance économique. Leurs principales installations se trouvent sur le territoire de la Bundesrepublik.

Dans le groupe des grands konzerne sidérurgiques et métallurgiques, la situation est la suivante : sur 14 konzerne existant en 1944, deux, installés essentiellement à l'E., ont disparu (Ballestrem et Schaffgotsch) ; un organisé autour des mines sarroises (Rœchling) échappe à la Bundesrepublik ; 3 ont subi des pertes sensibles : Stumm, qui possédait d'importantes installations en Sarre, est coupé en deux par la frontière douanière germano-sarroise, Flick et Reichwerke (ce dernier création d'État) ont été touchés par la perte d'usines situées à l'E. et par les démontages. Les autres groupes, en particulier tous les principaux, notamment les 7 grands konzerne de la Ruhr, n'ont subi que peu de dommages. La quasi-totalité de leur domaine industriel se trouve sur le territoire de la Bundesrepublik. Tels sont les Vereinigte Stahlwerke, Krupp, Haniel, Hœsch, Mannesmann, Otto, Wolf, Klöckner. Il en est de même de la société Ilseder Hütte, installée sur les gisements de la région de Peine, entre Hanovre et Brunswick.

Les grands groupes de l'industrie chimique ont été touchés par suite de l'importante base de matières premières perdue en Allemagne orientale. D'après leurs propres déclarations, fort intéressées il est vrai, ils auraient perdu 50 % de leur capacité de production. En fait, ce sont essentiellement des gisements de matières premières et quelques usines construites pendant la guerre, notamment pour la fabrication de l'essence synthétique, qui leur échappent. L'I. G. Farben, en particulier, est assez peu touchée : sa production massive de colorants et de produits pharmaceutiques se trouve essentiellement dans la Bundesrepublik. Les installations perdues étaient comptabilisées au bilan pour 14,3 % dans les territoires récupérés par la Pologne et pour 26,7 % pour ceux qui forment la République démocratique allemande. Il est essentiel de constater que ces pertes restent inférieures au montant des auto-investissements effectués pendant la guerre. Cette dernière se solde donc par un léger avantage : la valeur des installations restées dans la Bundesrepublik est égale à celle des investissements de 1938, accrus des investissements effectués par autofinancement en 1944 et 1945. Les sociétés productrices et transformatrices de potasse (Wintershall, Salzdetfurth) ont été plus touchées : 40 à 60 % de leurs puits sont perdus en République démocratique.

L'industrie des constructions électriques se trouve dans une situation difficile par suite de sa concentration dans la région berlinoise. Les deux groupes A. E. G. et Siemens sont les plus atteints : Siemens, en 1937, ne contrôlait que 17 % de la production du territoire de l'actuelle Bundesrepublik. Mais la plus grande partie de ses installations se trouve à Berlin-Ouest de sorte que la firme, comme A. E. G., a entrepris depuis plusieurs années déjà le transfert de ses biens en Bundesrepublik. A. E. G., par exemple, a racheté une forge à Krupp à Essen. Il en est de même de l'optique : Zeiss a ouvert de nouvelles usines à l'W... Bosch, par contre, dont la quasi-totalité des installations est en Bundesrepublik, n'a pas souffert. Il en est de même de Brown-Boveri A. G., filiale du groupe suisse, dont les usines sont à Mannheim.

Par suite de la différence considérable des investissements dans la Ruhr et en Silésie, la coupure de l'Allemagne ne s'est traduite, pour les trusts réfugiés à l'Ouest, que par des pertes somme toutes très limitées. Leur puissance actuelle a été peu diminuée dans l'ensemble par l'abandon de leurs installations situées en Allemagne de l'Est, de sorte qu'elle dépend directement des mesures prises par les Alliés occidentaux à leur égard.

Les décisions de Potsdam prévoyaient la suppression de certaines industries, orientées vers la production de guerre, la limitation de la production de matières susceptibles d'un emploi stratégique (acier, charbon, navires), la déconcentration industrielle. Ces décisions satisfaisaient de désir de sécurité, universel à l'époque, et même certains intérêts capitalistes occidentaux, notamment ceux des trusts concurrents de la production allemande (grande industrie chimique française, anglaise, américaine, sidérurgistes français et anglais). L'application des décisions de Potsdam se place principalement en 1945-1947. Depuis elle a été progressivement abandonnée. Les dernières restrictions (production d'avions, de bateaux de fort tonnage, d'explosifs, d'armement) ont été levées, soit officiellement, soit tacitement, à la suite des décisions d'intégration de l'Allemagne aux organisations « européennes » et atlantiques. L' « égalité des droits » *(Gleichberechtigung)*, que les konzerne ont réclamée, est effectivement réalisée sur le plan économique.

Les mesures décidées à Potsdam et ayant reçu un commencement d'application peuvent être résumées comme suit :

— *La limitation de la production allemande d'acier* à un niveau théorique de 7.500.000 t. et effectif de 5.800.000 t. pour les 4 zones. L'application de la mesure dépendait essentiellement des alliés occidentaux, la zone russe ne possédant guère d'aciéries. La limite fut rapidement atteinte, puis dépassée avec l'accord tacite des Alliés occidentaux. L'intégration de l'Allemagne de l'Ouest dans le dispositif occidental permit à la production d'atteindre à nouveau 11.000.000 de t., en 1950, et 13.500.000 t. en 1951.

— *Les démontages d'usines* devaient porter sur les usines d'armement, les usines fournissant des produits dont la production était interdite à l'Allemagne (caoutchouc et essence synthétiques), les usines représentant une capacité excédentaire par rapport au niveau de production autorisé (acier, certaines constructions mécaniques). Le matériel de ces usines devait être attribué aux Alliés au titre des réparations. A l'Est, les Russes effectuèrent un certain nombre de démontages en 1945-6 pour reconstruire leurs régions dévastées et fournir aux Polonais leur part de réparations. Mais certaines usines furent maintenues sur place, notamment des usines d'essence synthétique, et exploitées pour le compte de l'U. R. S. S. Les Alliés occidentaux dressèrent une liste de 850 usines en 1947, dont les plus importantes étaient situées dans la Ruhr. Dès 1948, les Américains suggérèrent une révision de la liste, d'où furent rayées 159 usines, dont 8 grandes aciéries de la Ruhr. Les démontages furent arrêtés en 1949. Leur bilan est maigre : la France a effectué, dans sa zone, au titre des réparations, le démontage d'usines diverses (textile, horlogerie, petite mécanique). Dans la Bizone, les usines d'armement furent touchées, mais les autres subsistèrent. Dans les aciéries, les conséquences des démontages ont été minimes : elles portèrent seulement sur du matériel amorti depuis longtemps dans la quasi-totalité des cas. Les usines d'essence et de caoutchouc synthétique, de produits chimiques, les chantiers navals s'en sortirent à peu près indemnes.

— *La déconcentration industrielle* a commencé par un séquestre des principales entreprises, puis par l'interdiction de principe des firmes employant plus de 10.000 ouvriers. Mais, dès 1947, l'administration des mines de charbon fut rendue aux Allemands, et, dans ce domaine, la seule autorité étrangère qui persista fut l'autorité internationale de la Ruhr, dont le rôle se limitait, en fait, à effectuer les répartitions de charbon entre les acheteurs. Elle prenait la succession du cartel obligatoire d'avant la défaite, avec une apparence internationale. Les intérêts allemands ne furent guère lésés : l'autorité toléra des prix de vente discriminatoires, les clients étrangers payant 4 DM la tonne de plus que les industriels allemands, sorte de subvention à l'industrie allemande rendue possible par la rareté de la houille. La seule mesure défavorable fut l'obligation, pour l'Allemagne, d'importer des charbons américains, plus chers que les siens, afin de maintenir ses exportations. Il est vrai qu'elle servait bien les intérêts des mines des U. S. A. Dans le domaine de la sidérurgie, on confia l'établissement des plans de décartélisation à M. Dinkelbach... ancien directeur financier des Vereinigte Stahlwerke. Le caractère technocratique de l'industrie allemande donne tout son sens à cette mesure. En 1950, la propriété des sociétés visées est rendue à l'Allemagne. Les konzerne sidérurgiques sont replacés sur un pied d'égalité absolue avec les entreprises similaires des autres pays : ils ne dépendent plus que de la loi nationale. L'I. G. Farben avait été spécialement visée par les mesures de décartellisation. On décida la libération des filiales non intégrées et la division du trust en trois tronçons : Badische Anilin, Leverkusen et Höchst. Mais la structure technocratique de la société, le retour au droit allemand, l'essor de la production font de cette réforme une modification purement formelle. Les liens subsistent entre les trois tronçons, qu'il est bien difficile de distinguer de branches purement administratives. L'organisation de l'I. G. Farben avant 1945 reposait, en effet, sur le principe de la « déconcentration centralisée » et on avait commencé de mettre en place 8 groupes régionaux formés des usines d'un même ensemble géographique autour d'une usine pilote. En somme, la déconcentration amorcée par les Alliés a abouti, sur le plan de l'organisation, à achever le programme prévu par les techniciens de l'I. G. Farben en réduisant le nombre des branches de 8 à 3. Dans les banques, on a décidé, en accord avec le gouvernement de Bonn, de remplacer les 30 banques qui avaient succédé aux 3 D-Banken (Deutsche Bank, Dresdner Bank, Commerzbank) par 9 banques régionales. Cette mesure arrête la politique de déconcentration. En effet, en 1946, on avait interdit aux banques d'exercer une activité en dehors du Land où se trouvait leur siège, ce qui avait disloqué, en fait, les 3 D-Banken. Mais ces dernières n'ont jamais été dissoutes et conservent la gestion de leurs participations mais sans avoir le droit d'en acquérir d'autres. La création des 9 banques régionales lève pratiquement cette interdiction car elles ont le droit d'acquérir des participations et ne sont que des filiales des 3 D-Banken. En effet, les actionnaires des D-Banken reçurent une action des banques régionales pour un titre d'une ancienne D-Bank. Les conseils d'administration étant les mêmes, ces sociétés légalement distinctes sont en fait confondues.

Si l'on fait le bilan des modifications de structure provoquées par la guerre et l'occupation, on constate qu'il se résume à peu de chose en Allemagne occidentale. Les destructions de guerre ont été réduites : les bombardements alliés ont porté essentiellement sur les quartiers de résidence, sur le centre historique et monumental des villes. Le centre de Frankfort a été rasé, la maison de Goethe, le Romer, détruits mais le port, à 1 km., et les immenses bâtiments du siège de l'I. G. Farben sont intacts. Et l'exemple n'est pas isolé. Dans l'ensemble, les destructions de guerre dans le domaine industriel sont réduites, bien inférieures aux investissements effectués pendant la guerre elle-même sous l'effet des besoins militaires et grâce aux énormes bénéfices. Dans la plupart des cas, les sociétés ont pu compenser largement, et au delà, les pertes dues aux destructions par les réserves accumulées pendant la période nazie. C'est pourquoi, lors de la réforme monétaire, le taux de conversion de leur capital fut toujours plus élevé que le taux de conversion des billets. Tandis qu'on échangeait les billets sur la base de 1 DM contre 10 RM, rares sont les sociétés qui ont converti le nominal de leurs actions à un taux inférieur à 1 DM de capital nouveau pour 2,5 RM de capital ancien. Les konzerne ont presque tous converti sur la base 1/1, les sociétés moyennes 1/2. Pratiquement, l'opération revient à une élévation du nominal.

Les puissances occupantes ont peu contrarié cette consolidation financière de l'industrie de l'Allemagne occidentale. Les directions des konzerne ont été généralement laissées en place. Les chefs d'entreprise les plus compromis dans les responsabilités de la guerre, certains ayant comparu devant le tribunal de Nuremberg, ont été remplacés par leurs collaborateurs immédiats, techniciens qui n'avaient pas eu d'influence visible dans les événements de 1939-1945. Un exemple est fourni par le rôle joué par Dinkelberg dans le domaine des industries sidérurgiques. Depuis, les libérations conditionnelles et l'amnistie ayant joué, la plupart des chefs d'industrie du IIIe Reich ont repris leurs postes de commande. Krupp dirige à nouveau ses usines dont la structure a été à peine modifiée : division en deux branches attribuées l'une à sa sœur, l'autre à lui-même. Une indemnité de 30 millions de DM lui a été versée par le gouvernement fédéral en compensation des démontages effectués après 1945. Les aciéries Thyssen, qui ont le plus souffert des démontages, reprennent leur production en 1951. Les journaux financiers signalent à ce propos qu'elles « offrent des possibilités de développement exceptionnellement favorables, la dépense à envisager n'étant que de 160 DM par tonne de production d'acier par an, au lieu de 500 DM dans les autres cas » (1). Tout se passe donc comme si, dans certains cas au moins, les démontages s'étaient confondus avec une révision et une rationalisation des installations de production.

La restauration actuellement achevée, la Bundesrepublik est l'héritière de la structure économique de l'Allemagne d'avant guerre. Les grandes concentrations financières y ont mis à profit la période troublée de l'après-guerre pour renforcer leur puissance. Les limitations temporaires de production ont gêné surtout les petites entreprises. La réforme monétaire a ruiné les classes moyennes, qui, au surplus, avaient souvent perdu une grande partie de leurs biens par suite de la guerre. Par contre, elle n'a pas touché les entreprises dont la fortune consistait en biens de production ou en marchandises stockées en vue du marché noir. Les taux de conversion le mettent en évidence. Il en est résulté une accentuation de la concentration de la richesse

(1) *Vie française*, 25-5-51.

et des contrastes sociaux. Petits fonctionnaires, retraités, ouvriers non qualifiés forment une masse, évaluée à 18.000.000 de personnes, qui vit dans la misère, en dessous du simple niveau de subsistance. Les 7,8 millions de réfugiés recensés en 1950 pèsent sur le marché du travail et, grâce à une masse de chômeurs qui a toujours dépassé le million (1.582.000 en 1950, moyenne annuelle ; 1.050.000 fin septembre 1952), permettent de comprimer les salaires alors que l'inflation modérée provoque une hausse des prix. Conjoncture favorable à l'autofinancement : *L'Economist* (1) calcule qu'en 1951, 25 % du revenu national brut est allé aux investissements contre 16 % en Grande-Bretagne et que 2,5 % de ce revenu représentent des investissements nets à l'étranger. L'Allemagne est devenue à nouveau exportatrice de capitaux, situation qu'elle n'avait connue que sous le Reich Wilhelmien. Or, l'autofinancement et les investissements profitent surtout aux plus grosses entreprises. Ils accentuent la concentration. Dans l'ensemble, la place des konzerne dans la Bundesrepublik actuelle est supérieure à celle qu'ils avaient dans l'Allemagne nazie :

PART DES KONZERNE DANS LA PRODUCTION DE LA BUNDESREPUBLIK

Houille (10)	53	% (V. St. 19 %)	1950
Coke (10)	64	– (V. St. 23 –)	1950
Fonte (capacité) (10)	93	– (V. St. 44 –)	1949-50
Acier (capacité) (10)	97	– (V. St. 42 –)	1949-50
Goudron (10)	60	– (V. St. 21 –)	1948
Benzol (10)	60	– (V. St. 6 –)	1948
Azote (10)	23	– (V. St. 30 –)	1948
Carb. synthèse *(x)*	72	– 1948	
Distrib. gaz *(x')*	64	– 1948	
Ind. mécan. (10)	20	– main d'œuvre	
Autos tour. (4 + 3 + 3)	98,5	– 1950	
— camions (4 + 3)	79,7	– 1950	
Tracteurs (3)	43	– 1950	
Cars (4)	61,5	– 1950	
	95	– main d'œuvre	
Textiles artif. (3) .... {	66	– (V. G. 29 %, I. G. 25 %)	1943
	85,4	– (V. G. 41 %, I. G. 14 %)	1950
Explosifs ind. .... {	30.000 t. (I. G. Farben)	1943	
	40.000 t. (I. G. Farben)	1950	
Colorants (capacité) .... {	80.000 t. (I. G. Farben)	1943	
	68.000 t. (I. G. Farben)	1950	
Navigation Rh. (10 + 3) .... {	66 % remorquage	1949	
	56 – chalands	1949	

Entre parenthèses : nombre de groupes. L'indication 10 correspond aux 10 grands konzerne métallurgiques de la Bundesrepublik. Pour les voitures, on retrouve 4 de ces 10 konzerne et 3 sociétés d'État. Pour les cars, il est question de ces 4 konzerne, pour la navigation, des 10 konzerne et de 3 entreprises mixtes. La part des Vereinigte Stahlwerke a été indiquée entre parenthèses (V. St.). V. G. indique la part des Vereinigte Glanzstoff. *x* : société Ruhrchemie, filiale des 10 konzerne, *x'* : société Ruhrgas, id.

(1) *The Economist*, 18-10-52.

Si l'économie de la Bundesrepublik garde, même légèrement accentués, les caractères de concentration de celle du Reich hitlérien, un trait de structure nouveau s'y développe : la pénétration des capitaux étrangers.

Jusqu'en 1918, les capitaux étrangers n'avaient en Allemagne qu'une place réduite, revêtant le caractère banal des interpénétrations financières supranationales propre à l'économie capitaliste. C'est ainsi que le groupe luxembourgeois A. R. B. E. D. possédait des mines de charbon dans la Ruhr, de même que le groupe français de Wendel (production 3.000.000 de t. environ en 1951), que la General Electric avait acquis des actions de l'A. E. G., que diverses filiales de trusts étrangers existaient en Allemagne. Une première poussée de colonisation eut lieu lors de la crise monétaire de 1922-1923. Les prêts effectués par les groupes bancaires anglo-américains au gouvernement allemand (obligations Dawes et Young), se complétèrent par des investissements privés, surtout américains. C'est alors que la General Electric prit le contrôle de l'A. E. G. (environ 1/3 des actions), que la General Motors acquit celui d'Opel, que s'allièrent par échange de paquets d'actions l'Algemeene Kunstzijde Unie et les Vereinigte Glänzstoff, que les trusts chimiques internationaux tentèrent une entrée dans l'I. G. Farben. Par le jeu des créances contractées à l'égard des banques américaines, le konzern Stinnes, adhérent des Vereinigte Stahlwerke, a été récemment déclaré société étrangère. Les origines de cette transformation remontent à la crise de l'entre-deux guerres.

Mais c'est surtout depuis la défaite que le capital étranger a pris pied dans la Bundesrepublik. Les Américains ont financé la remise en marche de son économie dès le début de leur occupation, puis l'ont incluse dans le Plan Marshall et dans les organismes qui lui ont succédé. Les garanties politiques dont ils jouissent en Allemagne occidentale, les nombreux liens de parenté qui unissent dirigeants américains d'origine allemande et Allemands, l'appât de bonnes affaires (l'industrie allemande étant supérieurement équipée) ont incité les grandes banques des U. S. A. à pénétrer dans l'économie allemande. La structure très concentrée a d'ailleurs favorisé ce genre d'opérations.

A l'heure actuelle, les intérêts étrangers ont une place appréciable dans la Bundesrepublik. Ils consistent en participations traditionnelles, retrouvées après séquestre, et en investissements nouveaux, surtout américains. Tandis que pendant l'entre-deux-guerres, les prêts étrangers à l'Allemagne se sont montés à 35 milliards de RM, ceux de l'Amérique (Garioa et Erp) atteignaient déjà, en 1950, la somme de 15 milliards de DM. Comme dans les autres pays, une grande partie de ces crédits a été accordée à des firmes pour leur reconstruction ou leur extension et a eu pour contrepartie leur contrôle partiel par les intérêts américains, soit sous forme d'option sur le capital, comme le konzern Stinnes à la suite des prêts de l'entre-deux guerres, soit sous celle de contrats commerciaux assurant des privilèges aux bailleurs de fonds. Les participations directes recensées en 1951 par le Deutsches

Wirtschaftsinstitut de Berlin (1) se montaient à 2 milliards 219 millions de DM, soit environ 15 % du capital total des sociétés ouest-allemandes, évalué à 17,87 milliards de DM. Elles touchaient 561 sociétés par actions sur 2.241, mais surtout les plus grosses. Le capital total des sociétés partiellement ou totalement contrôlées par l'étranger se montait à près de la moitié de celui des sociétés anonymes de la Bundesrepublik.

Divers recoupements permettent d'estimer les participations probables, bien que non officiellement connues, à un minimum de 800 millions de DM, soit, au total, environ 3 milliards de DM de capital étranger. Ce serait donc presque 1/5 des investissements. Il est à noter que le rythme des investissements étrangers en Allemagne s'est accéléré depuis 1951 avec la prospérité de l'industrie allemande et le réinvestissement sur place des bénéfices. Enfin, il faut ajouter à cette influence directe le contrôle indirect de diverses sociétés, filiales des groupes où les intérêts étrangers sont majoritaires. L'enchevêtrement des liens financiers multiplie les cas de ce genre, de même que le jeu des institutions permet aisément le contrôle des sociétés anonymes par des groupes ne possédant pas la majorité absolue des actions.

Les intérêts étrangers sont de nationalités diverses. En tête viennent les U. S. A., avec un peu moins du 1/3 du total, puis la Grande-Bretagne, avec le 1/5. La Suisse, puis les Pays-Bas et la France suivent à quelque distance (10 à 14 %). La part de la Belgique est encore considérable (7 %), suivie de loin par la Suède, puis viennent un certain nombre de pays divers dont la participation est négligeable.

PRINCIPAUX PAYS POSSÉDANT DES PARTICIPATIONS DANS L'ÉCONOMIE ALLEMANDE (1951)

	Participations				Influence (2)			
	Directes		Indirectes		Sûre	Probable	Total	%
	Sûres	Probables	Sûres	Probables				
U. S. A.	684	216	320	130	1.004	346	1.350	31,4
Grande - Bretagne	458	117	159	56	617	173	790	18,3
Suisse...........	306	194	91	29	397	223	620	14,4
Pays-Bas........	248	102	195	70	443	172	615	14,1
France..........	201	74	116	39	317	113	430	10
Belgique........	184	51	55	15	239	66	305	7,1
Suède..........	104	16	11	4	115	20	135	3,1
Divers	34	11	5	5	39	16	55	1,3
Totaux.....	2.219	781	952	348	3.171	1.129	4.300	

La pénétration du capital étranger s'éparpille en un très grand nombre de branches, où elle n'a d'ailleurs qu'une place très secondaire. Mais les efforts ont été particulièrement vigoureux pour dominer, ou tout au moins acquérir, une position solide dans quelques industries particulières : industrie pétrolière, alimentation, industrie chimique, constructions électriques, charbonnages et production d'énergie, constructions de machines et textiles artificiels.

(1) *Ausländische Beteiligungen an westdeutschen Unternehmungen*, Berlin, 1951. Le chiffre de 683 millions de DM donné pour les participations américaines officielles s'est trouvé pratiquement corroboré par le rapport de la Commission germano-américaine pour les investissements privés, qui indique 675 millions de DM.

(2) Montant total des capitaux des firmes contrôlées par les capitaux étrangers (participation supérieure à 50 %, soit directe, soit indirecte, par voie de filiales). En millions de DM.

ÉCONOMIES NATIONALES D'ORGANISATION CAPITALISTE

PÉNÉTRATION DES CAPITAUX ÉTRANGERS PAR BRANCHES INDUSTRIELLES (1)

	Total inv.	%	U. S. A.	G.-B.	Suisse	P.-B.	France	Belgique	Suède
Pétrole	375	11,8	20,5	26,1		1,5			
Ind. alimentaire...	361	11,4	7,6	31,9	18,7	2,1			
— chimique	328	10,3	4,5	9,6	21,8	3,9	4,4	40,5	1,8
— électrotech...	273	8,6	8,7	2,3	9,9	5,7	31,3	1,6	2,6
Charbonnages.....	230	7,25	8			3,8	37,2		
Constr. mécan.....	225	7,11	9,7	2,8	1,8		8,6	7,5	
Product. d'énergie.	200	6,3	1,1	2,4	16,3	8		21,1	61,8
Textile artificiel...	190	6		2	1	34	7,2		
Métaux non ferreux	89,6	2,8			14,2				
Optique	86,6	2,7	8,2						
Construction véhic.	152	4,8	12			2,9		6,7	
Industrie textile...	99	3,1		3		5,7	1,2		
Sidérurgie	73	2,3		1,3	9,9	12,5			1,9
Banques	55	1,7	2,2	1,9		3,8			1,7
Industrie du verre .	46,5	1,5					1,5	15	
Potasse..........	38,3	1,2				8		1	

L'industrie pétrolière est le domaine bien connu des grands trusts internationaux. Tenus en échec par l'I. G. Farben productrice d'essence synthétique, ils se sont jetés sur l'Allemagne dès la défaite. Les intérêts américains (Standard Oil), possèdent le 1/4 des capitaux de cette industrie et en contrôlent en fait le 1/3. Les Britanniques (Shell, Anglo-Iranian) possèdent également le 1/4 des capitaux. Les grandes raffineries et les réseaux de distribution sont aux mains de l'étranger, en dehors de la production de l'essence synthétique et des firmes raffinant et vendant le carburant produit en Allemagne même. Parmi ces dernières, la principale, Wintershall (trust de la potasse) a d'ailleurs une participation étrangère.

L'industrie alimentaire, importatrice de grosses quantités de denrées, est fortement dominée par le capital étranger, qui détient une position-clef dans certaines spécialités. Telle est l'industrie des corps gras, aux mains du trust anglo-néerlandais Unilever (margarine, huiles, savons), des chocolats (Sarotti, filiale du trust helvéto-américain *Nestlé-Unilac*), du lait et des aliments hygiéniques (*Nestlé* et sa filiale *Maggi*). Les intérêts suisses sont également importants dans l'industrie du tabac.

L'industrie chimique, où le rôle des grands trusts internationaux est primordial, subit également une forte pénétration, facilitée par la défaite. Ces visées étrangères expliquent le procès de l'I. G. Farben à Nuremberg, mais restent contenues par la puissance du grand konzern. Elles consistent surtout en pénétrations dans des domaines marginaux : les Suisses, avec Ciba, Roche, Sandoz, Hoffmann, ont acquis de gros intérêts dans l'I. G. Farben et contrôlent des filiales spécialisées. Les Britanniques ont aussi renforcé leur participation à l'I. G. Farben. A la suite de la restitution, notamment à Kuhlmann, à Saint-Gobain et aux matières colorantes de Saint-Denis, des avoirs-acquis par l'I. G. Farben sous la forme de la création de Francolor, ces sociétés ont pris un pied solide dans le grand konzern. Les Belges sont à la tête des participations Solvay. On les retrouve avec Saint-Gobain dans l'industrie du verre, et les Néerlandais dans la potasse (Wintershall).

Les industries mécaniques et électrotechniques sont aussi contrôlées par l'étranger pour une part importante : A. E. G. *Opel*, *Ford*, par les Américains, des firmes spécialisées dans la construction des machines par les Anglais, l'horlogerie par les Suisses.

(1) N'a été prise en considération que l'influence certaine. Pour chaque pays, les pourcentages afférents à chaque branches ont été calculés par rapport aux investissements totaux du pays. Les pourcentages inférieurs à 1 n'ont pas été reportés dans le tableau.

Les divers pays ont, dans une certaine mesure, spécialisé leurs investissements, en rapport avec leur position économique mondiale et leur structure. Les Américains, puissance dominante, recherchent le contrôle des grands konzerne de l'industrie allemande. Il est déjà assez développé pour qu'on puisse parler d'une alliance entre capitalisme allemand et américain, comparable à celle qui existe entre Grande-Bretagne et Pays-Bas. Ce fait économique se traduit directement sur le plan politique, la volonté d'expansion des konzerne allemands étant mise à profit par les États-Unis et l'Allemagne jouissant d'une position prioritaire par rapport aux alliés d'Europe occidentale. La Grande-Bretagne s'est acquis des positions solides dans la distribution des matières premières mondiales qu'elle vend : industrie pétrolière, métaux secondaires, caoutchouc, alimentation, complétées par quelques investissements dans les industries chimiques, mécaniques et automobile (Borgward). La Suisse est représentée par ses grands trusts : alimentation, produits chimiques, textiles, horlogerie, production d'énergie, constructions mécaniques. Les Pays-Bas se sont spécialisés dans les textiles artificiels, avec une union organique entre leur grand trust Algemeene-Kunstzijde Unie et les Vereinigte Glanzstoff du groupe Bemberg. En dehors de cela, ils contrôlent des sources de matières premières utiles à leur pays : charbon, lignite, potasse, production d'électricité. La Suède est présente essentiellement dans l'industrie des allumettes, la Belgique dans les industries chimiques (Solvay), dans celle du verre et dans la production d'électricité. La France a d'importantes positions charbonnières dans la Ruhr (de Wendel, Longwy, Pont-à-Mousson, Schneider) et des participations éparpillées dans diverses branches, surtout l'industrie électrotechnique. En 1952, un consortium dominé par Sidélor, de Wendel et Châtillon-Commentry a acquis 60 % du capital de l'Harpener Bergbau cédé par le groupe Flick pour 15 milliards de francs en échange de participations dans des sociétés françaises, sarroises et belges. La part de la production française de houille dans la Ruhr passe ainsi de 7 à 10-11 %. Une différence essentielle sépare donc les participations des États-Unis et celles des autres pays étrangers. Tandis que ces derniers s'intéressent uniquement d'une part aux matières premières dont manque leur industrie et d'autre part à des spécialités pour lesquelles leur position mondiale est particulièrement forte, les États-Unis pratiquent une politique de pénétration systématique dans toutes les branches, en sélectionnant seulement les entreprises. Par l'intermédiaire du grand capital bancaire, ils ne prennent pied que dans des firmes importantes, bien placées, possédant des positions-clef à l'intérieur des konzerne ou des cartels. Ainsi, la main mise sur le konzern Stinnes leur ouvre un accès aux Vereinigte Stahlwerke. On s'explique dès lors que la déconcentration de cet énorme groupe se réduise à bien peu de chose. Cette participation, minoritaire, est cependant suffisante pour orienter toute la politique du konzern, cette dernière ne pouvant prati-

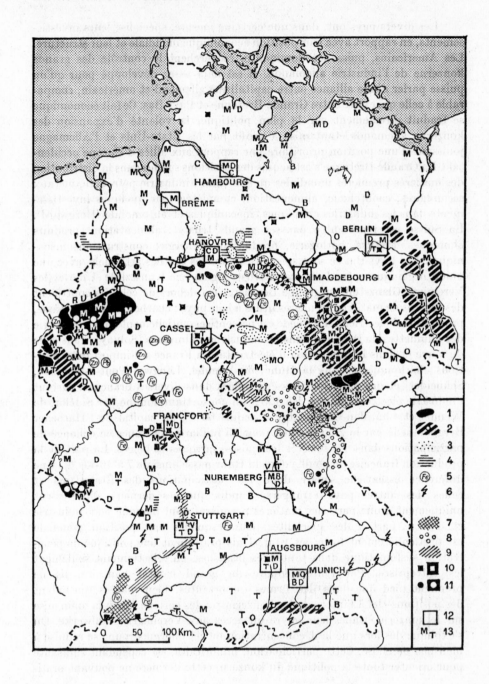

quement pas être opposée ouvertement à la volonté d'un des groupes participants. Un véritable noyautage de l'économie allemande est ainsi en cours, rendu particulièrement facile par la structure très concentrée de cette économie et par le caractère essentiellement financier, beaucoup plus qu'industriel, de l'expansion américaine. Cette dernière s'effectue par les grandes banques, notamment la Banque Oppenheimer, dont le propriétaire, Pferdmenges, est à la fois gérant des intérêts étrangers, américains, britanniques et français, et le conseiller du chancelier Adenauer. On comprend dès lors que l'économique guide le politique.

La nouvelle politique allemande des puissances atlantiques permet aux konzerne allemands de remettre en marche leurs installations d'industrie lourde et de fabrication d'armement. D'importants capitaux américains sont investis dans ces entreprises. Les dirigeants économiques de l'Allemagne occidentale comptent sur l'abaissement des barrières douanières et sur le développement des institutions du type de la communauté européenne du charbon et de l'acier pour élargir leur marché. Ils sont en effet favorisés en la circonstance par la puissance de leur équipement qui leur assure des prix de revient inférieurs à ceux de leurs concurrents.

L'économie allemande. — Tel qu'il résulte des accords internationaux (Yalta et Potsdam), le territoire actuel de l'Allemagne se trouve, en fait, coupé en trois tronçons économiques différents :

— La République fédérale allemande, capitale Bonn, avec 245.770 km² et 47.612.000 hab. (1950), qui continue d'évoluer dans les cadres de la structure capitaliste particulièrement concentrée et technocratique du IIIᵉ Reich.

— La République démocratique allemande, avec 108.000 km² et un peu plus de 20.000.000 d'habitants, qui s'est érigée en État à la suite de la formation de la République fédérale allemande et qui évolue vers une économie planifiée de structure socialiste, comparable à celle des pays de Démocratie populaire.

— La Sarre, enfin, qui est englobée dans les frontières douanières françaises, où elle forme un territoire politiquement autonome. Elle est revendiquée par le gouvernement de Bonn au même titre que les territoires perdus à l'E. de l'Oder. Elle couvre 2.325 km² seulement et possède 850.000 hab.

← Fɪɢ. 36. — **L'industrie allemande**
D'après les documents du V. E. B. Bibliographisches Institut de Leipzig

1. Bassins houillers. — 2. Bassins de lignite et centres principaux d'extraction. — 3. Bassins de potasse et de sel. — 4. Champs de pétrole. — 5. Gisements de métaux. — 6. Centrales hydro-électriques. — 7. Régions d'industrie textile diffuse. — 8. Régions d'industrie diffuse : porcelaine, verrerie, jouets. — 9. Régions d'industrie diffuse : mécanique, horlogerie. — 10. Industries chimiques. — 11. Sidérurgie. — 12. Grande ville industrielle. Dans le carré sont figurés les signes correspondant aux principales branches industrielles représentées. — 13. Centres industriels : B, bois ; C, caoutchouc ; D, industries de biens de consommation diverses : alimentation, arts graphiques, papeterie, cuirs, chaussure, etc. ; M, industries mécaniques ; O, optique et mécanique de précision ; T, textile ; V, verrerie et industries céramiques.

II. — LA RÉPUBLIQUE FÉDÉRALE ALLEMANDE

Nous avons déjà analysé, en la prenant comme type d'une économie capitaliste particulièrement évoluée, la structure économique de l'Allemagne. Aussi pouvons-nous commencer dès maintenant l'étude de ses aspects géographiques.

A) Les bases de l'économie ouest-allemande

Le découpage des zones d'occupation a englobé dans le territoire actuel de la République fédérale (Bundesrepublik Deutschlands) le territoire le plus riche en matières premières, le plus peuplé, le plus aisé à cultiver. Telles sont les bases solides de la rapide renaissance de l'Allemagne occidentale, bien que ce soit une tête coupée récemment de son corps, à l'instar de l'Autriche de 1919.

1° Les matières premières minérales et l'industrie extractive.

Dans ce domaine, l'économie de la République fédérale est caractérisée par de grandes richesses mais peu variées et par un équipement très poussé qui permet, de longue date, d'en tirer le maximum de profit.

Les industries extractives emploient, en Allemagne de l'Ouest, plus d'un million de personnes (4,7 % de la population active). Seule la Grande-Bretagne dépasse ce chiffre en Europe. Mais, comme dans ce dernier pays, les mines de houille jouent un rôle très prépondérant.

La *houille* est, de beaucoup, la principale richesse. La République fédérale est particulièrement favorisée dans ce domaine : elle possède la Ruhr.

Les réserves du territoire délimité par les Alliés en 1945 et soumis à l'autorité de contrôle internationale, se montent à 43.350.000.000 de t., sur une superficie de 7.600 km². Les réserves probables sont de la même importance. C'est, avec la Silésie, l'essentiel des réserves européennes. Les couches présentent d'assez grandes facilités d'exploitation, bien supérieures à celles des autres bassins d'Europe occidentale. Elles sont peu profondes. Dans le sud du bassin, on exploite à une profondeur maxima de 300-350 m., dans le nord, de 1.000 m. mais le fond du gisement n'est pas atteint au nord de la Ruhr. Les couches descendent plus profond et plongent lentement sous le Bassin de Münster, assurant d'importantes réserves « probables ».

L'extraction est assurée pour près d'un millénaire... De plus, le gisement est varié. On a recensé 10 veines de charbon anthraciteux, 55 de charbon flambant donnant des gaz abondants (parfois plus de 50 %), 57 de charbon gras et de charbon à forge. La Ruhr est apte aussi bien à fournir des houilles industrielles que des charbons domestiques. Les excellents charbons à coke, fournissant à la fois les matières premières de la métallurgie et celles de l'industrie chimique organique, abondent. Notons enfin que la profondeur relativement faible des couches actuellement exploitées et l'épaisseur relativement considérable des veines placent la Ruhr dans des conditions très favorables par rapport aux autres bassins houillers de l'Europe occidentale, notamment ceux des partenaires du Plan Schumann. Toutefois, les conditions d'extraction restent bien moins bonnes que celles des grands gisements américains et soviétiques, ou même que celles de la Silésie. La primauté de la Ruhr dans le IIIe Reich tenait à des conditions historiques et non à des facteurs géologiques.

Patrie des grandes concentrations, la Ruhr a été puissamment équipée. A l'instar de la structure financière, la structure géographique de la production est très concentrée. En 1949, année de production médiocre, 27 sièges extrayaient plus de 1.000.000 de t. et 63 entre 500.000 et 1 million. Le très gros puits est la règle. Sauf dans les grandes villes minières, on ne compte généralement qu'un siège par localité.

Certaines villes extraient, à elles seules, plus qu'un de nos bassins houillers entier. Ce sont celles qui ont, par exception, plusieurs sièges :

Essen	11.300.000 t.	Gelsenkirchen	7.070.000 t.
Bochum	9.400.000 t.	Oberhausen	4.200.000 t.
Dortmund	8.040.000 t.		

Encore s'agit-il de 1949, année pendant laquelle la production n'a atteint que 105.000.000 de t., pour l'Allemagne occidentale, contre 138,5 millions en 1938. A côté de ces grosses exploitations, propriété des concentrations financières et industrielles, on trouve encore une poussière de petites entreprises, qui, exploitant les gisements médiocres, à demi épuisés, dédaignés par les grosses sociétés, particulièrement nombreux dans la S. de la Ruhr.

CONCENTRATION DES ENTREPRISES CHARBONNIÈRES DE LA RUHR (1949)

Production des compagnies	% du nombre	% de la production
Plus de 10.000.000 de t.	Gelsenkirchner Bergwerks (1)	21
De 5 à 10 millions de t.	2	19,5
— 2 à 5 —	11	35
— 1 à 2 —	11	14
— 0,5 à 1 —	14,5	10,5
— 0,2 à 0,5 —	11	3,5
Moins de 0,2 —	49,5	0,5

Cette concentration géographique se retrouve à l'échelle de la République fédérale. En 1949, la Ruhr a fourni 92 % de la production totale de houille. Le reste est extrait de deux petits bassins, celui d'Aix-la-Chapelle, à la frontière belge, prolongement du Bassin de Liége (6 %) et celui de Basse-Saxe (2 %), avec Obernkirchen et Ibbenbüren. Dans le Bassin d'Aix-la-Chapelle dominent les sièges moyens (400.000 t. à 1 million), dans celui de Basse-Saxe, les mines domaniales.

Le *lignite* se présente dans des conditions analogues. Les gisements

(1) A noter que ces compagnies minières sont, pour toutes les plus grosses, intégrées aux konzerne, comme la Gelsenkirchner Bergwerks A. G. (Vereinigte Stahlwerke). La part des compagnies indépendantes atteint moins de 5 % de la production totale.

— 327 —

inclus dans l'Allemagne de l'Ouest (un peu moins de la moitié), sont massifs et supérieurement équipés. Ils jalonnent les bassins à remblaiement détritique tertiaire, principalement celui de Cologne, qui concentre 81 % de la production. Très voisin de la Ruhr, sa mise en valeur a été effectuée en liaison avec celle du bassin houiller. Tandis que le charbon est réservé aux usages industriels où il est indispensable, le lignite sert d'une part à la fabrication de briquettes pour le chauffage domestique, d'autre part à la production d'électricité thermique. Ce dernier emploi domine dans le Bassin de Cologne, proche de l'énorme foyer industriel rhéno-westphalien. Les petits Bassins de Basse-Saxe (environs de Göttingen et de Hanovre, 10 % de la production), de Hesse (N.-E. de Francfort, 3,7 %) et de Bavière (Piémont alpin oriental, abords du Massif de Bohême, 4,7 %) fournissent surtout des briquettes dont la production est entièrement cartellisée. L'extraction se présente dans des conditions particulièrement favorables : les couches sont peu profondes et recouvertes seulement par des terrains meubles généralement sablo-argileux. On les déblaie à l'excavateur et on exploite avec des pelles mécaniques à l'air libre, en immenses amphithéâtres. Le faible pouvoir calorifique (1/3 de celui du charbon anthraciteux) est compensé par le bas prix de revient. La cartellisation et la discipline de consommation, qui ont fait de la briquette un véritable combustible national, ont permis au lignite d'acquérir une position de premier plan dans l'industrie allemande, comme source d'énergie électrique, comme combustible de remplacement, et, depuis la politique d'autarcie, comme matière première de l'industrie chimique (carburants synthétiques), mais cette dernière utilisation est médiocrement poussée en Allemagne de l'Ouest, les principales installations se trouvant sur le territoire de l'Allemagne orientale.

La troisième grande richesse minérale de la République fédérale est constituée par les sels, *sels de potasse* et *sel gemme*, généralement associés comme en Alsace. Les gisements ne sont situés qu'à peine pour moitié sur son territoire, mais leur richesse exceptionnelle laisse à la B. R. D. de larges excédents exportables. Ils sont situés dans les puissantes couches d'évaporites du Permien, à faciès Zechstein de l'Allemagne du Nord. Souvent, un mécanisme diapirique a fait remonter les couches salines près de la surface, ce qui en facilite l'exploitation. Cette dernière se concentre aux abords de la frontière intérieure de l'Allemagne. La région de Hanovre, le pied septentrional du Harz, moindrement la Haute-Weser possèdent les principaux gisements. Le sel est également exploité depuis le Moyen Age à Lüneburg, mais les gisements profonds du Schleswig-Holstein restent encore inutilisés. L'industrie chimique lourde (engrais, carbonate de soude, production d'acide sulfurique à partir du gypse) tire grand profit de ces gisements d'évaporites puissants.

En dehors de la houille, du lignite et des sels, l'Allemagne ne possède que des gisements de matières premières médiocres, insuffisants pour couvrir ses besoins nationaux. Pour ce qui est des *métaux*, le Harz et le Massif Schisteux rhénan, exploités depuis longtemps, n'ont plus de filons riches. On y produit un peu de cuivre, de plomb, d'étain, à peine plus abondants qu'en France. Le minerai de fer est rare et médiocre. Les gisements de la Ruhr sont pratiquement épuisés. Ceux du Massif Schisteux (Siegerland, vallée de la Lahn) sont d'extraction difficile, ceux de Basse-Saxe (région de Salzgitter), dans les couches jurassiques, sont pauvres (20-30 %), peu épais, et fortement plissés. Leur exploitation avait été entreprise pour les besoins de l'armement par les Reichswerke Hermann Goering, qui avaient commencé la construction d'une énorme aciérie, démantelée avant d'être achevée, à Wattenstedt. L'extraction a atteint, en 1949, un peu plus de 9.000.000 de t., mais avec une teneur moyenne de 27 % seulement, soit un peu plus de 2.500.000 t. d'équivalent-métal. L'importation reste la principale solution.

La situation est comparable pour les sources d'énergie autres que le charbon.

En ce qui concerne le pétrole, une exploration méthodique du sous-sol et une politique résolue d'indépendance nationale à l'égard des grands trusts anglo-américains, ont permis au IIIe Reich de découvrir des gisements appréciables. La production nationale a atteint, en 1950, 1.120.000 t. et on espère l'augmenter. Plus du 1/3 des besoins nationaux sont couverts. Les deux principaux gisements sont celui d'Hanovre et de la région de l'Ems, à la frontière néerlandaise (500.000 t. chacun). Le reste est fourni par le Schleswig-Holstein, l'ouest du Bassin de Thuringe, les environs de Rastadt. Des espoirs sont fondés sur le Piémont bavarois.

Bien que l'énergie hydro-électrique n'entre pas dans les industries extractives, nous en parlerons rapidement ici. La principale production d'électricité, en Allemagne, est en effet d'origine thermique et les chutes d'eau n'apportent qu'un complément réduit (15 % environ). Néanmoins l'équipement a été très vigoureusement poussé. Il porte surtout sur la région alpine (Rhin germano-helvétique, Alpes bavaroises). Les barrages gigantesques, complétés par des installations de pompage de récupération du N. du Massif Schisteux et, moindrement, de la Forêt Noire, le complètent grâce à un excellent réseau d'interconnexions.

La principale caractéristique de la géologie appliquée de l'Allemagne est donc la richesse en combustibles. Grâce à un équipement poussé, la République fédérale dispose de très abondantes sources d'énergie, de coke métallurgique et des bases d'une grande industrie chimique, aussi bien minérale qu'organique. Les directions dans lesquelles s'est orientée l'industrie allemande découlent de ce potentiel physique, mis à profit pour la conquête de la suprématie économique.

2º Les ressources agricoles.

Comme en Grande-Bretagne, comme en Suisse, la poussée industrielle a relégué l'agriculture au second plan. C'est uniquement une activité complémentaire, incapable de nourrir le pays, caractère qui a été accentué par la perte des territoires semi-coloniaux de l'est.

Le trait frappant, encore plus net que dans beaucoup d'autres pays de même structure économique, est la disparité entre l'évolution de l'agriculture et celle de l'industrie. En face du développement rapide de l'industrie, de sa concentration accélérée, de sa mainmise sur le pouvoir politique, l'agriculture de l'Allemagne occidentale s'est adaptée tant bien que mal à des changements qu'elle n'avait pas provoqués. La grande propriété féodale n'y jouait qu'un rôle restreint. Les grands domaines sont en minorité, sauf pour les forêts. Aussi l'alliance des Junkers et des Maîtres de Forge ne lui a-t-elle pas profité directement. Les droits protecteurs ont seulement empêché une transformation complète à la manière de celle des agricultures anglaise et suisse. La poussée industrielle a posé des problèmes aigus de main-d'œuvre, la lourdeur des investissements a favorisé une concentration modérée et progressive au profit des paysans riches tandis que le souci aigu de l'indépendance nationale facilitait le maintien de la polyculture et l'amélioration des rendements.

a) *La persistance de la polyculture.* — En 1950, l'utilisation du sol en Allemagne fédérale était la suivante :

Surface agricole				Surface non agricole			
Labours..............	7.900	32,5	%	Forêts	6.950	28	%
Prés	3.646	15	–	Landes et friches	1.180	7	–
Pâturages	1.927	7	–	Marécages, etc........	430	1,7	–
Vergers, jardins, vignes, etc	559	2,3	–	Divers	1.782		
TOTAUX	14.033	57	%	TOTAUX	10.341	43	%

UTILISATION DES TERRES LABOURÉES
(en milliers d'ha.)

Céréales				Plantes fourragères		Pommes de terre raves		Plantes industrielles		Légumes	
Panifiables		Fourragères									
2.443	30 %	1.953	25 %	1.239	16 %	2.024	25,5 %	90	1,1 %	87	1,1 %

Pour l'ensemble du territoire de l'Allemagne de l'Ouest, les labours restent étendus : le 1/3 du territoire total. Les surfaces en herbe leur sont inférieures (22 % contre 32,5) : elles atteignent à peine plus des 2/3 des champs. On est très loin de la Suisse ou de la Grande-Bretagne, envahis par l'herbe à la suite de la concurrence des produits agricoles étrangers due au libre-échangisme.

Mais une bonne partie des terres labourables est consacrée à la nourriture du bétail : aux environs de 50 % si l'on tient compte qu'une bonne partie, malheureusement indéterminée, des pommes de terre et des raves lui est destinée. L'importance de l'élevage intensif, en grande partie à l'étable, fondé sur une production massive de plantes fourragères est une des caractéristiques de l'agriculture allemande occidentale. Le troupeau est nombreux : 11,5 millions de bovins (dont 5,75 de vaches laitières), 12 millions de porcs, 2 millions de moutons.

Le système de culture revêt un caractère intensif, avec assolements savants faisant alterner les céréales, les plantes sarclées, les légumineuses et avec une utilisation importante des engrais. Sous ce dernier rapport, avec 26,1 kg. d'azote par ha., 29 kg. d'acide phosphorique et 42,2 kg. de potasse, l'Allemagne se classe bien avant la France. Ses fumures, équilibrées et abondantes, la mettent dans le même groupe que la Belgique, les Pays-Bas, le Danemark, quoique après eux. Les assolements sont caractérisés par la place considérable des cultures sarclées. Les pommes de terre, les tubercules fourragers, la betterave sucrière occupent plus du 1/4 des champs. Techniquement satisfaisant, le système de culture adopté grâce au protectionnisme pose un grave problème, celui de la main-d'œuvre.

Ce système de culture n'est pas uniforme dans toute l'Allemagne occidentale. Les labours dominent, avec la petite propriété paysanne, sur les plateaux calcaires de l'Allemagne du Sud, où règne une structure agraire semblable à celle de la Lorraine. L'élevage, qui reste important, se fait entièrement à l'étable. Par contre, la place des prairies et des pâtures est dominante sur le plateau bavarois, domaine des fermes isolées importantes. Mais contrairement à ce qui se passe chez nous, les prairies de fauche l'emportent sur les pâtures. La dégradation des sols est ralentie d'autant plus qu'on pratique un système de fourrière. Le Schleswig-Holstein, avec aussi de grosses fermes dispersées, constitue une transition : les prairies, encloses de haies, y sont étendues (environ 50 % des exploitations), mais les labours ne sont pas sacrifiés pour cela, orientés d'ailleurs surtout vers la production fourragère. Les massifs anciens du N. de la zone hercynienne, les étendues sableuses de la Plaine germano-polonaise sont des régions de terroirs agricoles restreints, où dominent landes et forêts. L'élevage, en petites exploitations qui combinent les ressources du travail industriel (Forêt Noire, Böhmerwald, Massif Schisteux rhénan) aux revenus agricoles, est très prédominant. Les bassins méridionaux de la zone hercynienne, notamment ceux des régions rhénanes, ressemblent à l'Alsace : sur de toutes petites exploitations, on pousse au maximum la production de la vigne, de la betterave, du houblon, des fruits, des légumes (choux notamment) afin d'obtenir de suffisantes rentrées d'argent liquide. Le genre de vie mixte des ouvriers-paysans est très répandu.

Grâce à ce système de culture intensif, l'agriculture de la République fédérale figure avec une place honorable dans le ravitaillement du pays. Le niveau technique et le choix judicieux de l'utilisation du sol autorisent des rendements élevés. Seules les meilleures terres portent des céréales panifiables et le seigle recule devant le blé dont le rendement moyen a atteint 24-25 qx/ha. depuis 1949. Celui des pommes de terre se monte à 245 qx/ha. en 1950, celui des betteraves sucrières a oscillé entre 361 en 1950 et 318 en 1951. Les vaches fournissent en moyenne 2.350 kg. de lait par an.

Aussi les récoltes sont-elles importantes malgré l'exiguïté du territoire. Elles s'approchent souvent de celles de la France, malgré les avantages naturels de notre pays. La production de beurre, avec 266.000 t. en 1950-1951, dépasse la nôtre. Celle de fromage, atteignant 152.400 t., suffit également aux besoins et, par suite de la sous-consommation, alimente aussi quelques exportations. La production de viande, par contre, reste inférieure à celle d'avant guerre, le cheptel ayant été très éprouvé. Seule une consommation amoindrie permet aux ressources nationales de faire face aux besoins. Parmi les cultures, seules les pommes de terre couvrent les besoins. Pour le sucre, le déficit est de 50 %. Il est presque aussi élevé pour les céréales panifiables (récolte 1951 : 6.000.000 de t.), les aliments pour le bétail (céréales secondaires, maïs), les fruits et légumes. Le degré d'autonomie alimentaire de l'Allemagne occidentale n'en reste pas moins presque double de celui de la Grande-Bretagne, cependant sévèrement rationné, et bien supérieur à celui de la Suisse. Il avoisine celui de l'Autriche, cependant peu industrialisée.

b) *Les problèmes : capitaux et main-d'œuvre.* — Si l'agriculture allemande occidentale est tout à fait satisfaisante sur le plan technique, beaucoup plus productive et moderne que l'agriculture française malgré une moindre place dans l'économie nationale, elle est cependant aux prises avec de très graves problèmes. La prédominance des labours, la place considérable des plantes sarclées et des prairies artificielles exigent un gros travail du paysan. Les hauts rendements, l'emploi massif d'engrais, le travail soigné supposent d'importantes mises de fonds. La solution du problème technique ne fait que poser un autre problème, celui de l'équipement et du financement, qui, à son tour, se répercute sur la structure sociale rurale.

L'équipement de la ferme est très poussé en Allemagne. Le système de contrôle des prix et d'attributions de bons de la période nazie a facilité l'acquisition de matériel par les paysans tandis que l'équipement était paralysé en France au même moment. Le paysan allemand n'ayant que peu de réserves d'argent liquide n'a pas été gravement touché par la réforme monétaire.

La mécanisation est beaucoup plus poussée qu'en France, même sur les exploitations familiales. La différence est particulièrement sensible pour le petit outillage : moteurs électriques, broyeurs à grain, concasseurs, semoirs, charrues, rouleaux, herses. Le paysan allemand possède souvent plusieurs engins de modèles différents. Il a souvent une adduction d'eau (64 %) et presque toujours l'électricité (92 %) à la ferme, l'équipement étant facilité par l'habitat généralement groupé et la forte densité de population. Les tracteurs, surtout les petits, sont fréquents. La proportion est double de celle de la France : en 1951 on comptait 13,4 tracteurs pour 1.000 ha. contre 4,1 dans notre pays, avec un parc de tracteurs de 139.000 unités. Les petits tracteurs sont nombreux, de même que les motoculteurs. Ainsi, en 1949, on en a dénombré 5.134 de 3 à 10 CV et 17.730 de 10 à 18 CV sur 76.550.

Mais cette prospérité apparente recouvre une réalité plus malsaine. L'agriculture allemande, surtout la petite exploitation, est endettée. Recourir au crédit a été la solution adoptée par le paysan allemand pour s'équiper. En face de la crise, son attitude a été différente de celle du paysan français : au lieu de se replier sur lui-même, il spécule.

ÉVOLUTION DE L'ENDETTEMENT AGRICOLE
(en millions)

	1939	1949	1950
Hypothèques	4.340 RM	1.900 DM	1.932 DM
Rentes diverses	450 —	496 —	563 —
Dettes personnelles (situation au 1/7 de chaque année)	1.390 —	694 —	1.217 —

La réforme monétaire a amélioré la situation paysanne, comme celle de tous les débiteurs. Par contre, depuis, la reprise rapide de l'industrie s'est traduite par une situation plus mauvaise de l'agriculture. L'écart entre les prix agricoles à la production, maintenus bas afin de satisfaire les intérêts des intermédiaires et décourager les revendications des salariés, et les prix des produits industriels vendus au détail, soutenus par la cartellisation de l'économie, s'est considérablement accru. Il en résulte une diminution des revenus agricoles et de la rentabilité de l'agriculture. De 1938 à 1950, le bénéfice net moyen par hectare serait tombé de 119 RM à 71 DM, tandis que l'endettement moyen passait de 180 DM en 1948 à 285 en 1950. L'agriculture et les exploitations forestières ne représentent plus que 11,6 % du revenu national en 1950.

Cette situation financière révèle une crise, qui se traduit également sur le plan de la structure sociale. Le petit paysan, dont le matériel sert moins, a un prix de revient plus élevé que le gros. La crise le touche davantage. Afin de réduire ses frais, il cesse de recourir à la main-d'œuvre salariée et s'efforce de travailler seulement avec les ressources familiales. Malgré l'accroissement général de la population de la République fédérale, la population agricole a diminué sensiblement, passant de 7.107.627 personnes en 1939 à 6.727.000 en 1950. La main-d'œuvre salariée de l'agriculture et des forêts est tombée de 1.243.000 personnes en 1949 à 1.070.000 en 1951. Et cependant, les salaires des ouvriers agricoles sont misérables : seules les grandes exploitations peuvent en profiter. L'exploitation moyenne est obligée de renoncer même à cette main-d'œuvre peu coûteuse. Cette évolution suscite de nouvelles contradictions internes dans un pays où le chômage est endémique.

Cette réaction de défense est celle de la moyenne exploitation paysanne, où le faire-valoir direct domine : 87 % des surfaces cultivées contre 12 % pour le fermage. Par contre, la grande exploitation se maintient prospère. Les projets de réforme agraire, destinés à donner de la terre aux réfugiés en supprimant les grands domaines, n'ont pas abouti en Allemagne de l'Ouest. En zone américaine où l'influence de la noblesse reste importante et où les propriétés féodales sont assez étendues, on n'a recensé que 68.800 ha. à redistribuer. En mai 1950, seulement 22.000 avaient changé de mains (dont

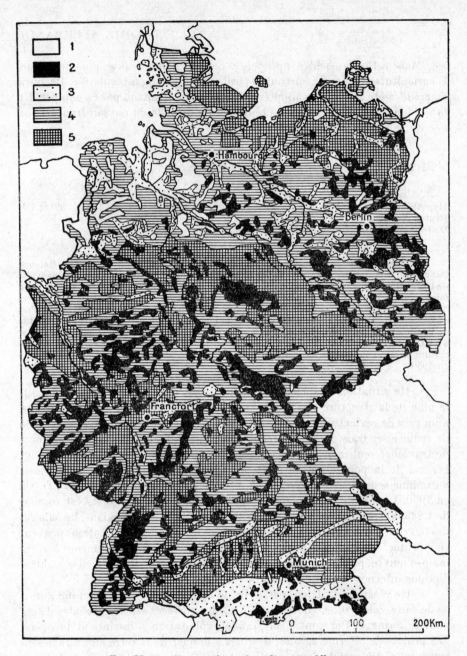

FIG. 37 a. — **Les systèmes de culture en Allemagne**

1. Étendues incultes (landes et marais). — 2. Massifs forestiers. — 3. Régions de prairies naturelles prédominantes. — 4. Régions de labours prédominants, terres médiocres. — 5. Régions de labours prédominants, bonnes terres, production à hauts rendements.

Cartes établies d'après les documents du Bibliographisches Institut, Leipzig, notamment son Weltatlas.

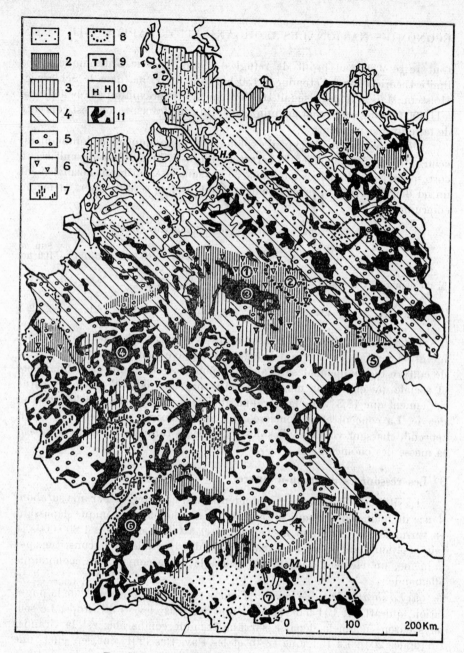

FIG. 37 *b*. — **Les systèmes de culture en Allemagne**

1. Principales régions d'élevage laitier. — 2. Régions où le blé est la céréale principale. — 3. Régions où le seigle est la céréale principale. — 4. Régions où l'orge et l'avoine sont les céréales principales. — 5. Régions de grande culture des pommes de terre. — 6. Régions de grande culture de la betterave à sucre. — 7. Régions de vignobles. — 8. Régions de cultures maraîchères et fruitières. — 9 et 10. Régions de culture du tabac (T) et du houblon (H). — 11. Principaux massifs forestiers.

tout juste 9.700 au profit de réfugiés). Dans la zone britannique, on a limité théoriquement l'étendue à 150 ha. puis à 100 ha. dans le Schleswig-Holstein. Mais la réforme se fait très lentement. On prévoit qu'elle bénéficiera à 11.400 familles seulement en quinze ans. En zone française, on s'est contenté de faire un recensement.

A l'heure actuelle, le type d'exploitation économiquement dominant est celui de 10 à 50 ha. Avec le caractère intensif du système de culture, il correspond à des domaines familiaux de paysans aisés, utilisant normalement un ou deux ouvriers agricoles, mais qui ont préféré se mécaniser, même en empruntant.

STRUCTURE DES EXPLOITATIONS AGRICOLES (1950)

	Inf. à 2 ha.	2-5 ha.	5-10	10-20	20-50	50-100	Sup. à 100 ha.
% du nombre ...	32,9	27,5	20,3	12,9	5,7	0,6	0,1
— de la surface des exploitations	4,9	13,4	21,1	26,2	24,1	6,1	4,2

L'agriculture allemande constitue un type caractéristique d'agriculture intensive capitaliste. Elle se débat dans une grave contradiction : le système de culture techniquement satisfaisant a pour corrolaire une crise financière et sociale qui élimine la masse des petits paysans (60,4 % des paysans ne détiennent que 18,3 % de la terre) en abaissant progressivement leur niveau de vie. La concentration foncière, que nulle réforme n'est venue enrayer, reprend, chassant vers les villes des travailleurs ruraux qui viennent grossir la masse des chômeurs.

3° Les ressources de main-d'œuvre.

La situation de l'Allemagne occidentale est caractérisée par une surabondance de main-d'œuvre qui se traduit par un chômage chronique dépassant en permanence 1,2 million de personnes et atteignant parfois 1.800.000. Ce fait pèse lourdement sur le niveau de vie des travailleurs et constitue, par là même, un élément hautement favorable de la conjoncture économique allemande.

a) *La surabondance de la main-d'œuvre.* — La densité actuelle de la population, qui atteint 194 hab./km² est une des plus élevées d'Europe. Le seul pays européen qui la dépasse sur une étendue comparable est la Grande-Bretagne (204). La Belgique (280) et les Pays-Bas (291) ont, en effet, une superficie beaucoup moindre. Cette densité s'est fortement accrue depuis 1939, où elle avoisinait 160. Plusieurs causes générales concourent à expliquer cet état de choses. Les deux principales sont l'afflux des réfugiés et les conditions démographiques de la période récente.

— L'afflux des réfugiés a fait immigrer en Allemagne occidentale un certain nombre de Berlinois chassés par les bombardements, puis des masses de fuyards affolés par l'avance des troupes soviétiques, enfin, après la capitulation, les nationaux allemands des pays d'Europe centrale considérés comme indésirables (Volkdeutsche), notamment les Sudètes et les habitants des territoires polonais à l'E. de la ligne Oder-Neisse. Il s'y est ajouté aussi les prisonniers progressivement rapatriés, et un certain nombre d'Allemands de la République démocratique, surtout en 1950, tandis que certaines années, comme 1951, l'émigration de chômeurs, surtout intellectuels, vers l'Allemagne orientale, l'a emporté. En 1950, on évaluait la masse totale des réfugiés à 9.893.000, soit 19,7 % de la population. Ces réfugiés forment une catégorie à part. Généralement, ils ont perdu la plus grande partie de leurs biens au cours de l'exode ou des bombardements. La pauvreté est leur lot commun, car elle recouvre des origines sociales des plus différentes : hobereaux de l'Est, officiers de carrière prussiens, membres des aristocraties compromises de l'Europe centrale, y voisinent avec des paysans, des employés, des ouvriers, des petits fonctionnaires. Parqués dans des camps de barraques ou logés tant bien que mal dans les fermes ou les appartements insuffisamment occupés qu'on leur loue à prix d'or, ils sont presque tous violemment aigris par les conditions qui leur ont été faites. Ils comptaient sur la solidarité allemande et n'ont connu qu'une exploitation féroce, leurs misères étant un objet de spéculation, notamment pour les propriétaires qui les hébergent. Souvent, ces derniers ont touché des primes de constructions destinées aux réfugiés et que ces derniers ne pouvaient utiliser faute d'économies. Dans cette masse de déracinés, la prolétarisation s'accentue et le chômage fait de violents ravages. Le degré de moralité s'abaisse et les naissances naturelles se sont montées à 12,5 % du total en 1950. Leur situation tant matérielle que sociale est celle d'un sous-prolétariat qui rappelle celui des travailleurs nord-africains en France. De ce fait, les réfugiés ont une conscience suffisamment aiguë pour former des groupements politiques spéciaux, comme le parti des Réfugiés en Schleswig-Holstein, qui agitent le rêve de la reconquête des territoires perdus comme dérivatif à la misère présente.

PROLÉTARISATION DES RÉFUGIÉS DU SCHLESWIG-HOLSTEIN

Autrefois	Actuellement		
	Ouvriers	Chômeurs	Comme avant
Indépendants (chefs d'entreprise, professions libérales)	45,6 %	27 %	27,4 %
Fonctionnaires	17,7 –	20,3 –	62 –
Employés	28,1 –	29,8 –	42,1 –

— Les conditions démographiques de l'Allemagne reflètent les bouleversements des dernières années.

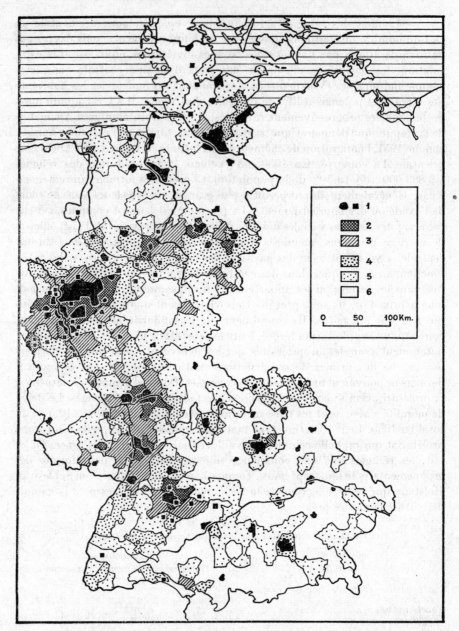

FIG. 38. — **La densité de population de la République fédérale en 1950**

1. Villes de plus de 30.000 hab. — 2. Densité supérieure à 300 hab./km². — 3. De 200 à 300. — 4. De 150 à 200. — 5. De 100 à 150. — Moins de 100.

Jusqu'en 1933, on observe une décroissance progressive du taux de natalité (36 % en 1900 ; 14,7 seulement en 1933). L'augmentation de population se poursuit cependant malgré la première guerre mondiale grâce à un taux de mortalité en moyenne très inférieur. A partir de 1933, la politique nationale-socialiste consiste à favoriser la natalité tandis qu'on se plaint de l'insuffisance de l' « espace vital ». Le taux remonte à 19,9 % en 1939, tandis que la mortalité reste basse (11,4 % en 1938). Une importante génération qui arrive maintenant à âge d'homme en résulte.

Pendant la guerre, le taux de natalité a diminué, mais il est resté constamment supérieur à ce qu'il était en 1933. Pour l'Allemagne occidentale, les pertes de guerres se montent à un peu plus de 2.000.000 de personnes. Elles ont été presque comblées par les excédents des naissances entre 1939 et 1945. Par contre, la guerre a provoqué d'autres troubles. Elle a multiplié les invalides (un peu plus de 2.000.000 dont les 4/5 invalides à plus de 30 %), dont le rendement au travail est diminué et dont beaucoup sont utilisés dans des fonctions peu productives. Elle a aussi déséquilibré la composition de la population. On compte (1950) 1.133 femmes pour 1.000 hommes, avec une disproportion accrue aux âges de 25-40 ans. Il en résulte une baisse du taux de la nuptialité, encore accentuée par la crise du logement, et, par voie de conséquence, de la natalité (16,2 % en 1950). De nombreuses veuves restent seules et vivent chichement d'une pension (3.200.000 en 1950), ce qui a, dans la conjoncture actuelle, l'avantage de décharger le marché du travail. Mais cette masse de femmes inemployées contraste vivement avec la mobilisation de la main-d'œuvre dans les pays de Démocratie populaire.

A l'heure actuelle, c'est surtout par suite d'une faible mortalité (10,3 °/oo) que la population de l'Allemagne occidentale continue à s'accroître. Le pays profite d'une baisse de la natalité particulièrement tardive, qui diminue la proportion actuelle de vieillards.

Il n'en reste pas moins que les pertes de guerre jouent un grand rôle sur le marché allemand de la main-d'œuvre. Le grand nombre des mutilités diminue le rendement, qui, pour l'ensemble de l'industrie, n'était, en décembre 1951, que 95,6 % de celui de 1936. Elles ont diminué la proportion de la population active, qui ne s'est augmentée, de 1939 à 1950, que de 1.400.000 personnes contre un accroissement de 8.300.000 de la population totale.

Cependant, la main-d'œuvre reste surabondante et la menace du chômage permet de comprimer les salaires. Comme le souligne l'économiste A. Piettre, l'ouvrier allemand vit dans la hantise du chômage. L'évolution démographique se répercute, par suite du système économique, sur la structure professionnelle et le niveau de vie.

b) *Évolution de la structure professionnelle et du niveau de vie.* — Le rôle, accru depuis la guerre, des grandes concentrations économiques, se traduit

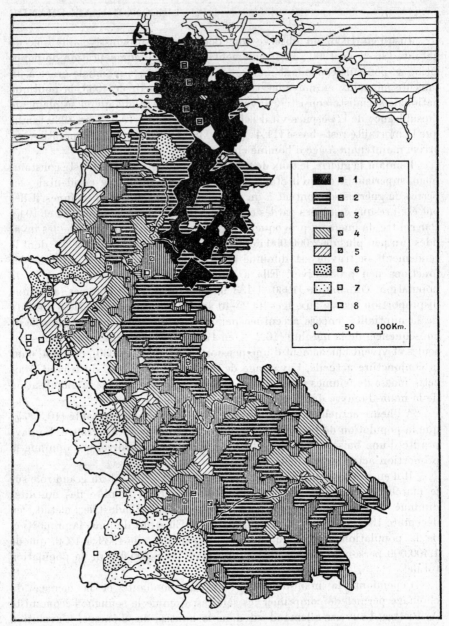

Fig. 39 a. — **Variations de la densité de population en Allemagne occidentale entre 1939 et 1946**

Accroissement : 1. Supérieur à 70 %. — 2. De 40 à 70 %. — 3. De 30 à 40 %. — 4. De 20 à 30 %. — 5. De 10 à 20 %. — 6. De 5 à 10 %. — 7. Inférieur à 5 %. *Diminution* : 8.

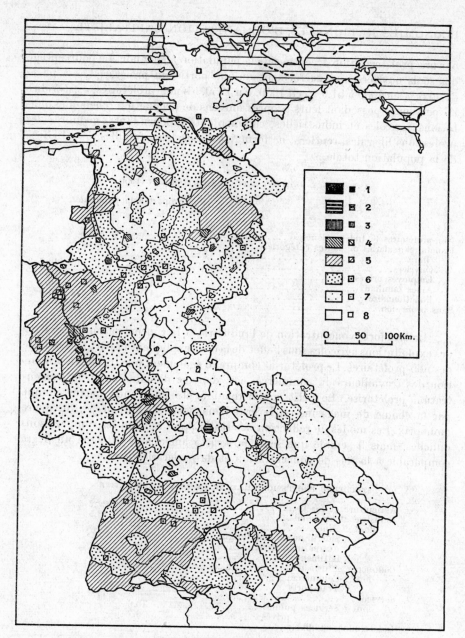

Fig. 39 *b*. — **Variations de la densité de population en Allemagne occidentale
entre 1946 et 1950**

(Légende : voir figure 39 *a*)

par une prolétarisation accentuée de la population allemande. Le pourcentage des seuls ouvriers, qui ne forment qu'une partie du prolétariat, est passé de 46,6 % en 1939 à 51,9 % en 1950. En 1950, les non-prolétaires, c'est-à-dire les personnes possédant leurs propres moyens de production (chefs d'exploitations agricoles et industrielles, commerçants indépendants, membres des professions libérales, rentiers) ne formaient, avec leurs familles, que 15,3 % de la population totale.

IMPORTANCE RELATIVE DES CLASSES SOCIALES (1950)

	Par rapport à la population	
	Totale	Active
Non-prolétaires (« Indépendants »)	15,4 %	15,3 %
Prolétaires (salariés de toutes catégories)	84,6 –	84,7 –
dont :		
Ouvriers..............................	51,9 %	43,2 %
Employés privés	15,7 –	13,2 –
Aides familiaux	13 –	6,2 –
Fonctionnaires	4 –	4,6 –
Sans profession		17,5 –

La très forte concentration de l'industrie et la concentration progressive des exploitations agricoles sous l'effet de la crise expliquent la part très réduite des non-prolétaires. Le prolétariat comprend également une très forte proportion des travailleurs du commerce, car, dans ce domaine aussi, la concentration prolétarise. Le petit commerçant a été en grande partie éliminé par la chaîne de magasins ou le grand magasin (« Kaufhaus »), du genre monoprix. Les modes de rédaction des statistiques rendent les comparaisons difficiles, mais il semble que seule la société américaine atteigne un degré comparable à la fois de concentration et de prolétarisation.

STRUCTURE PROFESSIONNELLE DE LA POPULATION ACTIVE

Agriculture et forêts........................		22,2 %
Industrie et artisanat		43,5 –
dont : Mines...........................	4,7	
Sidérurgie et métallurgie	11,8	
Autres industries	19	
Bâtiment	8	
Commerce et transports....................		15,5 –
dont : Commerce....................	10	
Transports	5,5	
Services		17,3 –
dont : Services publics	10,6	
— privés	6,7	
Indéterminés et divers		1,5 –

Les caractéristiques de la structure professionnelle de la population sont voisines de celles de la Suisse. La proportion des travailleurs industriels est à peu près la même : 43,5 % en Allemagne contre 43,2 % en Suisse. La part du secteur agricole est presque aussi réduite : 20,8 % en Suisse contre 22,2 %

en Allemagne. Bien que la main-d'œuvre rurale soit légèrement plus importante en Allemagne, la différence de système de culture est à mettre essentiellement sur le compte de la mécanisation. Par contre, pour le secteur tertiaire, non directement productif, la répartition des professions n'est plus la même. En Suisse, le commerce absorbe 18,1 % des travailleurs, sensiblement plus qu'en Allemagne. Inversement, les services sont beaucoup plus développés en Allemagne occidentale (10,6 % pour les services publics contre 7,4). C'est qu'en Allemagne, une grande partie du personnel des centrales électriques, des réseaux de distribution de gaz, appartenant à des collectivités, sont classés dans cette catégorie. Tenant compte de cette différence fortuite on peut conclure que les structures professionnelles de la Suisse et de la République fédérale allemande présentent de grandes analogies. Toutes deux sont caractéristiques de pays très industrialisés, à secteur agricole réduit. La seule nuance est une population industrielle un peu plus importante en Allemagne tandis que le secteur commercial, y compris les hôtels, est un peu plus important en Suisse.

Le niveau de vie de la population allemande, qui commande directement sa capacité de consommation, est fonction de cette structure sociale et professionnelle. Le haut degré de prolétarisation, encore violemment accentué ces années dernières, se traduit par la quasi-absence de classe moyenne. Les 15,4 % d' « indépendants » comprennent nombre de petits paysans et d'artisans au niveau de vie très bas, insuffisant pour qu'ils puissent s'intégrer aux classes moyennes. Ces dernières, squelettiques, sont constituées surtout par les paysans riches (20 à 50 ha.), quelques commerçants aisés et les cadres de l'économie et de l'État, salariés, mais bien payés. Aussi l'Allemagne occidentale donne-t-elle l'impression d'un violent contraste entre une abondante population misérable, qui paie durement les destructions de la guerre et les énormes investissements par autofinancement, et une poignée de riches au luxe insolent. La structure économique se traduit directement dans le « paysage social ». La politique de hauts salaires des industries d'armement et de rationnement du régime nazi n'est plus suivie. On en revient à la situation de la République de Weimar, avec, de plus, un blocage des salaires. L'impression évoque une Espagne ou une Italie méridionale dans un paysage industriel débordant d'activité et dans des villes en ruines.

Comme dans les pays d'Europe occidentale, l'accroissement de la production ne s'est pas accompagné d'une élévation parallèle des salaires. De 1948 à 1950, malgré une vigoureuse bataille revendicative, les salaires se sont élevés de 16 % alors que le rendement s'accroissait de 20 %. La centrale syndicale unique D. G. B. conteste les indices gouvernementaux et démontre que le pouvoir d'achat actuel reste en deçà de celui de l'avant-guerre (98,6 % en juin 1951). La part des salaires dans la valeur nette de la production est tombée de 50 % en 1936 à 41 % en 1949-1950. Par contre, le pourcentage des profits s'est accru corrélativement de 50 à 59 %. L'équi-

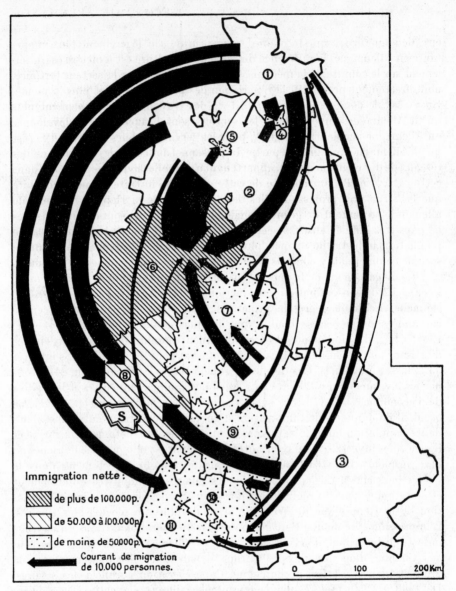

Fig. 40. — **Migrations des réfugiés en 1950 (bilan net)**
D'après l'Institut für Raumforschung, de Bonn

En blanc : länder d'émigration
1. Schleswig-Holstein. — 2. Basse-Saxe. — 3. Bavière

Länder d'immigration (grisés et pointillé)
4. Hambourg. — 5. Brême. — 6. Rhénanie du Nord-Westphalie. — 7. Hesse. — 8. Rhé-
nanie-Palatinat. — 9. Würtemberg-Bade. — 10. Würtemberg-Hohenzollern. — 11. Bade. -
S. Sarre.

Dans la légende de la carte :

Immigration nette :

de plus de 100.000p.

de 50.000 à 100.000p

de moins de 50.000p.

Courant de migration
de 10.000 personnes.

pement de guerre, pas plus que la conjoncture de reconstruction d'après guerre n'ont profité au travailleur allemand. L'accroissement incontestable du taux de profit et l'abaissement du niveau de vie des salariés posent de graves problèmes économiques. Le rationnement par l'argent diminue la consommation intérieure et l'essor industriel s'accompagne d'excédents de production accrus que le capitalisme allemand ne peut placer qu'à l'étranger ou vendre à l'État sous forme d'armement. La renaissance de l'impérialisme économique allemand et la politique de réarmement découlent de la conservation de l'ancienne structure économique, dont les caractères se sont encore accentués. Il est normal, dans ces conditions, que l'Allemagne occidentale reprenne la politique de puissance traditionnelle, qui coïncide, au surplus, avec les intérêts politiques et économiques des dirigeants américains, supporters de sa renaissance et unis aux maîtres de l'Allemagne par des liens de parenté.

B) L'ORGANISATION ÉCONOMIQUE DE L'ALLEMAGNE FÉDÉRALE

1° Les types de foyers industriels.

Les aspects géographiques de l'industrie allemande sont dans l'ensemble calqués sur la structure : à la concentration financière et industrielle correspond une concentration géographique, à la fois en grosses usines et en un petit nombre de puissants foyers, dont le principal est la Ruhr. Cette correspondance s'explique par les particularités évolutives du capitalisme allemand, essentiellement par l'antériorité de la concentration industrielle à base technique sur la concentration financière.

Mais, à côté de cette concentration prédominante, existent des foyers d'industrialisation diffuse, comme la Forêt Noire. Enfin les concentrations revêtent des aspects différents. Nous devons donc distinguer des types.

a) *Une concentration houillère : la Ruhr.* — Nous avons vu le rôle historique de la Ruhr dans la formation du capitalisme allemand. Elle est la plus vieille région de grande industrie lourde moderne de l'Allemagne, ce qui lui a donné le rôle d'une sorte de métropole économique. C'est là que se sont développés les plus grands konzerne, combinant concentration et intégration. Depuis la guerre, la place de la Ruhr, dont la structure n'a guère changé, s'est fortement accrue. Le land rhéno-westphalien qui l'englobe compte plus de 13 millions d'habitants en augmentation de 12 % sur 1939, soit 30 % du total de l'Allemagne occidentale. Le poids de la Ruhr a attiré la nouvelle capitale, Bonn, au détriment de Francfort qui avait cependant des titres historiques et un rang de grande ville à faire valoir. Duisburg est devenue la capitale des grandes banques et des syndicats ouvriers.

Fondée sur le charbon, la région industrielle ruhroise appartient à la même catégorie générale que les bassins houillers anglais ou celui du

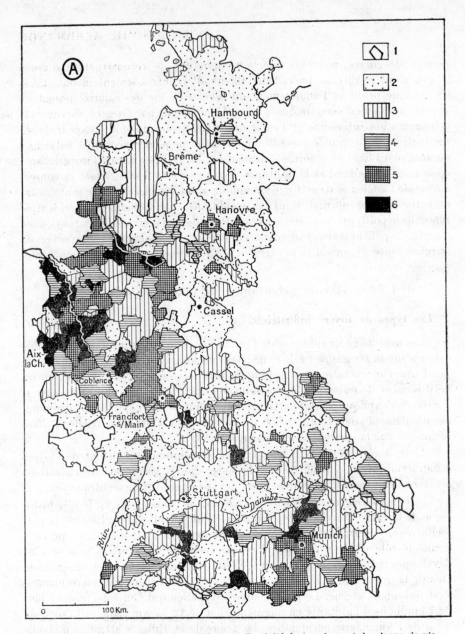

Fig. 41 a. — **Allemagne fédérale, éléments d'activité économique et de niveau de vie**

Concentration de la richesse depuis la réforme monétaire : variations des dépôts de caisses d'épargne de la réforme monétaire au 31-12-51. Faute de données sur le grand capital, ce critère est celui qui montre le mieux la concentration *géographique* de la richesse. Fort accroissement dans les régions industrielles (Ruhr, Forêt Noire, Bavière autour des villes), diminution ou augmentation faible dans les régions rurales, en crise.

Augmentation : 1. Moins de 30 %. — 2. De 30 à 50 %. — 3. De 50 à 70 %. — 4. De 70 à 100 %. — 5. Plus de 100 %.

Diminution : 6.

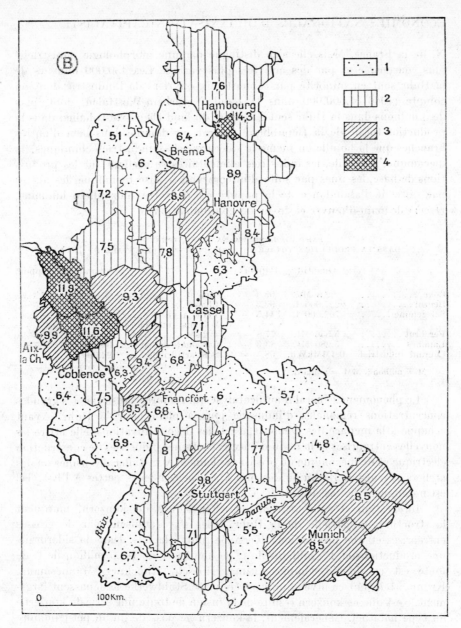

FIG. 41 *b*. — **Allemagne fédérale, éléments d'activité économique et de niveau de vie**
Répartition des véhicules automobiles

Nombre de camions par 1.000 hab., d'après l'Institut für Raumforschung de Bonn.
Moyenne fédérale : 8,4.

1. Moins de 7. — 2. De 7 à 8,5. — 3. De 8,5 à 10. — 4. Plus de 10.

N. de la France. Mais elle s'en distingue par une morphologie industrielle plus concentrée et par des activités plus variées. Les 450.000 mineurs de la Ruhr sont en minorité par rapport aux ouvriers de l'industrie dont on compte (1946) 4.500.000 dans le Land Nordrhein-Westfalen, dont plus de 3 millions dans la Ruhr seule. La part du land rhéno-westphalien dans la production totale de la République fédérale prédomine dans bien d'autres branches que la houille ou même la sidérurgie. Les industries chimiques, la mécanique, le textile, les industries alimentaires se greffent sur les productions de base, les unes par suite d'intégrations à base technique, les autres par suite de l'abondance de la population de cette fourmilière humaine, réserve de main-d'œuvre et foyer de consommation.

PART DU LAND RHÉNANIE-WESTPHALIE
DANS LA PRODUCTION TOTALE DE L'ALLEMAGNE OCCIDENTALE EN 1949

	Quantité	Rapport		Quantité	Rapport
Coke...........	22,8 Mt.	95,4 %	Ciment	3,15 Mt.	37,3 %
Benzol..........	227.000 t.	92,3 –	Chaux	2,48 Mt.	58,6 –
Sel gemme	702.000 t.	44,5 –	Verre à vitres		78,8 –
			Wagons marchandises		59,8 –
Fer brut	5,556 Mt.	77,8 –			
Laminés	5,280 Mt.	83,3 –	Carbonate de soude.	408.000 t.	71,7 –
Courant industriel	0,4MMkWh.	68,4 –	Soie artificielle ...	22.000 t.	48,9 –

M = million ; MM = milliard.

Le phénomène général d'autocatalyse qui renforce sans cesse les grandes concentrations régionales d'industrie joue à plein pour la Ruhr. Ayant échappé à la menace des démontages et des déconcentrations, elle attire les nouvelles entreprises et la main-d'œuvre. Certaines industries de construction électrique et de mécanique de précision viennent y installer des usines ou des ateliers évacués de Berlin ou destinés à compenser leurs pertes à l'Est. Tel est notamment le cas de l'A. E. G.

Intégration et concentration, caractéristiques du konzern, marquent la structure industrielle de la Ruhr. Elles s'y traduisent par de grosses entreprises et une production diversifiée tout à la fois. Dans la sidérurgie, une production de 4-5 millions de t. de houille et de 1-1,5 million de t. de fonte est considérée comme optima. Hoesch, Klœckner, Mannesmann, Krupp atteignent ce niveau. Si les Vereinigte Stahlwerke le dépassent largement, c'est que ce konzern résulte de la fusion de toute une série de konzerne du type habituel. Généralement, le konzern ne possède qu'un petit nombre d'établissements d'industrie lourde. Trois ou 4 gros sièges miniers, une batterie de fours à coke ou deux, une aciérie ou deux. La capacité de l'aciérie Thyssen, qui a échappé au démontage et fait partie du groupe des Vereinigte Stahlwerke, atteint 2.000.000 de t. Rares sont les aciéries dont la capacité est inférieure à 750.000 t. L'aciérie de Krupp, à Rheinhausen, a produit, en 1943,

1,6 million de t. de fer. Avec ses annexes (cimenterie et briqueterie), elle employait alors 13.000 ouvriers. Ses cokeries de Bochum ont fourni 1,1 million de t. de coke, celle de Wintershall 800.000 t. Haniel a tiré de son charbonnage de Neu-Oberhausen 2.600.000 t. de houille en 1950 et la cokerie annexe a produit 500.000 t. (en tout 11.500 ouvriers). L'aciérie voisine, avec 10.500 ouvriers, a fourni 1.300.000 t. d'acier. L'implantation de ces établissements est variable suivant les firmes et généralement sous la dépendance des circonstances historiques. Haniel, par exemple, concentre à Oberhausen toute sa base d'industrie lourde (mines, cokeries, aciéries, production des produits de distillation de la houille), tandis que ses industries mécaniques sont hors de la Ruhr. Krupp, au contraire, a groupé ces dernières à Essen dans un gigantesque ensemble employant, en 1943, 75.000 ouvriers et produisant de l'armement, des locomotives, des camions et tracteurs, des constructions en acier, des machines de divers types. Une aciérie pour aciers spéciaux (300.000 t. en 1943), des puits de mines, une fabrique d'essence synthétique greffée sur les cokeries s'y ajoutent. L'intégration se traduit directement dans les aspects géographiques dans l'énorme usine, ceinturée, avant les agrandissements de la dernière guerre, par un mur de 11 km. de long. Mais le groupe possède d'autres bases d'industrie lourde dans le reste de la Ruhr : aciérie à Rheinhausen, mines et cokeries à Bochum, Wintershall et sur l'Emscher.

Il en résulte des nuances dans les types de villes. Certaines sont surtout minières, avec naturellement les indispensables cokeries. Ce sont surtout les villes moyennes, de 50.000 à 100.000 hab. Les grandes villes ont une fonction industrielle plus complexe, les productions de base y étant complétées par des industries de transformation, et, souvent, par des bureaux, des banques, une fonction commerciale. Tel est le cas d'Essen, la ville de Krupp.

Le rôle attractif de la Ruhr, l'évolution de la mise en valeur du gisement provoquent des différenciations à l'intérieur de cette énorme région industrielle. Dans le bassin houiller lui-même, l'extraction a progressé du S. au N. Sur le bord du massif ancien, de chaque côté de la vallée de la Ruhr, les mines sont antérieures à 1850. Peu profond, le gisement est en grande partie épuisé. Les grands konzerne s'en désintéressent et les petites entreprises, produisant moins de 200.000 t., dominent. Elles effectuent une véritable récupération. Mais la houille a fixé l'industrie. Les forges, les constructions mécaniques, la quincaillerie occupent une population relativement clairsemée, habitant des lotissements (« Arbeiterkolonien ») fixés par les vieux villages ou les anciennes mines.

Dans la région centrale, léchée par la Ruhr à Essen, depuis Dormund jusqu'à Duisburg, les couches de houille ont été mises en exploitation entre 1850 et 1900. Elles sont déjà plus profondes, le sommet du houiller cessant d'affleurer, mais ne descendant pas en dessous de 400 m. Le gisement, qui n'est pas tronqué à son sommet, est plus riche. Là se trouvent les plus gros sièges d'extraction (Essen, Gelsenkirchen, Oberhausen, Dortmund, Duisburg, Bochum). Leur équipement a coïncidé avec la grande période d'industrialisation. C'est le domaine des konzerne. Peu de petites mines, mais de nombreux exemples d'intégration. Là se trouve la grande région d'industrie lourde de la Ruhr, avec cokeries, aciéries, industries de distillation de la houille, constructions mécaniques. Au peuplement minier se surajoute un dense peuplement ouvrier. Les agglomérations ne peuvent plus se distinguer, toute la région est une conurbation, avec une densité dépassant 1.200 hab. au kilomètre carré.

Les maisons ouvrières, vieilles casernes de la fin du XIXᵉ siècle, maisons avec jardin pour deux familles datant de la période paternaliste, forment des lotissements géométriques qui se concentrent autour des centres urbains jouant le rôle de capitales régionales (Essen, Duisburg, Dortmund) et autour de vieux villages complètement transformés. Les principales interruptions sont les voies ferrées, les terrils, les prairies marécageuses qui s'affaissent peu à peu par suite du tassement du sol. Tout cela grouille autour des aciéries, des chevalements, des cokeries dont le style monumental, l'allure colossale et rationnelle, le bon entretien réjouissent l'âme allemande comme un symbole de sa puissance.

Les franges septentrionales et occidentales du bassin montrent un autre type de paysage industriel. A partir de la Lippe et dès l'ouest-nord-ouest de Dortmund, les couches s'enfoncent à plus de 600 m. et l'exploitation date du XXᵉ siècle. La grande poussée d'industrialisation avait déjà eu lieu. Les usines des konzerne étaient déjà installées et on les agrandissait sur place. De même qu'à l'ouest du Rhin, cette région est une région complémentaire, un peu comparable au bassin houiller lorrain en France. L'extraction est importante, avec des sièges modernes et concentrés. Les réserves sont grosses, aussi tout appartient aux grandes firmes. Les konzerne ont acquis là de nouvelles mines, songeant à l'avenir. Mais l'exploitation, plus coûteuse que dans la zone centrale, est moins poussée. Les sièges sont un peu en attente et la plupart fournissaient en 1949 entre 500.000 et 2.500.000 t. Des cokeries leur sont associées, mais très peu d'industries. Rares sont les entreprises de constructions mécaniques qui s'avancent dans cette zone, en dehors des bords du Rhin. Dans la région de Krefeld, le bassin houiller rejoint la zone d'industrie textile, notamment celle des textiles artificiels. Plus récent, l'habitat est moins dense, moins concentré. Il est formé de noyaux qui commencent de se rejoindre. La cité de pavillons domine.

Les marges extérieures du bassin houiller s'intègrent également à la région industrielle de la Ruhr. L'exploitation du charbon y a revivifié des industries traditionnelles, qui en sont sorties totalement transformées. C'est notamment le cas des industries textiles qui forment une ceinture à la Ruhr au sud et à l'ouest. Sur le bord du Massif Schisteux rhénan, la filature et le tissage du coton sont la principale activité de la conurbation du Wuppertal, rue urbaine dans le fond d'une vallée encaissée. Les constructions mécaniques (notamment le matériel pour l'industrie textile), sont venues s'y adjoindre donnant du travail aux hommes tandis que les femmes s'emploient dans le textile. Plus à l'ouest, sur la Basse-Wupper, s'associent le tissage du lin, la coutellerie (Solingen), la petite mécanique. Au bord du Rhin, l'agglomération de Cologne forme le point d'attraction d'une tentacule de la région de la Ruhr. L'influence urbaine favorise les industries de biens de consommation (soie, automobile, mécanique) tandis que la voie de communication rhénane attire les industries lourdes (caoutchouc synthétique, fabriques chimiques de Leverkusen, appartenant à l'I. G. Farben, constructions de bateaux). A l'ouest du Rhin, débordant l'avancée du bassin houiller, la région de Krefeld et de München-Gladbach, profitant de l'énergie électrique fournie par les centrales au lignite, est avant tout spécialisée dans le textile. C'est le grand centre de fabrication des textiles artificiels allemand, royaume de la Vereinigte Glänzstoff. L'industrie automobile, celle de la transformation de l'aluminium, le tissage de la laine et du coton s'y combinent.

Centre vital du capitalisme allemand, la Ruhr en reflète fidèlement dans ses aspects géographiques les particularités de structure. C'est l'une des concentrations d'industrie fondée sur la houille les plus puissantes et les plus diverses du monde. Son poids s'est fait lourdement sentir dans l'évolution, non seulement de l'Allemagne, mais du monde entier.

b) *Les foyers industriels localisés.* — La part très prépondérante de la Ruhr dans l'industrie lourde laisse surtout aux autres foyers industriels des industries de transformation. Les villes ont joué dans leur localisation un rôle prédominant. Les embryons d'industries locales datant d'avant l'unification, les capitaux accumulés dans le commerce, les réserves de main-d'œuvre, les demandes de la consommation locale, les facilités offertes aux transports sont les facteurs prédominants, d'importance relative variable suivant les cas.

Les plus importants de ces foyers industriels urbains sont ceux de Hambourg et Brême, de Hanovre et de Brunswick, de Francfort, de Mannheim, de Stuttgart, de Nuremberg, de Cassel, de Munich. Au même type appartient celui de l'enclave de Berlin-Ouest. Mais toute une transition relie ces importants foyers aux régions d'industrie diffuse. Des centres industriels moins complexes se greffent sur des villes moyennes, parfois une usine importante suffit à transformer une petite ville en centre industriel. La forte industrialisation de l'Allemagne favorise une telle répartition des usines. A une autre échelle, on retrouve le type d'implantation industrielle de la partie nord-orientale du Mittelland suisse.

La région industrielle de la Basse-Saxe, autour de Hanovre et Brunswick, présente un type fort différent de celui de la Ruhr. Il s'agit d'une concentration beaucoup plus lâche, avec une prédominance des villes traditionnelles. Trois éléments se combinent pour l'expliquer : les ressources locales, une vieille tradition industrielle, la facilité des communications. Ce territoire possède peu de gisements massifs mais une remarquable variété de matières premières. Les plus anciennement exploités sont les minerais du Harz (plomb, argent, zinc, cuivre) dont une partie reste en Allemagne occidentale (Clausthal-Zellerfeld, Saint-Andreasberg, Goslar), le sel gemme et la potasse (région de Salzgitter), le pétrole de Hanovre, la houille de la Weser moyenne, les minerais de fer pauvres de Peine et Salzgitter, le kieselgur des Landes de Lüneburg. Sauf la potasse et le sel, ce ne sont que des gisements d'importance médiocre. Aussi n'ont-ils fixé que les industries extractives, avec de petites villes de 5 à 20.000 ha. La grande aciérie de Wattenstedt-Salzgitter, qui devait utiliser les minerais de fer pauvres, a été arrêtée et commencée de démanteler avant d'être achevée, mais les Allemands voudraient la remettre en marche dans le cadre du Plan Schumann, bien qu'elle soit considérée comme non rentable. Une ville de 90.000 hab. s'est greffée sur elle. C'est la seule grande ville née de l'industrie. Dans cette région de Basse-Saxe, l'industrie de transformation l'emporte sur des industries minières qui ne sont qu'exceptionnellement massives (potasse). Elle s'est fixée surtout dans les grandes villes, anciennes capitales féodales, centres de commerce et d'artisanat médiévaux. Hanovre (400.000 hab.) possède de très grosses usines de camions et machines (Hanomag) et de matériel de chemin de fer, des industries chimiques, notamment le caoutchouc synthétique, et toutes les industries de biens de consommation qui caractérisent une grande ville. Plusieurs grands konzerne y possèdent de grosses fabriques, comme Haniel (usine de câbles et fils isolés, production 26.000 t. en 1943, avec 1.800 ouvriers). Hanomag a produit en 1950 6,8 % des camions de la République fédérale. Brunswick possède dans sa banlieue les énormes usines Volkswagen (38,6 % des voitures de tourisme de la République fédérale), qui profitent, comme l'industrie de

Hanovre, du Mittellandkanal. Dans toute cette région, les villes moyennes possèdent également des usines importantes, mais avec une activité moins diversifiée. Peine est un centre d'aciéries et de raffineries de pétrole. Hildesheim, vieille cité épiscopale des Börde, a des fabriques de machines agricoles, de meubles, d'horlogerie, des industries textiles. Le tissage de la laine disperse nombre d'usines moyennes autour de Hanovre.

Les deux foyers industriels de Hambourg et de Francfort présentent bien des analogies. Tous deux sont d'origine essentiellement urbaine, sans base de matières premières, et leur développement a été rendu possible par les facilités offertes aux transports massifs (voie maritime et Elbe pour Hambourg, Rhin et Main pour Francfort). L'existence d'une vieille bourgeoisie active et d'importantes réserves de capitaux accumulées par un commerce séculaire ont joué le rôle déterminant. La situation maritime de Hambourg introduit une nuance : la ville possède davantage d'industries lourdes, fournissant des demi-produits, que Francfort. On y trouve notamment d'importantes raffineries de pétrole, aux mains des trusts anglo-saxons et les plus grandes d'Allemagne, des fonderies et raffineries de cuivre, de plomb, d'étain, de métaux précieux, qui traitent les concentrés importés d'outremer. Mais les deux villes sont surtout de grands foyers d'industrie de transformation, offrant des biens d'équipement comme des biens de consommation. Hambourg possède des chantiers de constructions navales qui manquent à Francfort, mais pour le reste, la physionomie est la même. D'importantes industries chimiques (corps gras, à Hambourg ; colorants, engrais, produits pharmaceutiques à Höchst près Francfort), le caoutchouc synthétique, les fabrications de machines et d'automobiles (Opel à Rüsselsheim près Francfort, camions et voitures à Hambourg), les industries alimentaires, le vêtement et le textile donnent aux deux groupes une production très diversifiée. Les aspects géographiques sont également identiques. Hambourg et Francfort sont des capitales régionales, avec un puissant secteur tertiaire (banques, sièges sociaux, maisons de commerce), qui fait vivre un grand nombre d'employés. Francfort, par exemple, possède les énormes bâtiments, épargnés par les bombes, du siège social de l'I. G. Farben.

Sur une population totale de 1.700.000 hab. dont 577.900 travailleurs, le groupe hambourgeois (Land de Hambourg) montre la structure professionnelle suivante (1) :

STRUCTURE PROFESSIONNELLE DE LA POPULATION ACTIVE A HAMBOURG (LAND) EN 1950

Agriculture	Industrie et artis.	Commerce transp.	Services	Aides fam.
10,8 1,9 %	242,6 45,9 %	175,9 30,4 %	128,8 18,4	19,8 3,4 %

Chiffres absolus en milliers.

(1) Les divisions administratives ne permettent pas de présenter les mêmes données pour le groupe de Francfort, à cheval sur deux Länder (Hesse et Rheinland-Pfalz).

Le secteur tertiaire (commerce, transports, services), avec 48,8 % de la population active, dépasse légèrement le secteur industriel (45,9 %). L'étude du secteur industriel révèle la grande diversité des productions. Vingt et un groupes professionnels sont représentés par plus de 1.000 travailleurs chacun. Voici ceux, qui, en 1950, comptaient plus de 1 % de la main-d'œuvre industrielle.

RÉPARTITION DE LA MAIN-D'ŒUVRE PAR BRANCHES D'INDUSTRIES
A HAMBOURG (LAND) EN 1950

Branche	Effectif	Prop.	Branche	Effectif	Prop.
Constr. de machines....	23.000	9,6 %	Ind. chimique	18.200	7,5 %
Métallurgie lourde			Constr. métalliques		
(fer et acier)	13.800	5,7 –	(y compris bateaux)	13.600	5,6 –
			Travail du caout-		
Electrotechnique	12.800	5,3 –	chouc	10.400	4,3 –
Trav. du bois, instr. de			Ind. alimentaires	32.900	13,7 –
musique............	10.400	4,3 –	Construction	44.600	18,5 –
Vêtement	18.100	7,5 –	Eau, gaz, électricité ..	8.600	3,6 –
			Constr. moyens de		
			transport (sauf ba-		
Arts graphiques	8.400	3,5 –	teaux)	7.100	3 –
Ind. textile	6.600	2,8 –			
Mécanique de précision			Raffinage des mé-		
et optique	3.800	1,6 –	taux	3.100	1,3 –
Ind. céramique	2.600	1,1 –	Papeterie	2.900	1,2 –

La place exceptionnelle des travailleurs du bâtiment s'explique par l'utilisation des chômeurs au déblaiement de la ville, dont les quartiers résidentiels ont beaucoup souffert de la guerre. Pour le reste, la structure est typiquement poly-industrielle : la première branche (industries alimentaires), n'arrive qu'à 13,7 % du total. Les diverses branches de la métallurgie de transformation, groupées, n'atteignent que 19,2 % du total de la main-d'œuvre.

Les aspects géographiques de ce type de foyers industriels comportent une combinaison des grosses et des moyennes usines avec de petits ateliers. Francfort et Hambourg même ont peu d'usines. Le secteur tertiaire y prédomine. On y trouve aussi de petits ateliers, notamment dans le vêtement. Les grosses usines, propriété des grandes concentrations économiques, sont en dehors de ces villes. Généralement, elles se sont installées à faible distance, près d'un village qui s'est mué de ce fait en ville mono-industrielle, abritant une partie de la main-d'œuvre tandis que le reste, plusieurs milliers souvent, vient d'une région, fort étendue, par chemin de fer. On peut en prendre comme type l'usine Oppel de Rüsselsheim, à mi-chemin entre Mayence et Francfort, qui a employé jusqu'à 40.000 ouvriers. Elle fait vivre une cité-usine de 20.000 habitants, mais draine sa main-d'œuvre depuis Bingen, Alzey et Mayence jusqu'à Darmstadt, Offenbach et Francfort. Ce n'est pas un cas isolé : la grosse usine de l'I. G. Farben à Höchst près Francfort, celles de Harburg au S. de Hambourg, sont dans le même cas. L'aspect général de ces foyers combine la ville ancienne démesurément agrandie, centre de commerce, d'administration, de finance et nœud de transport où dominent les employés, entourée de faubourgs industriels spécialisés surtout dans la petite industrie, avec des villes-usines dominées par une seule grande firme, expression géographique de la concentration économique. Dans l'intervalle, les bourgades s'urbanisent, abritant une main-d'œuvre banlieusarde ou de moyennes entreprises, parfois très spécialisées en fonction d'une tradition, comme le travail du cuir à Offenbach près Francfort. Les voies de communication à bon marché guident l'installation des grosses usines (Main et Rhin à Francfort, Elbe à Hambourg).

Une troisième variété de foyer industriel localisé est représentée par des villes moins importantes, comme Brême, Stuttgart, Cassel, Nuremberg et Munich. Dans ce cas aussi, la tradition urbaine a joué un rôle capital dans l'industrialisation. Mais cette dernière présente une structure moins complexe. Soit de moins bonnes communications, soit le *veto* des puissants konzerne d'industrie lourde, n'ont permis le développement que des industries de transformation. A Munich, par exemple, les principales branches sont la mécanique, l'optique, la chaussure, le caoutchouc synthétique, la construction du matériel ferroviaire sans parler, naturellement, des industries alimentaires, du vêtement, des petites industries de biens de consommation propres à toutes les grandes villes. On retrouve les mêmes à Nuremberg avec, de plus, les poupées et jouets, les cycles, mais sans le caoutchouc synthétique et le matériel ferroviaire. A Cassel, les aspects sont à peu près les mêmes : matériel ferroviaire (locomotives), textile, mécanique, chaussures ; à Stuttgart, concentration industrielle au milieu d'une région d'industrialisation diffuse, la mécanique de précision, l'automobile, le textile jouent un plus grand rôle accompagnés par le meuble, l'industrie chimique (colorants), les meubles, les machines agricoles. A Brême, on retrouve le textile, les constructions navales, l'automobile (Borgward, sous influence anglaise), la mécanique. L'implantation géographique est caractérisée par quelques grosses usines, dépendant des grandes concentrations économiques (camions et autobus Man, appartenant à Haniel, à Nuremberg, avec 10.000 ouvriers, et une production de mécanique qui a monté jusqu'à 200.000 t. pendant la guerre, ou encore, usine de matériel ferroviaire d'Esslingen, près Stuttgart, à la même firme, 2.800 ouvriers en 1949, production de 50.000 t. de locomotives, chaudières, compresseurs, wagons en 1943), généralement situées dans les faubourgs mêmes de la ville, rarement dans les localités de banlieue, grosses usines qui sont complétées par des usines moyennes (500-2.000 ouvriers), appartenant soit aux branches non concentrées, soit à des filiales, soit à des sous-traitants des grandes firmes. L'industrialisation, à la différence du type précédent, est uniquement urbaine. Elle ne crée pas une région industrielle autour de la ville. Le foyer est quantitativement plus restreint. Par exemple, Brême ne comptait, en 1950, que 187.200 travailleurs, le 1/3 de Hambourg.

c) *Les régions d'industrie diffuse.* — Le très haut degré d'industrialisation de l'Allemagne a fait pénétrer le travail industriel dans presque toutes les parties du pays. Rares sont les petites villes qui ne possèdent pas une ou deux usines. Rares même sont les villages entièrement peuplés d'agriculteurs. Un réseau ferré exceptionnellement dense met presque toutes les agglomérations en rapport avec le dehors. Fréquemment, les ouvriers d'usine habitent la campagne, se déplaçant parfois la semaine entière pour aller travailler en ville. Mais souvent aussi, les villages bien situés ont leur usine de 200-500 ouvriers, généralement spécialisée dans les biens de consommation. Les régions rurales purement agricoles sont rares. Les principales sont la Frise orientale, le Schleswig et surtout la Bavière. Mais même dans ces régions, l'industrie n'est pas absente. Elle est seulement l'apanage des villes. Augsbourg, au milieu de la Souabe agricole, est, par exemple, un important centre d'industrie textile (trust Dierig) et de constructions mécaniques (usines d'automobiles Man). Les petites villes du nord de la Bavière ont aussi leurs industries, comme Schweinfurt, spécialisé dans les roulements à billes. A la différence des foyers urbains du type précédent, la mono-industrie prévaut. C'est que les usines sont rarement dues aux initiatives locales et ont généralement été fondées par les grandes concentrations économiques qui ont vu là des possibilités de recrutement d'une main-d'œuvre inemployée, donc bon marché, et les ont mises à profit en fondant des usines spécialisées dans des produits où le travail joue le rôle essentiel dans le prix de revient. Ces établissements se greffent, soit sur une ville moyenne traditionnelle (Augsburg, Schweinfurt, Lübeck, Kiel, Trèves, Karlsruhe), soit une région rurale bien desservie et très peuplée, où la crise agricole libère de la main-d'œuvre. Tel est le cas de l'alignement d'usines qui jalonne la vallée du Main dans le Spessart ou celle du Neckar moyen (vignobles). L'implantation géographique rappelle celle qui caractérise la vallée de la Seine en aval de Paris.

Dans d'autres régions, la répartition des établissements industriels est plus uniforme et plus dense, la grosse usine faisant place à la moyenne ou à la petite. Généralement, l'industrie moderne y fait suite à un artisanat rural de la période mercantiliste, comme dans la région horlogère du Jura franco-suisse. Il y a rarement correspondance entre la dispersion géographique en petits établissements et la structure financière, souvent fort concentrée. On retrouve là un type dont le Jura septentrional, avec Peugeot et Japy, offre un exemple en France. La Forêt Noire (textile, horlogerie, mécanique de précision, jouets, électrotechnique), l'Oberpfälzerwald, continuation en Allemagne occidentale de la région industrielle saxonne (céramique, textile), le seuil de Hesse (textile : coton, soie, laine), le nord de la Westphalie autour de Bielefeld, Münster, Osnabrück (textile : soie, mécanique, chaussure), régions agricoles médiocres pour la plupart, vieille tradition artisanale, sont les principales régions d'industrie diffuse de l'Allemagne de l'Ouest.

Prenons comme exemple la Forêt Noire, dont la région industrielle déborde sur le Haut-Neckar. Au sud, autour des plus hauts sommets cristallins, domine l'horlogerie (Triberg, Villingen, Schramberg). Gros villages et bourgades possèdent sur leur périphérie un ou deux ateliers, clairs et propres, où travaillent 100 ou 200 ouvriers, dont beaucoup habitent les fermes isolées et pratiquent encore un peu la culture. Sur le Haut-Danube, autour de Tuttlingen, règnent la coutellerie et les instruments chirurgicaux. Sur le Neckar, à partir de Rottweil, et jusqu'au pied du Jura souabe, le tissage de la rayonne et de la soie, lui aussi dispersé en petites usines implantées au milieu de la région rurale dans des villages-centres où se rend la main-d'œuvre de petits paysans prolétarisés par la crise agricole. Au nord, à partir de Freudenstadt, la soie et la rayonne sont relayées par la laine, puis, plus près de Stuttgart, par le coton. Même type d'implantation : petite usine villageoise au milieu des maigres clairières de la forêt qui recouvre les plateaux de grès bigarré, dans une région dont la population vit difficilement d'une terre ingrate. L'industrie électrotechnique vient s'y ajouter. Cette implantation géographique dispersée, qui favorise un genre de vie mixte et maintient de fortes densités de population rurale, coïncide avec une concentration économique poussée. La plupart des usines de textile appartiennent à Dierig. Une partie de l'horlogerie, dérivée vers la fabrication des instruments de mesure, et la quasi-totalité de l'industrie électrotechnique sont aux mains de Bosch. Cette dernière firme, par exemple, possède à Kircheim-Teck, près Stuttgart, un atelier qui n'employait que 60 ouvriers en 1938, spécialisé dans les commutateurs magnétiques et les phares pour chalands (15 % de la production du IIIe Reich), les lampes électriques de poche (50 % de la production). Stuttgart, à l'extrémité de la région, joue le rôle de capitale de ce groupe. On y trouve les fonctions urbaines supérieures, mais aussi les usines plus importantes dont dépendent techniquement les petits établissements. La firme Gutbrod y construit ses automobiles dont nombre de pièces détachées sont fabriquées en ateliers dispersés.

Au lendemain de la dernière guerre, on avait pensé à créer une structure industrielle du même type en Schleswig-Holstein, de manière à employer les masses de réfugiés qui s'y trouvaient. La Basse-Saxe, la Hesse du Nord et la Bavière ont bénéficié avec ce Land d'un crédit de 300 millions de DM, destiné à créer des entreprises artisanales au profit des réfugiés (maximum de 100.000 DM par entreprise). La plupart du temps, d'ailleurs, ce sont les autochtones qui les ont fondées, se contentant d'en faire « bénéficier » les réfugiés en tant que main-d'œuvre. Les résultats sont fort limités : 50.000 entreprises seulement en ont profité. Et les réfugiés se dirigent vers le principal foyer industriel de la République fédérale, vers la Ruhr. Le jeu de la concentration capitaliste ne laisse subsister l'industrie diffuse que lorsqu'elle est avantageuse au grand capital (absence d'obstacles techniques, main-d'œuvre meilleur marché).

L'implantation géographique de l'industrie en Allemagne occidentale reflète donc étroitement dans son ensemble la structure économique. A la concentration technique des grands konzerne correspond la concentration géographique dans la Ruhr ; à la concentration financière et à l'intégration les grosses usines de 5.000-20.000 ouvriers de la grande industrie de transformation, tantôt greffées sur de vieux noyaux urbains, tantôt implantées à quelque distance et drainant la main-d'œuvre rurale. L'existence de ces grosses usines, rares en France, est un trait typique lié à la forte concentration technique, que l'on retrouve principalement aux U. S. A.

C) L'Allemagne et les marchés mondiaux

La structure même de son économie, dont découle la contradiction fondamentale entre l'accroissement de la production et la baisse, ou, tout au moins la stagnation, du niveau de vie de la grande masse de la population, fait à la République fédérale de l'Ouest une impérieuse nécessité de se lancer dans la conquête des marchés extérieurs. L'Allemagne fédérale, qui a perdu les importants débouchés orientaux dont bénéficiait le IIIe Reich, a maintenant à peu près repris la position de ce dernier sur les marchés qui restent au monde capitaliste. Reconquête qui a été facilitée par la structure concentrée de l'économie et par les excellentes méthodes commerciales, mises au point de longue date pour évincer les concurrents déjà installés à la fin du XIXe siècle. Toutes les circonstances historiques ont été mises à profit, au cours des dernières années, afin d'atteindre ce but.

Nous avons déjà vu dans quelles circonstances a repris après guerre la production allemande occidentale. Examinons maintenant comment s'est effectuée la renaissance du commerce extérieur de la République fédérale. Jusqu'en 1949, les Alliés occidentaux ont contrôlé le commerce extérieur de l'Allemagne occidentale. Les Anglo-Américains, pendant cette phase de relèvement, ont largement financé les importations allemandes tandis que le commerce extérieur était largement déficitaire. Ainsi ont été octroyés les énormes prêts qui ont permis aux capitaux américains de contrôler l'économie de l'Allemagne occidentale. Les accords de Petersberg, en novembre 1949, ont libéré le commerce extérieur allemand, réservant cependant un droit d'approbation des accords commerciaux, supprimé lui-même en octobre 1951, à l'exclusion de ceux qui sont signés avec les pays de l'E. Il en résulte une gêne considérable pour le commerce de l'Allemagne avec ces pays. Du moins pour le commerce officiel, car les industriels allemands ne se font pas faute de tourner les interdits, comme le prouvent les nombreuses condamnations publiées par la presse et les vœux du parlement de Bonn.

L'Allemagne fédérale mit sur pied de nombreux accords dès 1949-50, surtout avec les pays européens, qui prévoyaient des levées importantes aux restrictions douanières. Il en résulta des importations massives. Sur la base de l'indice 100 en 1936, les importations montent à 113 dès octobre 1949, à 165 en novembre, à 172 en décembre, dépassant largement les exportations, qui restent à l'indice 68 en décembre 1949. A ce moment, l'Allemagne se trouva en difficulté et dut restreindre une première fois ses importations juste au moment où éclatait la guerre de Corée. En juillet 1950, l'indice des importations retombe à 100. La création de l'U. E. P. en septembre 1950 vint la sortir de ce mauvais pas. Les 320 millions U. S. de dollars de crédits que reçut l'Allemagne furent immédiatement dépensés au moyen de nouvelles importations massives et, dès la fin octobre, pratiquement épuisés. La République fédérale menaça alors de quitter l'U. E. P., laissant ses dettes impayées. Le chantage réussit. Elle y gagna d'une part un nouveau crédit de 180 millions U. S. de dollars qui furent dépensés à leur tour dès mars 1951. D'autre part, elle força la main à ses partenaires, les amenant à signer avec elle des accords qui ouvraient largement leurs frontières aux exportations allemandes, même lorsqu'elles ne présentaient guère d'intérêt pour eux. La pression des U. S. A. en faveur de la libération des échanges et la crainte de ne pouvoir être autrement remboursés les ont amenés à ces concessions. De son côté, la République fédérale restreignit ses importations en 1951.

On retrouve dans cette politique des méthodes utilisées sous le IIIe Reich par le Dr Schacht. Elles ont pleinement réussi car elles ont permis de tirer le maximum d'avantages de la conjoncture. En effet, en 1950, la guerre de Corée provoque une rapide hausse des prix mondiaux. L'Allemagne en profite, car ses importations massives se placent avant elle. Ses stocks considérables, gonflés au maximum grâce à un déficit opportun, se sont réévalués de la hausse. De la sorte, il lui a été possible de consentir parfois des rabais sur les prix de ses concurrents pour les évincer, sans cesser de faire des bénéfices supérieurs aux leurs. L'accroissement des exportations allemandes se place juste après la hausse des prix et le chantage a mis les partenaires de la République fédérale dans une position d'infériorité, les amenant à conclure des accords avantageux pour la seule Allemagne fédérale. La restriction des importations au milieu de 1951 a coïncidé avec la période des plus hauts cours mondiaux, de sorte que les stocks allemands ne comprennent pas ou presque pas de produits achetés trop cher. Avec la baisse des cours, en 1952, les Allemands ont repris leurs achats et n'ont pas perdu d'argent sur leurs stocks.

IMPORTATIONS DE L'ALLEMAGNE DE L'OUEST EN 1950-51
(moyennes mensuelles en millions de DM)

	1/1-1/7 1950	1/7-31/12/50	1/1-1/4/51
Importations totales	785	1.110	1.200
Matières premières et demi-prod.	331	490	601
Produits alimentaires	360	475	452

Ces circonstances, habilement mises à profit et jointes à la pression américaine qui s'est souvent exercée en faveur de la République fédérale dont l'économie est financée par elle, expliquent les positions particulièrement avantageuses que l'Allemagne fédérale a reconquises. Certaines d'entre elles, sous le couvert « européen », ressemblent fort à celles que le IIIe Reich avait su imposer aux pays agricoles de l'Europe centrale avant la dernière guerre.

MARCHÉS COMMERCIAUX DE L'ALLEMAGNE DE L'OUEST
(janvier-mai 1951)

	Import.	Export.
Europe	46,8 %	69,1 %
Pays-Bas	6,2 %	11,4 %
Belgique	4,7 —	7,2 —
Danemark	3,3 —	3,9 —
France	5,6 —	6,1 —
Italie	4,1 —	4,9 —
Grande-Bretagne	3,8 —	5 —
Suisse	2,5 —	6,4 —
Suède	4,4 —	
Amérique	27,2 —	18,3 —
U. S. A.	17,7 —	11,4 —
Afrique	9,2 —	3,9 —
Asie	13,1 —	7,2 —
Australasie	3,7 —	1,3 —

Bien qu'étendu au monde entier, le commerce extérieur de la République fédérale se fait surtout avec trois domaines nettement caractérisés : les pays voisins d'Europe, les U. S. A. et les pays économiquement attardés d'outre-mer. Sa structure est différente avec chacun de ces groupes.

Avec les pays d'Europe, dont la part est largement prédominante, l'Allemagne s'efforce à la fois de trouver des débouchés pour son industrie et des matières premières à bon compte.

Les vicissitudes du commerce franco-allemand sont particulièrement démonstratives à cet égard. L'Allemagne acquiert en France avant tout des produits coloniaux, des matières premières et des denrées agricoles. Notre pays s'est engagé, par exemple, à fournir du blé. En 1950-51, les ventes ont porté sur 113.000 t., vendues avec une perte de 1.300 fr. par quintal tandis que la France importait par ailleurs du blé tendre pour combler ses propres besoins. La France a fourni, en 1950-51, de la bauxite, du minerai de fer, des phosphates, des bois coloniaux, du gaz-oil, des huiles alimentaires, de la laine lavée et peignée, des filés de laine et de coton. En échange, l'Allemagne fédérale nous a vendu presque uniquement des produits manufacturés, souvent même des denrées concurrençant dangereusement notre propre production, ce qui a provoqué les protestations de nombreux industriels. La menace de quitter l'U. E. P. a paralysé toute réaction de défense. Les exportations allemandes en France ont porté notamment sur des machines, des produits chimiques, des cuirs travaillés, des chaussures, des tissus, des tracteurs, des autos, du matériel ferroviaire, des biens d'équipement industriel. Pendant la même période, 94 % des exportations allemandes dans la France d'outre-mer étaient constituées par des produits fabriqués. Par ailleurs, la République fédérale allemande s'est montrée réticente pour les exportations de coke. On ne peut s'empêcher d'évoquer le fructueux commerce inégal que faisait le IIIe Reich avec des pays comme la Hongrie ou la Roumanie, marchés pour ses produits industriels et fournisseurs de matières premières.

La France est un des pays vis-à-vis desquels cette politique a le mieux réussi. Mais le cas n'est pas isolé. L'Allemagne fédérale a remis la main sur divers pays qu'elle dominait économiquement avant la guerre. Ainsi, le commerce avec le Danemark a constitué 20,2 % des exportations totales de ce pays pendant le deuxième semestre 1950 contre 24,5 % en 1936, avec la Norvège, 12,9 contre 13 %, avec la Suède, 13,2 contre 15,9 %, avec la Grèce, 26,8 contre 36,4 %. D'autres pays ont fortement accru leur dépendance à l'égard du client allemand. Ainsi, la République fédérale allemande achète 20,7 % des exportations des Pays-Bas contre 15,6 % en 1936, à la Turquie 24,3 contre 1 %. Notons que tous ces pays sont caractérisés par une prédominance des exportations de denrées agricoles, alimentaires ou de matières premières. Coupée de l'Europe danubienne, la République fédérale a réussi à se trouver des fournisseurs qui jouent le rôle tenu autrefois par cette dernière. On explique dès lors l'intérêt porté par le gouvernement allemand à des projets qui, sous le couvert d'intégration « européenne », lui garantiraient la maîtrise de tels marchés. Tel est le cas du pool vert, ou, encore, du pool charbon-acier.

Le pool charbon-acier, qui entre en application au début de 1953, reprend les principes d'organisation cartellisée supranationale du cartel de l'acier de l'entre-deux-guerres. Seule la politisation constitue une différence sensible.

— 359 —

Il est difficile de dire quels seront les résultats de ce pool, car il avait été préparé dans une période de pénurie d'acier et il est appliqué dans une période où les risques de surproduction commencent de redevenir menaçants, ce qui explique des hésitations dans sa mise en route. Notons seulement que l'industrie allemande, supérieurement équipée, ne dépend pas de la France pour se procurer des minerais, car son principal fournisseur actuel est la Suède, mais que la France dépend exclusivement de la Ruhr pour ses achats de coke, la Grande-Bretagne n'étant plus exportatrice, les U. S. A. vendant à des prix prohibitifs et le commerce avec la Pologne, seul contrepoids possible, étant limité pour des raisons politiques. Il semble donc bien que notre pays se trouve en état d'infériorité et que la Ruhr gagnera au pool un élargissement de ses marchés d'exportation en même temps que des garanties de stabilité, aux frais de ses partenaires, pour sa production pléthorique. L'exemple de l'U.E.P. montre que le gouvernement allemand, qui représente un patronat suffisamment concentré pour connaître un minimum de tiraillements, sait utiliser à merveille les circonstances de la conjoncture.

Le commerce avec les États-Unis forme, à lui seul, une seconde catégorie. Comme celui des autres pays de l'Europe occidentale ayant bénéficié de l' « aide » américaine, il est extrêmement déficitaire. Avec 17,7 % des importations allemandes et 11 % des exportations, les États-Unis ont, dans le commerce extérieur de l'Allemagne occidentale, une place qui dépasse celle de n'importe quel pays européen. Ils sont le principal fournisseur vendant à l'Allemagne des matières premières (métaux, charbon, pétrole), des produits alimentaires (céréales), des machines et de l'équipement. La voie a été frayée par les années d'après guerre. Mais, plus original est le développement des exportations allemandes vers les États-Unis. Du premier semestre 1950 au premier semestre 1951, la hausse atteint 43,6 % et les produits finis entrent pour 68,3 % contre 61,3 % dans ce total. Les États-Unis, habituellement très sévères pour leurs importations, facilitent les ventes de produits allemands sur leur territoire, notamment en créant des banques et des maisons de courtage en Allemagne occidentale. C'est que le grand capital financier américain est très intéressé à la prospérité d'une industrie dans laquelle il a largement investi.

Dans les pays attardés, le commerce allemand pénètre vigoureusement. L'Allemagne fournit à la fois des produits de consommation et des biens d'équipement. L'Amérique latine a absorbé, en 1950, 11,3 % des exportations de machines de la République fédérale. Les firmes allemandes se lancent dans les soumissions de grands travaux. On a placé dernièrement des maisons préfabriquées, des réservoirs à gaz, de l'équipement minier en Australie, une grande centrale thermique en Uruguay, une cokerie au Mexique (6 millions U. S. $), 4 centrales électriques en Argentine (30 millions U. S. $), une usine de tubes au Brésil, équipée par Mannesmann tandis que Krupp songerait

D) Les superstructures : transports et habitat

La coupure de l'Allemagne en deux a modifié les transports intérieurs d'une manière profonde en anéantissant des liens régionaux d'économies complémentaires. Les destructions de la guerre ont fortement modifié, de leur côté, les aspects de l'habitat. Mais ce ne sont là que des superstructures, de sorte qu'elles ont pu changer tandis que les caractères fondamentaux de la structure économique persistaient. Nous allons maintenant les étudier.

1⁰ La nouvelle structure des transports.

L'ancienne Allemagne unifiée était caractérisée par deux grands axes de circulation intérieure : l'axe rhénan et l'axe ouest-est, dont l'Elbe et le Mittellandkanal, inachevé, étaient l'une des matérialisations. Aujourd'hui, le Rhin est devenu le seul axe intérieur de l'Allemagne de l'Ouest et le rôle des grands ports de la Mer du Nord s'est modifié : la dépendance à l'égard des importations d'outre-mer, notamment des U. S. A., s'est accrue tandis que disparaît leur fonction de transit.

a) *Le trafic intérieur.* — La guerre a modifié l'importance relative des divers moyens de transport. La voie d'eau a davantage souffert de la diminution des relations avec l'E. car elle jouait un plus grand rôle dans ce domaine. La reconstitution du parc de matériel a aussi été plus lente car elle n'a guère profité des fournitures alliées.

STRUCTURE DES TRANSPORTS EN 1938

	Total	Chemin de fer		Navigation intérieure		Voie maritime		Route	
		Ton.	%	Ton.	%	Ton.	%	Ton.	%
A l'intérieur des zones .	364,4	311,8	85	38,6	11	4,8	1	9,2	3
Interzone	203,5	151,6	74	37,8	19	5,4	3	8,7	4
Etranger (Europe) . . .	123,5	33,5	27	59,7	49	30	24	0,3	-
Trafic d'outre-mer	19,1					19,1	100		
Totaux	710,5	496,9	70	136,1	19	59,3	8	18,2	3

(millions de tonnes ; trafic routier : selon à longue distance, pourcentages calculés pour chaque ligne.)

En 1951, l'indice global des transports (ferroviaires, fluviaux et maritimes) de la B. R. D. a atteint à nouveau le niveau de 1936. Mais seuls les chemins de fer l'ont dépassé, atteignant 119,3 en octobre 1950, tandis que ce même mois la navigation intérieure restait à 80,4 et la navigation maritime à 72,1.

Les transports intérieurs allemands sont caractérisés par leur intensité. La batellerie, compte tenu de l'étendue du pays, n'est dépassée que par celle des Pays-Bas. Le réseau ferré, avec 30.227 km. exploités pour 245.770 km², a une densité de 0,12, dépassée seulement par la Belgique, supérieure même à celle de la Grande-Bretagne. Les transports routiers, enfin, avec de très nombreux camions lourds, jouent un rôle actif.

Les transports ferroviaires sont la pièce maîtresse du système, avec un réseau dense, desservant bien tout le pays, et des installations fixes spacieuses et bien conçues. Leur ampleur contraste avec l'exiguïté des gares françaises, construites mesquinement par les anciennes compagnies. L'intensité du trafic se reflète par un certain nombre de données : la densité du personnel (16,56 agents par kilomètre) est supérieure à celle de tous les pays d'Europe, Belgique exclue (17,8) ; la longueur des lignes à double voie dépasse 40 % du total, on a un peu plus d'un engin de traction pour 2 km. de voies, le nombre de voyageurs transportés est le plus élevé du monde, deux fois et demie celui des U. S. A. ou de la France ; le nombre de tonnes-kilomètres par kilomètre exploité n'est dépassé, faiblement d'ailleurs, que par celui du Canada (1.414.849 contre 1.451.269).

Le trafic du réseau ferroviaire allemand présente un certain nombre de particularités, qui le rapprochent de celui de la Belgique. C'est le type d'un réseau de pays très industrialisé à forte densité de population. Le trafic voyageurs, par exemple, porte sur un nombre considérable de personnes, mais sur un kilométrage réduit. C'est avant tout un trafic de banlieue, en rapport avec les grosses conurbations industrielles et le drainage de la main-d'œuvre de résidence rurale ou banlieusarde. Les usines Opel, de Rüsselsheim, drainent ainsi leurs ouvriers dans le vignoble du Rheingau, sur la rive droite du Rhin, depuis Rüdesheim (60 km.), sur la rive gauche, depuis Bingen, et, au S. de Mayence, depuis le vignoble d'Oppenheim. Il en vient aussi du Taunus, de Francfort, de Darmstadt et de toutes les localités intermédiaires. Et ce n'est qu'un exemple typique. Le type d'implantation des usines, dans d'anciens villages au milieu des conurbations, multiplie ces échanges de main-d'œuvre, véritables chassés-croisés qui remplissent les omnibus ouvriers. La Ruhr, les régions de Hambourg, de Francfort, de Brunswick, de Stuttgart, de Hanovre, de Brême, de Ludwigshaffen-Mannheim montrent les exemples les plus intenses de ce type de trafic.

COMPARAISON DU TRAFIC-VOYAGEURS ALLEMAND AVEC CELUI DE DIVERS PAYS (1950)

Pays	Nombre de voyageurs	Voyageurs-kilomètres		Parcours moyen d'un voyageur
		total	par km. exploité	
Allemagne	1.325.342.166	30.838.650	1.013.429	23,3
Belgique	216.946.106	7.047.293	1.399.244	32,5
Suisse (C. F. F.)	193.899.386	5.615.690	1.929.791	29
Autriche	115.209.427	4.292.619	719.996	37,3
Espagne	107.393.959	7.117.364	549.688	66,2
Canada (C. P. R.)	10.541.492	1.999.258	72.995	189,7

Les interlignes séparent les types. Allemagne, Belgique, Suisse : intense trafic mais à faible distance, prédominance du trafic de banlieue ; Autriche, prédominance un peu moindre de ce trafic, mais densité beaucoup moins grande surtout ; Espagne : trafic à moyenne distance prédominant, intensité médiocre ; Canada : trafic à grande distance prédominant, faible intensité.

La physionomie du trafic marchandises est différente : l'intensité reste très grande, plus grande encore que pour les voyageurs, mais les moyens parcours dominent (parcours moyen de 1 t. : 187,7 km.). Le trafic local échappe au chemin de fer, au profit de la route. Il est effectué surtout par les camions des entreprises, ce qui fait que les données statistiques manquent.

COMPARAISON DU TRAFIC-MARCHANDISES ALLEMAND AVEC CELUI DE DIVERS PAYS (1950)

Pays	Nombre de tonnes transportées	Nombre de t./km.		Parcours moyen d'une tonne
		total (1)	par km. exploité	
Allemagne	229.347.086	43.053.843	1.414.849	187,7
Belgique	66.625.848	5.854.490	1.162.297	87,9
Suisse (C.F.F.)	18.106.102	2.087.955	717.510	115,3
Autriche...........	40.031.129	6.012.951	1.008.546	150,2
Espagne	29.716.015	7.607.661	587.554	256
Canada (C.P.R.).....	55.733.980	36.401.263	1.329.057	652,9

Le rôle principal du chemin de fer consiste à assurer les transports pondéreux d'usine à usine lorsque manquent les voies d'eau et de l'usine au centre de distribution. La part des combustibles (houille, coke, briquettes) est considérable : plus du 1/3 des marchandises transportées (6.171.000 t., moyenne mensuelle, sur un total de 17.701.000 t. pendant le premier semestre 1950.)

Les transports fluviaux portent sur un tonnage inférieur environ de moitié à celui des chemins de fer, rapport exceptionnel dans un pays industriel, mais leur intensité est moindre, et, surtout, une très grande part du trafic total revient au transit :

COMPARAISON DES DIVERS MOYENS DE TRANSPORT
DE LA RÉPUBLIQUE FÉDÉRALE ALLEMANDE
(1er semestre 1950, moyennes mensuelles)

	Chemin de fer	Navigation intérieure	Navigation maritime
Trafic total..........	14.511.000 t.	7.144.000 t.	1.965.000 t.
T./km. nettes	3.266	1.179	

(1) En millier.

Sur une moyenne de 7.144.000 t. par mois de marchandises transportées, plus de 2.000.000 sont entrées par Emmerich. Le trafic en tonnes-kilomètres des bateaux allemands a été seulement de 0,690 sur une moyenne globale de 1.179. Les axes de transports essentiels sont le Rhin et l'Emskanal. Le point nodal du trafic est, en effet, la Ruhr. Duisburg, à lui seul, a eu un trafic de plus de 12.000.000 de t. en 1950.

A la Ruhr aboutit le puissant courant du Rhin inférieur (moyenne mensuelle, 2.852.000 t. en 1950), qui assure la liaison avec les ports néerlandais, par où arrivent minerais de fer, céréales, coton et vers lesquels se dirigent houille, coke, produits sidérurgiques, machines destinées à l'exportation. Une seconde branche est constituée par l'Emskanal qui se dirige vers le N. (trafic mensuel moyen, 1.998.300 t. en 1950). Il dessert la Ruhr septentrionale et Münster avant de bifurquer. Une partie du trafic se dirige vers Emden (trafic annuel de près de 3.000.000 de t. en 1950 pour ce port), l'autre, par le Mittellandkanal (trafic mensuel moyen, 350.000 t.), vers la Weser et la Basse-Saxe (Hanovre, Hildesheim, Brunswick, et, de là, l'Allemagne orientale). Le troisième courant, issu de la Ruhr, se fait en direction de l'amont par l'artère rhénane (699.000 t. de moyenne mensuelle en 1950 sur le Rhin moyen). Une faible branche bifurque le long de la Moselle. Ce trafic massif s'arrête dans la région Mayence-Francfort-Mannheim. En amont, le Rhin supérieur tombe en dessous d'une moyenne de 200.000 t. par mois. Il n'intéresse d'ailleurs plus guère la République fédérale mais essentiellement Strasbourg et Bâle. De Francfort, un courant se continue par la vallée du Main en direction du Danube. Réduit par les entraves internationales et par la liaison médiocre — que l'on travaille à améliorer — avec le Rhin, le trafic de ce fleuve est faible : 113.000 t. seulement de moyenne mensuelle. De Mannheim, un autre courant utilise le Neckar jusqu'à Stuttgart. Le trafic Ruhr-Emden ressemble à celui du Rhin inférieur, car cette liaison canalisée vise à donner un débouché allemand à la Ruhr. Par contre, le trafic vers l'Allemagne du Sud ou la Basse-Saxe est différent. Il est avant tout industriel, les denrées agricoles nationales voyageant principalement par chemin de fer. Son objet est de relier les grosses usines d'industrie de transformation dispersées dans le pays au centre d'industrie lourde de la Ruhr. Cette dernière expédie la houille et l'acier tandis que ces centres industriels envoient leurs machines, leurs tubes, leurs engrais, directement aux régions de consommation, ou aux ports d'exportation.

A côté de l'axe rhénan, les autres voies navigables intérieures font piètre figure. Le trafic de l'Elbe est des plus réduits. Un transit vers l'Allemagne orientale et la Tchécoslovaquie subsiste, dans la mesure où sont respectés les accords internationaux garantissant un libre commerce entre tous les pays. Le fleuve est à demi désert, contrastant avec le Rhin. En 1950, son trafic moyen mensuel, avec 424.000 t., dont une bonne partie n'ont voyagé que dans l'agglomération hambourgeoise, est inférieur à celui du Main et même à celui de la Weser. Ce dernier fleuve forme un axe méridien secondaire (trafic mensuel moyen 452.000 t.) reliant la Basse-Saxe et la région de Göttingen à la mer. Il se termine en impasse à Cassel. Son principal trafic est celui de la houille importée des États-Unis par Brême et de la potasse à l'exportation.

L'importance capitale de la navigation fluviale pour l'industrie lourde (ravitaillement des usines de la Ruhr, expédition des demi-produits sidérurgiques vers les grands centres de transformation) explique la part considérable qu'y ont prise les grandes concentrations économiques. Cette mainmise porte d'ailleurs surtout sur la batellerie rhénane, morceau de choix (en 1949, le Rhin a porté 57,5 % du trafic total de la République fédérale, et disposait de 60 % de la puissance de remorquage). Douze groupes possédaient à eux seuls, en 1941, 62 % de la capacité de remorquage rhénane, sans parler des filiales camouflées en Suisse et aux Pays-Bas. En 1949, la concentration était encore plus grande, par suite du coût de reconstitution du parc. Quinze groupes disposent de 85 % des remorqueurs et automoteurs allemands. Pour les automoteurs, d'ailleurs, deux groupes seulement (Veba, groupe d'État, électricité, et Haniel) en possèdent environ 78 %. Pour les remorqueurs, les 5 principaux groupes (Veba, Haniel, Stinnes, Flick et le consortium du lignite Braunkohle) contrôlent 70 % de la puissance de remorquage. La concentration des chalands est moindre : les 15 groupes ne contrôlent que 60 % de la flotte. Mais les compagnies « indépendantes » doivent passer par leurs conditions pour le remorquage... Leur puissance n'en est pas diminuée, seuls les investissements nécessaires au contrôle sont moins élevés.

En ce qui concerne les transports routiers, leur part relative par rapport aux autres pays est considérable. Elle dépasse actuellement 5 % pour le tonnage à longue distance, malgré un réseau routier souvent médiocre, surtout en dehors des grands parcours, et des autoroutes construites avant tout pour des fins militaires. Le parc automobile allemand est caractérisé par la forte proportion des véhicules utilitaires (358.000 camions contre 518.000 voitures de tourisme), par un parc réduit d'autocars (14.300). Le trafic voyageurs, même local, est surtout entre les mains des chemins de fer. La plupart des autocars appartiennent à la Poste, ce qui supprime les concurrences inutiles avec le rail. Les camions lourds sont en nombre considérable (42.100 véhicules de plus de 4 t.) et en augmentation rapide. Dans l'ensemble, le parc de véhicules utilitaires s'est accru de 67,1 % de 1938 à 1950.

b) *Le trafic international.* — L'activité portuaire de la République fédérale allemande est concentrée essentiellement dans 3 ports, dont les moyennes mensuelles sont les suivantes : Hambourg, 803.000 t., Brême et son groupe, 429.000 t., Emden, 359.000 t. Ensuite viennent, très loin derrière, Nordenham (94.000 t.) et Lübeck (92.000). Dans l'ensemble, le trafic a fortement diminué par rapport à l'avant-guerre. Hambourg est le plus touché : en 1951, l'activité n'était encore que 56 % de celle de 1938. Emden, et, surtout, Brême, ont mieux maintenu la leur, la coupure entre l'Est et l'Ouest leur étant moins préjudiciable.

Malgré d'importantes exportations de produits lourds (houille, coke, potasse, produits sidérurgiques), les entrées sont supérieures aux sorties. Les moyennes mensuelles s'établissent, pour 1950, respectivement à 1.102.000 t. et 863.000 t. Encore, une bonne partie des produits lourds importés (minerai de fer, céréales notamment) passe-t-elle par Rotterdam. Les Allemands ont fait un grand effort pour faire profiter leurs ports de leur renaissance économique. Hambourg est maintenant reconstruit à plus de 70 % (fin 1951) et ce sont les marchandises qui manquent le plus. Cependant, la plupart des importations d'outre-mer passent par les ports allemands, au détriment de Rotterdam. Il en est de même des exportations. Ainsi, la houille de la Ruhr envoyée à la région de la Basse-Elbe atteint Emden par canaux, puis, de là, Hambourg, par cabotage.

Il n'en reste pas moins que la position excentrique de la façade maritime de l'Allemagne fédérale, la coupure avec l'Est, entravent considérablement la reprise des activités portuaires. Ces difficultés touchent principalement le plus grand port, Hambourg.

Hambourg a un trafic fortement déséquilibré : en 1951, les importations ont porté sur 9.800.000 t. contre 4.300.000 d'expéditions. En 1938, le trafic total était de 25.700.000 t. Les réexpéditions par voie fluviale n'ont porté que sur 1.400.000 t. en 1950, dont 65 % sont restées en zone britannique et 22 % ont gagné Berlin-Ouest. L'équipement portuaire est hypertrophié pour les besoins actuels. Les importations sont constituées principalement par des matières premières destinées à l'industrie locale (66 % : houille, huiles minérales), et par des produits alimentaires (28 % : grains, oléagineux, fruits). Les expéditions portent surtout sur des produits occasionnels (ferrailles) et sur des denrées redistribuées par cabotage (produits pétroliers, produits alimentaires). Les seuls postes stables de trafic international sont les potasses, les engrais, les ciments, des produits fabriqués (voitures, machines, céramique).

La part du pavillon allemand est bien réduite par rapport à l'avant-guerre (21 % en 1950 contre 62,3 % en 1936), les U. S. A. étant le principal bénéficiaire du changement (23,9 contre 3,9 %), par suite des stipulations de l'E. R. P. Mais cette proportion s'accroît rapidement. En 1951 ont été levées les restrictions qui interdisent aux Allemands de construire des bateaux de tonnage fort ou moyen et à moteurs puissants. A Hambourg, par exemple, le pavillon allemand a reconquis la seconde place dès 1951. Le nationalisme économique soutient vigoureusement cette reconquête : tandis que les bateaux allemands représentaient en 1951 seulement 16 % du tonnage de jauge de Hambourg, ils ont fait 31 % du trafic et 46 % des exportations. Pratiquement, ils ont toujours disposé d'un fret de retour, ce qui fut rarement le cas des navires étrangers. La reconstitution de la flotte s'effectue rapidement : les chantiers navals allemands sortent, depuis 1951, un tonnage supérieur à celui de la France.

2° Les modifications de l'habitat.

Si les usines ont, dans l'ensemble, peu souffert de la guerre, il n'en est pas de même des villes. On a évalué à 2.300.000 les logements entièrement détruits par la guerre. Il faut ajouter à cela les besoins des réfugiés (2.300.000 également) et ceux du remplacement normal des vieilles constructions et des jeunes ménages excédentaires (1.200.000). Au total, le bilan se présentait, en juin 1951, de la manière suivante : besoins, 5.800.000 logements, constructions depuis 1945, 1.000.000. Le déficit restait encore de 4.800.000 logements, malgré une reconstruction qui frappe l'étranger et dont le rythme est bien plus rapide qu'en France.

L'importance de ces chiffres révèle l'ampleur des modifications apportées par la guerre à l'habitat. Mais avant de les analyser, il nous faut rappeler les caractéristiques de ce dernier.

a) *La structure de l'habitat.* — L'Allemagne est un pays d'habitat groupé.

L'intensité de l'industrialisation a multiplié les formes d'habitat mixte, bourgades à la fois agricoles et ouvrières. La forte concentration de l'industrie a donné un puissant essor à la vie urbaine. Telles sont les caractéristiques essentielles. Les communes de moins de 2.000 hab. et celles de plus de 100.000 groupent au total près des 2/3 de la population, ne laissant que 1/3 aux villes moyennes et petites. Le gros village et la bourgade industrielle (les villes de 2.000 à 5.000 hab. comptent 14 % de la population totale) et, à l'autre extrémité de l'échelle, les grandes villes de plus de 100.000 hab. (34 % de la population) sont les formes d'habitat prédominantes. Cette répartition est très différente de celle de la population suisse, où les petites villes jouent le rôle essentiel après les grandes. C'est dans la structure économique qu'il faut aller en chercher les raisons. La puissante concentration industrielle a favorisé les grandes villes, notamment dans la Ruhr. Mais la dispersion des grosses usines de transformation dans la banlieue des grands foyers urbains a facilité la persistance d'un habitat ouvrier rural, que l'on retrouve dans l'intensité du trafic de banlieue.

La distribution spatiale des types de peuplement fait apparaître des différences régionales.

L'Allemagne du Nord-Ouest (Schleswig-Holstein, moitié nord occidentale de la Basse-Saxe) présente une opposition nette entre habitat rural et urbain. Le peuplement agricole y affecte, dans l'Oldenburg, dans la Frise orientale et dans les Marschen de l'ouest du Schleswig, une forme peu concentrée. Les fermes isolées, résultant d'un regroupement des terres aux XVIᵉ-XVIIIᵉ siècles et de défrichements tardifs, dominent. Elles sont associées, dans les Marschen littoraux, à des villages lâches de digues. Tout cela est peu favorable à une urbanisation des campagnes : la desserte est difficile par les moyens de transport en commun et la structure agraire est hostile au bourgeonnement des maisons ouvrières autour des centres d'habitat rural traditionnel. D'ailleurs, les villes sont anciennes et ont su s'accroître à la mesure des besoins. Le réseau urbain porte encore la marque hanséatique : les villes sont littorales. Hambourg, avec plus de 1.600.000 habitants, constitue une puissante conurbation le long de la rive septentrionale de l'Elbe. Sa banlieue déborde un peu sur le Holstein voisin, dans une région où les villages agglomérés se sont plus facilement transformés en bourgades mixtes que ceux des polders littoraux. Lübeck (200.000 hab.), Kiel (225.000), Brême (400.000), Weser-münde (110.000), Oldenburg (105.000), contribuent à former une armature urbaine solide et concentrent l'essentiel de l'industrie. Entre elles et les formes de peuplement agricole, il reste seulement de la place pour les petites villes, centres locaux de réapprovisionnement, dont certaines profitent de quelques usines (Neumünster, Rendsburg). Elles ne dépassent que rarement 20.000 habitants, le plus souvent sous l'effet de l'afflux des réfugiés.

La partie nord de la Mitteldeutsche Senke et le reste de la Basse-Saxe présentent un type différent d'implantation du peuplement. Le village aggloméré domine, sauf quelques îlots de villages-rues de défrichement récent (Walhuffendörfer). La vie industrielle est plus importante dans son ensemble, et, surtout, plus diffuse. Les matières premières, plus éparses, la concentration urbaine moins poussée concourent à l'expliquer. Trois grandes villes seulement : Hanovre (400.000 hab.), Brunswick (190.000) et Cassel (200.000). Ce sont d'importants centres industriels, mais beaucoup moins monopolisateurs que Hambourg ou Brême. Les vieilles villes traditionnelles, évêchés, comme Hildesheim (60.000 hab.), universités, comme Göttingen (70.000 hab.), marchés ruraux, comme Celle (50.000 hab.) restent des villes moyennes. Elles ne sont cependant pas endormies. Au même titre que quelques parvenues, installées sur la potasse, le pétrole, la houille ou le minerai de fer (Wattenstedt-Salzgitter, 93.000 hab., Peine, 24.000 hab., Wolfenbüttel, 30.000), elles se sont industrialisées. Mais partout, la ville ne correspond pas à la main-d'œuvre qui y travaille. Partout, une grande partie de ses ouvriers loge dans les bourgades voisines. La vallée de l'Aller, avec ses puits de pétrole, les Börde entre Minden et Brunswick, le bassin subhercynien, ne comptent guère de villages purement agricoles. Presque toutes les agglomérations abritent au moins 30 % d'ouvriers industriels. Plus au sud, les plateaux de la région de Cassel sont restés plus agricoles. On y trouve cependant, surtout sur la Haute-Fulda, des restes d'industries à domicile et en atelier, et de petites usines textiles.

La Rhénanie-Westphalie, de Hamm et de Münster à Bonn et à Aix-la-Chapelle, présente un tout autre type d'habitat. La prédominance industrielle et urbaine est incontestée. Puits de mine, usines, ports, gares, s'installent partout, accompagnés de lotissements qui forment des groupes compacts autour des agglomérations traditonnelles ou des tentacules anastomosées le long des routes. Les fermes isolées du Bassin de Münster reculent pied à pied devant cette invasion. Dans le Land, moins de 8 % de la population habite les communes dont la population est inférieure à 2.000 habitants, contre 37 % celles de plus de 100.000. La Ruhr, concentration industrielle géante, est un agrégat de grandes villes : Essen, Cologne, Dortmund et Düsseldorf dépassent les 500.000. Entre 200.000 et 500.000 se placent Duisburg, Wuppertal, Gelsenkirchen, Bochum ; entre 100.000 et 200.000 Oberhausen, Krefeld, Solingen, Mülheim, Bielefeld, Hagen, Aix-la-Chapelle, Herne, Bonn, München-Gladbach. La concentration de l'habitat est le reflet de celle de l'industrie. D'actives migrations ouvrières lient ces villes entre elles et aux villes moins importantes dont la résidence est la principale fonction. Il vient aussi de la main-d'œuvre de tout le flanc nord du Massif Schisteux rhénan et de la vallée du Rhin en aval de Neuwied.

Tandis que le Massif Schisteux reste, dans l'ensemble, une région rurale de petits villages, généralement pauvres, d'où la main-d'œuvre émigre, partant parfois travailler la semaine entière vers Francfort ou vers la Ruhr, on retrouve une forte concentration de population sur le Rhin moyen. Une vie agricole ancienne, opulente dans les plaines et sur les coteaux de vignoble, a entretenu jusqu'à nos jours un dense semis de gros villages. Mais, tandis que la crise agricole touchait peu à peu la main-d'œuvre, les vieilles cités commerçantes languissantes se sont rapidement réveillées à la fin du XIXᵉ siècle et ont profité des facilités offertes à la grande industrie par la navigation rhénane. Deux puissants foyers, possédant des usines géantes, des grandes firmes, se sont développés : celui de Francfort et celui de Ludwigshafen-Mannheim. Karlsruhe, de son côté, est devenue une cité industrielle. Les villes importantes ne manquent pas : Francfort avec ses 500.000 habitants, puis Mannheim et Wiesbaden (250.000 et 190.000), Karlsruhe (180.000), Heidelberg (110.000), Ludwigshafen (120.000), Mayence (100.000) forment une solide armature de grandes villes, complétées par de nombreuses villes moyennes, soit cités historiques, comme Worms (50.000 hab.) ou Spire (28.000), soit villes nées de l'industrie (Rüsselsheim). Les villages servent de résidence à de forts contingents ouvriers.

La vie rurale redevient prédominante dans le sud du fossé rhénan, en face de la frontière française, où manquent les grandes villes et où les usines sont plus rares, et uniquement de médiocre importance. Il en est de même en Bavière, où, comme dans le Nord-Ouest, le peuplement est caractérisé par des villes importantes industrialisées (Munich, 800.000 hab. ; Nuremberg, 350.000 ; Augsburg, 170.000 ; Würzburg, 70.000 ; Bamberg, 70.000), centres régionaux qui dominent un réseau de petites villes-marchés possédant parfois quelques usines, mais souvent aussi bourgades purement commerçantes. Dans l'intervalle, le peuplement agricole, en fermes isolées et en hameaux sur le plateau bavarois, en hameaux sur les plateaux de grès, en villages ailleurs, reste éloigné de l'industrie et mal desservi par un réseau de chemins médiocres. L'exode rural sévit. Ce n'est que sur les bords, dans l'Oberpfälzerwald et sur les confins de la Forêt Noire qu'apparaît de nouveau le village industriel, avec des industries dispersées. Dans l'Oberpfälzerwald, il est dominé par des villes moyennes, centres d'industrie, comme Hof (50.000 hab.). En Württemberg, l'armature est plus diversifiée : Stuttgart (450.000 hab.) est une capitale régionale et un grand foyer industriel urbain, avec une couronne de villes industrielles moyennes, satellites drainant la main-d'œuvre de bourgades mixtes. Son influence est relayée par de petites villes industrielles.

Mais la structure économique allemande ne rend pas seulement compte de l'implantation du peuplement. Elle explique aussi les paysages urbains traditionnels. La vigueur de l'essor industriel, la politique paternaliste adoptée très tôt par les magnats industriels ont marqué la ville allemande de leur cachet.

La brusquerie de l'essor urbain est exceptionnelle. Les villes de la Ruhr n'ont d'homologues qu'aux U. S. A. ou en U. R. S. S. Ainsi, Düsseldorf est passé de 10.000 hab. en 1800 à 536.000 en 1939, Gelsenkirchen, village de quelques centaines d'agriculteurs en 1870, a atteint 317.500 hab. en 1939. Même les villes historiques n'avaient que des quartiers anciens réduits. Le centre de Hambourg, antérieur au xixe siècle, ne s'allongeait que sur 2 km. Maintenant, l'agglomération forme un demi-cercle de 25 km. de diamètre. Aussi, villes-champignons, les cités allemandes sont-elles beaucoup moins disparates que les villes françaises. Elles se sont construites surtout sous la période Wilhelmine, ce qui leur donne une unité de style. De même, leur croissance fut beaucoup moins spontanée. Souvent, les communes ont loti elles-mêmes de vastes quartiers, assurant un développement planifié. Très vite des préoccupations d'urbanisme, liées d'une part au paternalisme, de l'autre à la tradition d'ordre prussienne, sont venues réglementer la construction. Ainsi, dès avant 1914, un organisme intercommunal, le Ruhrsiedlungs-verband planifia le peuplement de la Ruhr, traçant les lotissements, protégeant les espaces verts, organisant le drainage des terrains en voie d'affaissement, plaçant égouts et adductions de gaz et d'eau.

Les faubourgs disparates, les franges urbaines incertaines de maisonnettes le long de chemins boueux, les zones confinant au bidonville, les taudis également, étaient rares en Allemagne. Les villes se sont généralement accrues par panneaux entiers, mordant directement sur la campagne. Dans la Ruhr, on a donné la préférence aux pavillons pour 2 ou 4 familles, avec jardin, groupés en quartiers autour d'églises, du magasin coopératif et du club-bibliothèque. Dans les villes traditionnelles, les quartiers de villas, cossues et prétentieuses, ont été surtout réservés à la bourgeoisie. Ouvriers et employés étaient logés dans des quartiers d'immeubles du type H. L. M., souvent précédés d'une bordure verte, où les magasins sont relativement rares, la concentration commerciale se traduisant par le Kaufhaus central. La puissance des banques, des grosses sociétés, des compagnies d'assurance, s'extériorisait par les bâtisses colossales à cariatides massives, ébauche, avec les grands magasins, d'une « cité » au centre des villes, sur le bord des quartiers historiques.

Dans les petites villes et les villages, le paysage diffère également de celui de la France. La maison individuelle du paysan ou du petit commerçant « indépendant » domine. Mais elle est plus cossue, souvent confortable, généralement minutieusement entretenue. L'Allemand fait passer l'équipement avant le reste. Les quartiers ouvriers qui se sont adjoints à l'agglomération sont presque toujours formés de pavillons, construits avec l'aide de l'État ou des entreprises, ou encore grâce au crédit coopératif. L'impression d'ensemble est solide et cossue. La contrepartie était la misère du village des territoires semi-coloniaux de l'Europe centrale non germanique.

b) *Changements récents.* — La guerre est venue modifier cela. Les destructions et la reconstruction ont souvent changé le paysage urbain, le problème du logement et l'afflux des réfugiés ont modifié la répartition de la population.

— Les modifications du paysage affectent aussi bien les villes détruites par les bombardements que les villages, bondés de réfugiés.

Dans les villes, ce sont surtout les quartiers résidentiels, et, particulièrement les vieux quartiers historiques, qui ont été le plus détruits. Munich, Francfort, Hambourg, Lübeck, Mayence, Brunswick, par exemple, en apportent la preuve. Il en résulte une modification profonde de structure.

A Francfort, ainsi, c'est la vieille ville, autour de la cathédrale, du Romer, de la maison de Gœthe, qui a été rasée. Les quartiers résidentiels bourgeois situés au delà des anciens remparts, le port, le siège social de l'I. G. Farben, les usines de la périphérie n'ont pas reçu de bombes américaines. Or, ce centre était le type même de la ville médiévale inadaptée : rues étroites, immeubles anciens de deux ou trois étages, parcelles exiguës et de formes extrêmement irrégulières rendaient toute modification si coûteuse qu'on y avait renoncé. Le pittoresque se payait par l'insalubrité. Le grand commerce s'était installé sur les boulevards extérieurs, à l'emplacement de l'ancienne enceinte. Les vieux quartiers centraux abritaient surtout des artisans, des ouvriers du port, et toute une population équivoque de repris de justice, de prostituées, de chômeurs professionnels. Les naissances illégitimes, avec une proportion de 19,8 % contre une moyenne de 10 % pour la ville, la mortalité infantile (8,7 % contre 5,2 %), dépassant largement la moyenne, décelaient cette structure sociale de quartier évoluant vers le taudis.

A la suite des destructions, seule la cathédrale restait encore debout, bien qu'endommagée. Un plan d'urbanisme fut dressé, qui modifia complètement le paysage urbain. Seuls e s immeubles historiques furent reconstruits selon le plan antérieur et on se fit un point d'honneur de les reconstituer avec la plus parfaite précision : la maison de Gœthe a coûté 500.000 DM. Tout le reste fut bouleversé. Les parcelles furent expropriées et regroupées afin de permettre l'édification d'immeubles modernes style pseudo-ancien. Les rues furent élargies et munies d'arcades afin de conserver un certain cachet. Des pans coupés furent aménagés aux croisements. La ville devint pénétrable à la grande circulation moderne. Mais, en même temps, la structure sociale de la propriété changea complètement. Très rares furent les anciens propriétaires assez aisés pour réemployer sur place leurs indemnités. La plupart s'en allèrent et la ville trouva très difficilement preneur pour des terrains extrêmement chers (jusqu'à 300 DM le mètre carré). Le grand capital s'empara de ce quartier. Les immeubles actuellement reconstruits appartiennent pour une grande partie à des compagnies aériennes, surtout étrangères, à des firmes d'automobiles, à des banques, à des compagnies d'assurance. Le style building de ces immeubles, groupés surtout dans le N.-W. de la vieille ville, aux abords du quartier commerçant, évoquent une city américaine. Le reste du centre est en bonne partie tombé aux mains d'une grande société de construction qui y édifie des immeubles de résidence luxueux, surtout le long du Main. Seule la haute bourgeoisie y emménage.

Ces modifications affectent la structure d'ensemble de la ville. Au lieu d'un centre historique inadapté, évoluant vers le taudis, la partie ancienne de la ville constitue une city de bureaux et de grand commerce, à l'américaine, accolée à des quartiers de résidence aristocratiques. Les quartiers aisés du XIXe siècle, au delà des anciens remparts, sont atteints par la dégradation progressive : la bourgeoisie les abandonne aux employés, aux intellectuels. Mais cette transformation, effectuée par les capitaux privés, reste spéculative, ce qui gêne la planification. La reconstruction se fait au fur et à mesure des placements. Les immeubles neufs surgissent au milieu des ruines et ces dernières persisteront encore des années. Elles jouent le rôle de la zone parisienne : dans les caves retapées, dans des baraques du style bidonville tapies contre les pans de murs, une partie des anciens habitants continue de vivre, attendant l'expulsion. La période transitoire actuelle est caractérisée par de violents contrastes sociaux, par une bigarrure aveuglante des niveaux de vie. Elle résume toute l'accentuation du fossé entre les classes sociales qui résulte de la guerre. A Francfort, capitale de la zone américaine, métropole des spéculations de l'occupation, grand centre régional, les choses sont particulièrement criantes car l'argent s'est plus rapidement investi qu'ailleurs. Mais le cas, pour être l'un des plus typiques, n'est pas isolé. Hambourg, Munich, Cologne, les villes des magnats de la Ruhr montrent une évolution identique.

Le village allemand s'est aussi modifié. Les destructions y ont été exceptionnelles, mais l'afflux de citadins sans logis et de réfugiés a gonflé sa population. Il a dû s'adapter tant bien que mal. Très souvent, cette immigration massive a mis les agriculteurs en minorité, renforçant le noyau ouvrier primitif, parfois même le créant. Les citadins sont devenus des banlieusards, conservant leur emploi et se rendant chaque matin ou chaque lundi à leur travail, pour revenir le soir ou le samedi, suivant les possibilités de communications. Les migrations de main-d'œuvre ont été considérablement renforcées, le village souvent transformé en banlieue dans les régions situées à moins de 1-2 km. des foyers industriels. Une partie de ces citadins a regagné les villes avec les progrès de la reconstruction. Mais une autre s'est fixée et intégrée plus ou moins à un genre de vie mixte, les femmes et les enfants aidant les paysans dans de menus travaux en échange de produits agricoles, les hommes cultivant un lopin le dimanche, manières de diminuer la misère de la classe ouvrière, qui, là pas plus que dans les pays voisins de même structure économique, n'a profité de l'élévation de la production.

Le groupe des réfugiés est dans une situation plus difficile. Il n'a aucun point fixe auquel se raccrocher, pas même l'usine. Seul le chômage est son lot. Aussi reste-t-il encore en grande partie sur place. Misérable, il remplace les journaliers du milieu du xixe siècle. Demi-désœuvré, il s'emploie de temps à autre chez le cultivateur, qui profite de cette pression démographique pour refuser un salaire décent, se contentant généralement de quelques avantages en nature. Le surpeuplement rural entraîne des conséquences qui, il y a quelques années encore, étaient sorties de la mémoire paysanne : on a loti des communaux pour se mettre en règle avec les lois sur la réforme agraire et pour éviter qu'on ne touche aux propriétés des autochtones. Un coin de forêt, divisé en parcelles de 300-1.000 m² ou un coin de prairie, ont été essartés, défrichés. Femmes, hommes, enfants les transforment en jardins au prix d'un travail opiniâtre, à la main. Il leur a fallu, dans leur total dénuement, mendier un outil ou payer son prêt de journées de travail chez le gros paysan. Naturellement, ces quartiers de jardins sont situés sur les terres les plus ingrates et les plus mal situées. Ils exigent un travail acharné pour de maigres rendements et d'interminables allées et venues. Et les paysans aisés du village trouvent que ces réfugiés sont encore bien heureux.

Dans l'habitat apparaissent aussi des éléments nouveaux. Les lois sur les réfugiés et les crédits de reconstruction s'inscrivent dans le paysage : maisons surhaussées d'un étage, baraques en bois, quelques maisons neuves, généralement cossues. Mais seule la fiction juridique peut les attribuer à l'aide aux réfugiés. Les pièces réquisitionnées comme excédentaires sont louées à prix d'or, souvent le double des loyers officiels, sans parler des menues besognes qu'il est bon de faire gratuitement pour le propriétaire. Quelques meubles en trop sont également loués, et cela permet des foules de tractations. On sous-loue de mains de gens qui sont déjà des sous-locataires, on habite un médiocre appartement formé de pièces dispersées dans plusieurs maisons, on subdivise les granges pour en faire des logements. Parfois, la propriété se calque même sur ces partages, notamment dans le cas des ouvriers travaillant en usine. On retrouve le surpeuplement du village d'avant la révolution industrielle, avec une exploitation encore plus féroce des déshérités. Elle paie des constructions neuves, camouflage opportun de profits peu avouables. Elle paie des peintures toutes fraîches, de coûteuses clôtures qui découpent l'ancien openfield afin de protéger la propriété du gros paysan contre le réfugié famélique. On comprend mieux l'aigreur de ce dernier, mais aussi le danger que constitue une habile propagande qui désire le lancer à la reconquête d'un foyer perdu dans l'Est, justement à cause de la volonté de puissance dont il s'est fait le coupable serviteur là-bas.

Destruction et reconstruction, afflux et misère des réfugiés ont provoqué, depuis 1945, d'importantes migrations intérieures en Allemagne. En 1946, campagnes et petites villes ont eu leur population maxima, les citadins sinistrés s'y ajoutant aux réfugiés. Par exemple, Cologne avait perdu 36,1 % de sa population de 1939 (491.000 contre 768.000), Hambourg 17,4 % (1.403.000 contre 1.698.400), Francfort 22,5 %, Hanovre 23,6 %, Nuremberg 25,6, Kiel 28,3 %, Mannheim 24,4 %, pour ne parler que de grandes villes. Une grande partie de cette population est maintenant rentrée et rares sont les villes qui, en 1950, avaient une perte de population supérieure à 10 % par rapport à 1939. Inversement, d'autres villes, villes moyennes, surtout, ont été envahies par les déracinés. En 1946, malgré les destructions, Lübeck avait une population gonflée de 49,2 %, Bamberg de 33,9 %, Göttingen de 38,1 %, Neumünster, dans le Schleswig, de 28,1 %, Bayreuth de 29,6 %. Elles n'ont généralement perdu qu'une faible partie de cet accroissement, les réfugiés ayant remplacé les sinistrés. Un certain nombre de firmes y ont installé de nouveaux ateliers ou transféré des usines auparavant dans l'Est Ainsi, Zeiss à Göttingen ou les céramiques et porcelaines de Saxe dans les petites villes de l'Oberpfälzerwald bavarois. La concentration relative dans les grandes villes en a été diminuée. Il faut dire aussi que ce sont les petites villes et les campagnes qui comptent le plus de chômeurs : la plupart des villes de la Ruhr en ont une proportion inférieure à 5 % de la population active, tandis que Lübeck et son district en ont plus de 25%. La structure économique n'ayant pas changé, les différences de densité avec 1939 n'affectent guère la concentration de la main-d'œuvre productive, mais seulement les réserves inemployées de main-d'œuvre.

Les variations du peuplement rural montrent un phénomène analogue. L'afflux des réfugiés y a été durable. Partout, sauf dans la zone française qui leur est restée fermée, la densité de population a fortement augmenté, sans que les forces productives s'accroissent d'autant, d'où les changements d'aspect analysés plus haut. La Basse-Saxe, sauf la Frise orientale, et le Schleswig-Holstein ont vu la densité augmenter de plus de 70 %, souvent même doubler, entre 1939 et 1950. Des territoires purement agricoles, dans le Schleswig-Holstein, atteignent plus de 250 hab./km². La Bavière a subi un accroissement de densité de 40 à 70 % dans la plupart de ses cercles ruraux. Les mêmes problèmes s'y posent avec seulement une acuité un peu moindre. Aussi ne faut-il pas s'étonner si c'est surtout en Schleswig-Holstein et en Basse-Saxe que les groupements politiques de réfugiés et les formations néonazies ont attiré le plus grand nombre d'électeurs.

Depuis 1949, des efforts ont été amorcés pour répartir plus uniformément la masse des déracinés. Jusqu'à la fin de 1950, les résultats ont été des plus médiocres : sur une prévision de 420.000 personnes, seulement 158.000 ont été transférées.

MIGRATIONS DE RÉFUGIÉS EN 1949-1950

Länder de départ		Länder d'arrivée	
Schleswig-Holstein	81.921	Rhénanie-Palatinat	78.686
Basse-Saxe..........	40.772	Württemberg-Hohenzollern .	38.537
Bavière.............	35.377	Bade	35.038
		Hesse et Württemberg-Bade.	5.809

En 1951, le programme prévoyait 200.000 transferts. Seulement 10.000 auraient été réalisés. Les changements de physionomie des campagnes allemandes liés à l'afflux des réfugiés et des sinistrés ne sont pas près de disparaître...

Héritière de la structure économique du IIIe Reich, la République fédérale montre éloquemment comment le grand capital allemand a su mettre à profit les circonstances, notamment sur le plan international, pour se relever après une défaite que l'on aurait pu croire définitive et en profiter pour accroître sa puissance. Cette structure économique est l'élément fondamental de la géographie de l'Allemagne occidentale. Elle explique aussi bien l'implantation des forces productives que la politique économique et se traduit clairement dans les superstructures. En dehors de l'accentuation de la concentration économique récente, la guerre et ses suites se sont traduites principalement dans ces superstructures, habitat notamment. L'étude de l'Allemagne occidentale, par suite de l'évolution particulièrement rapide et poussée et de son économie vers la concentration capitaliste au profit des grands monopoles, est digne de servir d'exemple de méthode pour démontrer l'influence des types d'organisation économique sur les aspects géographiques.

III. — LA RÉPUBLIQUE DÉMOCRATIQUE ALLEMANDE
(ALLEMAGNE DE L'EST)

Tandis que l'Allemagne occidentale, sous le nom de République fédérale allemande, est l'héritière fidèle du passé historique de l'Allemagne capitaliste et pangermaniste, l'ancienne zone d'occupation soviétique, devenue la *République démocratique allemande*, est organisée sur des bases particulières procédant de réformes de structure, conformes à la politique économique socialiste : nationalisation du crédit et des industries lourdes, réforme agraire, planification. Malgré l'identité théorique avec les réformes de structure des Républiques populaires voisines, la République démocratique allemande garde une originalité, due aux problèmes propres à l'ensemble de l'Allemagne, dont elle reste un élément à la fois historique et virtuel, une fraction d'une grande nation actuellement soumise à deux formes d'organisation politique, économique et sociale différentes.

A) L'ASSIETTE GÉOGRAPHIQUE

On ne s'est pas fait faute d'insister sur le caractère artificiel, arbitraire, du découpage actuel de l'Allemagne. Les conférences interalliées de Yalta et de Potsdam avaient proclamé l'intangibilité de l'unité allemande et le découpage effectué alors, qui s'est cristallisé sous la forme des frontières actuelles, n'était qu'un découpage administratif. Il tenait compte à la fois de la position respective des armées en présence au moment de la capitulation, des éléments de politique internationale et des facilités administratives. Dosage délicat. En majeure partie la frontière interzone reprend des limites historiques : celles de la Thuringe, du Brandebourg, du Mecklembourg, de la Saxe. Mais dans le Harz, elle n'a pu s'appuyer sur un enchevêtrement inextricable d'enclaves et d'exclaves et tranche dans le vif. De toutes manières, des frontières semblables, encore vivantes dans le folklore et les sentiments particularistes, ne sont que des survivances dans un État hautement industrialisé et unifié depuis près de cent ans. Elles ne reposent sur aucune réalité économique. Plus paradoxal encore est le cas de Berlin, conquis et occupé par les Soviétiques, mais dont une partie fut cédée aux troupes occidentales afin de souligner à la fois l'unité allemande et l'entente des Alliés. Le secteur soviétique fait corps avec la zone soviétique mais en resta longtemps administrativement isolé, un commandement interallié gouvernant l'ensemble des 4 zones berlinoises jusqu'à ce que la mésentente internationale le fît tomber en désuétude. Actuellement, Berlin-Est est intégré dans la République démocratique allemande, à laquelle il sert de capitale, mais toute la moitié occidentale de l'agglomération, de la Porte de Brandebourg jusqu'aux faubourgs éloignés parfois d'une quinzaine de kilomètres, forme une enclave sous contrôle anglo-franco-américain, rattachée à la République fédérale, avec laquelle elle communique par une autoroute et une voie ferrée exterritorialisées, et, surtout, par l'aérodrome de Tempelhof. L'unité berlinoise est moins fictive que celle de l'Allemagne : les communications sont pratiquement libres entre Berlin-Ouest et Berlin-Est tandis qu'un contrôle sépare la République démocratique allemande de Berlin-Est, sa capitale...

Il n'en reste pas moins que le problème de Berlin est une source de difficultés pour l'Allemagne de l'Est surtout. Pour les Occidentaux, la ville n'est qu'une tête de pont, parfois assiégée comme lors du blocus de 1948. Les installations industrielles précieuses en sont méthodiquement évacuées et le chômage s'y accroît. Pour la République démocratique, le problème est tout autre. L'hostilité entre l'Est et l'Ouest en fait une plaie vivante, ouverte en permanence, source de paralysie latente. Nombre de régions de l'Allemagne de l'Est sont desservies par les gares situées à Berlin-Ouest. Les réseaux de distribution de gaz et d'électricité chevauchent les limites de secteurs. Les canaux reliant l'Est et l'Ouest de l'Allemagne orientale, traversent Berlin-Ouest. Il en est de même de la plupart des lignes électriques à haute tension, sans parler des relations techniques et commerciales entre entreprises situées de part et d'autre de la ligne de démarcation. Qu'on imagine une ville comme Paris coupée en deux par la limite entre zone « libre » et zone occupée en 1941, avec cette différence aggravante qu'aucun des deux partenaires n'a de moyens de pression sur l'autre.

Le territoire de la République démocratique allemande est inégalement réparti entre les deux grandes régions physiques allemandes, plaine glaciaire du Nord et zone hercynienne de l'Allemagne moyenne.

1° La plaine glaciaire.

La plaine l'emporte, couvrant plus des 2/3 de la superficie totale. Elle s'élargit notablement : les moraines récentes s'écartent de la Baltique tandis que celles de l'Elster ont débordé sur les monts Métallifères. Au Sud, jusque vers Berlin, le domaine de la glaciation saalienne est caractérisé par des collines aplaties, en grande majorité sableuses. C'est la région la plus pauvre et la plus désolée, garnie de larges pinèdes, qui prolonge les Landes de Lünebourg, le Fläming, puis les sablières du Brandebourg le long de la Sprée moyenne. Au Nord, le domaine des moraines vistuliennes, occupé essentiellement par le Mecklembourg, est moins pauvre sans être florissant. L'association de formes glaciaires fait alterner les dépressions lacustres ou marécageuses, les collines d'arcs morainiques, plus fertiles, mieux égouttées, les dépressions colmatées par la moraine de fond, fraîches et relativement riches quand elles sont drainées, et les épandages sableux des sander et des chenaux proglaciaires. Sans être totalement usurpée, la réputation de pauvreté de ces pays vient pour une large part du régime social, de la persistance tardive d'une propriété féodale, celle des Junkers. Ayant obtenu à la fin du XIXe siècle, grâce à son alliance avec les industriels de la Ruhr, un régime douanier protectionniste, elle avait progressivement renoncé aux améliorations foncières entreprises sous l'influence du prussianisme au xviiie siècle, et préférait maintenir le paysan dans un état de demi-servage et de profonde misère plutôt qu'investir et rationaliser la production : nette transition avec l'Europe orientale de l'entre-deux guerres.

Cette agriculture traditionnellement médiocre n'est pas compensée par des richesses minérales. Les terrains tertiaires et quaternaires détritiques sont trop épais et stériles. En quelques points seulement, les sondages ont atteint des gisements de sel gemme, qui restent bien inférieurs à ceux de la région subhercynienne, et, aux abords de Francfort-sur-l'Oder, un bassin de lignite, de plus en plus activement exploité. L'industrialisation de cette plaine ne repose pas sur ses richesses propres, mais sur des facteurs politiques. Comme Paris, Berlin doit ses usines à sa fonction de capitale, et son essor a favorisé la croissance, dans son voisinage, de centres industriels secondaires, profitant des voies de communication aménagées pour le desservir. Des voies navigables sans cesse améliorées et surtout de bonnes lignes ferroviaires permettaient à Berlin de se ravitailler en charbon, en demi-produits sidérurgiques et en matières premières dans la Ruhr et, davantage encore, en Silésie. Terre de conquête, la Silésie s'était équipée en fonction des intérêts berlinois : à la différence de la Ruhr, elle ne posédait guère que des industries lourdes, fournissant des demi-produits et de la houille aux usines de transformation de Berlin. La fixation de la frontière sur la ligne Oder-Neisse par les Alliés a rompu cette association régionale. Désormais, la Silésie enrichit sa structure industrielle dans le cadre du nouvel État polonais tandis que Berlin et les centres industriels subordonnés sont privés de leur base de matières premières et de demi-produits. La coupure avec l'Allemagne de l'Ouest est venue progressivement empêcher la Ruhr de jouer le rôle de région de remplacement et annihiler les liens, moins essentiels mais cependant loin d'être négligeables, qui la reliaient à l'agglomération berlinoise.

Au problème agraire vient s'ajouter celui de la réorganisation d'une région industrielle privée de ses bases.

2° La zone hercynienne.

Le Sud de la République démocratique allemande englobe la partie orientale, rétrécie, de l'Allemagne moyenne, avec la moitié du Harz, le Bassin de Thuringe, une étroite lisière du Bassin souabe-franconien jusqu'à l'extrémité du massif volcanique du Rhön, le versant allemand des Monts Métallifères, la majeure partie du Bassin subhercynien. Il s'y ajoute, au Nord, la zone de contact des Börde, où les terrains secondaires ondulés et faillés s'ennoient sous les couches tertiaires elles-mêmes recouvertes de dépôts glaciaires saaliens peu épais, et qui s'élargit à l'est de Magdebourg, jusqu'à Liepzig, Dresde, Cottbus, en Saxe et en Lusace. Comme le reste de l'Allemagne moyenne, cette région possède à la fois une agriculture assez prospère et une vie industrielle ancienne et développée.

L'agriculture profite de conditions généralement plus favorables que dans la Plaine glaciaire. Certes, nous ne parlons pas des massifs, humides, venteux, aux sols pauvres et lessivés, couverts d'épaisses forêts où les conifères règnent sans conteste. Seul un élevage médiocre, et, surtout le bûcheronnage, y sont possibles, en dehors des activités industrielles. Mais les bassins, avec leurs plateaux ondulés, leurs terroirs variés, sont de vieilles régions agricoles, défrichées dès le milieu du Moyen Age. Certains placages de lœss bien égouttés, notamment au pied du Harz, dans les Börde, sont même mis en valeur depuis bien plus longtemps, comme le témoignent d'importantes trouvailles préhistoriques. Ce fut l'un des lieux d'épanouissement de la civilisation de Hallstadt. A la différence de la Plaine germano-polonaise, nous sommes ici dans une région de vieux peuplement germanique, qui n'a connu l'assujettissement des Slaves par les Allemands et l'instauration d'un solide régime domanial que tout à l'Est, en Lusace. Aussi le domaine féodal était-il rare, limité surtout aux forêts. La petite propriété, insuffisante pour nourrir une famille et complétée par le travail industriel, est très importante. Elle se combine à la moyenne et aux fermes de paysans aisés, qui atteignent 50-100 ha. Ces derniers dominent dans les Börde et en Lusace tandis que les microfundia l'emportent en Thuringe et dans la région de Leipzig. La propriété bourgeoise tenait parfois les fermes des paysans riches. Les problèmes que pose cette agriculture sont ceux du reste de l'Allemagne hercynienne, de la Bohême, de certaines parties de la France. L'ancienneté de la tenure paysanne et la pratique ancienne des assolements communautaires (Dreifeldewirtschaft) ont permis le morcellement des terres en étroites lanières et cette structure agraire joue le rôle d'obstacle à la modernisation des techniques de culture. La persistance d'un important prolétariat rural mi-agricole mi-urbain constitue une réserve de main-d'œuvre pour l'industrie car la mécanisation agricole ne lui offre guère de possibilités de travail à la terre. En attendant, il constitue une classe de paysans insuffisamment nantis, clients tout trouvés d'une réforme agraire. Mais, à la différence de la Plaine glaciaire, le problème foncier n'est ici qu'un problème secondaire. La grosse question est celle de la modernisation de l'agriculture.

L'industrie est solidement établie en Allemagne moyenne. On peut distinguer schématiquement 4 types d'implantation, géographiquement et historiquement différents :

— Les vieilles industries minières, fondées sur des gisements connus et exploités dès le Moyen Age, et qui ont attiré le peuplement dans les massifs hercyniens. Telles sont les mines et raffineries de plomb et d'argent de Freiberg, dans les Monts Métallifères, de cuivre de Mansfeld, de plomb et de cuivre de Hettstedt, de cuivre et de zinc d'Halberstadt au pied du Harz. Si les raffineries ont eu tendance à se concentrer les mines sont généralement dispersées et la plus grande partie de la main-d'œuvre est rurale, souvent à demi paysanne. Il en est de même de la seule usine sidérurgique possédant des hauts fourneaux qu'on trouvait en 1945 en zone soviétique, la Maximilianshütte, à Unterwellenborn, en Thuringe. Ses installations vétustes ne subsistaient que grâce à des salaires exceptionnellement bas, à la protection de la distance et à la spécialisation dans la fonte moulée.

— Les industries traditionnelles dispersées sont venues relayer, dans nombre de massifs, les industries minières en déclin, dès le XVIIIe siècle. Implantées dans les bourgs, elles sont représentées généralement par des usines petites ou moyennes, utilisant essentiellement une main-d'œuvre rurale. Telle est l'industrie textile en Lusace : laine autour de Cottbus, coton et lin vers Bautzen, en Saxe : coton dans les Monts Métallifères, laine à leur pied, de Riesa à Gera, en Thuringe, avec la région lainière de Weimar et d'Erfurt. Les industries du bois, notamment en Thuringe (jouets, menus objets), dans le Thüringerwald, sont dans le même cas.

— Les industries de transformation modernes, développées dans les villes : constructions mécaniques, travail du cuir, du caoutchouc, instruments d'optique et mécanique de précision, dont les principaux centres sont Dresde, Leipzig, Chemnitz, Halle, Magdeburg. Elles se sont fixées dans les principales agglomérations commerçantes traditionnelles et montrent une structure complexe. La concentration est beaucoup moins poussée qu'en Allemagne de l'Ouest. Les usines moyennes dominent à côté de quelques grosses entreprises, comme Zeiss. Parfois, type de transition, cette industrie s'est installée dans des villes moyennes qui ont ainsi une monoproduction, tel Iéna.

— Les industries lourdes récentes, fixées sur les ressources en matières premières. Elles sont apparues tardivement, en grande partie sous le régime nazi, par suite des impératifs de sécurité et de l'essor de la demande lié à la politique d'armement. Elles sont fondées sur deux richesses essentielles : les sels (potasse, sel gemme) et le lignite, car la houille de Zwickau, anciennement exploitée, n'est guère abondante et ne peut rivaliser ni avec la Ruhr ni avec la Silésie. L'I. G. Farben a équipé d'importants combinats chimiques à Bitterfeld et aux environs de Halle, proches à la fois du lignite et de la potasse. A Leuna et à Merseburg, on fabriquait de l'essence synthétique, à Bitterfeld on raffinait le magnésium et l'aluminium, on produisait du caoutchouc synthétique à la Bunawerk (Schkopau). Industries géantes, nées des besoins de guerre et largement approvisionnées en main-d'œuvre par le travail forcé, jumelées à des camps de concentration et de déportation. Les gisements de lignite de la vallée de l'Oder (Fürstenberg) et de la Neisse (Cottbus) ont été équipés surtout en vue de la production d'électricité, notamment pour Berlin.

Le trait essentiel de cette structure industrielle était son caractère disparate. En dehors des métaux non ferreux, l'industrie lourde était très mal représentée : une seule batterie de hauts fourneaux, et vétuste, et, à côté de cela, des industries chimiques orientées vers une production de guerre et sans liens avec les industries de transformation. L'industrie légère était importante et diversifiée mais manquait totalement de bases de matières premières : fer, acier, fibres textiles étaient importés comme le charbon. Elle présentait d'ailleurs de graves lacunes : les machines-outils lourdes, notamment les grosses machines pour le travail des métaux, les machines de l'industrie minière, les laminoirs, les constructions automobiles étaient insuffisamment représentées, voire totalement absentes. A côté de cela, la fabrication des machines textiles, des locomotives, de l'outillage agricole, la mécanique de précision, la construction électrique (Berlin) avaient une capacité de production très excédentaire par rapport aux besoins. En 1936, le territoire de l'actuelle République démocratique produisait 28,1 % des machines allemandes et Berlin 11,2 % (dont 3,5 % dans Berlin-Est), mais tandis que pour l'ensemble de l'Allemagne, 14,6 % seulement de la production étaient exportés, la proportion se montait à 25 % pour le Land de Saxe, dont 53,1 % pour les machines textiles, 28,8 % pour les machines de l'industrie alimentaire et de la meunerie. Par rapport à l'Allemagne entière, la proportion de la production revenant au territoire de l'actuelle D. D. R. était en 1936 de 81,6 % pour les machines de bureau, de 68 % pour les machines textiles, de 48,5 % pour la construction d'appareils divers (ménagers, etc.), de 52,9 % pour les machines à air comprimé. Ainsi, non seulement l'industrie lourde était gravement déficiente, mais les industries mécaniques ne portaient guère que sur le matériel des industries de biens de consommation et sur ces derniers eux-mêmes.

La structure financière de l'industrie montrait les mêmes contrastes. Dans l'ensemble, la concentration était beaucoup moins poussée qu'à l'Ouest, à l'inverse de ce qu'on observait pour la propriété foncière. Quelques konzerne importants étaient évidemment présents dans les domaines de la construction des machines (Krupp), de la construction électrique (A. E. G., Siemens), de la chimie (I. G. Farben), de la potasse (I. G. Farben, Wintershall), mais la plus grande partie des branches industrielles dominantes était entre les mains d'entreprises moyennes, voire petites, notamment dans le textile, dans la mécanique de précision, la construction des machines. Nombre d'entre elles étaient même encore des sociétés familiales, échappant en partie au contrôle financier des banques. La socialisation de cette industrie pose d'importants problèmes de structure.

Par suite même du découpage de son territoire et du développement de son économie jusqu'en 1945, la République démocratique allemande est un des pays socialistes où la construction d'une nouvelle économie se pose dans les termes les plus difficiles. Or, les circonstances historiques récentes sont venues encore compliquer la situation.

B) Du pays conquis a l'État autonome

La République démocratique allemande n'est évidemment pas un État national. C'est une ancienne zone d'occupation, découpée dans une entité nationale plus vaste, et qui n'avait pas été délimitée pour former un ensemble politique. Ce territoire devient aujourd'hui le support d'une économie autonome seulement par la force des choses. La naissance de la République démocratique allemande est une conséquence de la création, par les Alliés occidentaux, de la République fédérale. L'unité de l'Allemagne reste l'objectif essentiel de sa politique. Ces conditions historiques de la formation de la République démocratique allemande accroissent les difficultés qui proviennent de son assiette géographique et du découpage du territoire allemand.

Au lendemain de la capitulation, la zone d'occupation soviétique s'est trouvée dans une situation économique particulièrement difficile, nettement plus mauvaise, dans l'ensemble, que celle de l'Allemagne de l'Ouest :

— Les destructions de guerre étaient supérieures par suite des bombardements aériens massifs sur Berlin, Leipzig, Dresde, Magdeburg et de la violence des combats, beaucoup plus grande qu'à l'Ouest, puisque le gouvernement nazi avait sacrifié ses dernières forces pour essayer d'arrêter l'armée soviétique. Les voies de communication, les grandes agglomérations, le bétail avaient plus particulièrement souffert de la guerre.

PROPORTION DU BÉTAIL DE 1939 EXISTANT EN 1946

	Ensemble du bétail	Vaches	Chevaux	Porcins	Ovins
Ensemble de l'Allemagne	83 %	72 %	80 %	36 %	93 %
Zone russe	57 —	50 —	68 —	32 —	50 —

— Les accords de Potsdam furent strictement appliqués par l'U. R. S. S. qui poussa rapidement les démontages d'usines prévus. Or, par suite des circonstances, la majeure partie de l'industrie lourde avait été équipée pour les besoins de guerre. Les grands combinats chimiques installés sur le lignite : Merseburg, Leuna, Bitterfeld, Schkopau étaient dans ce cas, les centrales électriques les plus modernes, également sur le lignite. Aussi, en 1946, sur une puissance installée de 5.600.000 kW., les démontages avaient porté sur 1.840.000 kW. Bien que moindrement, les autres branches industrielles furent également touchées. Divers organismes de l'Allemagne occidentale ont publié des statistiques sur cette question, mais leurs données, destinées à étayer des plaidoyers antisoviétiques, semblent fortement exagérées et sont, en tout cas, contradictoires. D'après un Anglais, Nettl, le potentiel industriel après les destructions de guerre et les démontages atteindrait, par rapport à 1936, les pourcentages suivants.

FRACTION DU POTENTIEL INDUSTRIEL PERSISTANT EN 1947
(par rapport à 1936)

	D'après Nettl	D'après sources allemandes
Constr. des machines lourdes	40-45 %	
Sidérurgie	60 %	50 %
Industrie électrotechnique	40 –	37-45 %
Centrales électriques	50-55 %	45-50 –
Mécanique de précision	30 %	37-45 –
Cimenteries...........................	60 –	
Ind. céramiques	60 –	55-60 –
Caoutchouc synthétique	20-30 %	
Fibres synthétiques.....................	70 %	45-50 –
Textile................................	88-90 %	70-80 –
Cuirs		70-80 –
Chaussures	80-85 –	65-70 –

La valeur totale des installations démontées a été évaluée par Nettl, assez largement semble-t-il, à 4 ou 4,5 milliards de RM d'avant la réforme monétaire.

— Les réparations réclamées par l'U. R. S. S. et acceptées par les Alliés atteignaient 10 milliards de dollars, somme considérable, mais aisément admissible si l'on tient compte des dévastations systématiques effectuées par les troupes nazies non seulement en U. R. S. S. mais aussi en Pologne, dont le droit aux réparations a été pris en charge par l'U. R. S. S. Il a été convenu entre les Alliés que l'U. R. S. S. prélèverait l'essentiel de ses réparations dans sa zone. C'est donc l'actuel territoire de la République démocratique allemande qui en a supporté tout le fardeau dès que les Alliés occidentaux ont eu supprimé le droit aux réparations. En 1951, le montant des réparations déjà payées atteignait 3.658 millions de dollars. Cette somme a été versée par les procédés suivants :

a) Par les démontages d'usines et d'installations industrielles tombant sous le coup des décisions de Potsdam ou choisies par les autorités soviétiques. Comme à l'Ouest, ces démontages, souvent hâtifs, ont représenté pour l'Allemagne des pertes beaucoup plus élevées que les avantages qu'ils ont fournis aux victimes de l'Allemagne. Bien souvent, ils n'ont porté que sur des machines particulières ou des appareillages spéciaux, d'où les divergences dans leur évaluation statistique, certaines sources allemandes comptant la valeur entière d'une usine lorsque le démontage de certaines machines la paralysait ;

b) Par la prise de possession de certaines usines par l'Union Soviétique, essentiellement des usines dont le démontage était prévu. La solution avait un avantage pour les deux parties. Pour les Soviétiques, elle permettait l'utilisation intégrale du potentiel de production, sans les aléas du démontage, les pertes et avaries en cours de transport, mais posait un problème de ravitaillement en matières premières et d'évacuation des produits fabriqués à une époque ou les chemins de fer d'Europe centrale et orientale étaient dans un triste état. Pour les Allemands, elle évitait le chômage en maintenant sur place les possibilités d'emploi. Par suite de la restitution progressive de ces entreprises à la République démocratique allemande, elle s'est même révélée particulièrement avantageuse, puisqu'elle a, en fait, substitué la cession temporaire de l'usufruit à l'abandon total et inconditionnel du bien-fond. Ces installations ont été constitués en Sociétés soviétiques par actions (S. A. G.). Elles sont dirigées par un personnel supérieur soviétique et emploient des ouvriers et agents de maîtrise allemands. Leur production est la propriété de l'U. R. S. S. qui la garde en majeure partie pour ses propres besoins mais en fournit parfois une certaine proportion au marché allemand. Les S. A. G. s'approvisionnent sur le marché allemand en matières premières, pièces de rechange, etc., en payant les prix officiels. Jusqu'à la réforme monétaire, ce sont les prix de 1936, parfois majorés de 5 ou 10 % qui ont été pratiqués, ce qui a parfois entraîné de la part des administrations allemandes des versements compensateurs pour couvrir des ventes à perte, mais, inversement, les produits des S. A. G. fournis à l'économie allemande ont été facturés sur la même base. L'ensemble des S. A. G. a son activité coordonnée par une direction centrale à Berlin qui établit leurs plans de production. Malgré une certaine coordination avec la planification allemande, l'existence des S. A. G., corps étranger, véritable prise de guerre comme les usines mises sous séquestre en Allemagne occidentale ou en Sarre, n'a pas été pour faciliter cette dernière, du moins au début.

Jusqu'en 1949, la part des S. A. G. dans l'économie allemande a été considérable. Avec les grosses centrales de l'I. G. Farben, elles fournissaient environ 50 % du courant électrique total. De 1945 à 1948, elles ont participé à la production industrielle totale pour environ 1/4.

PART DES S. A. G. DANS LA PRODUCTION EN 1947

Ensemble	25 %	Caoutchouc	70 %
Charbon	15-20 %	Electricité	50 –
Potasse	40 %	Extraction et raffinage des métaux.	40 –
Combustibles liquides	80 –	Matériaux de construction	18 –
Industrie chimique	55 –	Fibres synthétiques	30 –
Véhicules	70 –	Textile	5 –
Construction de machines	40 –	Céramique	8 –

Les branches industrielles les plus importantes pour l'économie de guerre (énergie, produits de remplacement, machines, métaux) sont celles où la participation soviétique est la plus forte. L'industrie légère, par contre, n'a été touchée que par de rares confiscations.

Les S. A. G. allemandes ne doivent pas être confondues avec les sociétés mixtes créées par les soviétiques dans d'autres pays comme la Roumanie : elles n'étaient pas destinées à aider l'économie allemande, mais à assurer à l'U. R. S. S. les réparations auxquelles lui ont donné droit les destructions qu'elle a subies. C'est pourquoi leur production était destinée à l'U. R. S. S. en premier lieu. De 1945 à 1948, elles n'ont fourni, dans l'ensemble, que 25 à 30 % de leur production à l'Allemagne et y ont prélevé, dans le commerce, près de 40 % de leurs matières premières. Mais d'une entreprise à l'autre, les conditions sont très variables : si la Bunawerk a écoulé en zone soviétique la totalité de sa production de caoutchouc synthétique, matière particulièrement précieuse, d'autres ne lui ont rien fourni du tout, comme l'usine chimique de Wolfen ;

c) Par des prélèvements préférentiels sur la production courante allemande, des achats prioritaires étaient payés à un prix de faveur, généralement 10 % en dessous des prix taxés, et expédiés soit directement en U. R. S. S., soit vers des marchés étrangers pour le compte du commerce extérieur soviétique. Généralement, ces achats ont nécessité des subventions compensatrices de la part de l'administration allemande et c'est à ce titre qu'on peut les considérer comme des réparations. Ils ont été très variés et ont porté aussi bien sur des machines et de l'outillage (notamment machines textiles), qui ont servi à rééquiper les usines russes dévastées pendant la guerre, que sur des biens de consommation utilisés soit en U. R. S. S., soit à l'étranger. Ces achats n'étant pas compensés par des fournitures équivalentes de produits soviétiques ont constitué un prélèvement net sur la production allemande. Jusqu'en 1949, en effet, les exportations soviétiques en Allemagne orientale ont été des plus réduites, bien que souvent fort utiles comme la livraison de 25.000 t. de laine en 1946-1947.

Ces conditions particulières, surtout le fait que la zone soviétique a dû payer pratiquement seule des réparations élevées à l'U. R. S. S. pendant que l'industrie occidentale recevait d'importants crédits américains, ont joué d'un poids considérable dans l'évolution économique d'après guerre. On peut y distinguer trois étapes successives :

— Jusqu'en 1947-1948, la défaite est encore toute récente et l'U. R. S. S. panse rapidement ses plaies. Aussi sa politique consiste-t-elle en une application sévère des décisions de Potsdam. C'est la période des démantèlements, des achats massifs, des S. A. G. fonctionnant en dehors de l'économie allemande. Ces dernières ont atteint le chiffre maximum de 208. Nettl a estimé que la part du revenu national qui a été soustraite en 1946 à la consommation allemande en zone soviétique atteignait 26,1 %. Mais ce chiffre est exagéré parce qu'il comprend des double-emplois : réparations, achats, frais d'occupation, prélèvements indirects. Une bonne partie des achats est financée par les frais d'occupation ; quant aux prélèvements indirects, ils ne peuvent guère être calculés et les évaluations allemandes utilisées par Nettl sont suspectes. L'auteur arrivant à un pourcentage de 15,9 % pour la zone américaine, on peut seulement dire que le prélèvement russe était de 30 à 50 % supérieur à celui des Américains. Si l'on tient compte de la différence considérable des pertes subies par les deux pays pendant la guerre, le pourcentage russe est fort modéré. Il n'atteint même pas la part du revenu allemand consacrée avant 1939 aux dépenses d'armement. Il n'en a pas moins constitué, dans un pays appauvri, une charge considérable. Pendant cette période, les réformes de structure ont été limitées. La plus importante a porté sur la distribution des terres : c'est la réforme agraire. Dans l'industrie, il y a eu des confiscations motivées par des faits précis. Elles ont porté sur les entreprises appartenant à des organisations nazies, comme le Front du Travail, à des criminels de guerre ou à des dirigeants nazis, à des personnes s'étant enfuies. Les établissements industriels socialisés sont répartis entre l'ensemble de la zone (V. E. B. : Volkseigenebetriebe) et les Länder (L. E. B. : Landeseigenebetriebe). En 1948, la répartition des travailleurs était la suivante :

L. E. B. et V. E. B.	700.000 travailleurs soit	35-40	% du total
S. A. G.	525.000 —	25-30	—
Ind. privée	600.000 —	30-35	—

En dehors du secteur soviétique des S. A. G., l'industrie privée emploie encore presque autant de travailleurs que l'industrie nationalisée. Mais son importance n'est cependant pas la même. En effet, l'industrie nationalisée produit la totalité de l'énergie et participe pour 80 % environ à l'industrie lourde. C'est dans les industries légères que la propriété privée se maintient surtout, principalement dans les moyennes entreprises de textile, de céramique, de verrerie, de mécanique de précision, de construction de machines.

La politique économique, sévère, consiste à empêcher le privilège de l'argent de créer des inégalités dans le rationnement, en période d'inflation et de production limitée. On amorce la reconstruction, qui s'avère pénible par suite de la pénurie générale de machines, de matières premières, de produits de toute sorte, par suite aussi de la rupture du cadre géographique dans lequel s'était développée l'économie de la zone soviétique. Les livraisons de charbon polonais se font au compte-gouttes, les Allemands passant naturellement après leurs victimes. Le commerce avec l'W. resta réduit, et ne dépassa jamais 10 % de celui de 1936. La pénurie d'acier fut le point le plus grave, avec le manque de charbon. L'aide soviétique et le travail à façon permirent de maintenir une activité réduite dans l'industrie textile. En 1947, la production industrielle atteignit 57 % de celle de 1936. En 1948, l'accroissement fut de 10 %. Mais la reprise fut très inégale suivant les branches. Ainsi, au 4e trimestre de 1946, la production atteignait 98 % de celle de 1936 pour le lignite, 90 % pour la houille, 88 % pour le textile, mais seulement 23 % pour l'acier, denrée essentielle.

— De 1948 à 1950, la mise en place d'un appareil d'État s'effectue peu à peu et la politique soviétique se modifie. De relations discrétionnaires de vainqueur à vaincu on passe progressivement à des relations de bon voisinage.

La réforme monétaire effectuée à l'Ouest a été à la base de la création d'une monnaie différente en zone soviétique, le DM-Ost et d'une nouvelle étape dans la politique économique. La réforme monétaire a été effectuée à l'Est avec des objectifs bien précis : favoriser une redistribution du pouvoir d'achat. C'est pourquoi la conversion se fit à des taux variés. Pour les entreprises d'État, au taux de 1 à 1, pour les salaires, les pensions, les économies modestes, à celui de 3 à 1, pour les entreprises privées, généralement 6 à 1, pour les capitaux thésaurisés, enfin, de 10 à 1. Il en résulta un essor immédiat de l'épargne, qui, grâce aux banques nationalisées, aida les investissements économiques. En même temps, l'industrie privée se trouva défavorisée par rapport aux entreprises nationalisées. D'ailleurs, la politique fiscale et un sévère contrôle, assortis de mesures législatives de détail, éliminèrent un bon nombre d'entreprises privées. La socialisation de l'économie industrielle fit un important pas en avant pendant cette période. Le pouvoir économique du nouveau gouvernement fut renforcé par la restitution d'un nombre important de SAG. Fin 1947, il ne restait plus que 134 SAG sur 208 dans lesquelles, il est vrai, des entreprises très importantes.

Les SAG qui subsistent écoulent désormais une part beaucoup plus grande de leur production sur le marché allemand et leur production est coordonnée avec la planification allemande. En 1949, les achats soviétiques diminuent considérablement et un traité de commerce est signé, qui permet à l'Allemagne de l'Est d'acquérir en U. R. S. S. un certain nombre de denrées utiles (produits pétroliers, coton, laine) en échange de ses livraisons. Le montant des réparations est abaissé de 10 milliards de dollars à 6.829 millions en mai 1950.

Il est dès lors possible d'envisager une planification générale de l'économie. Un premier plan annuel avait été promulgué en 1948. Il est immédiatement complété par le Plan de Deux Ans (1949 et 1950), qui vise à réparer les importants dégâts causés par la guerre et les démontages en rétablissant la production au niveau de 1936. Il n'est guère encore question de pallier aux défauts de structure de l'économie de l'Allemagne orientale, car on conserve encore l'espoir d'une réunification prochaine de l'Allemagne.

Le Plan de Deux Ans a été réalisé en dix-huit mois et, dès la fin de 1950, la production dépassait dans l'ensemble d'environ 7 % celle de 1936. Dans certaines branches, les succès ont été considérables. Tel est le cas de la production d'énergie électrique, qui a atteint en 1950 18,9 milliards de kWh. contre 13,4 en 1936 et 18 prévus au plan. Dans l'industrie des constructions de machines, on a retrouvé la production de 1936, mais en atténuant déjà certains défauts de structure : la construction des machines lourdes a profité de 60 % des investissements. Vingt-trois SAG de constructions de machines sont rendues à la D. D. R. en 1950. La production agricole augmente également : de 23 % pour les céréales, de 38 % pour les pommes de terre, de 73%

pour les plantes oléagineuses entre 1947 et 1950. Mais les produits de l'élevage restent insuffisants.

Néanmoins, les entraves apportées par les Américains au commerce avec les Pays de l'Est touchent gravement l'Allemagne orientale d'autant plus que les mesures prises par les Alliés occidentaux paralysent le commerce interzones, vital pour elle. Les défauts de structure de l'économie apparaissent brutalement. Cette situation politique internationale est à l'origine de la troisième étape.

En 1950, à la suite du succès du Plan de Deux Ans est promulgué un Plan de Cinq Ans, couvrant la période 1951-1955. Il entreprend d'organiser sur le territoire de l'Allemagne de l'Est une économie autonome, adaptée à la coupure de fait des relations commerciales avec l'Ouest et fondée sur des rapports sur un pied d'égalité avec les Pays de l'Est.

En même temps, la structure économique se rapproche de celle des pays de Démocratie populaire. L'Union soviétique laisse le gouvernement de la République démocratique allemande conclure des accords commerciaux avec l'étranger. Elle lui remet un nombre considérable de SAG : 66 nouvelles entreprises en avril 1952, dont 13 centrales électriques, parmi lesquelles celles de Böhlen et de Bitterfeld, avec son important combinat chimique, l'usine chimique de Wolfen, celle de mécanique de précision de Weimar, etc. La production des autres SAG est intégrée dans les plans allemands, ce qui rend presque à la souveraineté allemande ces prises de guerre, primitivement destinées à être démontées. Avant ces restitutions, dès 1951, la production de courant électrique des SAG, qui était de 50 % en 1948, était tombée à 35 %. Le 22 août 1953, le protocole de Moscou met fin au prélèvement des réparations et rend, pour le 1er janvier 1954, 33 SAG à la République démocratique allemande (constructions mécaniques, industries chimiques, métallurgiques et autres). Les SAG ont pratiquement cessé d'exister. Si elles ont constitué momentanément une gêne pour l'économie allemande, justifiée par le droit aux réparations, elles viennent maintenant la renforcer puissamment. En effet, l'U. R. S. S. y avait effectué des investissements parfois considérables, qui sont acquis à la République démocratique allemande, sans aucune indemnité. Les charges d'occupation ont été réduites à 5 % du budget. Après des débuts difficiles, la situation économique s'améliore rapidement.

Une réorganisation de l'industrie accompagne ces nouveaux progrès dans la voie du socialisme. Des ministères spécialisés sont créés, comme celui de la construction des machines (1950) et les entreprises sont groupées en branches ressemblant aux trusts soviétiques, en fonction de leur spécialité. Par exemple, dans la construction des machines, il en existe 7 : 3 pour les machines lourdes (moyens de transport, machines pour les mines et la sidérurgie, machines énergétiques) et 4 pour les machines légères (machines agricoles, machines pour les industries graphiques, pour les industries alimentaires, pour les industries chimiques). La plupart des entreprises importantes ont été transférées des gouvernements de Länder au gouvernement central, se transformant de LEB en VEB. Les méthodes de travail socialistes, notamment le stakhanovisme, se répandent, à la suite de l'exemple du mineur Hennecke, non sans une forte résistance provenant des vieux ouvriers, habitués à freiner la production par un réflexe de lutte de classe.

C) LA CRÉATION DES BASES D'UNE ÉCONOMIE SOCIALISTE

Les principales tâches entreprises en Allemagne orientale sont la création d'une agriculture moderne, fondée sur la petite propriété telle qu'elle résulte de la réforme agraire, et la réorganisation de la structure industrielle pour lui donner l'équilibre tant technique que régional qui lui manque.

1º La démocratisation de l'agriculture.

A la différence de la République fédérale allemande dont l'agriculture a conservé la même structure, une profonde réforme agraire a transformé les rapports entre le paysan et la terre. A vrai dire, cette réforme était, dans l'ensemble, plus urgente qu'à l'Ouest.

RÉPARTITION DE LA TERRE EN 1939

	Nombre de propriétés	%	Surface détenue	%	Territoires agricoles	%
0,4 à 5 ha	320.927	54	575.100	5,8	518.400	8,1
5 à 20 –	190.044	32	2.074.700	21,3	1.812.600	28,4
20 à 100 –	74.463	12,5	2.680.000	27,5	2.151.500	23,7
Plus de 100 ha......	9.024	1,5	4.422.100	45,4	1.895.300	29,8

La structure féodale de la propriété se traduisait par la possession de près de la moitié du sol par 1,5 % seulement des propriétaires. La proportion de terres cultivables était moindre, les grands domaines consistant pour une part importante en forêts, mais atteignait cependant près du tiers du total. Les très grands domaines (plus de 1.000 ha.), au nombre de 766, couvraient 20,6 % de la zone soviétique en 1945. Parmi eux on trouvait, dans l'île de Rügen, les propriétés des von Putbus, qui couvraient 18.850 ha., en Brandebourg et en Mecklembourg, celles des von Schwerin (16.682 ha.), des von Arnim (15.800), des von Maltzam (11.849) : de vrais majorats hongrois ou roumains. Ils étaient cultivés par des ouvriers agricoles logés misérablement dans de petits hameaux, dirigés par des régisseurs. Les investissements portaient surtout sur l'achat d'engrais et de machines, favorisé par la politique d'autarcie alimentaire du IIIe Reich. Les améliorations foncières (drainage de marais, lutte contre l'érosion éolienne sur les terres sableuses) étaient presque complètement négligées. La surexploitation du sol qui permettait, entre 1936 et 1945, de tirer de ces terres d'assez bons rendements, conduisait progressivement à son appauvrissement et n'aurait pu se poursuivre bien longtemps sans déclin.

La réforme agraire de 1946-1947 eut pour objet de donner la terre à ceux qui la travaillent. Tous les domaines au-dessus de 100 ha. furent confisqués sans indemnités. On y ajouta les terres appartenant au parti nazi et aux criminels de guerre. Elle affecta 32 % du territoire agricole et permit de résoudre concurremment les deux problèmes des ouvriers agricoles et des réfugiés. A la différence de ce qui se passa à l'Ouest, ces derniers furent rapidement intégrés dans la communauté allemande : ils reçurent des lots de terre qui firent de tous ceux qui le désirèrent des petits paysans.

BÉNÉFICIAIRES DE LA RÉFORME AGRAIRE
(état au 1-7-47)

	Nombre	Surface totale	%	Territoires agricoles	%
Paysans pauvres	162.462	374.400 ha	12,3	291.300	11,2
— sans terre	119.650	880.900 –	29	733.700	38,9
Réfugiés	83.802	695.200 –	22	575.600	30,5
Ouvriers non agricoles	130.881	100.400 –	3,3	62.700	3,9
Communautés rurales	37.803	202.000 –	6,6	52.600	2,8
— non rurales	2.619	683.200 –	22,2	190.000	10,1
Reliquat (réserve)		113.300 –	3,7	49.000	2,6

Les bénéficiaires de la réforme agraire furent extrêmement variés. Les deux parts les plus grosses sont naturellement allées aux paysans sans terre c'est-à-dire aux anciens ouvriers agricoles des grands domaines, et aux réfugiés. Ensemble, ils ont obtenu un peu plus de moitié des propriétés saisies (51 %), plus des 2/3 du territoire agricole (69,4 %). Les paysans insuffisamment nantis (en général en dessous de 6-7 ha.), ont également obtenu des satisfactions substantielles qui, souvent, leur ont permis d'atteindre à l'indépendance économique. Les ouvriers industriels qui le désiraient ont également été gratifiés de quelques lopins, en moyenne 3/4 d'ha. chacun. L'importance des ouvriers ruraux justifie cette mesure. Enfin, le reste est conservé en propriété collective, soit sous la forme de fermes d'État, destinées à la fois à jouer le rôle de fermes-pilotes et à assurer le gouvernement d'une collecte minima de produits précieux. Elles occupent 8 % des terres à usage agricole concédées, environ 2,5 % du total du territoire agricole, pourcentage plus faible que dans les Démocraties populaires. Villes et villages ont également obtenu des terrains pour construire de nouvelles habitations ou pour édifier des colonies de vacances, des maisons de repos, des parcs de sport, etc. Des usines nationalisées ont leur ferme alimentant cantine et coopérative.

Les terres concédées aux paysans l'ont été en toute propriété avec délivrance de certificats cadastraux. Parfois, on a brûlé les vieilles chartes seigneuriales au cours de réjouissances publiques, manifestations spontanées d'un enthousiasme paysan semblable à celui qui éclata en France en juillet 1789. Les acquéreurs durent verser au Trésor la valeur d'une année de récolte des terres concédées, évaluée suivant des normes assez basses. Ils purent se libérer en dix-vingt ans, avec un premier versement de 10 % au bout d'un an. Mais dès 1950, un certain nombre de remises de dettes eurent lieu et, en fait, seulement 60-75 % des sommes prévues furent données à l'État. Aujourd'hui, les paysans se sont pratiquement libérés, ce qui était d'autant plus facile que les paiements en nature étaient acceptés.

Une fois résolu le problème de la propriété, il reste à résoudre celui de la production. L'Allemagne de l'Est dispose, par rapport à l'Allemagne occidentale, d'une base alimentaire relativement large. Mais la situation n'en est pas bonne pour autant. Même en 1936, son territoire était déficitaire en produits agricoles : Berlin était largement approvisionné par les régions situées à l'E. de l'Oder, sans parler des importations. Or, depuis 1936, la surexploitation du sol en période d'autarcie, les destructions de guerre n'ont pas amélioré la situation. Comme dans les pays de Démocratie populaire, les objectifs à réaliser dans le domaine agricole sont les suivants :

— Améliorer les rendements au moyen d'investissements fonciers destinés à protéger les sols, à effectuer des bonifications, à étendre le territoire agricole : drainages de marais, plantations d'écrans protecteurs pour lutter contre l'érosion éolienne sont prévus au Plan. Cette augmentation des rendements est à la fois socialement et économiquement nécessaire. Socialement, car elle constitue le meilleur moyen d'élever le niveau de vie paysan. Économiquement, car il faut non seulement résoudre le problème alimentaire mais pouvoir introduire des plantes industrielles nouvelles qui assureront à l'industrie une base de matières premières indispensables (fibres textiles notamment : lin, chanvre, oléagineux).

— Moderniser les techniques de production en utilisant un machinisme moderne, qui élève la productivité et diminue les besoins de main-d'œuvre. Cette modernisation concourt à l'élévation du niveau de vie du paysan en économie socialiste. La libération de main-d'œuvre est indispensable à la fois pour l'agriculture et l'industrie. Elle fournit les bras nécessaires aux améliorations foncières, aux nouvelles cultures envisagées et aux nouvelles usines qui s'édifient.

Le principal obstacle à la réalisation de ces objectifs est la structure agraire. La réforme agraire a multiplié les parcelles, accentué le morcellement en le faisant apparaître dans les régions de grands domaines de la plaine glaciaire où il n'existait pas auparavant. Le problème social n'a été résolu qu'en posant un problème technique et économique, identique ou presque maintenant dans toute la D. D. R. Sa solution n'est pas encore acquise, mais on la voit apparaître.

La coopération, comme dans les Démocraties populaires, est la méthode mise en œuvre. Comme en Pologne occidentale, elle est d'ailleurs rendue nécessaire par le nombre considérable de « nouveaux paysans » bénéficiaires de la réforme agraire, et qui ne disposent pas de cheptel. Les machines des domaines confisqués ont été attribuées le plus souvent à des coopératives de paysans, tandis que les anciennes caisses de secours mutuel et de crédit agricole, les *Raiffeisen* se transformaient généralement en coopératives, au moins d'achat et de vente. Dans le Plan de Deux Ans ont été créées des stations de machines et de tracteurs de l'État (Maschinenausleihstationen : M. A. S.) qui sont louées non seulement aux coopératives, mais même aux paysans isolés. Les petits et moyens paysans (moins de 25 ha.) bénéficient d'une réduction de 25-30 % sur les tarifs.

RÉPARTITION DES MACHINES AGRICOLES EN 1947

	Fermes		Coopératives de fermiers	Total
	Nouvelles	Anciennes		
Tracteurs			6.004	6.004
Moteurs électriques			12.281	12.281
Camions			450	450
Batteuses			5.546	5.546
Charrues	49.812	2.866	10.884	63.562
Semoirs	3.742	353	3.820	7.916
Moissonneuses	13.234	1.067	18.622	32.923
Râteaux mécaniques	6.483	322	2.501	9.306

Comme le montre le tableau, le nouveau matériel entré en service en 1947 a été fourni exclusivement aux coopératives pour le matériel lourd et principalement aux nouveaux paysans pour le matériel léger, afin de permettre à ces derniers d'équiper leur exploitation.

Le Plan de Cinq Ans donne un grand essor à la coopération, aux stations de machines et aux fermes d'État. A la fin décembre 1952, on comptait 1.815 coopératives de production, cultivant au total 160.000 ha., ce qui ne représente encore que 3-4 % du territoire agricole. Le retard vis-à-vis des autres démocraties populaires, où le mouvement est plus ancien, est patent. Il montre toutefois que toute liberté est laissée aux paysans pour s'associer. En 1951, il existait 525 MAS, dotés de 12.000 tracteurs. Le plan en prévoit 750, avec 35.000 tracteurs en 1955. Leur constitution est activement poussée : on en a créé 50 nouvelles en 1952 et le travail qu'elles ont effectué a été 140 % de celui de 1951. On prévoit, en 1955, une livraison annuelle de 12.000 tracteurs. Les fermes d'État, qui fonctionnent à la manière des VEB industrielles jouent un rôle important dans l'économie planifiée. Elles servent d'entreprises-pilotes et sont activement mécanisées : les machines y ont fait, en 1952, 80 % des travaux.

La production agricole, même privée, est planifiée. Seules les exploitations de moins de 1/2 ha. ou celles qui sont tenues par des vieux (plus de 55 ans pour les femmes, plus de 60 pour les hommes), y échappent. Dans chaque commune, les exploitants dressent un plan annuel qui est ensuite examiné par les autorités et éventuellement modifié par elles. Il est appliqué sous le contrôle d'une commission communale qui fixe les obligations de chacun. Des normes existent, qui varient en fonction de la nature des terres, mais aussi de la dimension des exploitations : les gros paysans sont tenus à des rendements plus élevés. Elles ne sont d'ailleurs pas très élevées et restent sensiblement inférieures aux rendements de 1936. Le paysan est tenu de livrer aux prix réglementés la production correspondant à la norme. Il dispose du reste aux prix du marché libre ou pour sa propre consommation. En cas de calamité, il peut obtenir un abattement. Il peut aussi remplacer, moyennant accord, un produit par un autre ou acheter à 1/3 les impositions qui lui manquent, ou encore, en cas de force majeure, reporter ses livraisons d'une année sur l'autre. Système assez souple, qui réussit à concilier les nécessités de la planification et les aléas de l'exploitation individuelle.

L'État aide les exploitations individuelles au moyen de la vente à crédit d'engrais, de machines, de matériel, remboursables seulement à la récolte, sur les livraisons. Par ce moyen, malgré la lenteur du mouvement coopératif, il est possible d'améliorer l'équipement.

Le plus gros effort porte sur l'élevage, qui avait particulièrement souffert de la guerre. Viande, lait et beurre ont été rationnés jusqu'en 1953, presque aussi sévèrement qu'en Grande-Bretagne, mais les importations étaient très réduites. En 1953, l'accroissement des importations en provenance de l'U. R. S. S., lié à la suppression des réparations, a amélioré considérablement la situation.

ÉVOLUTION DU CHEPTEL 1946-1948

	Vaches	Porcs	Moutons	Chevaux
1946............	990.000	2.180.000	750.000	410.000
1948............	1.100.000	2.150.000	900.000	490.000
1949............	1.200.000	2.170.000	1.000.000	540.000
1950............	1.600.000	5.700.000	1.240.000	721.000
1955 (Plan).....	2.500.000	7.200.000	1.800.000	721.000

A partir de 1950, la reprise est très nette.

Les fermes d'État (VEG) font un effort particulier pour développer l'élevage des porcs au moyen de déchets urbains, de tourteaux, etc., et en utilisant les méthodes scientifiques mises au point en U. R. S. S. En 1952, le nombre des porcs a plus que doublé dans les VEG, tandis qu'il augmentait de 28 % dans l'ensemble de la République démocratique, atteignant 159 % de 1938.

La production végétale commence de s'accroître sensiblement et a rattrapé le niveau d'avant-guerre. Les plantes industrielles font l'objet d'une sollicitude toute particulière : betterave à sucre, qui alimente des exportations précieuses, oléagineux destinés à satisfaire les besoins nationaux. Le plan de Cinq Ans prévoit en 1955 une production égale à 111 % de 1950 pour les céréales panifiables, 708 % pour les oléagineux, 125,7 % pour les betteraves sucrières, 125,7 % pour les pommes de terre, 160,5 % pour la viande, 131 % pour le lait, 152,5 % pour les œufs. Dès maintenant la consommation de beurre dépasse, par habitant, celle de l'Allemagne fédérale.

ACCROISSEMENT DE LA PRODUCTION VÉGÉTALE

	Céréales panifiables	Céréales fourragères	Pommes de terre	Betteraves sucrières
1948	2.200.000 t.	1.700.000 t.	10.000.000 t.	4.650.000 t.
1949	2.350.000 –	1.900.000 –	10.200.000 –	9.000.000 –

L'Allemagne moyenne, surtout la Thuringe et la Saxe-Anhalt, reste la région de production agricole la plus intensive. Une forte production végétale s'y combine avec un important élevage stabulant qui donne les densités de bétail les plus élevées de la République démocratique allemande.

DENSITÉ DE BÉTAIL PAR 100 HA DE TERRITOIRE AGRICOLE (1951)

	Bovins	Porcins	Ovins
Brandenburg	48,4	84,4	11
Mecklenburg	49	83,7	16
Sachsen-Anhalt	50,6	114,1	24,8
Sachsen	81,4	103,8	16,6
Thüringen	69,8	116,2	16,6
Ensemble	57,1	99	18,8

2° Les modifications de la structure industrielle.

Coupée des hauts fourneaux de la Silésie et de la Ruhr, dotée d'une importante industrie de transformation, la République démocratique allemande s'est fixée comme tâche urgente la création d'une industrie sidérurgique capable de rendre inefficaces les entraves au commerce mises à l'Ouest. Parallèlement, sa pauvreté en charbon et sa richesse en lignite l'ont amenée à mettre au point un important plan de développement énergétique. Enfin, des modifications moins importantes sont en cours dans les industries de transformation pour rendre leur structure plus harmonieuse. Un effort considérable de recrutement de main-d'œuvre et de construction de logements, une réorientation du commerce extérieur sont les autres aspects principaux de la création d'une économie planifiée autonome vis-à-vis de l'Allemagne occidentale.

a) *La création d'une industrie sidérurgique.* — En 1945, la zone soviétique ne comptait que les médiocres hauts fourneaux de la Maximilianshütte, à Unterwellenborn (Thuringe), qui avaient produit, en 1936, 200,000 t. de fer brut, soit seulement 1,3 % du total allemand. De plus, certaines grandes usines de transformation possédaient des aciéries, soit avec des fours Martin utilisant les ferrailles, soit avec des fours électriques afin de produire des aciers spéciaux. Tel était le cas des usines de Riesa et de Pirna, en Saxe, de Thale im Harz (produits émaillés et étamés), de Gröditz (fonderie), de Brandenburg (fonderie), de Berlin (aciers spéciaux et fonderie, Siemens, A. E. G.). Au total, on fournissait 1.200.000 t. d'acier brut et 900.000 t. de laminés, soit 6,4 et 6,2 % de la production allemande. Ces aciéries, jumelées à des industries de transformation, vivaient sur l'acier de Silésie et de la Ruhr, importé par eau. L'absence de charbons cokéfiables et la pauvreté en minerai, autant que l'essor de ces deux grandes régions industrielles expliquait cet état de chose.

Les destructions de guerre et les démontages ne laissèrent subsister que les usines d'Unterwellenborn, avec une capacité de 250.000 t., et de Thale im Harz. La capacité de laminage est réduite de 82 %, celle de la fonderie de 50. Mais les Soviétiques rendent rapidement 5 trains de laminage, démontés au titre des réparations. L'ensemble de la métallurgie lourde est nationalisé, car 90 % de la capacité des aciéries appartenaient au groupe Flick.

En 1947-1948, on reconstruit les aciéries de Riesa et d'Hennigsdorf (près Berlin) que l'on améliore ensuite au cours du Plan de Deux Ans. On réinstalle, en 1949-50, les usines de Gröditz de Burg, de Brandenburg et un nouveau laminoir à Kirchmöser. Avec 10 nouveaux fours Martin équipés en 1950, le niveau de 1936 est rattrapé.

Le Plan de Cinq Ans amorce les modifications de structure. L'installation de deux grands combinats sidérurgiques est déjà bien avancée. Elle permettra d'amener la production d'acier à 3.000.000 de t. en 1955.

Le combinat oriental s'édifie près de Francfort-sur-l'Oder, au débouché du canal Sprée-Oder qui permettra d'envoyer les produits bruts aux industries mécaniques berlinoises.

Les installations, ultra-modernes, comportent 3 hauts fourneaux de 500 t., 10 fours Martin de 50 t. Dès 1952, la production de fer brut a été voisine de 250.000 t. Elle en atteindra 500.000 en 1955 à l'achèvement de l'usine. L'aciérie doit entrer en fonctionnement en 1953 avec une production de 320.000 t., qui sera portée à 520.000. Les laminoirs seront commencés de construire en 1953 et comporteront des trains pour tôles minces et moyennes, gros et petits profilés, toute la gamme des demi-produits. Le plus important aura une capacité de 600.000 t. par an. D'importantes annexes sont en cours d'installation : un port fluvial, un nœud ferroviaire, une cimenterie, une fonderie d'acier (capacité 10.000 t.), une grosse centrale électrique sur le Bassin de lignite de Fürstenberg, une usine à gaz. Une cité ouvrière de 30.000 habitants s'édifie à côté de Fürstenberg, cité minière de 8.000 habitants. La main-d'œuvre atteindra, en 1955, 12.000 personnes.

Le combinat oriental est implanté avant tout en fonction des voies de communication. La seule matière première locale est le lignite, utilisé comme source d'énergie. En effet, le coke vient par l'Oder de la Haute-Silésie polonaise et le minerai de fer du Krivoï Rog. Une fois l'usine achevée, les importations annuelles se monteront à 800.000 t. pour le coke et à 1.000.000 de t. de minerai à 53 %.

La construction du combinat occidental est moins avancée. Il s'agit cette fois d'utiliser les matières premières nationales. Le minerai de fer existe dans le Harz, mais le gisement est pauvre, et, surtout, mal situé par rapport à Unterwellenborn. On laissera cette usine finir d'épuiser le médiocre gisement du Thüringerwald tandis que le nouveau combinat, situé à Calbe/Saale, consommera les minerais du Harz. Sa situation sera meilleure à la fois pour l'approvisionnement en minerai et la distribution des produits (Saale navigable, au milieu du groupe industriel saxon). Des expériences ont permis de mettre au point une méthode d'utilisation de semi-coke à base de lignite pour la fabrication du fer dans les hauts fourneaux. Elle est à la base de l'édification du combinat occidental. Ce dernier utilisera aussi les pyrites grillées du Harz, sous-produit de l'industrie chimique. Commencée d'édifier en 1950, l'usine a déjà fourni du fer en 1952. Sa capacité définitive sera de 400.000 t. Un port, une centrale électrique, une cimenterie lui sont annexés.

De plus, la capacité globale des autres usines doit être portée à 2 millions de t. par an.

LA SIDÉRURGIE DANS LE PLAN DE CINQ ANS

	Production 1955	Augmentation sur 1950	Augmentation de capacité
Fer brut	1.250.000 t.	373 %	900.000 t.
Acier brut.............	3.000.000 –	312 –	1.800.000 –
Laminés	2.200.000 –	299 –	1.600.000 –
Minerai de fer	1.800.000 –	600 –	1.500.000 –

En 1951, la production d'acier brut a atteint environ 1.700.000 t.

b) *La réorganisation des autres industries*. — La République démocratique allemande se lance dans une politique d'augmentation de la production, condition fondamentale de la construction du socialisme. Mais le rythme de développement des diverses branches n'est pas le même, car ces inégalités de vitesse permettent de corriger les défauts de structure. C'est ainsi que la production industrielle privée, avec un accroissement de 56 % au cours du plan, et la production artisanale, avec un accroissement de 60 %, verront cependant leur part relative diminuer, ce qui accentuera la prépondérance de l'industrie nationalisée, dont la part dépassera 70 % du total.

Naturellement, l'une des règles fondamentales de l'économie socialiste, qui veut que le développement des moyens de production se fasse nécessairement à un rythme plus rapide que celui des biens de consommation, est respectée. Les industries extractives en profitent au premier chef : la production de lignite doit s'accroître de 55 % et atteindre 205.000.000 de t. Celle de minerai de cuivre se haussera à 1.500.000 t., celle de potasse à 2.000.000 de t., celle de charbon à 6.000.000 de t.

Le lignite joue un rôle particulièrement important comme principale source d'énergie et comme matière première des industries chimiques, car la houille est rare et médiocre en Allemagne orientale, les ressources hydrauliques, de faible importance et dispersées, sont difficiles à mobiliser. Le lignite est également à la base de la fabrication de l'essence synthétique, qui doit atteindre 780.000 t. en 1955, et de celle du caoutchouc synthétique (60.000 t. prévues). On s'en sert dès maintenant dans la sidérurgie à Calbe/Saale. On le brûle tant bien que mal dans les locomotives et dans les usines. L'augmentation de la production de lignite sera accompagnée par un fort accroissement de la fabrication des briquettes, d'utilisation plus facile.

La production d'énergie électrique doit se hausser en 1955 à 31,6 milliards de kWh., en augmentation de 76 % sur 1950. En 1952, elle a déjà augmenté de 8 %, et avait atteint, en 1951, 21,3 milliards de kWh. La quasi-totalité des centrales est maintenant revenue à la République démocratique avec la rétrocession, en avril 1952, de 13 usines dont 2 grandes (Böhlen et Bitterfeld). Les principales centrales se trouvent sur les gisements de lignites saxons et ont été édifiées dans le cadre des grands combinats chimiques de l'I. G. Farben : Schkopau (Bunawerk), Bitterfeld, Leuna Zschornewitz, Harbke, Espenhain, Böhlen. Le plan prévoit une augmentation de puissance de 2.860.000 kW., dont les 2/3 sous la forme de constructions de nouvelles usines, principalement sur les bassins de lignite de la région de l'Oder et des environs de Berlin. Une grosse centrale sera remontée à Vockerode, sur l'Elbe, dont la puissance sera de 288.000 kW., d'autres seront édifiées à Trattendorf et Berzdorf, avec une puissance de 150.000 kW., alimentées par les lignites de Bitterfeld. Quelques centrales hydrauliques sont en construction dans l'Erzgebirge et le Thuringerwald, pour compléter les installations de la Saale. Deux centrales, à Niederwartha et Hohenwarte sont en cours d'aménagement pour utiliser la force de l'eau emmagasinée par pompage dans des lacs artificiels aux heures creuses. Enfin, toute l'Allemagne de l'Est est maintenant couverte par un réseau d'interconnexions, qu'il a fallu édifier ces dernières années pour relier Berlin, la Saxe, la côte de la Baltique sans passer par les secteurs occidentaux de Berlin ou le territoire de la République fédérale.

Les industries chimiques doivent accroître leur production de 82 % dans le cadre du Plan. Elles sont destinées à tirer parti de la richesse en lignite pour pallier le manque d'autres matières premières. La base est constituée par les grands combinats installés par l'I. G. Farben sur les lignites en Saxe : Bitterfeld, Wolfen, Schkopau, Leuna, redevenus allemands pour la plupart à la suite de la rétrocession progressive des S. A. G. par les Soviétiques. Les principales fabrications sont celles du caoutchouc et de l'essence synthétique, des colorants par distillation des lignites. Les pyrites du Harz donnent de l'acide sulfurique et, avec la potasse, permettent le développement de l'industrie des engrais, activement poussée. Il en est de même des fibres artificielles (augmentation de 17 % en 1952).

Les industries mécaniques, qui fournissent en majeure partie des instruments de production, sont également en plein essor. En 1952, la production des génératrices électriques s'est accrue de 38 %, celle des transformateurs de 19 %, des camions de 30 %, des autos et tracteurs de 24 %, des motos de 54 %, celle des grosses presses hydrauliques a été multipliée par 2,8. Le plan quinquennal prévoit la multiplication par 10 du nombre des camions produits et une augmentation de 121 % de la fourniture de machines, de 139 % de celle de la mécanique de précision. En dehors de l'orientation vers les machines lourdes, produites auparavant surtout par la Ruhr et la Rhénanie, on note quelques modifications de structure. Elles tendent vers une concentration modérée des usines qui permet de mieux utiliser les possibilités techniques et, surtout, facilite le contrôle dans un pays qui manque de cadres. C'est pourquoi l'industrie berlinoise profite beaucoup du Plan. Ses usines sont fortement agrandies : l'usine de machines-outils Niles, qui avait 800 ouvriers en 1949 en aura 4.000 en 1955, la fabrique de chaudières Bergmann-Borsig arrivera à 8.000. Il en est de même de la région de Magdebourg, qui possédait des entreprises importantes, dont une partie, avec 24.000 ouvriers, est constituée par des SAG. On y pousse notamment la construction des locomotives.

L'élévation de la production des biens de consommation doit permettre d'élever le niveau de vie sensiblement au-dessus du niveau de 1936. Il est prévu, pour 1955, une production de 240.000 t. de filés, de 525 millions de m² de tissus (le double de 1950), de 21 millions de paires de chaussures en cuir (262 % de 1950), de 165.000 t. de cellulose à usage textile (163 % de 1950), de 32.000 t. de soie artificielle (314 % de 1950).

c) *Les problèmes connexes.* — L'instauration d'une économie indépendante en Allemagne orientale pose trois séries de problèmes connexes :

1º Le problème de la restauration des transports, saccagés par la guerre et équipés sur un plan ne correspondant pas aux besoins de la République démocratique. Comme en Allemagne occidentale, le chemin de fer reste le principal moyen de transport :

CHEMIN DE FER ET VOIE D'EAU EN ALLEMAGNE ORIENTALE
(en millions de t/km.)

	1950	1955	Accroissement 1950-1955
Chemin de fer	16.740	26.700	160 % de 1950
Voie d'eau.............	1.400	1.960	140 —

Mais il a fallu renouveler la plupart des lignes, détruites par la guerre ou fatiguées par un emploi intense sans entretien pendant et juste après la guerre. Au plan quinquennal, il est prévu encore de refaire 2.300 km. de voies. Le parc de matériel est également à renouveler et à renforcer : 40.000 wagons de marchandises, 1.000 voitures de voyageurs, 200 locomotives entreront en service de 1950 à 1955. Il a fallu aussi aménager de nouvelles gares de triage et des voies de raccordement pour tenir compte des nouvelles frontières. C'est aux environs de Berlin que ces aménagements ont été le plus importants. On a construit en dehors des secteurs occidentaux toute une ceinture qui permet d'éviter par le S. cette zone hostile et de relier directement Berlin-Est aux lignes de l'W. de la République démocratique allemande.

La navigation fluviale a rencontré les mêmes difficultés considérables, d'autant plus qu'il ne restait, en 1945, en zone soviétique, qu'un matériel vétuste. Déjà, en 1939, la moitié des remorqueurs et les 2/3 des péniches avaient de 20 à 50 ans d'âge. Dès 1948, la capacité de transport d'avant guerre est retrouvée, et c'est ce qui explique le rythme de développement plus lent que celui des chemins de fer prévu au plan. Le principal rôle de la batellerie est de transporter les produits agricoles (notamment les betteraves), le lignite, les aciers, fontes, fers bruts. Un canal de ceinture évitant Berlin-Ouest est presque achevé.

2º Le problème de la main-d'œuvre est posé par l'impétuosité du développement économique. Malgré la libération de 400.000 employés des troupes d'occupation soviétiques entre 1946 et 1950, malgré l'afflux de 4 millions de réfugiés, l'Allemagne orientale manque de main-d'œuvre et ignore totalement le chômage, à la différence de l'Allemagne occidentale.

UTILISATION DE LA MAIN-D'ŒUVRE EN DÉC. 1947

	Effectifs	Variation par rapport à déc. 1946
Mines	213.079	+ 56.185
Construction	426.561	+ 39.700
Industries du bois	228.480	+ 32.077
Constructions de machines, méc.	307.067	+ 28.942
Commerce et banques, assurances	398.140	+ 28.441
Industries chimiques	184.384	+ 22.291
Chemins de fer	224.134	+ 16.299
Autres transports	85.905	+ 10.567
Textile	375.917	+ 10.124
Alimentation (ind. et commerce)	238.091	+ 88.242
Industries céramiques	64.566	+ 7.909
— électriques	88.159	+ 7.898
Agriculture	960.552	— 107.417
Gouvernement militaire	110.959	— 63.274
Domestiques	239.790	— 8.143
Industries de précision	45.219	— 3.844

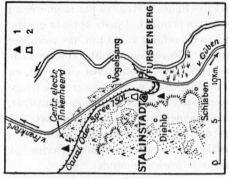

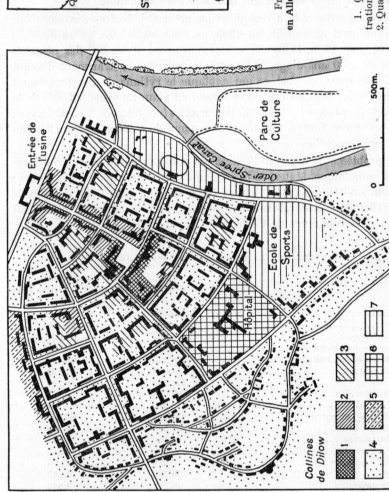

Fig. 42. — Une ville nouvelle en Allemagne démocratique (D. D. R.) : Stalinstadt-sur-Oder ville du Kombinat-Ost près de Francfort-sur-Oder

Dans le plan de la ville

1. Quartiers du centre : administrations, établissements culturels. — 2. Quartiers du centre : grand commerce, avenues pour les manifestations collectives. — 3. Centres annexes dans les quartiers de résidence. — 4. Quartiers de résidence pour les ouvriers du Kombinat. — 5. Centre artisanal. — 6. Hôpital. — 7. Terrains de sport.

Dans le carton montrant la position de la nouvelle ville

1. Mines de lignite. — 2. Combinat sidérurgique.

Au deuxième trimestre de 1939, la main-d'œuvre totale de la future République démocratique allemande se montait à 5.757.000 personnes. Dès la fin 1947, ce chiffre était légèrement dépassé, avec 5.932.000 travailleurs, dont nous avons donné la répartition professionnelle ci-dessus. Le plan de Cinq Ans prévoit de le faire passer à 7.600.000 personnes en 1955. Il faut donc recruter, pendant le quinquennat, 890.000 travailleurs nouveaux, dont 448.000 pour l'industrie, 230.000 pour le bâtiment et les travaux publics, 25.000 pour les transports et 56.000 pour le commerce. Il est à noter que la mobilisation de la main-d'œuvre ne se fait pas au profit du secteur tertiaire, mais à celui des occupations productives. La même évolution était déjà visible en 1946-1947. La mécanisation de l'agriculture libérera quelques bras, mais ce sont surtout les femmes qui constituent la grosse réserve de main-d'œuvre. Des installations sociales sont en cours d'équipement pour leur permettre de se rendre au travail sans avoir de soucis pour leurs enfants. Un gros effort pour le développement de leur qualification professionnelle est entrepris. Dans les entreprises industrielles nationalisées (VEB), le pourcentage des femmes doit passer, au cours du quinquennat, de 33,3 % à 42 %.

En même temps que l'on recrute de nouvelles masses de travailleurs en mobilisant les réserves latentes de main-d'œuvre, on développe activement la qualification professionnelle des ouvriers. Le pourcentage de travailleurs qualifiés de l'industrie doit passer de 48 à 75 %. Il en résulte un impétueux essor de l'enseignement sous toutes ses formes : non seulement professionnel, mais aussi de la recherche scientifique et de l'enseignement supérieur. Toutes les ressources, y compris les ressources intellectuelles, sont mobilisées.

3º *Le problème de l'habitat.* — L'accroissement de la main-d'œuvre industrielle, la réforme agraire, ont abouti à une aggravation de la crise du logement, déjà très grave par suite des énormes destructions de guerre. Il s'agit non seulement de reconstruire les villes en tenant compte de l'expansion économique, mais de fournir les bâtiments indispensables aux nombreuses exploitations agricoles nouvelles créées par la réforme agraire.

L'habitat rural subit des transformations du même ordre de grandeur que la structure foncière. Les demeures seigneuriales des Junkers, lorsqu'elles ont échappé à la destruction, ont été transformées en maisons de repos, en mairies, en écoles, en clubs ruraux. Parfois, elles ont été habitées provisoirement par les réfugiés et les nouveaux paysans qui abritaient tant bien que mal leurs instruments dans les communs. Maintenant, il pousse de nouveaux villages à leurs abords, qui sont occupés par les copartageants du domaine. La réforme agraire a fait 210.000 nouveaux paysans, principalement dans la plaine glaciaire.

RECONSTRUCTION DE L'HABITAT RURAL EN ALLEMAGNE ORIENTALE

Land	Besoins totaux	Construit en 1952
Mecklemburg.............	102.600	8.000
Brandenburg	116.000	4.000
Sachsen-Anhalt	152.389	3.000
Sachsen................,......	12.000	1.900
Thüringen.................	9.000	100

L'habitat urbain subit aussi des modifications importantes : le Plan de Cinq Ans prévoit la construction de 240.000 logements nouveaux. Il semble que la réalisation des plans se heurte à de grandes difficultés, principalement pour l'approvisionnement en matériaux. Néanmoins, en 1951, on a rempli 85 % du programme.

Ce sont les vieux noyaux des grandes villes, les plus sévèrement touchés par les bombardements, qui se modifient le plus. A Magdeburg, dans le centre de la ville, plusieurs centaines de logements ont été attribués aux meilleurs ouvriers des usines. Il en est de même à Halle, à Rostock, à Stralsund. La physionomie des villes change complètement avec des rues larges, des immeubles modernes. La métamorphose du paysage est plus rapide et plus complète qu'à l'Ouest car la spéculation ne vient pas entraver la reconstruction et laisser persister des baraques misérables au milieu des buildings commerciaux. Ainsi, à Rostock, qui a perdu pendant la guerre, 8.000 maisons, on en a reconstruit, en 1948-1950, 2.100, puis 900 encore en 1951, et il semble que le plan de 750 maisons pour 1952 ait été réalisé. Mais, qui plus est, la structure sociale se modifie complètement. Dans les villes d'Allemagne occidentale, la reconstruction des noyaux centraux se fait surtout au profit des maisons commerciales et de rares et riches bourgeois. Ici, ce sont les travailleurs qui en profitent : activistes des usines, professeurs d'Université comme à Rostock. La différenciation par quartiers disparaît, acheminement vers la ville socialiste.

A Berlin, les problèmes sont également aigus malgré la diminution de la population : 4.300.000 hab. en 1939 contre 2.800.000 en 1945 et 3.300.000 en 1950, pour l'ensemble de l'agglomération. C'est que la ville n'avait plus, après la guerre, que 58,7 % de sa capacité de logement. A Berlin-Ouest, les investissements dans la construction ont été des plus réduits. On s'est contenté généralement de réparer tant bien que mal les immeubles récupérables. Aucun plan d'ensemble de reconstruction n'a été réalisé et les pâtés de maisons voisinent avec les espaces vides, aux caves éventrées, aux pans de murs branlants, aux tas de gravas. A Berlin-Est, au contraire, la reconstruction est plus rapide. Dès avant 1950, 6.000 maisons ont été édifiées. Il s'en est ajouté 3.300 en 1950. Un plan d'ensemble a été adopté, qui ménage de larges avenues et de larges places propres aux manifestations populaires. Les maisons sont de deux types : de grands blocs d'immeubles de location, avec des commodités collectives qui deviennent de plus en plus importantes au fur et à mesure que s'élève le niveau de vie, et des pavillons familiaux.

4º *Le commerce extérieur.* — La coupure de fait des relations commerciales entre l'Ouest et l'Est a obligé la République démocratique allemande à réorienter son commerce extérieur. En même temps, la transformation en État de l'ancienne zone soviétique d'occupation lui permettait d'entrer en relation avec les États de l'Europe centrale et orientale sur un pied d'égalité.

En 1952, les relations commerciales de l'Allemagne de l'Est se faisaient pour 77,8 % avec les pays du bloc socialiste, dans le cadre d'accords de longue durée, plus propices à la planification. Les principales relations sont avec l'U. R. S. S., la Pologne, la Chine, la Roumanie.

En U. R. S. S., l'Allemagne orientale envoie de l'équipement électrique, des appareils de télévision, des instruments de mesure, de l'optique, des moteurs Diesel, des tours industriels, des équipements d'usines, en particulier, récemment 4 usines de produits alimentaires. Elle reçoit en échange du coton, du blé, de la viande, de la laine, du tabac, du thé, des céréales fourragères, du manganèse, du chrome, du fer brut, du minerai de fer, du coke, des laminés, des huiles de graissage, des métaux non ferreux, des appareillages industriels lourds fournis auparavant par la Ruhr. Ces fournitures sont indispensables à la marche de l'industrie de l'Allemagne de l'Est et leur accroissement joue un rôle capital dans le développement du Plan de Cinq Ans. Il est à noter que l'U. R. S. S. fournit surtout des matières premières, qui stimulent la croissance industrielle de l'Allemagne orientale.

A la Chine, la République démocratique allemande vend de l'équipement industriel de toutes sortes, surtout des machines, car sa faible production d'acier ne lui permet d'exporter que des produits très élaborés. Elle achète en retour de la soie, des peaux, du chanvre, du soja, du thé, du riz, des dattes, de la laine. La Roumanie fournit des produits alimentaires et pétroliers en échange d'optique, de mécanique de précision, de certaines machines. Avec la Pologne, la proximité permet au commerce de porter sur des denrées plus pondéreuses : l'Allemagne orientale exporte de la potasse, des produits chimiques, des machines et importe du coke, du charbon, des produits agricoles.

La République démocratique allemande ne se refuse pas à commercer avec l'Occident : avec les Pays-Bas, la Suède, la Finlande, le Danemark, la Norvège, ses échanges ont retrouvé en 1952 le niveau de 1936. Mais les difficultés proviennent de sa non-reconnaissance et de la politique de blocus des Américains. A ces pays, l'Allemagne orientale vend surtout de la potasse, des produits chimiques, certains appareillages industriels. Elle leur achète des produits alimentaires, du bois, de la cellulose, du poisson.

Le relèvement économique de l'Allemagne orientale et son changement de statut ont permis une ascension rapide de son commerce extérieur. De l'indice 100 en 1947, il est passé à 922 en 1950 et 1475 en 1951. Il joue un rôle non négligeable dans les relations entre pays socialistes. Avec la Tchécoslovaquie, dont la structure économique lui ressemble, la République démocratique allemande est un important exportateur de machines-outils et d'équipement industriel, qui aide à la construction du socialisme dans les pays les plus attardés du camp oriental, comme la Chine et la Roumanie. C'est pourquoi les dirigeants de l'économie d'Allemagne occidentale ne voient pas ce développement d'un très bon œil : exclus de ces marchés par la politique américaine, ils voient la République démocratique allemande y nouer des liens solides. Aussi n'envisagent-ils le rétablissement de l'unité allemande que sous la forme d'une annexion pure et simple de l'Allemagne de l'Est, qui leur permettrait de remettre la main sur son industrie et cherchent-ils, en attendant, des compensations sous la forme d'un marché réservé au moyen de l'unification « européenne ».

IV. — LA SARRE

La Sarre a été détachée de l'Allemagne à la suite de la Conférence de Moscou en 1947. Les Anglo-Saxons ont alors autorisé la France à l'englober dans ses frontières douanières en échange de l'abandon de son droit aux réparations. De la sorte, ils avaient le champ libre pour « relancer » l'économie allemande, mais la Sarre devenait une dépendance économique de la France.

La Sarre actuelle, avec 954.000 habitants sur 2.567 km² (1951), ne correspond pas exactement au territoire du traité de Versailles. Elle est légèrement plus étendue, surtout vers le N. et l'W., où elle touche la Moselle. L'origine de ce territoire est historique : le noyau en est constitué par une fraction de la Lorraine, française depuis Louis XIV, mais arrachée à notre pays en 1815 pour être confiée à la Prusse qui en fit une marche frontière. Dès le début du XIXᵉ siècle, la découverte d'un important bassin houiller en fait une région industrielle. Après 1870, la mise au point du procédé Thomas permit l'exploitation massive du gisement de minerai de fer lorrain, momentanément annexé par l'Allemagne. L'essor de la Sarre se place à cette époque et de fortes liaisons régionales s'organisent entre le fer lorrain et la houille sarroise. La défaite de l'Allemagne en 1918 permit à la France de faire valoir ses « droits historiques ». Mais, entre temps, l'industrialisation avait fait de la Sarre un pays de grande immigration et la population autochtone, au surplus prussianisée depuis un siècle, s'était trouvée noyée dans les nouveaux venus, Allemands authentiques. De plus, le potentiel industriel de cette région était suffisamment important pour que les Anglo-Saxons ne voient pas d'un bon œil son intégration pure et simple à la France. La Sarre fut donc érigée en territoire autonome, puis placée sous le contrôle de la S. D. N. En 1935, un plébiscite soigneusement préparé du côté allemand permit la réannexion par le IIIᵉ Reich. Une grave crise économique s'ensuivit, qui incita les Nazis à regrouper Sarre et Lorraine dans une même unité régionale pendant la période 1940-1945. La défaite de l'Allemagne posa à nouveau le problème dans des termes voisins de ceux de 1918. La Sarre fit partie de la zone d'occupation française, puis fut englobée dans l'espace douanier français tandis qu'elle recevait peu à peu une autonomie politique interne. La France se charge de sa représentation à l'étranger (statut juridique du protectorat). Naturellement, l'Allemagne ne reconnaît pas cet état de choses *de facto*.

Ces origines expliquent les limites du territoire de la Sarre et sa contexture géographique. C'est avant tout un bassin houiller, annexé comme base charbonnière supplémentaire par l'industrie française. Le gisement occupe un synclinal NE.-SW. sur le flanc méridional et oriental du Hunsrück, masqué par une couverture de Permien discordant appartenant au Bassin Sarre-Nahe. L'ensemble de ces couches primaires plonge vers le SW., en direction du Bassin de Paris dont il forme la bordure. Le nord du territoire de la Sarre est ainsi constitué par la partie basse du massif du Hunsrück, avec ses couches primaires violemment plissées dans lesquelles s'esquisse un relief appalachien formé par les crêtes de quartzite dominant une pénéplaine post-hercynienne. A la frontière allemande, l'altitude atteint 700 m. Pays pauvre et humide, couvert de forêts et de prairies, dont la population va travailler dans les mines et les usines, ce qui explique son incorporation à la Sarre. Le cœur de cette dernière, de Sarrelouis à Sarrebruck et Neunkirchen, est une dépression périphérique dans le Permien, en arc de cercle autour de l'anticlinal secondaire de Sarrebruck sur lequel pointe le houiller. Là se trouvent les mines et les principales industries. Les 3/4 de la population s'y entassent en une conurbation où s'entremêlent puits de mines, usines, quartiers de résidence. Seul Sarrebruck offre le paysage urbain des grandes villes. La densité dépasse 1.000 hab./km². Tout au S., vers Saint-Avold, la dépression se termine en France, dans la Warndt, tandis qu'à l'E. et à l'W., la frontière sarroise englobe le front de la côte du Grès Bigarré, bord du Plateau lorrain.

La position excentrique de la Sarre par rapport à l'Allemagne, la forte prédominance de la Ruhr, au développement plus précoce, ont fortement influencé la genèse de la région industrielle sarroise. De la volonté même des magnats de la Ruhr, son isolement a été maintenu par le refus de construire des voies navigables la desservant. On retrouve, plus accentué encore à cause de cette grave lacune, le cas de la Haute-Silésie des IIe et IIIe Reich. Avant 1914, la Sarre fut équipée en même temps que la Lorraine annexée comme base d'industrie lourde destinée à fournir à l'industrie allemande des demi-produits. Son charbon servait avant tout de combustible à la sidérurgie lorraine, moindrement comme coke, car les qualités qu'on était alors capable de distiller sont rares. Les magnats de la Ruhr dominaient les usines lorraines tandis que la plupart des mines sarroises, découvertes et commencées d'équiper par l'État napoléonien, appartenaient au Fisc prussien. De la sorte, on comprend que le bassin houiller n'ait pas donné naissance à une région industrielle concurrente de la Ruhr. Le charbon était vendu brut en majeure partie dans l'Allemagne méridionale, où, expédié par fer, ses capacités de compétition avec celui de la Ruhr venu par le Rhin étaient limitées. Quelques groupes locaux s'étaient cependant constitués, dont la structure rappelle ceux de la Haute-Silésie. Les deux plus importants étaient à base familiale, l'un d'origine bourgeoise, Röchling, l'autre féodale, Stumm. Tous deux s'étaient cantonnés dans l'industrie lourde, produisant uniquement de l'acier et des laminés, sans industries mécaniques, à la différence de la Ruhr. Leurs demi-produits alimentaient soit l'exportation, soit les usines de transformation d'Allemagne du Sud. A côté d'eux, des intérêts étrangers à la région avaient monté des entreprises analogues : le trust luxembourgeois Arbed et le konzern Mannesmann.

Cette structure a facilité la mainmise française sur la Sarre. En 1918, puis en 1945, les anciennes mines domaniales prussiennes passèrent à l'État français au titre des dommages de guerre. Chaque fois, elles furent rééquipées, car leur entretien était médiocre et l'industrie lourde française put y trouver du charbon à bon marché grâce aux subventions des contribuables. Simultanément, les gros intérêts sidérurgiques pénétrèrent dans les aciéries sarroises, quitte à les abandonner au bon moment, comme en 1935. A l'heure actuelle, le groupe Schneider domine l'aciérie de Burbach par l'intermédiaire de ses participations dans Arbed. Les Aciéries de la Marine et d'Homécourt ont acquis à la fin de la guerre celle de Dillingen. Le konzern Mannesmann a cédé son usine de Bous à un autre groupe. Enfin, les aciéries de Völklingen, ci-devant appartenant à Röchling, et de Neunkirchen à Stumm sont sous séquestre. La Conférence de Bruxelles, en effet, avait reconnu à la France 17 millions de dollars de réparations, dont la majeure partie avait été couverte par le droit de démonter les usines sarroises. La France offrit de laisser ces dernières en place contre une participation de 60 % à leur capital, qui les faisait passer sous le contrôle des groupes français, bénéficiaires de cette

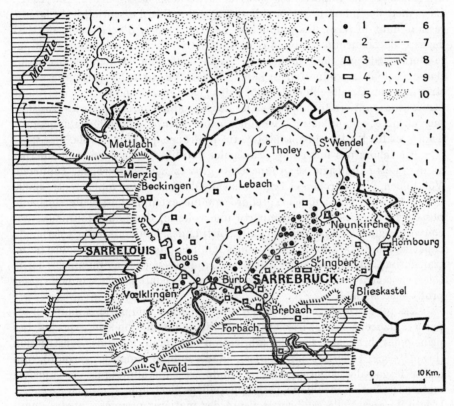

Fig. 43. — **La Sarre**

1. Puits de mines domaniaux. — 2. Puits de mines privées. — 3. Groupe sidérurgique intégré : cokerie, hauts fourneaux, laminoirs, aciéries. — 4. Aciérie de seconde fusion, sans hauts fourneaux. — 5. Principaux centres de métallurgie de transformation. — 6. Limites de la Sarre entre les deux guerres. — 7. Limites de la Sarre depuis 1947. — 8. Front de la côte du grès bigarré. — 9. Surface du massif ancien. *En blanc*, la dépression périphérique. — 10. Principales forêts mettant en lumière le rôle historique de couloir-clairière de la région.

Abrév. : Burb. : Burbach.

— 407 —

opération. Röchling et Stumm ayant refusé cet arrangement, leurs usines sont séquestrées et gérées par des maîtres de forges français (Nord et Lorraine chez Stumm à Neunkirchen). Mais Röchling ne se tint pas pour battu et vendit, en 1952, ses droits à un groupe américain (Franco-American Economic Corporation), ce qui lui vaut une aide précieuse pour rentrer dans ses biens, soit dans la forme du *statu quo*, soit dans le cadre de l'organisation européenne.

La domination quasi permanente de la Sarre par des intérêts étrangers à la région explique le manque d'harmonie de sa structure industrielle. La production houillère dépasse de beaucoup les besoins de l'industrie et fournit des exportations importantes (près de 9 millions de t. sur 12,7 en 1951). La principale industrie est la sidérurgie, qui utilise l'essentiel de la houille restant dans le pays. La production de 2.603.000 t. d'acier brut en 1951 dépasse de beaucoup les besoins de l'industrie de transformation locale et se vend au dehors pour près de 90 %. Ce sont donc les denrées les moins élaborées dont la production est la plus élevée. A ce titre, on peut parler d'une structure industrielle coloniale, supposant l'existence d'une sorte de métropole utilisant les matières premières ou les demi-produits sarrois pour les transformer en objets manufacturés vendus au loin avec des bénéfices importants. Tantôt ce fut l'Allemagne, tantôt ce fut la France qui joua ce rôle.

En dehors des mines, les principales activités de la Sarre sont sidérurgiques. Cette industrie se groupe en 5 grosses usines, Burbach, Dillingen, Völklingen, Neunkirchen et Bous. Chacune de ces unités emploie entre 8.000 et 12.000 ouvriers. On peut prendre comme exemple l'usine de Burbach, possédée par Arbed. Elle comporte une cokerie, des hauts fournaux, des convertisseurs Thomas, une aciérie Martin, des laminoirs, une tôlerie. Sa capacité est de 500.000 t. de produits laminés par an. Aucune industrie de transformation. D'une usine à l'autre, les différences sont minimes : ici la tôlerie est remplacée par une filterie, là on se contente de laminoirs pour profilés et bandes.

Les industries légères sont peu développées. L'industrie chimique n'est pas à la hauteur des cokeries et les produits de distillation sont exportés. Les principales branches sont la fabrication des matériaux de construction (briqueteries, tuileries, cimenteries), la céramique (faïence, verrerie), qui utilise le gaz des cokeries, quelques industries métallurgiques de transformation : poêles, quincaillerie, petit appareillage électrique. C'est peu de chose. L'activité essentielle est bien la vente des matières premières et des demi-produits : houille, coke, fers et aciers.

Le contrôle presque total des principales richesses sarroises par les intérêts français explique l'orientation commerciale du territoire, très unilatérale, comparable à celle des colonies françaises. Grâce à 21 milliards investis jusqu'à la fin de 1950 (dont 8 fournis par le trésor français), la production houillère a vigoureusement repris. Elle a atteint, en 1951, un montant brut

C) La Deutsche Demokratische Republik

Les publications sont beaucoup plus fragmentaires et moins nombreuses que celles qui concernent la B. R. D.

La seule étude d'ensemble, faite dans un esprit généralement défavorable, est celle de NETTL (J. P.), *The Eastern Zone and soviet policy in Germany*, 1945-50, Oxford Univ. Press, Londres, Toronto, New York, 1951, 324 p. Point de vue essentiellement historique. Une mise au point récente, en français, dans les *Notes et Études Documentaires de la Documentation française*, nᵒˢ 1667 et 1668.

On se tiendra à jour en glanant dans diverses revues, notamment : *Zeitschrift für Erdkunde-Unterricht*, publiée à Berlin, destinée aux membres de l'enseignement secondaire, dont les chroniques ou les articles signalent les faits essentiels concernant la D. D. R. Dans *Die Wirtschaft*, également publiée à Berlin, hebdomadaire, on trouvera les comptes rendus de l'exécution des plans et de nombreux détails sur l'économie et la reconstruction. Les *Notes et études économiques* du C. E. R. E. S. (Paris), offrent des informations généralement sûres. On utilisera aussi les diverses publications de l'Institut für Raumforschung, de Bonn, dont la valeur est inégale, certaines d'entre elles étant visiblement inspirées par les exigences de la « guerre froide ». Divers périodiques économiques, comme *Études et conjonctures*, *Problèmes économiques*, ont consacré, de temps à autre, des articles à l'économie de la D. D. R.

Enfin, l'hebdomadaire *Parallèle 50*, qui a cessé de paraître en 1952, a consacré des chroniques et quelques articles au développement de la D. D. R.

Sur les problèmes agricoles, on utilisera les *Sitzungsberichte der Deutschen Akad. der Landwirtschaftswissenschaften zu Berlin*, dont la publication a commencé en 1952, et la revue *Interagra*, publiée à Prague. Voir aussi un article de *Die Ende 1951-52* sur la réforme agraire en Mecklembourg.

Quelques renseignements dans GEORGE (P.), *La réforme agraire en Allemagne orientale* et dans *Tranformation des villages en Allemagne orientale*, Ann. de Géogr., Chronique, LIX, 1950, p. 310-11 et 311-12.

Sur Berlin, rapide étude dans KÜHN (A.), Gedanken zu einer gegenwartsnahen Grossstadt Heimatkunde, *Geogr. Rundschau*, III, 1951, p. 175-9.

Une bibliographie des travaux régionaux sur le Land de Mecklembourg a été publiée par HURTIG (T.), Mecklenburg. Neuere Arbeiten und Untersuchungen zur Landeskunde, *Géogr. Rundschau*, II, 1950, p. 417-24.

Le texte du plan de cinq ans et un long rapport de W. Ulbricht ont été publiés sous une forme commode dans ULBRICHT (W.), *Der Fünfjahrplan und die Perspektiven der Volkswirtschaft*, Berlin, Dietz Verlag, 1951, 128 p.

D) La Sarre

On possède sur cette question deux importantes études d'ensemble, mais qui ne sont malheureusement plus à jour : CAPOT-REY (R.), *La région industrielle sarroise*, Thèse Lettres, Paris, 1934 ; Berger-Levrault, Paris-Nancy, 1934, 637 p., et le fascicule de l'I. N. S. E. E., *L'économie de la Sarre*, Paris, 1947, 149 p.

La mise à jour se fera en utilisant les divers périodiques déjà cités ci-dessus : *Notes et études économiques*, *Problèmes économiques*, *Études et conjoncture*.

Les statistiques sont publiées par la Direction des Services statistiques de la Sarre, à Sarrebruck.

Chapitre II

L'ÉCONOMIE DES RÉGIONS ALPINES

Puissante chaîne de montagnes au cœur de l'Europe, les Alpes jouent un rôle capital dans la géographie humaine et économique. Obstacle, elles canalisent les voies de communications le long d'un petit nombre d'itinéraires dont le contrôle a favorisé le développement de villes commerçantes, centres précoces du développement capitaliste. Milieu physique très original, elles ont été le siège de formes d'adaptation particulières de la vieille économie vivrière, qui se sont transformées récemment sous l'influence du développement d'une économie spéculative fondée sur les ressources de la technique moderne. Transformation, qui, pour être rapide, reste néanmoins incomplète : si l'utilisation électrique des forces hydrauliques, le tourisme, les grandes percées ferroviaires alpines sont des phénomènes entièrement nouveaux, la vie rurale, bien que profondément modifiée, conserve encore de nombreux traits d'archaïsme. Récente, puisqu'elle date d'un siècle, la révolution économique, dans les Alpes comme ailleurs, a revêtu des modalités locales variées, largement influencées par le cadre politique auquel appartiennent les diverses régions. La pression du capitalisme moderne sur les genres de vie anciens s'est faite plus impérieuse en Suisse, plus modérée en Autriche, plus irrégulière et plus locale en Italie. Aux différences du milieu physique se combinent des variétés géopolitiques d'évolution.

Il faut cependant souligner qu'aucune autre chaîne de montagnes du globe ne présente, à l'heure actuelle, l'exemple de telles transformations humaines et économiques, ni une telle importance internationale. La Suisse, État alpin, vient en tête du commerce mondial par habitant. Les Alpes sont une des grandes régions économiques de l'Europe, et les géographes leur ont consacré, à juste raison, de nombreux travaux. Elles offrent un exemple unique d'économie moderne dans une haute chaîne de montagnes. Ni les Andes, ni les Rocheuses, ni les chaînes méditerranéennes ou asiatiques n'en offrent de semblable.

Il existe, malgré des différences régionales importantes, une économie alpine, fondée sur un certain nombre d'activités dominantes communes et une évolution qualitativement identique bien qu'ayant atteint des stades très variés suivant les régions. Comme toutes les formes modernes de l'économie, elle repose sur de solides connexions avec les territoires voisins. Alpes et bordure alpine sont indissolublement liés. Presque toutes les grandes villes dont dépend l'économie des Alpes sont situées à leur pied : Vienne, Berne, Zurich, Milan, Lyon, Marseille, Nice, Turin, et même, dans une large mesure, Grenoble. Une véritable symbiose existe entre les Alpes et leurs piémonts. Ces derniers dominent l'économie alpine : ils lui ont fourni les capitaux pour son équipement, ils en tirent la précieuse énergie hydro-électrique, ils lui envoient des touristes, ils lui fournissent les denrées alimentaires qui lui manquent et achètent les produits de son élevage. Enfin, lors de la grande migration qui a coïncidé avec le changement de structure économique, ils ont absorbé une large part de la population alpine. Il existe donc autour des Alpes toute une organisation régionale, qui lie les Alpes centrales au Mittelland suisse, les Alpes et la plaine dans le Piémont et la Lombardie, les Alpes françaises au Sillon rhodanien, les Alpes et le Plateau en Bavière, l'extrémité orientale de la chaîne au Bassin de Vienne et aux conques affluentes de l'effondrement pannonique. Bien des différences régionales s'expliquent par le découpage politique qui facilite ou gêne ces liens : la prospérité de la Suisse tient pour une part à la solide symbiose entre Alpes et Mittelland dans un même cadre politique. Le drame autrichien provient, au contraire, dans une large mesure, de la séparation politique entre la montagne, autrichienne, et ses piémonts, bavarois, italien.

La géographie, soucieuse du concret, doit tenir compte de ces liens, de plus en plus étroits, avec le développement de l'économie moderne, où les Alpes sont sous la domination capitaliste de leurs avant-pays (1).

Dans cette étude, nous serons amené à définir d'abord le cadre, physique et génétique, de l'économie alpine. Puis nous analyserons ses variétés régionales en fonction tant des grandes unités physiques que des divisions politiques et de leurs répercussions sur l'économie. Enfin, nous consacrerons une monographie à la structure économique des deux États alpins, Suisse et Autriche.

I. — LE CADRE DE L'ÉCONOMIE ALPINE

Pour comprendre la structure de l'économie alpine, il faut partir des données potentielles offertes par le milieu physique et du mécanisme des transformations qui ont accompagné l'implantation de l'économie moderne.

---

(1) Le cadre même de ce volume nous obligera, par la force des choses, à négliger l'avant-pays méridional et occidental (italien et français) et à insister essentiellement sur les bordures septentrionales (suisse et allemande) et orientale (autrichienne). Ce n'est qu'un pis-aller, imposé par les nécessités pratiques de l'édition.

A) LE MILIEU PHYSIQUE

Les particularités du relief alpin, la position climatique de la chaîne contribuent à créer un milieu physique très original, qui a servi de support à l'économie aussi bien ancienne que moderne.

1° Le modelé.

Le relief des Alpes est caractérisé par un dense réseau de grandes vallées, amples, profondément creusées, coupées de gorges alternant avec des bassins et un développement considérable des versants, accidentés de fréquents replats, liés à d'importantes dénivellations. Nous avons vu comment la morphogénèse rend compte de ces formes. Il nous suffira donc de les considérer ici comme des données fondamentales et de voir quelles possibilités elles offrent à l'installation des hommes.

L'aération du relief alpin par les grandes vallées est bien le fait essentiel. Elle contribue à expliquer l'importance de la circulation transalpine. L'Empire romain n'a jamais fait des Alpes une barrière : le limes courait le long du Danube, englobant la chaîne et son avant-pays septentrional. La construction médiévale du Saint-Empire romain germanique chevauchait la chaîne, de même que la monarchie des Habsbourgs jusqu'à la perte tardive de la Lombardie. La Suisse reste solidement installée sur les deux flancs des Alpes centrales, dans la région des plus hauts sommets. Ces vieux liens transalpins se sont opposés à l'application du concept géopolitique de la frontière-ligne de partage des eaux. C'est que, pour la route, le principal obstacle n'est pas constitué par les cols eux-mêmes, le plus souvent aisément accessibles des hautes vallées voisines, mais par les gorges qui les coupent de l'aval. Le tracé de la frontière austro-bavaroise reflète très exactement ce fait. Ce n'est que pour les chemins de fer, inaptes aux longues rampes, que le franchissement des cols a constitué un obstacle, tourné par la construction de grands tunnels sous les lignes de faîte. Mais la circulation automobile se joue à nouveau des cols. Malgré l'altitude des sommets, cette aération du relief a permis l'équipement dans les Alpes d'un dense réseau de voies de communication modernes : chemins de fer et routes, qui a permis très tôt l'apparition de nouvelles structures économiques.

L'aération du relief a aussi une autre conséquence : elle multiplie les dénivellations. Il en résulte, par suite des importantes variations verticales du climat, des possibilités agricoles très variées. Les terroirs alpestres sont essentiellement des terroirs de versants et l'économie ancienne utilisait au maximum les différences d'aptitude en fonction de l'altitude sur de faibles distances. Les déplacements de bétail des vallées aux alpages se sont conservés dans l'économie moderne. Mais ce n'est pas tout : les grandes dénivellations constituent un élément favorable à l'équipement hydro-électrique et sont de précieuses sources d'énergie. Enfin, elles permettent d'atteindre rapidement les sommets à partir des vallées et toute une forme d'exploitation touristique les a mises à profit : le XIXᵉ siècle a vu la Suisse se couvrir de funiculaires, de téléphériques, de chemins de fer à crémaillère, destinés à hisser sans fatigue les touristes à des points de vue dominants. Elle rend aussi possible la juxta-position de stations d'altitude tout à côté des principales voies de communi-cation, tapies dans les grandes vallées. Le touriste accède ainsi rapidement à son lieu de séjour et cet élément est loin de jouer un rôle négligeable, notam-ment en Suisse.

Par contre, certains inconvénients résultent des caractères mêmes de ce modelé. C'est en particulier la vigueur de l'érosion, qui multiplie les cata-clysmes : éboulements, ravinements torrentiels, avalanches. Rendus plus fréquents par la destruction de la végétation naturelle qui résulte de la mise en culture, l'homme a entrepris de lutter systématiquement contre eux. Des barrages en maçonnerie ou en pierres sèches retenues par un réseau de fil de fer, des clayonnages, coupent les lits des torrents afin d'arrêter leur enfon-cement, générateur de ruptures d'équilibre multipliant laves, coulées boueuses, éboulements, dont les produits viennent recouvrir terres fertiles et villages des grandes vallées. Le reboisement, combiné au drainage et à l'extinction des torrents, permet d'enrayer les glissements de terrain, d'arrêter la dissection par le ruissellement de terres imprudemment dénudées. Des alignements de pieux, des clayonnages, des murs en maçonnerie coupent les pentes dans les secteurs soumis aux avalanches. Ils permettent, suivant les cas, d'empêcher leur mise en marche ou de canaliser leur course afin de la détourner des endroits où elles pourraient faire le plus de dégâts. Dans les grandes vallées surcreusées, notamment aux abords des lacs, il a fallu lutter contre les inon-dations, drainer et assécher des marais (Bas-Valais, Lintthal en aval de Glaris, vallée du Rhin en amont du lac de Constance), endiguer des cours d'eau puissants afin de mettre un terme à leurs divagations incessantes, engravant les prairies et menaçant les villages.

Tout un aménagement du relief alpin se poursuit systématiquement depuis des siècles afin de rendre la montagne plus humaine et plus utilisable. Son ampleur s'est naturellement accrue dans de grandes proportions avec le développement moderne des techniques. Presque tous les grands cours d'eau ont fait l'objet de travaux de correction : endiguement, régularisation, drainage des fonds de vallées, installation de vannes à la sortie des lacs pour régulariser le débit sont comparables en importance à l'établissement des grandes voies navigables des plaines voisines. Grâce à eux, le fond des grandes vallées, occupé encore au XVIIIᵉ siècle par des marais et des bancs de galets peuplés de touffes de saules, sont devenus des plaines fertiles, intensément cultivées, où les grandes voies de communication s'établissent en toute sécurité. Il en est souvent de même des pentes. Dans les gorges, de gigantesques travaux protègent routes et voies ferrées contre les éboulements, les avalanches, les affouillements. Certains versants sont de véritables escaliers de murs para-avalanches. Nombre de gros torrents sont endigués sur leurs cônes de déjections et domestiqués dans leur cours supérieur.

Cet aménagement est dans l'ensemble plus urgent dans les Alpes méridionales et certaines parties des Alpes orientales, où la plus grande sécheresse et l'abus du pâturage du petit bétail ont mis la couverture végétale à rude épreuve depuis des siècles. Les ravinements mordent sur la montagne et lutter contre eux exige de gigantesques reboisements qu'il faut d'abord rendre possibles en stabilisant le profil des torrents par des barrages en escalier.

Ces immenses travaux, moins spectaculaires que les grands barrages ou que les grands canaux, nécessitent d'énormes dépenses et un entretien permanent, une surveillance technique toujours en alerte. La Suisse, que l'on peut prendre comme modèle dans ce domaine, entretient des instituts de recherches (notamment le centre de Davos, consacré à la neige et aux avalanches), un corps puissant d'ingénieurs remarquables dotés de moyens considérables. Les subventions fédérales aux cantons, pour les seuls endiguements et corrections, ont dépassé 6 millions de fr. s. en 1948, dont 899.000 pour Les Grisons, 820.000 pour Lucerne, 673.000 pour Glaris. De leur côté, les cantons ont dépensé 233 millions pour les travaux publics, dont à peu près le 1/4 pour l'aménagement de la nature alpestre. L'Autriche, qui dispose de techniciens remarquables, fait également un gros effort, mais est handicapée par l'insuffisance de ses ressources. Cette domestication de la nature alpine exige, en effet, de gros moyens financiers et serait absolument impossible avec les seules ressources des régions montagnardes. C'est un des aspects modernes de la dépendance des Alpes vis-à-vis de leur avant-pays.

2º Le climat.

Le fait primordial est la multiplication des contrastes aussi bien que des nuances dans le climat alpin. Ce sont les différences d'altitude, d'exposition et de position qui les commandent.

— Les différences d'altitude ont pour conséquence l'étagement de la végétation. Par suite de la profonde découpure du relief, elles entraînent la juxtaposition de mondes végétaux différents. Seuls les grands cônes volcaniques de Java ou de l'Afrique orientale montrent de semblables contrastes sur de faibles distances. Par exemple, dans le Valais, en 15 km. de sentiers, on passe d'un bassin intérieur chaud et orageux en été, où poussent le maïs et la vigne, aux prairies alpines dont la végétation éclate au début de l'été lorsque les jonquilles fleurissent au bord des taches de neige. Dans toutes les

Alpes, un déplacement de 10-20 km. permet de passer de l'étage inférieur des cultures, où fructifient les plantes de plaine, à celui des alpages, où la vie ne dispose que de trois ou quatre mois pour s'épanouir. Cette variété unique de ressources sur une très faible distance a commandé le développement de la vie agricole dans toute la chaîne. Aujourd'hui elle joue un grand rôle dans le développement du tourisme et dans la production d'énergie. La fonte estivale des glaciers fournit, en effet, aux cours d'eau, une alimentation précieuse.

— Les différences d'exposition viennent également créer des contrastes écologiques sur de faibles distances. Par suite de leur position aux latitudes moyennes et de leur orientation W.-E., leur influence est considérable, beaucoup plus grande que dans les montagnes des latitudes tropicales ou subpolaires. Le relief, caractérisé par le grand développement des versants, y concourt aussi. Dans les vallées W.-E., le contraste entre adret (Sonnenseite) et ubac (Schattenseite) est si évident qu'il intervient dans la toponymie. Dans les vallées très encaissées, il tend à s'atténuer par suite de l'ombre projetée très tôt sur le bas de l'adret par le versant de l'ubac. C'est dans les vallées évasées (pente moyenne des versants 20-30°), situées vers 1.000 m. d'altitude, qu'il engendre les contrastes les plus violents. A l'approche de leur limite, les cultures ne peuvent plus prospérer que dans les méso-climats les plus favorables. Pour être plus atténués, les contrastes qui règnent dans les vallées méridiennes n'en sont pas moins fort appréciables. Les vallées ouvertes au N. sont plus fraîches que celles ouvertes au S. et la végétation y est plus septentrionale, bien que, dans certaines d'entre elles, le föhn hâte son éclosion printanière. D'innombrables nuances moins criantes, mais fort sensibles au montagnard, sont en liaison avec l'exposition locale et la topographie. Les fonds de vallées sont généralement défavorisés par le climat : les brumes y traînent au printemps et à l'automne, le froid s'y accumule en hiver avec de fréquentes inversions de température, enfin, le soleil y disparaît généralement plus tôt que sur les pentes exposées au S.-W. ou à l'W. Tels villages, dans des fonds de vallées encaissées, sont plusieurs jours sans pouvoir voir le soleil au solstice d'hiver. Dès que le soleil disparaît à l'horizon, la température y baisse beaucoup plus vite que sur les replats. C'est pourquoi ces derniers sont souvent préférés par les maisons et les cultures, surtout dans les vallées trop hautes pour que le climat connaisse en été la chaleur étouffante des bassins profondément encaissés.

— L'extension de la chaîne alpine et son orientation la mettent au contact de plusieurs nuances différentes du climat tempéré de l'Europe. Elles pénètrent dans l'édifice montagneux et leurs influences alternent de façon compliquée et toujours changeante. Statistiquement, plusieurs climats se partagent les Alpes. Les bas-massifs du bord septentrional de la chaîne ont un climat très humide et pluvieux, aux étés maussades, aux hivers très neigeux : Préalpes suisses, Alpes bavaroises. A leur pied, l'avant-pays participe des mêmes caractères, surtout les hautes collines (Pays de Saint-Gall et Napf en Suisse, Haut-Plateau bavarois). Quelques journées de chaleur orageuse et désagréable alternent avec de longues successions de temps frais et humide, qui entravent la maturité des récoltes et rendent brumeuses les matinées dès septembre. La lisière méridionale de la chaîne, si elle connaît également une abondante pluviosité estivale, est cependant toute différente : les averses orageuses n'abaissent pas la température dans les Alpes insubriennes. Le printemps est beaucoup plus précoce, les chutes de neige moins abondantes. Les cultures exigeantes en chaleur des plaines méditerranéennes remontent loin dans la montagne, profitant des profondes vallées, tandis que les herbages alpestres s'avancent presque au bord de la Plaine du Pô sur les sommets de 2.000 m. Le centre de la chaîne est un monde plus complexe, où les influences océaniques dominent en haute montagne, tempérées par une puissante insolation qui profite considérablement à la végétation, tandis que dans les bassins règne une variété particulière de climat continental. Au bord du Bassin pannonien, enfin, la sécheresse est plus marquée et, dans les bassins, la continentalité maxima (ex. Klagenfurt).

Les Alpes constituent un milieu physique très particulier, tout différent de celui des plaines qui les entourent et même des autres montagnes de l'Europe centrale, massifs hercyniens et Carpates. Très tôt, les hommes en ont tiré parti par une organisation particulière.

B) De l'économie ancienne a l'économie moderne

L'utilisation des possibilités physiques de la montagne alpine par les sociétés humaines a subi, dans le cadre de l'évolution économique liée au développement du capitalisme, des changements radicaux. Il est indispensable de connaître leur nature pour comprendre le monde actuel.

1° L'économie ancienne.

Bien que les Alpes fussent traversées par des courants de circulation importants, l'économie ancienne fut essentiellement une économie fermée. La technique ne permettait guère le déplacement en masse des marchandises et des gens, et, surtout, l'organisation économique n'était pas fondée sur le profit. On cherchait dans le travail non pas des bénéfices, mais sa subsistance.

Dans le cadre d'une telle organisation, les Alpes offraient des avantages agricoles indéniables. La variété des terroirs, et, surtout des micro et mésoclimats sur de faibles distances facilitaient l'autarcie villageoise ou cantonale. Par d'incessantes migrations en altitude, les « remues », les paysans combi-

naient les ressources des terres chaudes des adrets de basse altitude ou de
certains fonds de bassins avec celles des alpages et de cultures poussées aussi
haut que possible au moyen d'un actif défrichement des forêts. La plupart
des terroirs communaux, allongés des fonds de vallées aux crêtes, reflètent ces
préoccupations.

La principale poussée de colonisation des Alpes se place au Moyen Age,
entre le XIᵉ et le XVᵉ siècle, suivant les parties du massif. Sous l'impulsion
des abbayes souvent, parfois des évêques ou des seigneurs, des essaims
de colons remontent les vallées secondaires, défrichent les forêts, créent
de nouvelles paroisses, dotées d'importantes franchises. Bien des groupes
de cabanes de bergers se transforment en habitat permanent. C'est alors
que progresse le peuplement de l'Oberland bernois, des vallées affluentes
de l'Inn, des moyennes montagnes de Saint-Gall ou du massif de flysch
du Bregenzerwald. Dès la fin du Moyen Age, la population rurale atteint
un chiffre supérieur à l'actuel : 6.000 personnes environ en 1400 dans
le canton de Glaris, contre 4.900 en 1941. Au peuplement ancien des
villages des basses vallées, cette vague de colonisation ajoute un habitat
de fermes isolées ou de hameaux en ordre lâche, dont les terroirs, grignotant
la forêt, sont formés de parcelles plus grandes, parfois même encore d'un
seul tenant. La même vague de colonisation a également mordu sur les
terres ingrates de l'avant-pays : hauts plateaux morainiques du Mittelland
ou de la Bavière.

La population reste ensuite grossièrement stationnaire, avec de faibles
accroissements vite compensés par les pertes des épidémies et des famines,
oscillations typiques d'un groupe humain disposant tout juste du minimum
biologique. Ainsi pour le canton de Glaris : 10.000 en 1500, 5.600 en 1550,
7.000 en 1610, 5.000 en 1630. Ce n'est qu'au XVIIIᵉ siècle que s'amorce une
tendance très nette au développement démographique, dont l'explication
n'est pas encore faite. A Glaris, la population totale passe de 11.500 en 1700
à 14.200 en 1720 et 23.068 en 1800. Si le développement du commerce
transalpin, par suite de l'essor des grandes monarchies unifiées, emploie
quelques milliers de muletiers de plus qu'auparavant, il n'est pas susceptible
de rendre compte de cet accroissement. Les bénéfices du commerce ne restent
pas dans la montagne : ils profitent aux villes de marchands qui sont les têtes
de ligne des caravanes de mulets. D'ailleurs cette augmentation de la population dépasse les ressources et provoque une rupture d'équilibre. Il en résulte
une accentuation des défrichements, surtout dans les massifs centraux, où
l'extension des cultures de céréales se heurtait à de moindres difficultés
climatiques : les vallées affluentes de gauche du Rhône, dans le Valais, sont,
avec moins de 10 % de forêts, parmi les régions les plus dénudées de la Suisse.
On pousse la culture des céréales jusque sur le bord des alpages. Il en est de
même de la pomme de terre, récemment introduite. La capacité de travail de

la population dépasse les possibilités offertes malgré la mise en culture de terroirs particulièrement ingrats.

C'est sous l'effet de la pression démographique que se développent deux types d'activités qui n'avaient jamais atteint une pareille ampleur : l'émigration temporaire et le travail à domicile. Les bouches à nourrir excédentaires abandonnent la montagne pour l'hiver, se déversant sur les pays de plaines voisins. Ces montagnards désœuvrés et faméliques sont plus ou moins mendiants, plus ou moins ouvriers ou colporteurs suivant les occasions. Ils se dirigent vers la Bavière, les Pays rhénans, la Plaine du Pô, la vallée du Rhône, le Bassin de Paris, l'Aquitaine, la Provence, suivant les routes du commerce et des troupeaux transhumants. Au XIXe siècle, lorsque les possibilités de travail se multiplient avec l'industrialisation, ils se transforment en ouvriers saisonniers, revenant cultiver leurs champs en montagne l'été, puis définitifs. L'émigration d'outre-mer les touche aussi, à partir de 1820, dans les Alpes du Sud (vers l'Amérique méridionale), de 1850 en Suisse (vers les U. S. A.). Le travail à domicile apparaît au XVIIIe siècle et combine le profit commercial et la « lutte contre le paupérisme ». Son extension est très inégale. Il n'atteint guère les hauts massifs centraux, qui restent une région d'émigration, car ils sont trop inaccessibles encore. Ce sont surtout les bordures montagneuses qui en profitent, autour des centres commerciaux des caravanes transalpines. Là se trouvent les négociants qui sont à la tête de ces initiatives, là s'entreposent les produits de ce travail et les matières premières. C'est surtout en Suisse que se développe cette activité nouvelle, notamment dans les cantons de Glaris, de Zug, d'Appenzell et, hors des Alpes, dans le Jura. En Autriche, la bourgeoisie est moins puissante et ses initiatives plus limitées. Elles se manifestent surtout dans le Vorarlberg, sous l'influence de Saint-Gall, et dans le Tyrol.

Dans le canton de Glaris, en 1800, sur 23.000 hab., 11.000 vivent d'autres ressources que de l'agriculture. En 1837, le premier recensement détaillé indique 3.519 ouvriers de fabriques, tous occupés dans le textile, et 2.679 ouvriers à domicile, presque tous tisserands.

Il semble bien que ce soit de l'accroissement démographique du XVIIIe siècle, dont les causes restent conjecturales, que provienne la rupture d'équilibre qui a rendu l'économie alpine extrêmement vulnérable aux modifications de l'organisation économique liée au développement du capitalisme. Au moins en Suisse, en effet, la pénétration de l'économie mercantile, puis capitaliste dans les vallées marginales des Alpes est extrêmement précoce et contemporaine du développement de l'industrie textile anglaise, normande, picarde.

A partir du XIXe siècle, les modifications s'accentuent et s'étendent à une partie de plus en plus vaste des Alpes. Ce sont les débuts de l'économie moderne.

2º La naissance de l'économie moderne.

Elle est marquée par toute une série de transformations, qui sont les divers aspects du développement capitaliste dans la région alpine : déblocage des Alpes par les grandes voies de communication modernes, développement de l'industrie et du tourisme, qui lui sont liés en grande partie, exode massif et transformation profonde de l'agriculture.

— Le développement des grandes voies de communication débute avec le XIXᵉ siècle, par la construction des routes napoléoniennes (Simplon, la première de toutes, 1805 ; mont Genèvre). La mise au point de la technique des lacets rend les cols accessibles aux voitures alors qu'auparavant, seules les bêtes de somme pouvaient les franchir, avec une charge maxima de 200 kg. La capacité de transport des animaux est multipliée par 4 environ. La création des premières routes transalpines modernes a donc été imposée du dehors, par suite des besoins des pays voisins : dans la seconde moitié du XVIIIᵉ siècle, Berne avait bien commencé d'équiper un réseau routier à l'instar de la France, mais il se limitait au Mittelland et aux basses vallées de l'Oberland et n'atteignait nulle part les cols. L'expérience napoléonienne a été utile et les Suisses ont poursuivi, au XIXᵉ siècle, la construction des routes alpestres. Mais dès le milieu du siècle, les pays voisins méditent d'utiliser les chemins de fer pour le commerce transalpin. Le mont Cenis (1871) est la première réalisation, suivie du Gotthard (1882) qui nécessita dix ans de travaux, puis de l'Arlberg (1884), du Simplon (1905), tous caractérisés par des tunnels de faîte de grande longueur à altitude relativement basse, qui ont nécessité un déploiement considérable de moyens techniques. Dans les Alpes orientales, la principale voie transalpine, celle du Brenner, franchit le col à l'air libre. Si l'entretien de la ligne est parfois difficile, sa construction n'a pas posé les mêmes problèmes. Elle a été achevée dès 1867. Le Lötschberg, voie d'accès au Simplon, ne date que de 1914. L'équipement du réseau ferré alpin était au-dessus des moyens locaux, aussi commença-t-il grâce à des intérêts plus vastes. En Suisse, ce n'est qu'en 1874 que la Confédération obtint le droit d'octroyer des concessions, jusque-là réservé aux cantons. Le Gotthard fut financé essentiellement par l'Allemagne et l'Italie et le rachat, en 1900, des chemins de fer par la Confédération dut être compensé par des accords tarifaires internationaux concernant le transit. En Autriche, les lignes transalpines furent toutes établies par l'État et servent avant tout des intérêts stratégiques : l'Arlberg rattacha le Vorarlberg au reste de l'Empire, le Brenner ouvrit une voie d'accès vers la Lombardie et relia à Vienne le Tyrol méridional, les percées des Alpes juliennes et carniques assurèrent un débouché maritime par Trieste.

L'équipement ferroviaire des Alpes provoqua une modification des itinéraires commerciaux. Sous l'influence de l'Allemagne, de l'Italie et de

— 423 —

la France d'une part, de l'Autriche-Hongrie de l'autre, les grandes percées
se placent dans les secteurs Ouest, centre-Ouest et Est de la chaîne. Les
Grisons, jusqu'alors principale région de transit, perdent leur prédominance :
les projets de percement de tunnels sous le Lukmanier ou le Splügen n'ont pas
abouti et aucune ligne transalpine ne traverse cette partie de la chaîne. Il en
est résulté, vers les années 1880, une très grave crise régionale, qui a empêché
le développement industriel.

Si les grandes percées sont capitales pour le commerce international, le
déblocage des vallées ne l'est pas moins pour l'économie régionale. Suivant
les ressources des États et leurs conceptions, la politique a été très différente.
En Suisse, les bénéfices d'un capitalisme précoce, l'orientation bien affirmée
de l'économie vers le commerce et le tourisme ont eu pour résultat l'équipement d'un réseau remarquable, qui ne laisse isolée aucune vallée impratica-
ble à la circulation moderne, aucun col important. Cette desserte dense, qui
a permis la pénétration des spéculations modernes, est assurée conjointement
par des routes et des voies ferrées étroites. Le réseau routier alpin suisse a
été sans cesse complété et modernisé depuis le XIXe siècle. Dès 1922, des
services réguliers d'autocars utilisèrent la Via Mala, le Grimsel, le Splügen,
la Furka, l'Oberalp. Aujourd'hui, les Postes suisses desservent en toutes
saisons les centres d'habitat permanent et presque toutes les routes des cols
en été. Des améliorations innombrables ont été apportées aux chaussées :
élargissements, goudronnage, rectification de virages, tunnels de faîte
(comme à la Sustenpass), postes téléphoniques permettant d'appeler du
secours, parapets cimentés, clayonnages anti-neige, etc. Non seulement le
tourisme automobile, mais les services réguliers d'autocars desservent au
maximum la montagne. La route a été souvent précédée par les voies ferrées
étroites, dont une bonne partie s'accommode de rampes très fortes (11 % sur
la Furka-Oberalp) au moyen de crémaillères, de téléphériques et de funiculaires. Elles débloquent en particulier les Grisons et le Haut-Valais. Six
d'entre elles dépassent 2.000 m. d'altitude. Beaucoup n'ont qu'une exploitation
saisonnière et servent essentiellement au transport des voyageurs. Elles n'en
ont pas moins eu une importance primordiale, surtout avant l'essor de
l'automobile.

Les autres régions alpines, si l'on excepte l'étroite lisière allemande,
n'ont pas profité de la même politique de desserte dense. En Autriche et
en Italie, notamment, les voies ferrées ne forment qu'un réseau lâche dans les
seules grandes vallées. Dans le Trentin, dans les Dolomites, dans les Tauern,
nombreuses sont les hautes vallées situées à plus de 50 km. de la gare. Le fait
a eu d'autant plus de conséquences que le réseau routier est également
déficient. Il a souvent fallu attendre jusqu'entre les deux guerres mondiales
pour que les chemins muletiers soient remplacés par des chaussées accessibles
à l'automobile. Le déblocage de nombre de vallées est tout récent et souvent

encore insuffisant. Dans les Alpes carniques, dans l'Ötztal, dans les Tauern, il reste encore des villages sans accès carrossable. La pénétration de l'économie moderne a été surtout linéaire et limitée aux grandes vallées dotées précocement du chemin de fer. Bien des petites cellules archaïques persistent, malgré l'effort des trente dernières années et l'organisation, en Autriche, de services de cars postaux imités de ceux de la Suisse.

Malgré la concurrence routière, qui lui enlève une notable partie des voyageurs, le chemin de fer reste dans les Alpes plus encore qu'ailleurs un outil indispensable pour le transport de masse. Les camions ne franchissent guère les cols et ne servent qu'aux transports locaux, notamment autour des villes et pour la desserte des vallées secondaires privées du rail. C'est grâce à l'électrification que ce dernier a pu conserver ses avantages. Le chemin de fer électrique est l'outil le mieux adapté aux gros transports alpins. Les longues rampes d'accès aux tunnels de base des cols limitent en effet considérablement la capacité de transport. A une vitesse identique, la même locomotive peut remorquer 2.000 t. en palier, mais 500 t. seulement sur une rampe de 15 mm. par mètre, et... 250 t. sur une rampe de 25 mm. Or, la plupart des lignes transalpines à voie normale ont de longues rampes de 25 mm. et même parfois de 30. Il faut donc disposer d'une énorme réserve de puissance, sous la forme de locomotives que l'on adjoint aux convois pour assurer une double traction dans les rampes. Il faut aussi accepter de réduire la vitesse, et, par conséquent, le débit des lignes. Malgré les difficultés de construction, nombre d'entre elles sont à voie double pour cette raison. Avec la traction vapeur, le maintien sous pression dans les dépôts de nombreuses locomotives ne servant que quelques heures est ruineux. L'électrification supprime cet inconvénient. Elle permet aussi de construire des locomotives plus puissantes à poids égal. Enfin, certains dispositifs rendent du courant au réseau dans les longues descentes. Toutes les lignes alpines suisses et allemandes sont électrifiées, ainsi que la plupart des lignes autrichiennes et italiennes. L'électrification précoce (le plan date de 1902) des lignes suisses a grandement favorisé l'essor de l'industrie électro-mécanique de ce pays en la mettant en face de difficiles problèmes dont la résolution lui a permis d'acquérir une remarquable avance technique.

— Le déblocage des Alpes par les moyens de transport modernes a eu de profondes répercussions sur leur économie.

Les *migrations*, rendues plus faciles au moment même où le développement industriel et commercial attirait la main-d'œuvre vers les villes et les pays neufs, se sont amplifiées et modifiées. Les départs définitifs l'emportèrent de plus en plus sur l'émigration saisonnière jusqu'à ce que de nouvelles ressources eussent retenu la population en montagne : tourisme, industrie. La période de grand exode se place lors de l'établissement des voies de pénétration dans les vallées voisines. C'est en effet le moment où le contraste est le plus criant entre les modes de vie archaïques et l'économie moderne. Une fois la vallée elle-même bien desservie, un nouvel équilibre tend à s'établir en fonction des ressources nouvelles qui apparaissent. C'est pourquoi, d'une manière générale, l'émigration alpine a été plus importante dans les régions où les chemins de fer locaux et les routes sont apparus tardivement : Alpes italiennes et autrichiennes, Grisons, qui ont fourni, de 1850 à 1914, de nombreux départs vers les grandes villes périalpines (notamment Vienne, Milan, Turin) et l'Amérique.

Cette émigraton a joué le rôle de moteur dans les transformations de l'agriculture. Elle a permis le recul des cultures vivrières, indûment accrues lors de la période précédente. De nombreux défrichements dans la forêt furent abandonnés ou transformés en granges. Les champs de pommes de terre à la limite des alpages disparurent. Les remues, destinées à tirer le profit maximum de l'étagement de la végétation, perdirent progressivement de leur intensité et sont devenues bien souvent un souvenir. En même temps, la demande des produits de l'élevage s'accroît, par suite des besoins des villes. L'amélioration des transports permet la vente du fromage et du beurre, voire du lait. L'utilisation de la montagne redevient surtout pastorale comme avant la poussée de colonisation de la fin du Moyen Age. On profite des alpages pour développer au maximum en été la production de lait, généralement transformé sur place, et pour faire des provisions de foin qui serviront à entretenir les bêtes en hiver. On se met même à acheter des animaux au printemps que l'on revend à l'automne après en avoir profité l'été. Ailleurs, on prend en pension les bestiaux du bas-pays, forme capitaliste de transhumance. L'évolution est particulièrement poussée en Suisse, où règne une politique libre-échangiste qui accélère le recul des cultures vivrières et où l'industrie et le commerce créent d'importants débouchés pour les produits laitiers : chocolat au lait, lait condensé, aliments de régime, vente du gruyère. En même temps, l'élevage bénéficie d'importantes améliorations techniques (sélection de la race de Schwyz, écoles fromagères).

Le *tourisme* a aussi puissamment contribué à l'évolution de l'agriculture. Il offre à certains produits un débouché saisonnier, notamment au lait, au beurre, moindrement au fromage et à la viande. Il fournit surtout un complément de ressources. Certains paysans louent des chambres et en tirent un revenu appréciable en argent liquide. D'autres s'embauchent pour quelques mois dans les hôtels, comme garçons de course, comme serveurs et leur salaire complète utilement les rentrées de l'exploitation agricole. Mais cette défection se produit au moment des grands travaux : elle est incompatible avec le maintien de la polyculture vivrière et ne peut se concilier qu'avec l'élevage.

Le tourisme est apparu dès le début du XIXe siècle, en rapport avec l'esprit romantique, mais il ne s'est généralisé qu'avec le développement du genre de vie urbain. Réservé au début à de riches oisifs, il a gagné progressivement des classes moins aisées, mais plus nombreuses. La diminution de la clientèle des palaces est un fait général, ainsi que le raccourcissement des durées moyennes des séjours. D'origine essentiellement urbaine, le touriste vient en grande majorité des régions extra-alpines, souvent de l'étranger. Une véritable transhumance humaine s'organise, en fonction des voies de communication, des goûts souvent dominés par la tradition, des réglementations internationales des changes, de plus en plus instables dans un monde en crise permanente depuis la première guerre mondiale. Les Anglais, grégaires, aiment se retrouver entre eux et ne pas changer d'habitude. L'Oberland bernois, les lacs, les Dolomites les attirent particulièrement. Ce sont essentiellement des clients d'hôtels moyens, arrivant par fournées. Les Allemands, les Suisses, les Autrichiens et les Néerlandais sont plus sportifs et aiment la montagne pour elle-même. Ils se déplacent davantage, logent souvent dans les refuges ou chez l'habitant. Le Français et le Belge, comme les Anglais, sont davantage des clients d'hôtels, mais, peu grégaires, se répandent partout et changent volontiers de région. Enfin, une petite clientèle très cosmopolite hante essentiellement quelques stations internationales où elle désire surtout rester entre gens du même « milieu ». La Suisse et les Dolomites, quelques stations des lacs italiens en profitent presque exclusivement. Depuis une vingtaine d'années, ce sont les oscillations des changes qui jouent le plus grand rôle dans les variations du tourisme international. La Suisse, favorisée par son train de vie plantureux en 1945-1947, est maintenant gênée par sa monnaie trop chère; l'Italie, et surtout l'Autriche, lui ont ravi de nombreux clients en 1948-1951. L'amélioration de l'économie allemande a permis une sérieuse augmentation des effectifs de nationaux de ce pays en 1950 et 1951, surtout en Autriche et en Suisse. Les restrictions de change britanniques de 1952 provoquent une chute verticale du nombre des Anglais dans les hôtels. Industrie de luxe, le tourisme est particulièrement instable, d'autant plus qu'il est international. C'est, pour les Alpes, une ressource précieuse mais bien aléatoire.

Le tourisme alpin est, de plus, uniquement saisonnier. D'abord estival, la mise à la mode des sports d'hiver est venue fort à propos créer une seconde saison. Néanmoins, les hôtels ne sont guère complets que deux mois par an. Il en résulte un taux d'occupation particulièrement faible (rarement supérieur à 20 % pour l'année), et des investissements très lourds, d'autant plus que nombre d'hôtels, situés dans des sites touristiques, ont été onéreux à édifier et coûtent cher à entretenir. Les Suisses se résignent à considérer l'industrie hôtelière en elle-même comme normalement déficitaire et avantageuse seulement par ses à-côté : dépenses des touristes en achats de toutes sortes, frais de voyage. Dépendante des régions extra-alpines pour sa clientèle, elle l'est également pour ses capitaux par suite de ses grands besoins.

Le développement moderne des techniques a également fait des Alpes un important centre de *production d'énergie*. C'est dans le Grésivaudan qu'eurent lieu les premiers essais de production d'électricité à partir de chutes canalisées, au début de la seconde moitié du XIXᵉ siècle. A l'heure actuelle, les Alpes fournissent au total près de 35 milliards de kWh. C'est, par excellence, la région des usines de haute chute, profitant des dénivellations considérables au flanc des grandes vallées. Mais elle souffre des maigres généralisés d'hiver à toutes les altitudes moyennes ou élevées. On s'est efforcé d'y remédier par l'équipement de lacs de barrage à des altitudes de plus en plus considérables, de prises d'eau sous-glaciaires. L'utilisation des chutes est sans cesse améliorée par des travaux plus importants, par exemple, par l'aménagement de galeries permettant de distraire les eaux d'une vallée au profit d'une autre plus basse à travers la crête qui les sépare. L'humidité du climat, l'extension relativement grande des glaciers, le relief contrasté et, aussi, la faiblesse de l'érosion mécanique, qui retarde le colmatage des réservoirs, sont des facteurs favorables au développement de l'énergie hydro-électrique dans les Alpes. Ce dernier s'accompagne d'un aménagement de plus en plus poussé de la haute montagne : captages, réservoirs, conduites forcées, barrages et, à un étage inférieur, reboisements pour lutter contre le colmatage.

Les installations hydro-électriques exigent de très gros investissements, surtout en haute montagne où les travaux sont particulièrement coûteux. Aussi n'ont-elles pu être équipées avec les ressources locales. La montagne a été aménagée avec les capitaux des régions voisines. La Lombardie a fourni ceux des Alpes italiennes, l'Allemagne, ceux des Alpes bavaroises, les grosses banques des villes du Mittelland, ceux des Alpes suisses. L'Autriche, État le plus exclusivement alpin, est relativement le moins équipé.

Mais la dépendance ne prend pas seulement la forme financière. Au début, on ne savait guère transporter l'électricité à longue distance. On l'utilisa donc sur place. La fin du XIXᵉ siècle vit le développement d'importantes usines d'électro-chimie et d'électro-métallurgie dans les Alpes, tandis que l'énergie plus abondante améliorait la situation des industries traditionnelles. C'est de cette période que datent les grandes usines d'Ugine, d'Allevard, de Froges, de Monthey, de Chippis, installées dans les vallées les plus profondes, au pied de massifs élevés offrant de grandes chutes, mais aussi le long de voies de communications importantes.

A partir de 1910, on fit de rapides progrès dans le transport de l'électricité à longue distance, au moyen de la transformation du courant. Il est vrai qu'en contrepartie, il faut se résoudre à des pertes en ligne non négligeables et à de très gros investissements. Il en est résulté une modification profonde de structure de la géographie de l'électricité : on se mit à compenser les irrégularités de régime des cours d'eau par des interconnexions. D'abord, l'utilisation des rivières subalpines, par des usines de basse chute mais profitant de gros débits, plus réguliers que ceux de la montagne. La Suisse, avec le Rhin, l'Aare, le Rhône en aval de Genève, soit seule, soit en association avec l'Allemagne ou la France ; l'Allemagne avec ses usines du Plateau bavarois (Iller, Lech) ont montré la voie. Ensuite, des interconnexions plus lointaines : Allemagne du Sud avec la Forêt Noire et la Ruhr, Alpes avec Apennins en Italie, avec Massif Central en France. Seule l'Autriche, à qui manque un avant-pays assez étendu, reste en retard. Toutes les interconnexions de la partie occidentale du territoire ont été réalisées depuis l'Anschluss, et au profit de la seule Allemagne. L'aménagement du Danube est un problème international encore pendant.

Ces interconnexions profitent peu à la montagne alpine. Les points les mieux situés pour l'utilisation du courant sont ceux qui se trouvent à mi-chemin des différences sources, c'est-à-dire les avant-pays. Aussi l'industrialisation des Alpes marque-t-elle maintenant le pas. Le développement des centrales modifie surtout le paysage, mais ne fixe guère d'ouvriers. Seules certaines grosses industries métallurgiques et chimiques ont encore intérêt à se fixer dans la montagne près des chutes, surtout à condition de consommer beaucoup de courant et de le prendre irrégulièrement : de nuit et en été, quand il est plus abondant et meilleur marché. Industries lourdes, elles emploient relativement peu de main-d'œuvre. La dépendance accrue vis-à-vis de l'avant-pays qui résulte des interconnexions profite surtout à ce dernier, principal fournisseur de capitaux et principal utilisateur.

L'instauration de l'économie moderne dans les Alpes s'est donc traduite par un renforcement considérable des liens qui les rattachent à leur avant-pays. Mais dans cette symbiose, c'est ce dernier qui joue le rôle directeur. Fournissant les capitaux, il dirige et contrôle l'équipement qui se fait à son profit. Ses banques et ses négociants décident des investissements et du cours des denrées, encaissent les bénéfices et les dividendes. Géographiquement, ces liens se traduisent par le dépeuplement de la montagne et la croissance corrélative des villes périphériques.

II. — LES TYPES RÉGIONAUX DE STRUCTURES ÉCONOMIQUES

Ils sont sous la double influence de l'évolution historique et des conditions naturelles. Ces dernières permettent de distinguer plusieurs grands ensembles caractérisés par des traits communs.

1º Le front septentrional de la chaîne.

C'est la région la plus humide et la plus fraîche de toutes les Alpes, aux hivers neigeux dès qu'on s'élève à plus de 500-600 m., aux étés maussades et pluvieux. La limite des neiges permanentes s'y abaisse à 2.000 m. seulement. C'est également celle où l'empreinte glaciaire quaternaire a été la plus

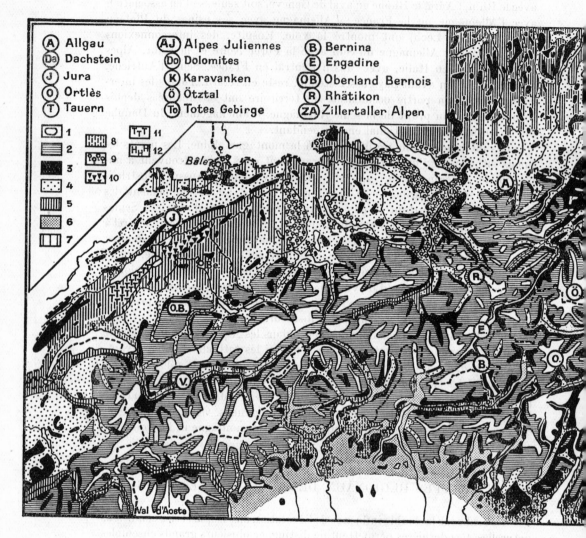

Légende :

A	Allgau	
Da	Dachstein	
J	Jura	
O	Ortlès	
T	Tauern	
AJ	Alpes Juliennes	
Do	Dolomites	
K	Karavanken	
Ö	Ötztal	
To	Totes Gebirge	
B	Bernina	
E	Engadine	
OB	Oberland Bernois	
R	Rhätikon	
ZA	Zillertaller Alpen	

FIG. 44. — L'agriculture alpine, d'

1. Haute montagne : rares alpages discontinus, rochers. — 2. Alpag
5. Régions de labours, culture intensive. — 6. Polyculture intensive du type mé
sucrière. — 11. Tabac. — 12. Houblon.

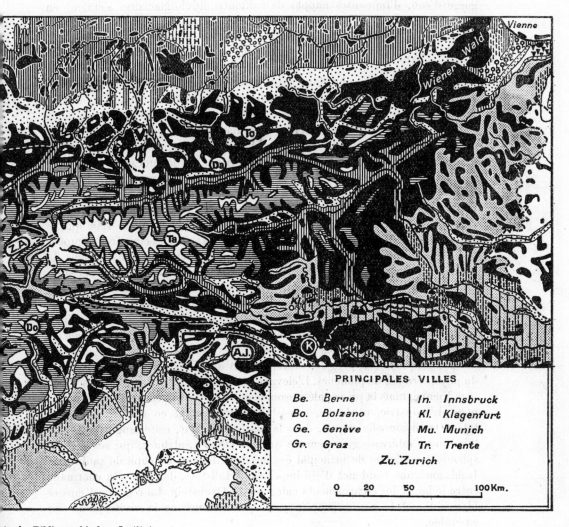

PRINCIPALES VILLES

Be.	Berne	In.	Innsbruck
Bo.	Bolzano	Kl.	Klagenfurt
Ge.	Genève	Mu.	Munich
Gr.	Graz	Tr.	Trente
	Zu.	Zurich	

0   20   50   100 Km.

ts du Bibliographisches Institut

vec chalets isolés. — 4. Terroirs agricoles à forte prédominance des prairies. —
e maïs. — 7. Variété croate. — 8. Vignobles. — 9. Vergers. — 10. Betterave

profonde : tous les fonds de vallées sont bourrés de moraines dont le sol se gorge d'eau, d'immenses nappes de cailloutis fluvio-glaciaires s'étalent en avant de la montagne, de larges percées au fond plat séparent les massifs et échancrent le bord de la chaîne ; nulle part les lacs ne sont aussi nombreux et étendus, au point que certains d'entre eux contribuent à modifier localement le climat.

Néanmoins, ces conditions naturelles montrent des nuances régionales. Tout à l'est, en Autriche, les Préalpes calcaires sont des causses tabulaires mal accessibles, rocailleux et stériles, monde désolé de lapiès et de dolines s'élevant jusqu'aux limites des neiges permanentes. De profonds canyons où les cours d'eau entaillent des gorges impressionnantes les séparent. Pays âpre et désert, l'un des moins peuplés des Alpes, où la rudesse de la nature n'a pas été le seul obstacle à la colonisation : la grande propriété féodale et ecclésiastique, toute puissante dans la monarchie Habsbourg, n'a pas favorisé l'implantation de communautés paysannes et d'immenses forêts persistent. Les communications sont également difficiles et ce n'est qu'en 1908 que le rail a relié Salzburg au Pongau le long de la Salzach. Des clairières occupées par des villages en ordre très lâche font tache de-ci de-là dans les bois de conifères, principale richesse de la région. Plus haut, peu d'alpages, par suite de la nature calcaire de la montagne : des corniches hardies soulignées d'éboulis parfois gigantesques, des déserts pierreux, à peu près aussi étendus que les forêts (environ 40 % du sol). Les prés fauchés des vallées n'occupent qu'une faible étendue (5-10 %) et bien souvent persistent, en rotation suivant le système de la fourrière, des cultures vivrières (pommes de terre, seigle). De minuscules jardinets, près des maisons, sont défendus par les seules clôtures du pays, formées de planches. L'élevage fournit surtout de la viande, envoyée vers Vienne, mais la principale ressource de ces petits paysans est le bûcheron-nage. L'industrie, médiocre, consiste principalement en scieries. L'exploi-tation traditionnelle du sel, dans le Salzkammergut, reste languissante. Le tourisme n'intéresse guère encore que les villes : Salzburg, qui survit à sa splendeur ancienne de principal évêché des Alpes et de capitale saulnière ; Ischl, ancienne résidence d'été impériale ; Hallstatt, dans un site charmant entre le lac et les escarpements calcaires du Dachstein. La région est encore bien isolée et trop peu peuplée pour que le tourisme la vivifie dans son ensemble.

Plus à l'ouest, dans le secteur bavarois, la division en bandes longitudinales est d'une exceptionnelle netteté. La montée régulière des glacis du Plateau bavarois, le brusque contact des Alpes avec l'avant-pays en sont les raisons physiques, par suite de l'influence de l'étagement en altitude. Mais le tracé de la frontière austro-bavaroise y a également contribué : au S. une montagne forestière peu peuplée, semblable à celle de la région située plus à l'E., riche en archaïsmes, notamment dans la vallée du Lech ; au nord, les Alpes bavaroises plus densément peuplées et vivifiées par un intense tourisme, qui ne se cantonne pas dans les centres principaux : Garmisch-Partenkirchen, Berchtesgaden, Füssen, Immenstadt, mais s'étale sur tout le pays, multipliant les chalets, les hôtels, les chambres louées chez l'habitant, provoquant une importante circulation d'argent. Dans un pays déficitaire en denrées alimentaires, l'élevage profite d'importants débouchés. Les cultures ont presque disparu, mais le paysage agraire reflète une exploitation intensive : toutes les dépressions sont envahies par de minuscules prés de fauche, tondus comme des gazons et piquetés de fenils en bois. Les pentes marneuses ou molassiques servent de pâturages tandis que la forêt se maintient sur les calcaires. Grâce au tourisme, le petit paysan, qui possède presque tout le cheptel, où les troupeaux de plus de 5 vaches sont rares, arrive à joindre aisément les deux bouts. L'autarcie a également poussé à l'utilisation de l'énergie hydraulique (Walchensee notamment), de sorte que ce revers bavarois, l'une des régions les plus humanisées des Alpes, contraste violemment avec les calmes solitudes forestières du territoire autrichien voisin.

Le Plateau bavarois montre le passage graduel de l'économie de plaine à celle de la montagne. Jusque vers 500-600 m. d'altitude, c'est-à-dire au nord d'une ligne O.-E. passant à peu près à 20 km. au S. de Munich, l'agriculture est de celle du type des plaines. Les labours, surtout sur le lœss des terrasses anciennes, conservent une large place, avec une polyculture combinant céréales, plantes fourragères, pommes de terre et même betteraves. L'élevage est développé, partie à l'étable, partie sur les prairies naturelles qui couvrent les fonds de vallées ou les terres infertiles. De grands bois, où dominent déjà les conifères, soulignent les cailloutis stériles ou, souvent, des domaines féodaux qui se sont maintenus malgré les vicissitudes historiques. Progressivement, avec l'altitude, ce paysage agricole se modifie vers le sud : les champs disparaissent peu à peu, laissant la place aux prairies naturelles, closes momentanément d'un fil de fer électrifié lorsqu'on y met les vaches. Les sapinières se font plus denses et plus sombres tandis que les brouillards traînent plus longtemps. Les villages sont relayés par les grosses fermes isolées (Hofgüter) de 20 à 30 ha. Les vallées permettent une remontée de la polyculture, du peuplement en villages, de la petite propriété aux parcelles enchevêtrées, tirant parti au maximum de l'herbe sous forme de prés de fauche, tandis que les interfluves se traduisent par une descente des grosses fermes herbagères. L'économie pastorale alpine a envahi, au xixe siècle, un avant-pays du reste peu favorable à une autre utilisation. Le peuplement reste lâche dans l'ensemble (30-40 hab./km²). En dehors de Munich, les villes sont rares et petites, bourgades traditionnelles dont le rôle de marché, un moment vivifié par la commercialisation de l'économie, est maintenant menacé par la concentration capitaliste. Peu d'industrie : ce n'est que sous le IIIe Reich qu'on construisit des centrales électriques sur les rivières aménagées et il fallut la guerre pour que s'établissent à côté d'elles quelques rares grosses usines électro-chimiques et électro-métallurgiques.

Le Vorarlberg et la Suisse orientale présentent un autre type. Il est caractérisé par une étroite liaison de la montagne et de l'avant-pays. Elle revêt deux formes principales : l'élevage et l'industrie. L'avant-pays de Saint-Gall et de l'Appenzell est formé de hautes collines molassiques profondément disséquées, froides et humides, paysage que l'on retrouve dans le Napf. Milieu peu attractif, sa colonisation fut tardive et progressive : les défrichements ont étendu peu à peu les prairies à tous les sommets de croupes et à tous les versants doux, ne laissant subsister les bois de conifères que sur les pentes trop raides. A côté des villages lâches, l'habitat dispersé est important. Les maigres ressources sont vite devenues insuffisantes lors de l'essor démographique du xviiie siècle, condition qui permit un rapide développement de l'industrie textile, d'abord du lin, puis du coton. Organisée autour de Saint-Gall, elle place sous la dépendance de cette ville l'avant-pays suisse (Saint-Gall, Appenzell) et la bordure alpine, tant suisse (Glaris) qu'autrichienne (Vorarlberg). La broderie à domicile s'est maintenue prospère jusqu'au début du xixe siècle. Depuis, elle traverse une grave crise. Avant 1914, Saint-Gall faisait travailler de nombreux ateliers familiaux jusque dans la vallée de la Bregenzer Ache (Vorarlberg) et la Bavière occidentale. Maintenant, la concentration en usines domine et la fabrication des cotonnades l'emporte sur la broderie. Malgré une crise latente, Saint-Gall continue à dominer les usines de la Suisse du Nord-Est (Saint-Gall, Glaris) et même du Vorarlberg (Dornbirn notamment). La multiplication des usines moyennes, donnant la prépondérance à la population ouvrière, sont une des caractéristiques de cette région. En 1941, la population agricole du canton de Glaris ne formait qu'un peu plus du 1/7 du total (4.847 personnes sur 34.771). Dans le Vorarlberg, la proportion de la main-d'œuvre industrielle atteignait 38,9 % en 1934, autant qu'à Vienne, bien que la crise autrichienne se soit traduite par un recul par rapport à 1910 (43,3 %). Partout des usines moyennes et petites escortent les villages, se groupent autour des petites villes. Dans le Vorarlberg, en 1948, deux usines seulement emploient plus de 500 ouvriers (une filature et un tissage). Le textile, prédominant, n'est plus exclusif. La construction mécanique (Saint-Gall principalement), les industries chimiques, alimentaires (Vorarlberg) se sont également fait une place, grâce surtout à la crise du textile. En Suisse, l'élevage constitue un autre lien entre montagne et avant-pays. L'économie pastorale est extrêmement prédominante : Glaris n'utilise comme terres labourables que moins de 0,6 % de sa surface productive (1), Appenzell 2 %. Les prés de fauche, encore assez étendus dans les vallées et les basses collines, sont, en montagne, une survivance. La prairie

(1) Les statistiques suisses comptent les forêts dans les superficies productives.

naturelle l'emporte partout. Ce fait favorise le maintien d'une active transhumance. Dans le canton de Glaris, en 1945, les 2/3 des vaches sont montées aux alpages (4.135) presque autant qu'en 1896 (4.455), près de 3.000 moutons y sont venus d'autres cantons (sur 3.656). Les animaux des collines et des grandes vallées (notamment la dépression lac de Zurich-lac de Wallen) continuent d'aller en majorité en montagne l'été, dans les alpages du canton de Glaris ou dans les hautes vallées des Grisons affluentes du Rhin (animaux de Saint-Gall) ou d'Uri. Les moutons vont généralement plus loin que les vaches.

Les Préalpes suisses occidentales offrent une image différente. La part de l'industrie est réduite : fabriques de ciment, travail du bois, ce dernier dispersé en un grand nombre de petits ateliers. La pénétration de l'économie moderne se fait sous d'autres formes. Tout d'abord, la commercialisation de l'agriculture, très ancienne dans ces patries de l'Emmenthal et du Gruyère, dotées de routes carrossables par Berne dès le XVIIIe siècle. Les moyennes montagnes de flysch ont été intensément déboisées et sont toutes parsemées de chalets et, en dessous de 1.000 m., d'habitations permanentes. La plus

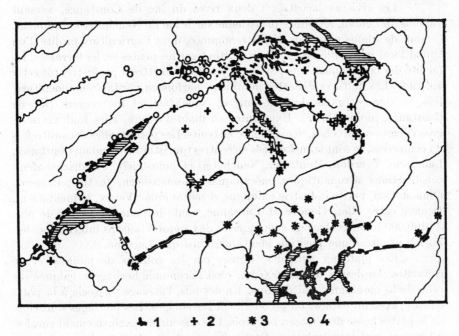

FIG. 45. — **Extension de diverses plantes dans les Alpes**
D'après Früh

1. Vigne. — 2. Bois de châtaigniers. — 3. Châtaigniers (avancée maximum dans les vallées alpestres). — 4. Buis.

grande aération du relief réduit la place des alpages, qui ne sont véritablement importants que dans les hautes vallées de l'Oberland. Partout ailleurs, le bétail ne se déplace guère en dehors de sa commune, et le lait afflue chaque jour dans les grosses fruitières qui le transforment en fromage et, moindrement, en beurre. Des bourgs cossus profitent de cette commercialisation : Langnau au pied du Napf, Zweisimmen dans la vallée de la Simmen, Bulle au débouché de celle de la Sarine. Il s'y ajoute, dans l'Oberland bernois, le grand tourisme international, qui prospère là depuis un siècle. Il profite principalement à de petites villes, dont le type est fourni par Interlaken, et à de grosses bourgades : Spiez, les Diablerets, Adelboden, Kandersteg, Château d'Oex, Lauterbrunnen, Grindelwald, Meiringen. Autour des lacs de Brienz, des Quatre-Cantons et de Zug, les installations touristiques sont particulièrement denses. Lucerne et, plus loin, Berne, dominent toute cette activité. Les régions qu'elle n'atteint pas, restées purement rurales, comme le Napf, se dépeuplent et les prairies y reculent devant les reboisements.

L'avant-pays montre une moindre prospérité dans son ensemble et de violents contrastes. On peut y distinguer trois types de régions :

— Les riviéras lacustres : deux rives du lac de Constance, versant vaudois du Léman, retombée jurassienne sur le lac de Neuchâtel notamment. Ce sont de « bons pays » de vieille renommée, dont l'agriculture profite d'un climat local particulièrement doux, surtout sur les pentes ou les terrasses. La facilité des communications par eau a permis de mettre à profit très tôt cette aptitude. Les cultures délicates dominent, parfois en véritable monoculture, telle la vigne (régions de Lausanne et Neuchâtel) et les vergers (lac de Constance, moins abrité). Exigeantes en main-d'œuvre, elles font vivre de gros villages rapprochés, densément construits. Les petites villes nées autrefois du commerce, se sont transformées en centres touristiques (Lindau, Constance, Lausanne, Yverdon, Montreux, Neuchâtel) et industriels (Friedrichshafen : constructions aéronautiques, mécaniques ; Romanshorn, textile ; Bregenz, alimentation, petite industrie chimique et mécanique ; Vevey, alimentation). Deux d'entre elles, Genève et Lausanne, sont devenues des cités de plus de 100.000 hab., centres de commerce et de banque à liaisons internationales. Zurich profite d'une position identique, ainsi que Lucerne.

— Les plateaux agricoles, formés par les collines de molasse et de cailloutis. Au-dessus de 500-600 m., c'est l'économie herbagère, calquée sur celle de la montagne, qui domine. En dessous, l'élevage s'associe à la polyculture, avec un habitat où prédominent les villages. Les paysages sont ceux de la partie basse du Plateau bavarois. Les ressources, exclusivement rurales, retiennent mal la population. Particulièrement étendu dans les cantons de Vaud et de Fribourg, sévit l'exode rural. Par suite du développement récent de la commercialisation de l'agriculture, les bourgs y sont rares et petits.

— Les régions d'industrie éparse. En dehors des collines de la Suisse orientale, très liées aux Alpes, toute une partie du Mittelland suisse (cantons de Zurich, Argovie, Soleure, Thurgovie) est caractérisée par un important développement industriel, qui relègue l'agriculture au second plan. Sous l'effet de l'appel de main-d'œuvre, la polyculture y cède du terrain à l'élevage en prairies naturelles (Grünlandwirtschaft). Bien des animaux appartiennent à des ouvriers d'usines dont les loisirs sont insuffisants pour pratiquer la culture proprement dite. L'industrie, développée sous l'impulsion de Zurich, appartient à des branches variées, bien que la métallurgie domine (constructions de machines, appareillage électrique, métallurgie proprement dite) : industries textiles, chimiques, alimentaires. La confection emploie de nombreux travailleurs dans de petits ateliers. Les usines se groupent pour une part en villes industrielles (Zurich, Winterthur, Frauenfeld, Baden, Olten, Aarau, Soleure, Bienne) mais également, pour une forte part, se dispersent dans les bourgades et les gros villages.

2º **Les grands massifs axiaux.**

Région où les dénivellations atteignent leur ampleur maxima, les massifs axiaux sont la partie des Alpes qui montre la plus grande variété climatique. C'est par suite celle où, dans l'économie ancienne, l'ingénieuse adaptation de l'agriculture au milieu montagnard était la mieux réalisée, avec ses « remues » bien connues. C'est également la partie de la chaîne qui a été le plus tardivement débloquée, surtout les hauts bassins, isolés par les gorges des verrous. Aussi la pénétration de l'économie moderne y est-elle très irrégulière et les contrastes nombreux. Plutôt que de grands ensembles régionaux, qui seraient factices, il vaut mieux essayer de définir un certain nombre de types caractéristiques.

a) *Les cellules archaïques.* — La polyculture vivrière, combinée à un élevage commercialisé de plus en plus important, se maintient encore dans certaines vallées isolées. Tel est le val d'Anniviers, popularisé par l'étude de Girardin et J. Brunhes.

Vallée adjacente du Valais, il est séparé de ce dernier par un gradin de confluence entaillé par une gorge inaccessible. La dénivellation sert à la puissante centrale de Chippis. La vallée, étroite, a des versants dont la pente atteint 40º. La violente insolation favorise la végétation à condition qu'elle ne souffre pas de la sécheresse. Aussi les pentes sont-elles parcourues d'un dense réseau de « bisses », permettant de les irriguer, soigneusement entretenues. Elles permettent le développement de prés de fauche, minuscules, dont la récolte est rendue particulièrement pénible par la pente. Ils sont complétés par des jardins, et de petits champs de pommes de terre, de seigle et d'orge. L'habitat permanent monte à 1.900 m., les chalets à 2.500 m. La population ayant continué à augmenter à la fin du XIXᵉ siècle, les Anniviards ont encore étendu leurs migrations traditionnelles en multipliant les acquisitions de vignes, de terres à blé et de prés dans la vallée du Rhône. Leurs déplacements agricoles s'échelonnent ainsi sur près de 2.400 m. de dénivellation. Des travaux récents montrent seulement de faibles modifications par rapport à ce qui a été observé au début du siècle. Les descentes dans la vallée du Rhône, en été, se sont même multipliées.

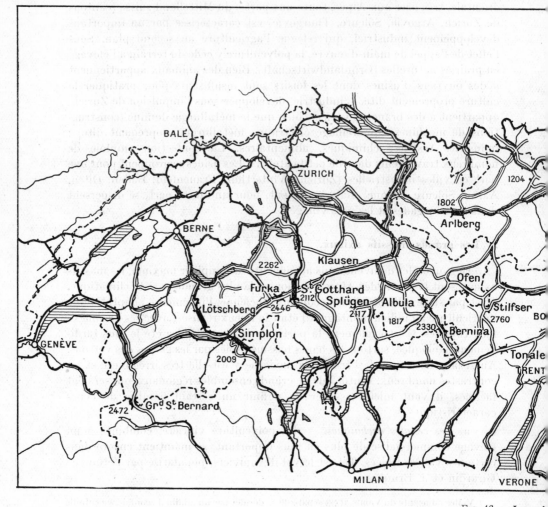

FIG. 46. — Les voi

1. Voies ferrées, écartement normal. — 2. Voies

Mais il s'agit là d'un cas extrême, hypertrophié, grâce à des conditions naturelles exceptionnelles (climat, ampleur des dénivellations) et à un respect particulièrement entêté des traditions. Progressivement, des changements apparaissent, bien que le système de culture se maintienne encore. Lors des héritages, la division ne s'effectue plus parcelle par parcelle, mais étage agricole par étage : les terres de vallée forment un lot, celles des villages du Val un autre. Une dissociation se prépare.

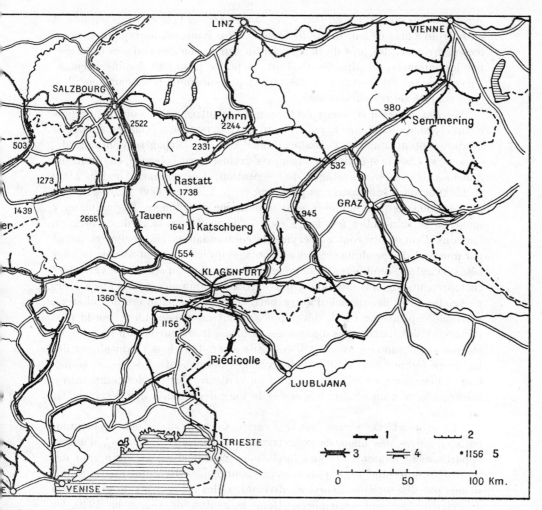

Les Alpes offrent peu d'exemples aussi extrêmes. Généralement, les archaïsmes se réduisent au maintien de cultures vivrières à côté de l'exploitation pastorale. Tels est le cas de certaines cellules des Grisons, des vallées perdues du pourtour des Tauern, de l'Ötztal. On continue d'y produire des grains, des pommes de terre, des légumes, voire du lin et du chanvre, encore filé et tissé dans quelques familles (Ötztal), dans les fonds de vallées autour des villages et sur les replats les plus bas. Bien souvent, il faut sécher les céréales

— 439 —

sur des sortes d'espaliers en bois après la récolte, car l'été est trop humide et on se trouve près de leur limite biologique. Plus haut, sur les replats, généralement irrigués, des prés de fauche. Enfin, sur les hautes surfaces dominées par les sommets, les alpages. Partout, la petite propriété domine. Généralement l'isolement (certaines vallées n'ont pas encore de routes automobiles) rend compte de ces survivances.

b) *Les vallées à économie herbagère.* — D'autres vallées ont à peu près complètement abandonné la polyculture vivrière pour se spécialiser, comme la bordure septentrionale de la chaîne, dans l'économie herbagère montagnarde. Caractérisée par la spéculation à peu près exclusive sur l'élevage, elle continue d'utiliser les différents étages de végétation. Les sommets, entre 2.000 et 2.500 m. dans les massifs les plus secs, entre 1.500-1.600 et 2.200-2.300 m. dans les massifs plus humides, sont le domaine des alpages. Les animaux y montent de juin-juillet à octobre et y séjournent sous la garde de bergers. Certains d'entre eux sont au service de communautés villageoises et payés par une part des produits (beurre et fromage) qu'ils élaborent avec le lait des bêtes. D'autres, rémunérés de la même manière, sont au service de véritables entrepreneurs de transhumance, qui louent les animaux pour l'été à leurs propriétaires et acquièrent d'autre part de droit de pâturage des alpages, véritable capitalisme rural, développé surtout en Suisse. La forme la plus archaïque d'utilisation des alpages est la forme individuelle : un membre de chaque famille monte avec les bêtes. Elle se traduit dans l'habitat par des hameaux temporaires, doublets des villages permanents. La pâture collective, villageoise ou capitaliste, utilise au contraire des étables temporaires, accompagnées d'un chalet, dispersées le long des circuits que décrivent les animaux.

La propriété des alpages est très variée. Certains sont des biens communaux, d'autres des biens de collectivités (associations d'alpages), d'autres appartiennent aux cures et aux fondations pieuses, d'autres, enfin, sont des propriétés individuelles, le plus souvent bourgeoises. Récemment, les acquisitions par des sociétés anonymes diverses, telles les sociétés de production d'électricité, se sont multipliées. Dans le canton de Glaris, en 1946, les communes « bourgeoises » sont les plus gros propriétaires : 62 % et louent presque tout à des bergers ; les propriétaires privés suivent avec 28 %, les communes rurales et associations de paysans n'ont que 10 %. Le faire-valoir indirect prédomine largement. Mais il s'agit d'une région très touchée par le capitalisme au bord de la chaîne. En Autriche, la propriété villageoise est plus importante à côté de vastes biens féodaux.

A l'inverse de ce qui se passe dans les Alpes françaises, trop dépeuplées, on ne relève ni en Suisse ni en Autriche d'abandon des alpages. Si la fréquentation des pâturages a un peu diminué depuis un siècle (20 à 30 % de bovins en moins, 50 % de moutons), la valeur des produits de l'élevage s'est au contraire accrue. La surcharge pastorale a disparu, les bêtes, sélectionnées, donnent davantage de lait. Les alpages font l'objet d'améliorations constantes, surtout ceux de la Suisse et plus particulièrement ceux qui appartiennent aux communes. On construit des abris où les bêtes se réfugient par mauvais temps, véritables étables avec une chambre pour le berger ; on aménage des sources, des abreuvoirs, des chemins muletiers, accessibles aux minuscules carrioles des montagnards qui montent les provisions et descendent le beurre ou le fromage. En Suisse même, on a parfois équipé des petits câbles transporteurs qui permettent d'évacuer tous les jours le lait et de ne pas être obligé de se cantonner dans la production du fromage et du beurre. En Autriche, la production de viande est plus importante que celle des produits laitiers dans la plupart des alpages.

L'exploitation des alpages est complétée par celle des prés de fauche. Généralement groupés dans un coin de terroir favorable, parfois même au milieu des bas alpages, ils sont très souvent irrigués. On les trouve le plus souvent, d'une part, autour des villages ou des hameaux, d'autre part, à mi-chemin entre villages et alpages. Les prés de vallée fournissent du foin qu'on engrange pendant tout l'été dans les greniers au-dessus des étables. Les prés de mi-hauteur s'accompagnent d'un hameau de fenils où le foin est mis en réserve et d'où on le descend l'hiver aux étables en traîneau, sur la neige.

Cette économie pastorale repose presque toujours sur la petite propriété : les troupeaux ont de 4 à 8 bêtes. Ceux de plus de 10 vaches sont rares. Elle est beaucoup moins vulnérable que le type archaïque qui conserve, à côté de l'élevage, une forte polyculture vivrière. En effet, cette dernière impose, sous la forme de déplacements incessants, une énorme dépense d'énergie qui ne se traduit par aucun gain, tandis que l'économie d'élevage montagnarde réduit les migrations au minimum. Le travail le plus dur est la fauche des prés, et c'est ce qui explique la disparition de cette forme d'utilisation du sol lorsque la montagne se dépeuple, notamment dans les Alpes françaises. Par suite du gardiennage collectif des animaux, l'élevage peut se concilier avec d'autres occupations, saisonnières, comme le travail à l'usine ou dans les hôtels.

c) *L'économie des grandes vallées et bassins profonds*. — Elle est bien différente de celle des vallées de la bordure septentrionale des Alpes. Tandis que ces dernières sont envahies par l'économie herbagère, les grandes dépressions intra-alpines sont restées des centres de polyculture, en particulier le Valais et l'Inntal. La vallée du Rhin, les bassins de la Salzach moyenne, sont, en effet, surtout herbagers.

L'agriculture y profite d'une certaine sécheresse : généralement moins de 800 mm. par an, parfois moins de 600 et, surtout, d'une très forte chaleur d'été, assortie de printemps précoces et d'automnes tardifs. Au pied des adrets, surtout s'ils sont calcaires (Valais, Inntal), les plantes à affinités méridionales se trouvent à l'état naturel. Aussi la vigne n'a-t-elle eu aucun mal à s'implanter, pas plus que les vergers. En Suisse, le Valais vient juste après le canton de Vaud pour les vignobles. Le maïs y pousse bien. L'abricotier, le poirier, le pommier, de nombreux légumes, fournissent également une large vente au dehors, surtout dans le Valais. En Autriche, les cultures vivrières, céréales, pommes de terre, conservent une plus large place. Le long des cours d'eau, les étendues inondables sont conservées en pâtures et en prés qui servent à nourrir l'hiver les animaux envoyés en été dans les alpages, le plus souvent en recourant à des entrepreneurs. Cette polyculture très variée entretient une dense population rurale, groupée en villages dont les champs sont très morcelés. Chaque exploitation travaille des lopins dispersés dans tout le terroir. Beaucoup d'entre elles, très petites, suffisent à peine à nourrir une famille et des occupations salariées complémentaires sont indispensables pour certains de ses membres.

L'industrie, plus que le tourisme, les fournit. Ces vallées profondes, en effet, profitent des plus hautes chutes des Alpes. Elles ont fixé des usines métallurgiques et chimiques (Monthey, Chippis, Vernayaz dans le Valais), grosses consommatrices de courant : produits chimiques synthétiques (carbure de calcium), indigo ; aluminium, électro-métallurgie, bien développées surtout dans le Valais. En Autriche, ce sont surtout les voies ferrées qui ont joué le rôle principal : elles ont permis à certaines activités de se moderniser et de ne pas disparaître. L'Inntal concentre ainsi bon nombre d'usines textiles, de constructions mécaniques, de travail du bois, des fabriques de ciment (Kufstein).

Sauf à Innsbruck, plaque tournante du Tyrol et grande ville régionale, le tourisme est peu développé. Les étés chauds et lourds n'attirent pas les étrangers, qui ne font que passer.

Innsbruck est la seule ville vraiment importante de ces vallées et bassins. Elle profite d'une importante croisée de routes, très anciennement utilisée et conservée par la circulation ferroviaire : la vallée de l'Inn y recoupe la route Munich-Italie par le Brenner. Capitale régionale, elle fut éprouvée par la perte du Tyrol méridional donné à l'Italie en 1918. Elle combine les fonctions de centre administratif, commercial, touristique avec quelques petites industries à clientèle régionale.

3º La façade orientale des Alpes.

Elle est toute différente de la bordure septentrionale de la chaîne : le relief est celui de vastes bassins qui s'avancent en golfes dans la montagne ; cette dernière passe à un relief de blocs gauchis, au sommet aplani, qui évoquent les Carpates. Le climat échappe aux influences océaniques et se rapproche de celui de la Plaine pannonique. Les bassins ont un régime thermique très continental et les inversions de température sont la règle en hiver. Klagenfurt est célèbre à ce point de vue. Les étés sont chauds et orageux, la montagne permettant des pluies relativement abondantes (700 à 900 mm.). Un tel climat est favorable à la végétation lorsqu'il n'est pas trop sec et rappelle celui du Middle East américain. Il a permis le développement d'une vie agricole différente de celle du reste des Alpes.

Mais d'autres facteurs ont également joué un rôle important. La présence de richesses minières beaucoup plus importantes que celles des autres parties de la chaîne sert encore de support aujourd'hui à une industrie active. Au Moyen Age, elles ont joué un grand rôle dans le développement du peuplement. Enfin, le facteur politique. Cette façade orientale des Alpes est une marche où la colonisation germanique a conquis du terrain au détriment des Slaves. Assimilés, ces derniers ont laissé des traces dans l'habitat, dans le système de culture (notamment la place considérable du maïs et de la volaille). A certains égards, la Carinthie, revendiquée par les deux groupes, offre une transition entre les Alpes germaniques et la Croatie. Mais ce rôle de marche a été également tenu contre les Turcs. Il justifie le développement de Vienne, la plus grande des villes subalpines, et l'ancienne construction politique de l'Empire des Habsbourgs, faits historiques qui sont devenus le moteur de toute une organisation géographique. Les besoins de la grande capitale ont influé sur le développement agricole : la grande propriété est étendue en Basse-Autriche, mise en valeur par de grosses fermes isolées contrastant avec les villages de petits paysans, plus ou moins locataires d'ailleurs ; les cultures de céréales, de légumes, les vergers, les vignes, l'élevage des volailles, la conservation de belles et grandes forêts sur les hauteurs (Wiener Wald notamment) sont liés à la proximité de la capitale. Le développement industriel, s'il ne manque pas de bases naturelles, n'en a pas moins été stimulé par les conditions historiques offertes par l'Empire austro-hongrois. Condition essentielle de la primauté de l'Autriche dans cette construction, il pouvait compter sur la bienveillance des pouvoirs publics, sur les importations de matières premières provenant d'un vaste territoire (principalement le coke de Silésie), sur les débouchés de la majeure partie de l'Europe danubienne. Comme celle de la Suisse, l'industrie de l'Autriche orientale n'est pas à la mesure des besoins et des possibilités nationales bien que la nature de ses liens avec les marchés et les fournisseurs extérieurs soit totalement différente.

La façade orientale des Alpes se caractérise donc par :

— Une grande variété des productions agricoles, où l'élevage, quoique bien représenté, ne joue pas le rôle dominant. Dans tous les bassins et même sur les collines et les bas-replats, les labours l'emportent. Le système habituel est celui de la polyculture avec excédents commercialisés, dont la nature varie suivant les régions. Les plantes de base sont les céréales, principalement le blé, à la différence du reste des Alpes germaniques où le seigle l'a toujours emporté. Avec l'orge, le seigle et l'avoine, il occupe souvent 30 % des terres (notamment dans le Bassin de Klagenfurt, les collines de Styrie). Le maïs est également important, surtout en Carinthie. D'une manière générale, toutes ces régions se suffisent en céréales et en vendent même un peu à Vienne les bonnes années. Les modifications de frontières d'après 1918 ont été favorables au maintien de ces cultures. D'autres plantes, variables suivant les régions, font l'objet d'une commercialisation plus importante : les fruits dans les bassins et les collines, gagnant parfois sur la vigne ; la vigne, abondante surtout en Styrie bien que le bord nord-est du Bassin de Vienne possède les crus les plus réputés et que de vrais villages de vignerons se retrouvent sur les pentes des percées épigéniques du Danube ; la betterave à sucre dans les grosses fermes de Basse-Autriche.

L'élevage revêt également des formes diverses. Le porc et la volaille ont une grande place en Styrie et dans le Bassin de Klagenfurt d'où on exporte des œufs. Mais les bovins fournissent généralement des ressources plus importantes, à défaut des moutons qui ont partout reculé avec le reboisement des landes occupant autrefois le sommet des collines de cailloutis du Piémont. Cependant, cet élevage bovin ne lie pas intimement la montagne à son avant-pays comme dans la Suisse du Nord-Est. En Basse-Autriche, les grandes fermes, imitées par les petits paysans, préfèrent tenir les animaux à l'étable et les nourrir au moyen de prairies artificielles. Le lait pour Vienne et l'engraissement sont les principales spéculations. En Styrie, le long des cours d'eau, s'étendent de larges rubans de grasses prairies qui suffisent à entretenir le bétail. D'ailleurs, dans toute cette région, les moyennes montagnes qui bordent la plaine ont été très vite accaparées par l'aristocratie impériale qui y a défendu les forêts, ses terrains de chasse, contre les empiétements pastoraux. Ce n'est que plus loin de Vienne que l'élevage prend un type alpin : dans le Bassin de Klagenfurt, on envoie les animaux dans les alpages dont l'extension, autant que l'industrie, a dénudé la montagne. Comme elle, c'est une forme de la colonisation germanique.

— Un important développement industriel, qui repose sur des richesses minières suffisamment abondantes pour satisfaire aux demandes d'une industrie moderne, fait exception dans les Alpes. Les matières premières sont essentiellement le fer, dont le principal gisement est celui d'Eisenerz, capable de fournir jusqu'à 2.000.000 de t. par an, près de Leoben. Mais il n'est pas le seul : les couches se suivent le long de la vallée de l'Enns jusqu'à Liesen. L'extraction, autrefois dispersée sur une grande région (presque toute la Styrie), est maintenant concentrée à Eisenerz par suite de la monopolisation des gisements par l'Ostalpine Montangesellschaft, tombée, après 1918, sous le contrôle total de la Ruhr. Il existe également d'autres minerais, peu ou pas exploités : plomb, cuivre, nickel arsénieux qui pourraient, sous une autre forme d'organisation économique, favoriser le développement industriel, comme ils le firent au Moyen Age. Enfin, cette région possède aussi des combustibles, qui ont relayé le charbon de bois dans l'industrie métallurgique : lignites à Judenburg, à Leoben et dans la vallée de la Mürz, qui ont fourni jusqu'à 600.000 t./an ; lignites charbonneux dans la Haute-Autriche (Hausrück) ; charbons des environs de Graz (Voitsberg, Köflach) ; lignites du Bassin de Vienne (Zillingsdorf) et, depuis une dizaine d'années, pétrole de Zistersdorf.

Une importante industrie s'est organisée à proximité de ces gisements dans l'Empire Habsbourg, tirant le coke qui lui manquait d'une navette ferroviaire avec la Silésie. On trouve la sidérurgie (région de Leoben), les constructions mécaniques (Vienne, Graz, Steyr, Klagenfurt), le textile, la papeterie, le travail du bois. La métallurgie est concentrée principalement dans les grandes villes tandis que les autres branches se dispersent dans les bassins et la bordure montagneuse.

Ce développement industriel a facilité la croissance des villes : Vienne, avec 1.700.000 hab. y trouve maintenant sa principale ressource ; Graz, seconde ville d'Autriche, avec plus de 200.000 hab., Linz avec plus de 100.000 et un grand nombre de villes moyennes, de 20.000 à 50.000 hab. (Sankt-Pölten, Wiener Neustadt, Klagenfurt, etc.). Comme la bordure suisse des Alpes, cette région a profité du contrôle, maintenant disparu, d'un large avant-pays.

4º La bordure méridionale.

Des États centre-européens, seule la Suisse en englobe une petite partie, avec le Tessin. C'est pourquoi nous nous contenterons de dégager rapidement ses grands traits caractéristiques.

Le milieu naturel est bien différent de celui de la bordure septentrionale. A partir du lac Majeur, les Dinarides calcaires ne montrent guère de formes structurales. Les sommets lourds dominent des vallée nettement incisées, par les glaciers dans la région insubrienne, par les seuls torrents plus à l'est Le rembourrage des moraines manque presque complètement, et, avec lui, les replats au sol profond, les collines gorgées d'eau. Le climat est parent de celui de la Plaine du Pô : c'est un climat de bassin continental, à étés chauds et orageux, aux hivers modérés, dont les pluies abondantes se produisent sous la forme de grosses averses. C'est la région des Alpes où l'érosion des sols est la plus importante. Fréquemment la roche pointe sur les versants, à travers un gazon déchiré par l'abus du pâturage.

Proche de la Plaine du Pô, cette bordure est celle qui est depuis le plus longtemps intensément utilisée. Elle fournit, depuis un temps immémorial, un lieu d'estivage aux troupeaux transhumants, où dominent moutons et chèvres, d'où des liens très étroits avec l'avant-pays.

Principalement dans le Tessin, la vie agricole est caractérisée par un cantonnement étroit des cultures dans les vallées, sur les fonds alluviaux et les basses pentes, coupées de terrasses par suite de l'intense érosion des terres cultivées. La montagne, très déboisée, est domaine pastoral. La polyculture est de type méditerranéen : arbres fruitiers, vignes éparses au milieu des céréales, des légumes ; mûriers, orangers même sur les terrasses bien exposées au-dessus des lacs ; seul l'olivier manque, mais le maïs vient s'ajouter à sa place. Les gros villages tassés, aux maisons en hauteur, cultivent des champs dispersés, lopins où la modernisation est difficile, surtout lorsque interviennent les terrasses. La concurrence provoque le déclin des orangers et des mûriers surtout en Suisse, où manque la pression démographique.

Très peu d'industrie, aussi bien dans le Tessin qu'en Italie. Ce sont les villes padanes qui l'ont organisée à leur profit, ainsi que l'équipement électrique, fondé sur l'interconnexion avec l'Apennin. Dans le Tessin, on ne trouve guère que la confection et les multiples occupations semi-artisanales des petites villes. Aussi ce canton connaît-il une forte émigration vers le reste de la Suisse, qui absorbe à peu près ses importants excédents de naissances. Elle est compensée par une immigration d'Italiens. La plus moderne branche de l'économie, comme dans les Dolomites, est le tourisme. Fondé ici sur les lacs, il vivifie les petites villes. On ne peut s'empêcher de considérer ce canton comme un peu endormi dans son isolement. Pour la Suisse, c'est une sorte de jardin d'hiver, guère plus. Par suite des frontières, il échappe à la dépendance vis-à-vis de la Plaine du Pô, qui caractérise toute la bordure méridionale des Alpes. A cause des cols, il ne s'intègre que bien imparfaitement dans l'économie moderne de la Suisse.

Le fait capital est donc l'absence d'autonomie régionale des Alpes. Autrefois, tant que le commerce fut peu développé et l'agriculture essentiellement vivrière, des constructions politiques centrées sur les Alpes ont pu s'organiser à partir du contrôle d'un col ou d'une route : le Tyrol, la Savoie, le Dauphiné, les Grisons, le Valais en sont des exemples bien connus. La variété des aptitudes du milieu alpestre favorisait leur développement, surtout dans le centre de la chaîne où les dénivellations atteignent leur plus grande ampleur et où le contraste entre les bassins continentaux et la haute montagne est maximum. De petites cellules autonomes se sont organisées autour de chaque bassin tandis que les cols, plus aisément franchissables que les gorges de l'aval, facilitaient les relations de versant à versant.

L'époque moderne a bouleversé ces conditions : les progrès techniques ont débloqué les Alpes. L'économie rurale a abandonné de plus en plus la polyculture vivrière et adopté la spéculation alpagère, imitée des bordures septentrionales de la chaîne où elle est apparue précocement grâce à une meilleure liaison avec le dehors. Elle est devenue ainsi tributaire de marchés extérieurs, dont le contrôle lui échappe. En même temps, la main-d'œuvre, déjà surabondante au XVIIIe siècle, a émigré en masse lorsque l'industrialisation est apparue trop tardivement, ce qui est le cas des régions centrales de la chaîne. L'équipement moderne de la montagne a placé cette dernière sous la dépendance étroite de l'avant-pays, riche en capitaux. C'est en fonction de ses besoins que furent construites les grandes percées ferroviaires, édifiés barrages et centrales électriques, aménagés hôtels et sanatoria.

Du point de vue géopolitique, il en est résulté un renversement de situation. La Suisse, léthargique au XVIIe siècle, a profité, au XIXe, d'un avant-pays bien situé. Elle est devenue l'un des centres du capitalisme international. L'Autriche, à partir du milieu du XIXe siècle, a perdu progressivement ses avant-pays : Tyrol méridional, puis régions danubiennes. Son nouveau territoire, essentiellement alpin, est sous-équipé par rapport à la montagne suisse et déséquilibré par rapport à la nouvelle division politique. Il en est résulté une crise latente, qui menace en permanence l'indépendance du pays. Entre les deux guerres mondiales, le capitalisme allemand a préparé l'Anschluss par un contrôle progressif de l'économie autrichienne. Le IIIe Reich, après l'annexion, a commencé l'équipement de sa victime en fonction des intérêts de l'avant-pays. Profond contraste qui ressortira encore mieux d'une étude de la structure économique de la Suisse et de l'Autriche.

ORIENTATION BIBLIOGRAPHIQUE

L'ÉCONOMIE DES RÉGIONS ALPINES

D'innombrables travaux concernant l'économie des régions alpines ont paru : articles de revues, principalement suisses, françaises, autrichiennes, italiennes, allemandes et de nombreuses thèses, principalement suisses, allemandes et autrichiennes. On trouvera le compte rendu des principales publications dans les chroniques de la *Revue de Géographie alpine*, instrument de travail indispensable pour cette question. Sur les Alpes centrales et orientales, aucun ouvrage comparable à celui de Blanchard n'existe. Les synthèses manquent. On utilisera donc BLANCHARD (R.), *Les Alpes occidentales*, 6 vol. déjà parus, Grenoble, Arthaud, qui permettront de fructueuses comparaisons. Nous ne donnons ci-dessous qu'un échantillonnage de publications, en particulier celles dans lesquelles nous avons le plus puisé.

Généralités

On recourra naturellement à certains travaux cités dans les paragraphes concernant la Suisse et l'Autriche, notamment ceux de FRÜH, CHAPUIS, SIEGFRIED et le *Statistisches Jahrbuch der Schweiz*, qui donne des tableaux rétrospectifs, l'ouvrage de SCHWARTZ, *Statistisches Handbuch für die Republik Österreich*, etc.

Une masse considérable de faits est contenue dans l'ouvrage de FRÜH, *Geographie der Schweiz*, 1930-8, St. Gall, t. II et III où l'on trouvera également des photographies et des extraits de cartes topographiques. On le complétera par GUTERSOHN (H.), *Die Landschaften der Schweiz*, Zurich, 1950, 220 p., 16 phot., 53 fig., recueil d'excellentes monographies de communes ou groupes de communes typiques des diverses régions de la Suisse, remarquablement illustré. Certaines monographies, parmi lesquelles le choix est loin d'être aisé, permettront de mieux illustrer l'évolution d'ensemble par des exemples. Tels sont : SIMMEN (G.), *Die Puschlaver Alpwirtschaft*, Thèse, Zurich, 1949, in-8°, 131 p., monographie d'un alpage suisse ; HÖSTLI (J.), *Glarner Land- und Alpwirtschaft in Vergangenheit und Gegenwart*, Thèse, Zurich, 1948, 359 p., cartes et fig., excellente étude très fouillée de l'évolution du canton de Glaris ; WINKLER (E.), Veränderungen der Kulturlandschaft im zürcherischen Glattal, *Mitt. der Geogr.-Ehnogr. Ges.*, Zurich, XXXVI, 1935-6, p. 1-163, monographie montrant le développement rural d'une région des collines molassiques de la Suisse du Nord-Ouest ; ODERMATT (A.), *Die Wirtschaft des Kantons Nidwalden und Engelbergs*, Thèse, Zurich, 1950, in-16, 115 p. ; sur les rapports entre l'agriculture montagnarde et le milieu physique, on consultera la thèse très fouillée de JENAL (S.), *Die Wald-, Siedlungs-, Getreide- und Schneegrenzen im*

Vorderrheingebiet (Bundner Oberland), Zurich, 1947, in-8º, 258 p. et, Hohengrenzen des Anbanes in Mitteleuropa, *Geogr. Taschenbuch*, 1951-2, p. 234-239. Sur les étapes du défrichement de l'avant-pays alpin, une étude synthétique a été faite par un forestier allemand : VON HORNSTEIN (F.), *Wald und Mensch : Waldgeschichte des Alpenvorlandes Deutschlands, Osterreichs und der Schweiz*, Ravensburg, 1951, in-8º, 282 p. Pour ce qui est des persistances des cultures vivrières en montagne, on utilisera notamment : MONHEIM, Beobachtungen über die Getreidegrenze und Feldsysteme der französischen und schweizer Hochalpen, *Erdkunde*, 1951 et TELBIS (H.), *Zur Geographie des Getreidebaues in Nord-tyrol*, Innsbruck, 1948, in-8º, 148 p. Une intéressante comparaison entre avant-pays suisse et français a été publiée par ONDE (H.), Moyen pays suisse et avant-pays savoyard, *Rev. Géogr. alpine*, XXXIX, 1951, nº 1. L'étude de FLIRI (F.), *Bevölkerungsgeographische Untersuchungen im Unterinntal (Baumkirchen, Fritzens, Gnadenwald und Terfens)*, Innsbruck, 1948, in-8º, 98 p., fournit une monographie régionale assez caractéristique pour l'évolution socio-démographique d'une grande vallée autrichienne. D'autres exemples relatifs à ce pays se trouvent dans les thèses des Universités de Vienne, Graz, Innsbruck, souvent encore inédites, mais dont des résumés paraissent dans les *Mitt. aus dem Geogr. Ges. Wien*. En français : BEAUJEU-GARNIER (J.), La région du Brenner. *Rev. Géogr. alpine*, 1951, p. 431-80, et DUSSART (F.), Genres de vie agricoles et paysage rural dans la région de Mayrhoffen (Zillertal, Tyrol autrichien), *Bull. Soc. belge et géogr.*, XX, 1951, nº 1.

Chapitre III

LA SUISSE

Petit pays de 41.295 km² et de 4.650.000 hab., la Suisse tient dans le monde une place anormalement grande par rapport à sa superficie et à sa population, surtout si l'on tient compte de sa nature montagneuse. Et c'est ce qui explique la densité extrêmement élevée de sa population : plus de 140 au kilomètre carré de sol productif. Comme dans les métropoles des empires coloniaux, une grande partie des habitants vit de ressources tirées d'autres pays. Les revenus capitalistes provenant de l'étranger jouent un rôle primordial dans la structure économique de la Suisse.

L'utilisation du milieu géographique, spécialement du relief, a joué un grand rôle dans le développement de cette structure.

La Suisse est un État montagnard qui a su utiliser sa position. Elle commande les Alpes centrales et, par elles, la vieille route commerciale allant de l'Italie du Nord et de la Méditerranée aux Pays rhénans et à la Bavière. Très tôt, elle a connu la naissance d'une bourgeoisie pré-capitaliste qui a su acquérir l'indépendance politique. Après de vigoureuses interventions au xvie siècle dans la politique internationale, vaincus, les Suisses se sont enfermés dans la neutralité qui leur a si bien réussi : ils ont pu sauvegarder leur indépendance au xixe siècle, et, ainsi, développer leur puissance économique. Comme la Grande-Bretagne, la Suisse a misé longtemps sur le libre-échangisme et ne s'en écarte qu'à regret.

Mais si la montagne alpine a joué un rôle primordial dans le développement de la Suisse et si elle fournit encore des éléments importants de la prospérité du pays (transit ferroviaire, tourisme, houille blanche), la place prépondérante revient actuellement à la Plaine suisse, le Mittelland. Ce large couloir entre Jura et Alpes forme une rocade où se sont multipliées les villes, au débouché des vallées alpines ou des routes traversant le Jura. Concentrant les bénéfices du commerce et, souvent, la primauté politique (Berne en est le meilleur exemple), c'est dans ces villes que s'est élaboré le capitalisme suisse qui, de commercial à l'origine, devint très vite industriel. Dès le xviiie siècle, il tira parti de la main-d'œuvre rurale pour organiser une industrie, horlogère dans le Jura, textile dans l'avant-pays alpin. Au xixe siècle, il se lança dans la métallurgie, principalement dans la construction électrique car il fut l'un des premiers à discerner l'intérêt de la houille blanche. La possession du Mittelland et du revers du Jura est un élément géopolitique primordial pour la Suisse, qui a beaucoup facilité son ascension et dont témoignent les limites du canton de Berne, qui fut longtemps le « leader » de la Confédération. L'autre État alpin, l'Autriche, n'a pas joui de cet avantage : ce n'est que tout à l'E. qu'elle s'étale en dehors de la montagne sur son piémont et empiète sur le rebord du Böhmerwald. Mais cette région fut longtemps une marche. L'essentiel du piémont des Alpes orientales échappe à l'Autriche et c'est pour cet État une source de déséquilibre et l'un des fondements géographiques de l'attraction qu'exerce sur lui l'Allemagne, renforcée du reste par toute une évolution historique différente de celle de la Suisse.

De l'interprétation historique de son cadre géographique, la Suisse a tiré un capitalisme précoce, dont la prospérité fut renforcée par le libre-échangisme fondé sur la maîtrise des cols comme celui de la Grande-Bretagne l'était sur celle des mers, et par une solide tradition de neutralité qui a évité au pays les ruines des guerres. Dans la mesure où « le capitalisme porte en lui la guerre comme la nuée l'orage », la Suisse a profité des avantages de ce système économique sans en subir les inconvénients.

A) La structure économique de la Suisse

L'industrie est de loin l'activité dominante du peuple suisse : vers 1930, elle employait 44,9 % de la population active, proportion dépassée seulement en Grande-Bretagne (48,1 %) et en Belgique (48,9 %). En 1950, les revenus des « personnes indépendantes » de profession industrielle (artisans et chefs d'entreprises) dépassaient à eux seuls ceux de l'ensemble de l'agriculture : 1.340 millions de fr. s. contre 1.280, et ceux des ouvriers étaient environ 4 fois plus élevés que ceux des agriculteurs. La Suisse est un État à nette prépondérance industrielle.

1º Les conditions du développement industriel.

Les conditions du développement de la puissance industrielle de la Suisse sont très particulières. Elles sont caractérisées par :

— Une extrême pauvreté en matières premières. Presque toutes celles qu'utilise l'industrie suisse sont importées. C'est le cas des textiles : laine et coton, de tous les métaux, de la quasi-totalité des produits de base de l'industrie chimique. Seules les industries des matériaux de construction (ciment, chaux) et certaines branches de l'industrie alimentaire (fromagerie, lait condensé) tirent leurs matières premières du pays.

— L'abondance de l'énergie électrique, dont l'utilisation est très développée en Suisse et depuis une date relativement reculée. Plus de la moitié du potentiel est utilisée, dont le tiers fourni par les basses chutes de la Plaine suisse (Rhin et Aar notamment), le reste par les Alpes. La part du Jura est négligeable. L'équipement a été accéléré par la guerre mais arrive à peine à suffire à l'accroissement de la demande sous l'effet de la prospérité industrielle. En 1949, 291 usines fournissaient 9 milliards et demi de kWh. d'origine hydraulique auxquels s'ajoutaient 178 millions d'origine thermique. Cinq pour cent environ (470 millions de kWh.) étaient exportés principalement vers l'Allemagne. Le quotient par habitant s'élève à 2.400 kWh., dépassé seulement par celui de la Norvège et du Canada. En revanche, la Suisse manque complètement de pétrole et les quelques petites veines de mauvais charbon du Valais ne sont exploitées qu'en période d'extrême pénurie, à un prix de revient prohibitif.

— L'abondance des capitaux est également remarquable. Elle se marque par un taux d'intérêt très bas : 2 à 2,5 % et des disponibilités souvent pléthoriques chez les banques. Elle résulte pour une bonne part de l'importance de l'épargne : les sociétés d'assurance capitalisent des sommes considérables et cherchent des placements stables, de nombreux capitaux se sont réfugiés pendant les guerres en Suisse, drainés par un réseau de banques efficaces et discrètes. Enfin, l'accumulation capitaliste n'a jamais été troublée par des banqueroutes ou par les dépenses écrasantes des guerres. Le financement industriel ne présente en Suisse aucune difficulté : des sommes considérables ont pu être investies sans difficulté dans l'achat puis l'électrification des chemins de fer, la construction des centrales électriques. En 1949, le bilan total des banques suisses s'est monté à près de 26 milliards de fr. s., soit à près de 6.000 fr. s. par habitant. L'industrie suisse a toujours pu se moderniser et se développer en recourant à un abondant capital national qui lui a permis de traiter d'égal à égal avec les plus grandes puissances financières.

— La qualité de la main-d'œuvre suisse, patiente et laborieuse, habituée depuis longtemps aux tâches minutieuses, comme les horlogers du Jura. Elle est soigneusement entretenue par un enseignement professionnel remarquable auquel ont recours souvent des pays étrangers (écoles d'horlogerie, de fromagerie notamment). De nombreux laboratoires de recherche, financés par les firmes industrielles, améliorent les fabrications. Les techniciens sont nombreux et excellents, formés par une série d'établissements d'enseignement supérieur remarquablement équipés, à la tête desquels vient le Polytechnicum de Zurich. Certaines firmes à extension mondiale, comme Nestlé, tendent à n'avoir plus guère en Suisse que des laboratoires (Vevey). Interpharma disposait en 1939 de 35 laboratoires de recherches. Brown Boveri édite une luxueuse revue technique. Cette qualification professionnelle est suffisamment reconnue à l'étranger pour alimenter une émigration de techniciens. Le même soin est apporté à la vente et à la représentation commerciale.

— 451 —

— Jusque vers 1930, la Suisse s'est trouvée dans des conditions difficiles pour importer ses matières premières. Le Rhin n'était que peu utilisé (trafic du port de Bâle en 1929 : 617.000 t.) et les transports ferroviaires avaient une part prépondérante. C'était la période où Gênes et Marseille se disputaient la clientèle suisse à coups de tarifs. Il n'en est plus de même aujourd'hui et le Rhin a une part prépondérante dans le commerce extérieur de la Suisse : Bâle a manipulé 4.457.000 t. en 1949 sur un total de 7.350.000 t. Grâce à la navigation rhénane, la Suisse dispose d'une voie bon marché. Mais il n'en a pas été toujours ainsi et le développement de l'industrie suisse a été fortement influencé par le prix élevé des transports.

Ces conditions expliquent l'orientation générale de l'industrie suisse vers la transformation, vers une valorisation très poussée des produits. En 1949, les exportations suisses, 517.000 t., ont représenté une valeur de 3 milliards et demi, soit près de 7.000 fr. s. par tonne en moyenne.

2º L'agriculture.

Comme celle de la Grande-Bretagne, l'agriculture de la Suisse a dû s'adapter au cadre libre-échangiste. Il en est résulté une évolution accélérée vers une structure spéculative, génératrice de crises qui n'ont pas été sans provoquer des réactions.

a) *Le développement de l'agriculture spéculative.* — Il est caractérisé par l'hypertrophie de l'élevage et l'insuffisance marquée des cultures vivrières. En 1845, la Suisse se suffisait deux cent quatre-vingt-dix jours par an en céréales panifiables, en 1913 seulement soixante-deux jours, en 1927 pendant soixante-douze. En 1929, 1 % seulement des rentrées d'argent liquide des paysans provenait des céréales panifiables contre 80 % pour les produits de l'élevage. Après ces derniers viennent le bois, le vin, les fruits, les légumes. Comme en Grande-Bretagne, il s'agit d'un véritable système de cultures de banlieue.

D'ailleurs, cet élevage, lui-même, se spécialise dans certaines spéculations. Il est excédentaire par rapport aux besoins nationaux pour le fromage, qui s'exporte pour une bonne part, et pour le lait, transformé en lait condensé et en aliments de régime par les grandes firmes industrielles. Il fournissait, avant la dernière guerre, 95 % des besoins en viande. Mais il ne réussissait pas à garantir les approvisionnements en beurre (40 % importés). De 1890 à 1939, le nombre des bovins avait crû de 60 %, atteignant 1.500.000, c'est-à-dire à peu près 1 pour 3 hab. Si un tel développement est rationnel dans les montagnes, où il constitue une des formes les meilleures de l'économie moderne, il fut essentiellement spéculatif dans le bas-pays, où il s'accompagna d'un recul marqué des labours. Il en résulta une grave crise de mévente, surtout à partir de 1930, par suite de la diminution des exportations, les pays étrangers hésitant à acquérir des denrées non indispensables et concurrençant généralement leur propre production. Malgré une politique de subventions, l'agriculture s'endetta considérablement : 5 milliards de fr. s. en 1939, soit plus d'une fois et demie le capital nominal de toute l'industrie suisse...

Cette crise fut d'autant plus grave que la spéculation sur l'élevage, suscitée par les besoins de fabricants de produits alimentaires est surtout le fait de petits et moyens paysans. On ne comptait, en 1946, que 9.500 propriétaires de plus de 20 bêtes contre 15.660 propriétaires d'une seule.

PROPRIÉTAIRES DE BOVINS EN 1946

Nombre de propriétaires de :

1	2	3 et 4	5 et 6	7 à 10	11 à 20	Plus de 20 vaches
15.660	18.195	31.336	26.868	42.070	37.604	9.503

Effectifs possédés par les propriétaires de vaches :

1 à 4	5 à 10	11 à 20	Plus de 20
160.931	499.089	531.377	281.003

La crise eut donc pour effet de rendre non rentables de nombreuses petites et moyennes exploitations, qui s'endettèrent lourdement. Elle favorisa l'exode rural et la recherche d'occupations industrielles.

Au contraire, 90 % des cultivateurs de céréales exploitent plus de 5 ha. et 40 % plus de 15 ha. Même la culture maraîchère est aux mains d'exploitations relativement étendues : 60 % des exploitations la pratiquant ont plus de 5 ha. Comme c'est généralement le cas de la plupart des crises, celle de l'agriculture suisse a surtout touché les petits paysans. Elle a favorisé la concentration des exploitations : de 1929 à 1939, le nombre des exploitations de plus de 10 ha. a crû fortement tandis que celui des exploitations de moins de 5 ha. a diminué, celles de 5 à 10 ha. restant à peu près stationnaires. La superficie totale des exploitations de 10 à 30 ha. a augmenté d'environ 10 % en dix ans.

b) *Les réactions.* — Sous l'influence des gros cultivateurs, les plus intéressés à la production céréalière, le gouvernement suisse s'orienta vers une politique de protection dès 1929, en organisant le stockage et une aide aux producteurs nationaux. En mars 1939 fut instaurée une prime à la culture en montagne, pouvant atteindre 200 fr. s. par hectare. Il en résulta une augmentation sensible des récoltes suisses. Les livraisons montèrent de 62.500 t. en 1925-1930 à 126.000 en 1937-1939. Mais les céréales restent malgré tout, dans la plupart des petites exploitations, une culture non commercialisée, destinée aux besoins familiaux. Leur réapparition est une preuve du recul de la spéculation. En 1947, l'auto-consommation a atteint presque 50 % de la récolte.

Pendant la guerre, le Plan Wahlen se donna pour but de permettre à la Suisse de tirer le maximum de son propre sol afin de diminuer des importations devenues aléatoires. Il impliqua donc un recul de la spéculation et un retour à une économie vivrière. Le nombre des moutons remonta temporairement à 209.000 contre 176.000 en 1936 et 182.000 en 1947. Celui des bovins tomba du record de 1.700.000 en 1938 à 1.500.000, chiffre autour duquel il se maintient maintenant. La réduction resta faible grâce à une utilisation plus intensive des pâturages de montagne et des cultures fourragères. Dans les vallées et le bas-pays, nombre de prairies furent labourées. Les terres passèrent de 209.000 ha. en 1939 (contre 183.000 en 1929-1934) à 355.000 en 1945. Les principales plantes bénéficiaires furent les céréales, les pommes de terre, les légumes, le colza, la betterave à sucre.

A l'heure actuelle, l'impulsion momentanée due au plan Wahlen n'a pas complètement disparu. Malgré un recul d'environ 10-20 %, les étendues labourées restent supérieures à celles d'avant guerre et il en est de même de la production de la plupart des cultures vivrières, tandis que la production de lait a à peine diminué (24 millions de qx en 1949 contre 26 de 1933 à 1939). Il en résulte une légère amélioration de la balance du commerce extérieur des produits agricoles, qui reste cependant très déficitaire.

c) *La structure sociale*. — La petite et la moyenne exploitation forment la majorité du nombre des exploitations. Mais la catégorie dynamique est celle des moyennes exploitations, dont le nombre aussi bien que l'étendue totale s'accroissent, au détriment surtout des petites (moins de 5 ha.) et, moindrement des très grandes (plus de 30 ha.). La structure familiale de la main-d'œuvre est nettement prédominante : on ne compte que 94.500 salariés permanents sur un effectif total de 578.000 personnes (1939). Ce sont naturellement les régions du Mittelland, où la grande propriété est plus développée,

STRUCTURE DIMENSIONNELLE DES EXPLOITATIONS (1939)

0,51 à 3 ha.		De 3,01 à 5 ha.		5,01 à 10 ha.	
N	S	N	S	N	S
72.441	96.314	36.764	121.007	59.044	353.206

10,01 à 15 ha.		15,01 à 30 ha.		Plus de 30 ha.	
N	S	N	S	N	S
23.911	235.088	15.492	233.919	2.675	81.248

N nombre d'exploitations
S surface totale de la catégorie
Seul le territoire agricole (sans les forêts, les pâturages et alpages) a été pris en considération.

qui comptent le plus de salariés (de 1/7 à 1/5 et même 1/4 dans le canton de Fribourg). La petite et la moyenne exploitation dominent au contraire dans les Alpes et le Jura.

La structure capitaliste de l'économie rurale suisse se traduit par un grand développement du faire-valoir indirect. Le 1/4 de tout le sol productif suisse est en fermage. Néanmoins, les fermiers intégraux ne sont que 26.000 sur 307.000. Le fermage partiel domine, le paysan rassemblant des terres louées autour de son patrimoine. En effet, à peine plus de la moitié d'entre eux sont propriétaires de toute leur exploitation (115.000). La part des terres en faire-valoir indirect est sensiblement la même dans les diverses catégories dimensionnelles d'exploitations. Les exploitations importantes n'utilisent donc que médiocrement la prise en bail des terres pour réaliser des concentrations.

Par contre, l'endettement est un facteur essentiel de la concentration foncière en Suisse, à l'inverse de ce qui se produit par exemple en France. Il est exactement inversement proportionnel à l'étendue des exploitations :

ENDETTEMENT MOYEN PAR HECTARE, EN FR. S., EN 1948

Expl. de 3-5 ha.	5,01 à 10 ha.	10,01 à 15	15,01 à 30	Plus de 30
6.677	4.943	4.254	3.681	3.425

Les plus petites d'entre elles sont grevées d'une charge d'intérêts difficile à supporter dès que baissent les cours des prix agricoles. Leur élimination est donc le résultat d'un processus plus capitaliste que technique. C'est une conséquence du caractère spéculatif traditionnel de l'agriculture suisse et de la phase avancée d'évolution à laquelle est arrivée la structure de l'économie suisse tout entière.

B) LES PRINCIPALES BRANCHES INDUSTRIELLES

L'industrie lourde est très réduite : les mines et carrières n'emploient que 7.500 travailleurs. La production des matériaux de construction (ciment, chaux, tuiles, briques) suffit juste aux besoins du pays. La sidérurgie, représentée par un seul haut fourneau (à Choindez, près de Bâle) n'a qu'une activité intermittente et le minerai de fer (Choindez, Frickthal en Argovie, Gonzen près Saint-Gall) est presque entièrement exporté (92.000 t. en 1949), surtout vers l'Allemagne. Les quelques aciéries et fonderies fabriquent seulement des produits de deuxième fusion. Seule la production de l'aluminium, grâce à l'abondance d'électricité, est loin d'être négligeable : aux environs de 20.000 t., mais plafonne depuis 1928. Elle est concentrée en 4 usines.

Le caractère essentiel de l'industrie suisse est le développement presque exclusif des industries de transformation et leur spécialisation très poussée qui leur permet d'avoir une place capitale sur les marchés mondiaux.

Voici quelle était en 1950 la répartition de la main-d'œuvre entre les « fabriques » et la valeur des exportations en 1949.

	Nombre de fabriques	Main d'œuvre				Exportations	
		Hommes	Femmes	Total	%	Valeur	%
Industries alimentaires	775	17.284	16.744	34.028	6,9	143,5	4,4
Textile	977	25.210	38.794	64.004	13	405,5	11,7
dont coton	279	7.356	15.334	22.690	5,2	156	4,5
Vêtement	1.268	5.587	34.753	40.340	8,2	57,7	1,7
Chaussure	142	6.006	5.128	11.134	2,2	22	0,7
Bois	1.802	32.663	1.614	34.277	7	4,4	
Industries chimiques	362	18.317	4.579	22.896	5,3	540,9	15,9
— métallurgiques ..	1.120	47.295	5.256	52.551	10,8	214,1	6,2
Construction des machines.	1.559	101.906	11.889	113.795	22,9	992,7	25
Horlogerie, bijouterie	1.131	24.276	22.737	47.013	9,9	628,7	18,1
Divers (pour mémoire)							
TOTAL	11.201	334.845	157.718	492.563		3.456,7	

D'après la valeur des exportations, les constructions de machines viennent largement en tête, puis l'horlogerie et les industries chimiques, le textile, et, loin derrière, les industries alimentaires. Pour ce qui est de la main-d'œuvre, si les constructions de machines gardent leur rang, il n'en est plus de même ensuite, le textile vient immédiatement après, puis la métallurgie, l'horlogerie, le vêtement, les industries alimentaires, à égalité avec le travail du bois. Les industries chimiques sont loin derrière. On peut dire que la structure industrielle de la Suisse est caractérisée par le développement considérable, bien au delà des besoins du pays, de 5 branches principales, appartenant toutes à l'industrie de transformation.

a) Les constructions de machines et la métallurgie

Principale branche de l'industrie suisse, elle reflète nettement la prospérité actuelle du pays : ses exportations sont à peu près le quadruple de celles d'avant guerre et le nombre de ses ouvriers a augmenté de 60 % depuis 1938. Cette industrie est caractérisée par une grande spcéialisation et une forte concentration financière et géographique.

1º La spécialisation.

Les constructions mécaniques suisses, comme les allemandes, sont étroitement liées à un remarquable développement scientifique, à de constantes recherches, à une association étroite du laboratoire et de l'usine. Elles triomphent grâce à une mise au point minutieuse, à d'incessants perfectionnements, à une qualité irréprochable, que n'arrive pas à concurrencer la production de masse, œuvre de robots taylorisés, des U. S. A. L'ouvrier suisse des constructions mécaniques conserve la mentalité d'un artisan tout en ayant à sa disposition les machines les plus perfectionnées. Plus encore qu'aux autres branches, le slogan publicitaire bien connu « produit suisse, produit de qualité » s'applique à celle-ci.

Les Suisses savent mieux que quiconque les raisons de leur succès et les développent constamment. De là découle la spécialisation de leur industrie des machines. Elle est orientée vers les productions pour lesquelles ils ont acquis une expérience plus solide que d'autres : notamment l'appareillage électrique (moteurs, génératrices, locomotives, transformateurs, etc.) pour lequel l'électrification des chemins de fer, poursuivie en grand depuis 1918 a joué un rôle capital (marché assuré, source de précieux enseignements) ; machines textiles (métiers de tissage, machines à tricoter, à broder, etc.) dont l'industrie nationale a suscité la fabrication ; câbles électriques ; pompes (en rapport avec l'électrification) ; machines de bureau (à écrire, à calculer), liées au grand développement des banques et du commerce ; frigorifiques (en liaison avec l'hôtellerie et les industries alimentaires). D'autres productions sont davantage en rapport avec les découvertes multipliées par d'incessantes recherches qu'avec les besoins nationaux : chaudières à vapeur, moteurs Diesel (en particulier les moteurs marins). Enfin, avance technique et remarquable adaptation aux demandes des clients rendent compte de la prospérité des entreprises de travaux publics (construction de barrages, de réseaux d'irrigation, de ports, de ponts) et d'équipement d'usines.

La construction suisse des machines est le type même de l'industrie d'équipement, dont la prospérité est liée à une nette avance technique et à une solide organisation scientifique, qui multiplient les brevets dont elle tire profit. Elle n'a qu'à gagner au développement général du monde et la vague actuelle d'industrialisation, loin de lui nuire, accroît sa production.

2º La concentration.

Le haut degré de technicité de cette branche entraîne une forte concentration financière : les recherches coûtent cher et ne sont rentables que sur une grande échelle. Un tout petit nombre de firmes ont une place nettement prédominante dans cette branche. Leurs noms sont connus dans le monde entier. La Brown Boveri (Baden, Argovie) est spécialisée dans l'équipement électrique. Elle possédait en 1939 un réseau international de filiales et succursales (65 à l'étranger). Les ateliers de construction Œrlikon (Zurich) fabriquent surtout le matériel ferroviaire. Sulzer & Cie, à Winterthur jouit d'une renommée incontestée pour les chaudières, les moteurs Diesel, la fabrication des machines-outils. Ses brevets sont exploités dans le monde entier, en France notamment (Société alsacienne de Constructions mécaniques).

La métallurgie proprement dite présente une structure analogue. Orientée dans deux directions (transformation des matières premières brutes importées en tôles, profilés, aciers spéciaux, pièces moulées pour la construction mécanique ; spécialités internationales), elle est dominée par un petit nombre de grosses entreprises.

La concentration géographique coïncide dans cette branche avec la concentration financière. Ces grosses firmes rassemblent presque tout leur appareillage en une seule grosse usine. C'est dans la construction mécanique que l'on trouve les plus grosses usines suisses, rivalisant avec les grandes concentrations étrangères. La S. A. des aciéries G. Fischer, à Schaffhouse, spécialisées dans les fontes malléables, ont la plus grande usine du monde de ce produit, avec plus de 3.000 ouvriers dès avant 1939. La société des usines L. de Roll (laminoirs, produits de deuxième fusion) groupe plus de 5.000 travailleurs en deux usines dont l'une l'emporte de beaucoup sur l'autre (Gerlafingen). Les grosses firmes de constructions de machines ont de 5.000 à 15.000 ouvriers, généralement groupés en une seule usine. En 1944, 46 firmes employaient plus de 500 ouvriers. Mais cette concentration revêt aussi un caractère régional. Les usines s'installent en majorité dans le canton de Zurich et dans les localités voisines des cantons limitrophes. Le seul canton de Zurich compte 40 % de la main-d'œuvre des constructions de machines. En 1944, sur 108.000 ouvriers des constructions mécaniques, 31.000 y étaient employés. Venaient ensuite Berne avec 16.800 ; Argovie, 9.200 ; Soleure, 8.300 et Genève avec 7.550. Les principaux centres sont Zurich (ateliers Œrlikon, Escher Wyss & Cie, Schlieren), Winterthur (Sulzer, Soc. de Construction de locomotives et de machines), Baden en Argovie (Brown Boveri), Aarau (Zschokke & Cie), Olten, Schlieren dans le canton de Zurich, Neuhausen dans celui de Schaffhouse. Dans le canton de Saint-Gall (Utzwill notamment) et le S. de celui de Zurich s'est groupée la fabrication de machines textiles, en entreprises moins importantes (100 à 1.000 ouvriers). En dehors de la Suisse du Nord-Est, les principaux centres sont éparpillés dans le Mittelland : Cortaillod (canton de Neuchâtel), spécialisé dans les câbles électriques, Genève (Ateliers Sécheron), Arbon, Vevey.

b) L'horlogerie et la bijouterie

Tandis que les constructions de machines sont en plein développement, l'horlogerie, de réputation beaucoup plus ancienne (elle remonte au XVIIIe siècle), a achevé sa période ascendante. Depuis 1900 environ, sa production plafonne. L'entre-deux guerres a été marqué pour elle par une crise grave qui a modifié sa structure. Aussi n'est-il pas étonnant que cette dernière soit fort complexe et montre côte à côte des archaïsmes persistant dans des fabrications spécialisées et des concentrations récentes, issues de la crise.

1º L'orientation technique de la production : la structure.

Le développement de l'industrie horlogère suisse dès le XVIIIe siècle s'était fait sous le signe de la précision et de la qualité. Travail de micro-ajustage dont le foyer fut le Jura. Mais les progrès du machinisme ont permis l'apparition, vers 1920, d'une production de série à bas prix au détriment de la qualité. Les Suisses ont réagi contre elle en donnant une structure différente aux phases successives de la fabrication.

Un premier stade est la fabrication des ébauches, c'est-à-dire des boîtiers avec les ponts, les roues, les pignons nécessaires. Un autre consiste dans la production de certaines pièces détachées (spirales, ressorts, balanciers, cadrans, boîtiers, etc.). Enfin, les établisseurs effectuent le montage et le travail essentiel du réglage, dont dépend la qualité du produit et qui nécessite une main-d'œuvre particulièrement experte.

La concentration technique est plus ou moins avantageuse suivant les phases de la fabrication. Celle des pièces détachées et des ébauches gagne à l'utilisation de machines précises et complexes, mais qui abaissent le prix de revient. Sous l'effet de la crise, elle s'est concentrée : en 1939, on ne comptait que 14 fabriques d'ébauches pour toute la Suisse. Or, une bonne partie des ébauches est exportée afin de conserver au moins partiellement le marché des pays qui opposent aux montres des droits de douanes prohibitifs. Par contre, le montage conserve une structure beaucoup plus artisanale. Le petit atelier propre et clair, véritable laboratoire, où travaillent 10 à 40 ouvriers, reste un élément caractéristique du paysage industriel de la montagne jurassienne. La montre de luxe, le chronomètre, le mécanisme d'horlogerie pour appareils de précision, qui ne se fabriquent pas en grandes séries, sont son domaine propre. C'est principalement par lui que s'explique le nombre élevé d'entreprises de l'horlogerie.

L'évolution capitaliste de l'industrie s'est traduite par le développement de grosses firmes intégrées, greffant sur des fabriques d'ébauches des ateliers de montage et une puissante organisation commerciale fondée surtout sur l'exportation. Soutenues par des groupes bancaires, elles ont pris, pendant la crise, une part croissante dans la production. L'unité de production est l'usine intégrée, de 500 à 1.000 ouvriers. Tels sont les patrimoines industriels des principales marques suisses : Longines, Tavannes, Oméga, Zénith.

La gravité de la crise horlogère, de 1910 à 1937, s'est traduite par un dépeuplement des régions les plus touchées, notamment du canton de

Neuchâtel, qui a incité le gouvernement fédéral à intervenir. Il a pris en 1931 une participation dans l'A. S. U. A. G. (Allgemeine schweizerische Uhrenindustrie A. G.), sorte de cartel de l'horlogerie, et l'a transformée en la « Super-Holding » qui contrôle le financement des entreprises, favorise l'exportation, maintient les prix, assainit les entreprises dont beaucoup étaient fort endettées. Ces réformes ne semblent pas avoir freiné la tendance à la concentration capitaliste. Elles ont, en tout cas, permis une nette reprise commerciale.

2º La répartition géographique.

L'horlogerie suisse est régionalement très concentrée, ce qui coïncide avec une structure mixte, caractérisée par la coexistence de grosses entreprises intégrées (grandes usines) et d'ateliers semi-artisanaux. Elle se groupe essentiellement dans le Jura. Les cantons se partageant la chaîne comptent plus de 90 % des ouvriers. En 1944, celui de Berne venait nettement en tête avec 14.600 ouvriers sur un total de 37.500, suivi de Neuchâtel (9.200), Soleure (6.600), tandis que Genève n'en avait que 2.000 et Vaud 2.200. En dehors du Jura, l'industrie comptait quelques petites usines dans les Préalpes.

Une spécialisation régionale s'esquisse pour les divers stades de fabrication : la taille des pierres est relativement plus importante dans le canton de Vaud (1/4 des ouvriers horlogers du canton), où elle relaie la taille des pierres de bijouterie, en décadence ; les étriers sont principalement fabriqués dans les cantons de Vaud et de Genève. Le montage occupe à peine le 1/4 des ouvriers à Genève, contre 40 % dans le canton de Berne et 1/3 dans ceux de Vaud et Neuchâtel.

Mais un fait primordial est la tendance des ateliers à se grouper en petites villes au lieu de rester dispersés dans les campagnes comme autrefois. Le Locle, La Chaux-de-Fonds, Saint-Imier, Tavannes profitent de cette concentration en montagne. Le phénomène est encore plus marqué au pied du Jura où l'horlogerie est exclusivement urbaine : Genève, Bienne, Granges, Soleure. Bon nombre de ces localités ont commencé surtout par la fabrication des ébauches et sont le domaine de concentrations financières avec usines intégrées. Ces dernières y trouvent en effet plus facilement la main-d'œuvre relativement nombreuse qu'elles groupent. Par le fait même, la crise de l'entre-deux-guerres a touché davantage la montagne que sa bordure et contribué à son dépeuplement relatif et même, dans bien des cas, absolu. Ainsi, La Chaux-de-Fonds a perdu, de 1910 à 1941, près de 7.000 habitants, dont 4.300 de 1930 à 1941.

c) *Le textile*

C'est la plus ancienne des grandes industries, celle sur laquelle a commencé de se bâtir, dès le XVIIIᵉ siècle, le capitalisme manufacturier à partir des bénéfices du négoce. Le parallèle avec la Grande-Bretagne ne manque pas d'être tentant : ici comme là, l'industrie textile est en déclin. En 1882, elle employait 55 % des ouvriers de fabrique suisses, en 1950, à peine 15 %. L'effectif total des ouvriers n'atteint les chiffres de 1880-1890 que les années de prospérité et s'effondre bien en dessous lors des crises, particulièrement longues dans cette branche.

1º L'évolution de l'industrie textile.

Encore ces considérations globales ne tiennent-elles pas compte d'un fait primordial : l'évolution technique et commerciale de l'industrie textile suisse, qui est beaucoup plus marquée que celle de la Grande-Bretagne. Les Suisses ont su, en effet, tenir compte à temps des modifications des marchés mondiaux, moderniser leurs usines, investir des capitaux, créer de nouvelles fabrications afin de conserver des débouchés tandis que les pays autrefois clients des productions traditionnelles subvenaient à leurs propres besoins.

Les branches traditionnelles du textile suisse sont essentiellement le coton, la soie et la broderie. Toutes les trois connurent leur âge d'or avant 1910. Elles ont profité pendant longtemps du surpeuplement des vallées alpines, où elles recrutaient une main-d'œuvre à bon marché et la première phase de leur développement fut analogue à celle du textile rural français : des marchands des villes importaient les matières premières, notamment les soies grèges d'Italie, les distribuaient aux ouvriers à domicile, puis ramassaient et vendaient les produits. Dès le XVIIIᵉ siècle, 40.000 personnes vivaient de la filature dans le Toggenburg. Zurich était une des grandes bourses de la soie. La broderie, faite surtout à la main, fournissait d'importantes ressources dans les cantons de Saint-Gall et d'Appenzell. Ce sont surtout les Préalpes orientales qui profitaient de ces industries, qui, d'abord installées à domicile, se concentrèrent au cours du XIXᵉ siècle en petites usines (50 à 100 ouvriers). Dès après 1870, la concurrence internationale se développe : le protectionnisme devient un obstacle en France, en Italie, en Allemagne. Il hâte la concentration en cours, qui reste cependant modérée, ne dépassant pas le stade de la petite usine. Les firmes les plus puissantes s'adaptent en effet à la nouvelle situation en créant des filiales à l'étranger, notamment dans le S. de la Forêt Noire pour l'Allemagne. L'industrie de la soie s'organise sur une échelle internationale en acquérant des moulinages et des filatures en Italie et en France. Elle est orientée essentiellement vers le marché anglais. La broderie abandonne le travail à domicile pour se concentrer en petits ateliers, utilisant les machines remarquables mises au point pour elle, notamment par les établissements Dubied. La crise touche d'ailleurs davantage le tissage que la filature qui, exportant des produits de moindre valeur, est moins touchée par les barrières douanières (voir tableau).

A côté de ces branches dans le marasme, se développent des productions nouvelles, notamment celle de la rayonne, qui relaie largement la soie naturelle. Ces textiles artificiels profitent des progrès rapides de l'industrie chimique et prennent leur essor entre les deux guerres mondiales. Ils sauvent les tissages de soie, mais favorisent une concentration des entreprises car le matériel utilisé doit être adapté, rénové. Dans cette branche aussi, la concurrence étrangère ne tarde pas à se faire sentir.

La Suisse maintient autant que possible ses positions en se spécialisant dans les articles de qualité, ou dans des produits très particuliers : mousseline, tissus de mode pour le coton, gazes à bluter (Appenzell), quitte à importer une partie de sa propre consommation en articles courants. Avant 1939, les Suisses exportaient 60 % de leur production de rayonne, mais importaient 50 % de leurs propres besoins. Situation qui tend à se modifier avec les difficultés du commerce international mais réussit à se maintenir néanmoins plus qu'on ne s'y attendrait par suite du fait que le franc suisse est une monnaie « forte », bien accueillie partout. Cependant l'industrie textile suisse est la branche qui enregistre avec le plus d'ampleur les variations de la

EXPORTATIONS TEXTILES DE LA SUISSE

	1906	1920	1929	1935	1942	1949
Soie artificielle	3,1	17,6	38	16,6	14,1	55,6
Filés de coton	17,0	66,6	50,4	21,1	11,8	51,3
— laine	10,4	21,1	18,7	5,1	—	15,6
Gaze à bluter.....	4,5	11,6	10,3	6,5	9	8,5
Rubans de soie ...	38,2	135,1	18,1	4	4,6	15,5
Tissus de soie	104,2	387,3	163,9	26,1	38,7	84,4
— coton ...	41,8	227,7	98,8	49	52,2	104,7
Broderies	159,5	392,8	88,7	11,9	26,7	61,6
Bourre de soie	29,2	69,8	18,1	3	3,5	2,1

ÉLÉMENTS DE COMPARAISON

	1906	1920	1929	1935	1942	1949
Machines	63,3	283	242,2	98,8	269,5	780,6
Montres	126,2	236,1	197	73,9	189,6	460,7
Mouv. de montres.	8,1	69,8	70,2	28,5	70,7	166,7
Prod. pharmaceut..	7,1	37,7	37,7	32,5	82,7	197,8
Chaussures	8,2	61,5	35,4	12,9	5,8	22
Lait condensé.....	27,8	47,6	39,8	4,7	2,3	4,7
Fromage	50,1	8,4	103,6	34,5	4	75,4
TOTAL des export.	1.071,1	3.277,1	2.097,9	822	1.571,7	3.456,7

(En millions de francs suisses.) Il faut tenir compte de la hausse générale des prix depuis 1906.

conjoncture internationale (voir tableau) : prospère pendant la phase de reconstruction 1946-1948, elle retombe dans le marasme par suite de la baisse générale du pouvoir d'achat due à la politique d'armement et du renforcement des barrières douanières provoqué par les difficultés monétaires résultant de la même politique. Malgré ses efforts d'adaptation, elle est dans une position difficile qui se traduit par la longue durée et la fréquence des périodes de mévente.

2° **Structure et répartition.**

La structure des industries textiles est très variable selon les types de fabrications et l'influence de l'évolution que nous venons d'analyser.

Pour le *coton*, la filature est concentrée en usines importantes (500 ouvriers environ), qui ont poussé la modernisation et l'utilisation de l'énergie mécanique : en 1944, la force moyenne disponible était de 820 CV par usine. Par contre, le tissage reste dispersé dans un grand nombre de petites usines (50 à 250 ouvriers) relativement archaïques, recourant peu aux machines modernes à grand débit : en 1944, la puissance moyenne disponible était seulement de 211 CV par usine. Géographiquement, cette industrie se concentre dans la Suisse du Nord-Est, collines et Préalpes (cantons de Saint-Gall : 5.138 ouvriers de fabriques en 1944, Zurich 5.014, Glaris 2.174, Argovie 2.129, Thurgovie 1.616). Dans le canton de Glaris (1/3 des ouvriers) elle reste nettement prédominante. La modernisation a entraîné une dissociation géographique entre les diverses branches de la fabrication : la filature se concentre au bord de la montagne, le long des grandes voies de communication, tandis que le tissage se maintient davantage dans les vallées alpines et les régions de collines. Zurich l'emporte pour la filature (30 % des ouvriers dans le canton en 1944), Saint-Gall pour l'apprêt (40 % des ouvriers suisses) et partage l'impression avec Glaris. Thurgovie conserve de toutes petites entreprises se livrant à tous les types de fabrication mais le tissage et le blanchiment sont prédominants dans l'ensemble. Les archaïsmes ne manquent pas.

Dans la *soie*, le contraste est grand entre la soie naturelle et la rayonne. Les archaïsmes persistent largement dans la première : en 1944, les ouvriers de fabrique ne formaient que 58 % du total, contre 42 % pour le travail à domicile. L'acuité de la crise a été un obstacle à la modernisation : dans la rubannerie, le nombre d'ouvriers était 7 fois plus élevé en 1920 qu'en 1944. Son centre principal est le canton de Bâle, de sorte que sa décadence a facilité le développement d'autres industries plus dynamiques (chimiques notamment), et les parties limitrophes de ceux de Soleure, Berne, Argovie. Bâle et Lucerne concentrent également toute la filature de la soie (schappe). Par contre, les tissages de soie sont pour les 2/3 dans le canton de Zurich, le reste surtout dans celui de Saint-Gall. La rayonne est beaucoup plus concentrée, c'est même le type de l'industrie moderne, fondée sur une technique puissante et de gros capitaux. Saint-Gall, avec près de 60 % des ouvriers et Lucerne fournissent presque toute la production. La fabrication des tissus de rayonne s'effectue dans les mêmes ateliers que ceux de soie naturelle. La main-d'œuvre féminine est très prédominante.

L'industrie *lainière* reste fort stagnante et dispersée en petites entreprises éparses dans toute la Suisse du Nord et du Nord-Est. Zurich et Berne viennent en tête avec 19 et 16,6 % du total des ouvriers suisses, suivis par Soleure, Saint-Gall, Glaris, Thurgovie et Schaffhouse.

La *broderie* est avant tout le fait de Saint-Gall (plus de 60 % en 1944) et les petites entreprises dominent.

La *chaussure* est très moderne et très concentrée. Une grosse firme, Bally, domine le marché. Elle a fait de Schönenwerd (Soleure) le principal centre suisse de cette industrie et exporte largement, bien qu'elle ait créé de nombreuses filiales à l'étranger, notamment en France. Les autres centres de production, Aarau, Dulliken, Olten, sont presque tous dans les cantons de Soleure et Argovie. Sur 90 firmes, les 12 qui avaient plus de 200 ouvriers en 1944 concentraient les 2/3 de la main-d'œuvre et de la puissance installée.

Par suite de sa plus longue évolution et de ses crises, l'industrie textile suisse est caractérisée par une structure complexe, riche en archaïsmes. L'emploi d'une importante main-d'œuvre féminine lui confère une certaine élasticité, les répercussions de l'instabilité de l'emploi étant moins aiguës que pour une main-d'œuvre masculine. Néanmoins, sa concentration géographique dans la Suisse du Nord-Est a eu de sérieuses conséquences. Dans les cantons de Glaris (51 % des ouvriers en 1944), d'Appenzell (47 %, 64 % même en y incluant la confection, dans les Rhodes extérieures, 44 % et 62 % dans les Rhodes intérieures), c'est presque une mono-industrie. Or, c'est dans ces cantons que l'industrie s'est le moins modernisée et il en résulte une crise régionale, qui se traduit par le dépeuplement. A Saint-Gall, il en est un peu de même, malgré la place prise par les constructions de machines (orientées d'ailleurs vers le textile) : 36 % de la main-d'œuvre travaille dans le textile, 16 % dans la construction des machines. Grand centre commercial du textile suisse avec Zurich mais ne possédant pas beaucoup d'autres activités, à l'inverse de cette dernière, c'est la seule ville suisse importante dont la population ait baissé, de 75.000 hab. en 1910 à 62.500 en 1941.

d) *Les industries alimentaires*

Comme l'industrie textile, elles présentent une grande variété de types. La politique douanière libre-échangiste de la Suisse a favorisé leur développement en orientant l'agriculture vers la spécialisation laitière. C'est sur cette dernière que se sont fondées les principales spéculations suisses en matière d'industrie alimentaire : vente du gruyère, des laits condensés, des chocolats au lait, des farines pour enfants dans le monde entier. Malgré la variété des types, cette branche est caractérisée par un certain nombre de traits communs :

— Son remarquable développement technique, qui assure sa primauté. Du simple fromager au chercheur des laboratoires Nestlé, l'industrie alimentaire suisse est à la tête du progrès. Son personnel est formé de spécialistes de haute qualification. Les écoles fromagères suisses sont connues du monde entier et une fraction importante de l'émigration suisse se compose de leurs élèves. C'est à des fromagers suisses que l'on a recouru pour améliorer la fabrication du gruyère dans le Jura français, pour la mettre en route dans la Haute-Marne, en Finlande, en Suède, au Canada, en Australie, en Argentine. Les principales firmes suisses de produits alimentaires entretiennent de puissants laboratoires, dont le type est celui de Nestlé à Vevey. On y découvre sans cesse de nouvelles techniques d' « alimentation rationnelle », qui font l'objet de brevets exploités dans le monde entier et de nouvelles fabrications expérimentées d'abord en Suisse. Les potages-exprès, les bouillons concentrés, les farines pour bébés ou malades, les chocolats de luxe, le lait concentré sont à l'origine des produits suisses et restent difficilement concurrencés.

— *Les fluctuations considérables des débouchés.* — Les produits alimentaires suisses sont nécessairement des produits de luxe, s'imposant par leur qualité, mais remplaçables à plus bas prix par d'autres fournis dans chaque pays par l'économie nationale. On peut se passer de chocolat Nestlé ou Gala-Peter-Kohler ; de nombreux pays fabriquent du gruyère ou du fromage du même genre. Aussi les exportations de produits alimentaires suisses subissent-elles des variations considérables (cf. les fromages, voir Tableau p. 462). Les exportations de chocolat, de 36 millions en 1906, sont montées à 96 en 1920 pour s'effondrer à 1,2 en 1935 et à 6.000 fr. en 1942 et remonter à 10 millions en 1949. Peu de denrées montrent des variations aussi brusques. Produits de luxe se heurtant à la production nationale des importateurs, les produits alimentaires suisses sont particulièrement vulnérables et cela s'est répercuté sur la structure de l'industrie.

— *Une évolution capitaliste extrême.* — En dehors de la fromagerie, qui reste forcément dispersée en petits ateliers sur les lieux de production et résiste tant bien que mal aux fluctuations du marché, l'industrie alimentaire suisse offre un remarquable exemple de structure internationale. Les grosses firmes ne peuvent vivre du marché national trop étroit. Elles se sont étendues au monde entier, vendant ici leurs brevets, prenant là des intérêts, créant ailleurs des filiales dirigées par des techniciens suisses et suivant fidèlement les directives de fabrication élaborées en Suisse. Typique à ce point de vue mais non exceptionnel est le holding Unilac-Nestlé-Alimentana dont les usines américaines produisent 10 à 15 fois plus que les usines suisses. Il compte 125 sociétés affiliées, dirigées de Suisse d'où elles reçoivent leurs techniciens, leurs procédés de fabrication, le modèle de leur outillage (souvent même les machines), leurs directives commerciales et dont le réseau couvre le monde entier. Nestlé n'a plus en Suisse que deux usines, suffisant au marché national, et, surtout, son siège social et son immense laboratoire de Vevey.

L'internationalisation de la firme est à peu près complète. Remarquable exemple de dénationalisation capitaliste.

— Perfection technique et puissance financière se traduisent par une concentration poussée : 5 firmes de chocolaterie sur 34 dépassaient, en 1944, 200 ouvriers (moyenne 430 ouvriers par entreprise). Il en était de même dans les conserves (5 firmes ayant plus de 200 ouvriers sur 50).

Cette concentration structurelle se traduit sur le plan spatial : les grosses usines dominent, localisées dans les villes du Mittelland. Le chocolat à Broc (canton de Vaud), Berne, Neuchâtel, Orbe, Fribourg, Kilschberg (canton de Zurich). Les conserves se fabriquent surtout dans de grosses usines implantées dans de petites localités au milieu de régions rurales : Lenzburg, Stalden, Séon, Bischofszell, Frauenfeld, Rohrschach et pour les soupes-exprès Kempptthal, Thayngen. Les cantons de Zurich, Berne et Argovie viennent en tête pour l'ensemble des industries alimentaires, y compris les manufactures de tabac (4.100 à 4.700 ouvriers chacun), puis Vaud, Tessin et Fribourg (2.200 à 1.500 chacun). C'est la principale industrie dans le canton de Fribourg (26 % du total des ouvriers), l'une des rares industries du Tessin (18,5 % contre 24,8 % pour la confection), l'une des principales de celui de Vaud (11,3 % contre 28,1 % pour les machines).

e) *L'industrie chimique*

C'est la cadette des grandes industries suisses, apparue seulement au lendemain de la première guerre mondiale sur les marchés internationaux. Auparavant elle n'alimentait guère que la consommation suisse. En 1906, la Suisse importait nettement plus de produits chimiques (58,1 millions de fr. s.) qu'elle n'en exportait (41 millions de fr. s. ; dont 7,1 de produits chimiques ; 1,6 de parfums et savons ; 22,3 de colorants et 10,1 d'autres produits y compris les matières premières pour la fabrication des colorants). Depuis, la croissance a été continue, mais particulièrement rapide pendant les guerres.

Cette industrie est caractérisée par :

— Sa spécialisation dans les productions de faible volume et de prix élevé. La grosse industrie chimique minérale est relativement peu développée et suffit à peine aux besoins nationaux : elle n'emploie que 1.500 ouvriers. Par contre, l'électro-chimie profite des abondantes ressources en énergie et d'une expérience ancienne. L'exportation de carbure de calcium a atteint 1.000 t. en 1949 pour tomber, il est vrai, à 85 en 1950. En 1913, elle a fourni à l'étranger 31.790 t. Comme d'autres industries traditionnelles, elle est donc en déclin. Par contre, la Suisse est un important fournisseur de colorants, qu'elle se mit à fabriquer d'abord pour les besoins de son industrie textile. Dès le milieu du XIXe siècle, elle se lança dans les colorants d'aniline et l'indigo synthétique et depuis la fin du XIXe siècle, elle exporte la majeure partie de sa production. Dès 1900, elle vend 3.120 t. (15,3 millions) de colorants d'aniline et 70 t. d'indigo. En 1950, les chiffres respectifs sont de 9.219 t. (217 millions de fr. s.) et 625 t. (4,7 millions). Mais tandis que les exportations de colorants d'aniline croissent, celles d'indigo n'atteignent pas les maxima de l'entre-deux guerres (2.280 t. en 1920 pour 15,3 millions). La fabrication des insecticides, des matières plastiques, des vernis, des colles dépasse également les besoins suisses, mais ce sont surtout les produits pharmaceutiques et les produits chimiques pharmaceutiques (export. en 1950 : 120,3 et 92,4 millions respectivement), les parfums synthétiques, les savons de luxe, les produits de parfumerie qui alimentent une exportation importante.

— Sa structure extrêmement concentrée. Pour les couleurs d'aniline, 9 firmes seulement, dont 3 dépassant 500 ouvriers, utilisent les 3/4 de la main-d'œuvre et les 2/3 de l'énergie (moyenne de 1.000 ouvriers chacune en 1944). Dans les produits pharmaceutiques, on compte 83 firmes, mais beaucoup sont de petits établissements. Seulement 4 dépassent 500 ouvriers, mais elles utilisent 55 % de la main-d'œuvre et les 2/3 de la force motrice. La moyenne, pour ces grosses entreprises, est de 800 ouvriers. Elles sont de plus liées entre elles : les 4 firmes Ciba, Roche, Sandoz (de Bâle) et Wanner (Berne), qui dominent à la fois le marché des colorants et celui des produits pharmaceutiques, ont formé le trust Interpharma qui comptait, en 1939, près de 16.000 salariés et produisait à 90 % pour l'exportation. Le consortium disposait de 35 laboratoires de recherches, 57 fabriques, 476 représentations commerciales dans le monde entier. Les salaires distribués en Suisse se sont montés à 30.000.000 de fr. tandis que de nombreuses filiales à l'étranger fabriquent les produits mis au point dans les laboratoires suisses et diffusés au moyen d'une propagande scientifique remarquable et ininterrompue auprès des médecins. L'une des sociétés participantes contrôle également la grande usine d'indigo synthétique de Monthey.

— Cette concentration capitaliste poussée se traduit dans l'implantation de l'industrie. En dehors de l'électro-chimie, qui se présente encore souvent sous la forme d'usines dispersées dans les Alpes (Valais notamment) auprès des chutes et employant 100 à 200 ouvriers, l'industrie chimique suisse se groupe essentiellement aux environs de Bâle. Toute une série de facteurs se combinent pour rendre compte du fait : la tradition ancienne de teinturerie, qui fit introduire dès 1859 la fabrication des couleurs d'aniline, l'existence du port qui permet l'importation des matières premières, la proximité des chutes du Rhin, qui fournissent l'énergie. Mais ces deux dernières conditions ont seulement favorisé le maintien sur place et le développement d'une industrie qui existait bien avant qu'elles n'interviennent. Quoi qu'il en soit, Bâle est le grand centre de l'industrie chimique suisse et l'industrie chimique est la plus grosses affaire bâloise, jouant un rôle capital dans l'économie régionale,

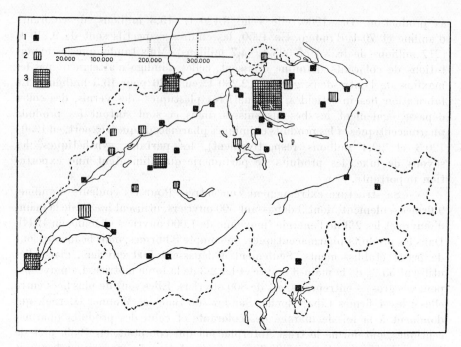

Fig. 47 a. — **Les villes suisses**

1. Villes de plus de 10.000 hab. et moins de 20.000. — 2. Villes de 20.000 à 100.000 hab.
— 3. Villes de plus de 100.000 hab., carré de dimension proportionnelle au nombre d'habitants.

relayant la soierie en décadence. Le canton de Bâle-Ville (en fait, la ville
elle-même), compte le tiers des ouvriers de toutes les industries chimiques
suisses, mais la proportion monte à 45 % pour les colorants d'aniline
et les produits pharmaceutiques (près de 6.000 ouvriers au total), qui
sont ses deux grandes spécialités. Vient ensuite le Valais (1/6 des ouvriers
suisses), dont c'est la principale industrie (41 % des ouvriers du canton)
et où l'électrochimie prédomine largement, puis les cantons de Zurich, où
les usines sont moyennes et petites et les fabrications très variées (type
plus archaïque, moins concentré que le type bâlois), de Berne et d'Argovie
(type zurichois).

C) L'implantation régionale

Après avoir étudié la structure des branches d'industrie, il est nécessaire de définir leur implantation dans le pays, c'est-à-dire les types de
régions industrielles et les rapports entre l'habitat et la localisation des
usines.

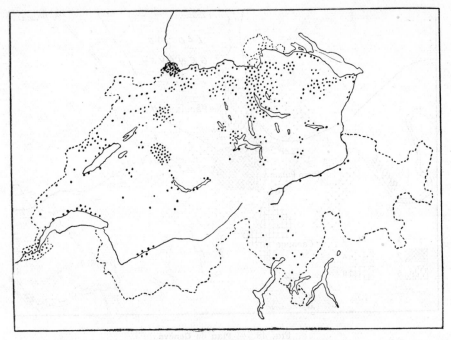

Fig. 47 b. — **La main-d'œuvre ouvrière suisse**

Un point représente 1.000 ouvriers d'usine. La localisation des points n'a pas toujours pu être faite avec une parfaite précision.

a) *Les types de régions industrielles*

La Suisse montre nettement l'opposition entre régions de mono-industrie et grosses concentrations industrielles à production diversifiées. Dans les premières domine un seul type de fabrications, dans les secondes, au contraire, la variété. De la sorte, les crises touchent davantage les régions mono-industrielles car la main-d'œuvre ne peut y trouver d'emploi dans des branches encore actives. La distinction est donc capitale pour l'étude géographique de la population.

— Les régions mono-industrielles les plus typiques sont le Jura, les Préalpes centrales, certaines parties de la Plaine suisse. Dans chaque ensemble une seule industrie emploie plus du tiers des ouvriers. La spécialisation est la plus marquée dans le Jura, où elle porte sur l'horlogerie, qui est elle-même une branche très particulière, aux débouchés étroits. Dans le canton de Neuchâtel, elle occupe 54 % de la main-d'œuvre, contre 20 % pour les constructions de machines. Il faut d'ailleurs noter que la plupart de ces dernières sont dans la plaine, hors de la montagne jurassienne. Cette spéciali-

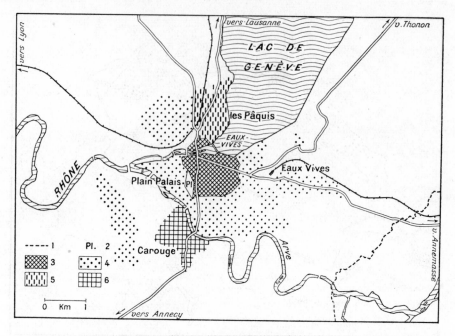

FIG. 48. — **Plan de Genève**

1. Frontière franco-suisse. — 2. Place de Plain-Palais. — 3. Vieille ville (Monuments historiques, commerce). — 4. Quartiers résidentiels. — 5. Quartier des institutions internationales. — 6. Quartiers industriels.

sation très poussée a pour corollaire un quasi-monopole dans l'économie nationale : les cantons jurassiens groupent 96 % de la main-d'œuvre horlogère helvétique. On s'explique aisément que le long malaise de cette industrie entre 1910 et 1935 ait eu d'intenses répercussions régionales.

De même nature, mais moindre, est la spécialisation textile de certains cantons du N.-E. : Appenzell, Glaris, Saint-Gall, Schwyz. On peut grouper ensemble les diverses branches de l'industrie textile, car toutes fournissent des biens de consommation touchés ensemble par la conjoncture et les variations de l'emploi y sont simultanées. En ajoutant le vêtement, les pourcentages de main-d'œuvre textile sont les suivants : Glaris 55 %, Appenzell-Rhodes intérieures, 61,8 ; Appenzell-Rhodes extérieures 64 % ; Schwyz 44,4 % ; Saint-Gall 55,9 %. Encore cette proportion est-elle abaissée, à l'échelle de certains cantons, par l'existence, en plaine, d'autres industries, alors que le textile prédomine très nettement dans les régions accidentées. Les hommes travaillent dans les tissages et les filatures, les femmes dans des ateliers de confection. Ces derniers seuls occupent 19,3 % de la main-d'œuvre dans le canton de Schwyz, 29,4 % dans celui d'Obwald, 22,5 % dans celui de Thurgovie, 19,5 % dans celui de Saint-Gall. Le monopole régional est toutefois moins accentué que pour l'horlogerie. Les cantons textiles du N.-E. (Appenzell, Glaris, Schwyz, Saint-Gall) comptent seulement de 20 à 80 % de la main-d'œuvre suisse suivant les branches de fabrication. Mais c'est leur principale ressource et comme leurs usines sont les plus archaïques, les moins concentrées,

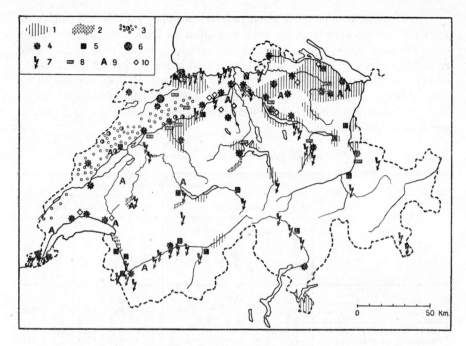

Fig. 49. — **L'industrie suisse**

1. Industrie textile. — 2. Industrie du bois. — 3. Horlogerie. — 4. Industries mécaniques. — 5. Industries chimiques. — 6. Minerai de fer. — 7. Centrales hydrauliques. —
8. Papeterie. — 9. Industries alimentaires. — 10. Cuirs, meubles, porcelaine.

elles souffrent davantage de la crise latente de cette industrie d'où une tendance au dépeuplement, particulièrement marquée en montagne, mais qui atteint même la principale ville,
Saint-Gall.

Les constructions de machines emploient aussi une forte proportion de la main-d'œuvre
dans certains cantons et l'on pourrait parler de mono-industrie. Le cas est cependant différent,
car cette branche fournit des produits d'emploi très varié, allant des appareils domestiques
(biens de consommation) aux machines industrielles (biens d'équipement). La plupart des
usines peut s'adapter relativement bien à la conjoncture en passant d'une fabrication à une
autre dont la clientèle n'est pas la même.

Enfin, les diverses usines groupées sous la même rubrique ont généralement des activités
fort différentes et ne sont pas touchées de la même manière par la conjoncture.

Les deux grands secteurs de mono-industrie sont donc, en Suisse, le
Jura et la région des Préalpes et des hautes collines du Nord-Est, deux régions
de moyennes montagnes où l'industrialisation est apparue précocement pour
compléter des ressources agricoles insuffisantes. Toutes deux se sont spécialisées dans des branches fortement concurrencées et dont le marasme contraste
avec la prospérité générale de l'industrie suisse. Il en résulte une forte émigration et une tendance au dépeuplement.

— 471 —

— La principale concentration industrielle suisse est celle du canton de Zurich et de ses abords. A lui seul, le canton de Zurich compte 19 % des ouvriers helvétiques. Ceux de Thurgovie, Argovie, Schaffhouse et Zug avec respectivement 4,1 ; 9,2 ; 2 et 0,9 % complètent le groupe qui concentre 35,5% de la main-d'œuvre du pays. En y ajoutant le groupe bâlois, on dépasse 40 %. Cette concentration est caractérisée par la multiplicité des industries : toutes les branches sont représentées par des pourcentages appréciables sauf l'horlogerie, monopole jurassien.

POURCENTAGE DE LA MAIN-DŒUVRE

Branche	Pourcentage de la main d'œuvre									
	du canton					de la Suisse dans la branche				
	Zurich	Thurgovie	Argovie	Schaffhouse	Zug	Zurich	Thurgovie	Argovie	Schaffhouse	Zug
Soie, rayonne...........	5,8	4,7	0,7			32,4	5,7	1,8		
Coton	6,2	9,2	5,4	2	11,9	25,1	8,1	10,7	1	2,3
Laine..................	2,2	3,8	1,4	6,8		19,2	7,4	6,2	7,1	
Vêtement	11,5	22,5	16,2	3,6	3,8	18,4	7,9	12,6	0,7	0,3
Production alimentaire....	5,9	6,9	10,6	4	1,6	16,9	4,3	14,9	1,4	0,2
Industries chimiques......	2,7	2,4	4,2	1,2	0,2	10,8	2,1	8,1	0,6	
— graphiques.....	4,8	1,4	3,9	1,3	1,8	23,4	1,5	9,3	0,7	0,4
Bois..................	5,5	10,7	7,9	5,8	10,6	15,1	6,5	10,7	1,9	1,4
Métallurgie.............	6,3	9,5	12,1	25	15,2	11,8	3,9	11,1	5,6	1,4
Construction des machines.	38,4	18,7	23,4	37,8	39,5	28,6	3	8,5	3,3	1,4
TOTAL.............						18,9	4,1	9,2	2,2	0,9

Frappante est la constance des pourcentages des diverses industries par rapport au total de la Suisse dans les cantons de Zurich et de Thurgovie, ce qui indique un remarquable équilibre entre les différentes branches. Le textile, sous ses diverses formes, et surtout les constructions mécaniques (appareils électriques, machines) viennent cependant nettement en tête puisque ce sont elles qui occupent les plus gros effectifs d'ouvriers en Suisse. Mais les industries chimiques, alimentaires, graphiques, le travail du bois (fabriques de meubles) et du cuir, la papeterie, les industries céramiques sont égalementre présentées au même titre que les précédentes. La concentration zurichoise est un microcosme industriel de la Suisse. C'est aussi la région industrielle la plus dynamique, point de départ de bien des concentrations financières, laboratoire où s'élaborent les techniques nouvelles, centre d'intense modernisation dont les deux pôles sont la Bourse de Zurich et l'École technique fédérale supérieure, le Polytechnicum.

Sur ses bords, la structure de cette concentration se dégrade légèrement.

En même temps que la vie industrielle est moins intense, elle devient plus spécialisée : Schaffhouse et Zug vivent essentiellement de la métallurgie et de la construction des machines, Argovie également, bien qu'à un moindre degré et avec une gamme de fabrications plus variée.

— Enfin, la Suisse nous montre aussi des agglomérations industrielles urbaines où une branche prédomine. Tels sont Genève et Bâle, et, à un moindre degré, Berne.

Bâle était orientée autrefois vers le textile, principalement la soie. C'est l'origine de son industrie chimique, qui profite maintenant du port et des chutes du Rhin. L'industrie alimentaire, la confection, les arts graphiques jouent également un rôle important, bien que distancés par la métallurgie. L'agglomération bâloise a une structure poly-industrielle sur laquelle vient se greffer une importante spécialité :

Branches (% de la main-d'œuvre)	Industrie chimique	Ind. Alim.	Mét.	Constr. Mach.	Arts graph.	Soie	Vêtement
Du canton	30,8	8,4	8,2	13,5	8,3	6,4	9,8
De la Suisse	29,9	5,9	3,8	2,5	10	8,7	3,8

Genève présente une structure analogue. La spécialisation de l'agglomération porte sur l'industrie des machines, qui absorbe 43,7 % de la main-d'œuvre (7 % du total suisse). Puis viennent ensuite, avec une importance comparable, l'horlogerie (11,7 %), le vêtement (9,5 %), la métallurgie (8,4 %). L'alimentation, l'industrie chimique, les arts graphiques et le travail du bois emploient chacun de 4 à 6 % des ouvriers genevois : leur importance correspond au pourcentage de la main-d'œuvre du canton dans l'ensemble de celle de la Confédération (4,1 %).

La Suisse montre donc des exemples de trois types de régions industrielles : de vieilles régions mono-industrielles, une grande concentration à fabrications diversifiées, des agglomérations urbaines poly-industrielles avec une spécialité nettement prédominante.

b) La localisation des établissements industriels

La concentration géographique de l'industrie suisse est moins poussée dans l'ensemble que sa concentration financière. Les grandes agglomérations industrielles manquent. Bien que les grandes villes helvétiques, Zurich, Bâle, Genève, aient attiré les usines, leur structure diffère de celle d'Essen, de Düsseldorf, d'Aix-la-Chapelle ou même de la conurbation Lille-Roubaix-Tourcoing. Ce ne sont pas des agglomérations à prédominance manufacturière. Ce sont d'abord de grandes places de commerce et ensuite seulement des centres industriels. La proportion des ouvriers y reste modeste.

La région zurichoise elle-même est une région d'industrialisation diffuse et non un entassement d'usines. Les établissements industriels y sont dispersés sur une surface relativement grande. Beaucoup d'entre eux sont installés dans la campagne, un ou deux par bourgade. On peut définir ces agglomérations comme des « villages industriels ». Une autre partie importante des usines se trouve dans de petites villes de 5.000 à 15.000 habitants qui sont, à la différence des cités plus importantes, des villes industrielles spécialisées. Mais elles appartiennent typiquement à la catégorie des villes satellites. Cette répartition géographique des établissements industriels est caractérisée par une sorte d'éparpillement relativement régulier. Rares sont les régions exclusivement agricoles. Bien plus souvent, une usine, propre et avenante, apparaît ici ou là au milieu de la campagne. Ce semis d'usines n'est cependant pas uniforme, pas plus que ne l'est la répartition de la population industrielle. Dans les vallées de la Reuss, du Rhône supérieur, de la Linth, du Rhin alpestre elles se présentent comme un chapelet : usines d'armement et de constructions mécaniques du canton d'Uri, électro-chimie et aluminium du Valais, textile de Glaris. Dans le Jura central, presque tous les villages ont leur atelier d'horlogerie et des groupes d'usines marquent les localités plus importantes. Dans le S. du Mittelland, l'industrie est plus clairsemée et les villages purement agricoles dominent. Mais il n'en est plus de même dans le N. et le N.-E. : la grande concentration industrielle zurichoise se traduit par un pullulement d'usines, présentes dans presque toutes les localités, groupées à 3 ou 4 dans les petites villes, particulièrement denses le long du lac de Zurich(textile, constructions de machines), de la Reuss moyenne, de la Thur (textile de Saint-Gall). Les industries concentrées en grosses usines, comme la construction mécanique lourde, font vivre des villes industrielles moyennes spécialisées, comme Winterthur, Schaffhouse, Baden, Aarau, Soleure, Brugg. Les vallées encaissées du Jura bâlois sont des chapelets de bourgades industrielles.

Cette concentration urbaine réduite des industries est un trait caractéristique du paysage industriel de la Suisse. Il est lié à un excellent réseau de chemins de fer et à une forte densité de la population. Il y a là un type de localisation des usines que l'on retrouve en Flandre belge et dans certaines régions allemandes, dans les Vosges, le Haut-Jura français et qui mérite de constituer une des catégories de la géographie générale.

Communes où résident ... ouvriers	Nombre de communes		Nombre d'ouvriers			
			Absolus		Pourcentage	
	1937	1944	1937	1944	1937	1944
Inférieures à 500	965	1.029	101.107	108.015	28	25
De 501 à 1.000	79	80	52.511	54.290	14	13
1.001 à 2.000	39	49	54.165	69.204	15	16
2.001 à 5.000	20	21	60.040	63.841	17	15
Supérieures à 5.000	8	11	92.180	130.660	26	30

Cette dispersion géographique de l'industrie est complétée par une dispersion encore plus marquée de la population industrielle. Un grand nombre d'ouvriers habitent dans de petites communes, et pas nécessairement dans celles qui possèdent des usines.

Le 1/4 des ouvriers de fabrique habite donc dans des communes comptant moins de 500 ouvriers, c'est à-dire, en fait, des communes de moins de 5.000 habitants. La proportion des ouvriers résidant dans les 11 plus grandes villes industrielles est à peine plus importante. Une évolution sensible depuis 1937 vaut la peine d'être notée. Elle est dans le sens d'une concentration de l'habitat ouvrier : la part des communes où résident moins de 1.000 ouvriers a décliné tandis que la main-d'œuvre totale augmentait. Ce sont les grandes agglomérations (plus de 5.000 ouvriers) qui en ont presque seules profité. Mais, en même temps, l'appel de main-d'œuvre s'est fait davantage sentir dans les communes rurales qu'en 1937, année de crise. En 1944, c'étaient, en effet, 1.029 communes où résident moins de 500 ouvriers qui fournissaient des travailleurs aux fabriques contre 965 seulement en 1937.

La dispersion de l'habitat ouvrier, plus grande encore que celle des usines, a pour conséquence une grande intensité des déplacements du type banlieue (migrations quotidiennes alternées). En 1941, sur 2.245 communes de moins de 1.000 habitants, plus de 90 % (2.029) fournissaient de la main-d'œuvre à d'autres par des migrations de ce type. Il est vrai que nombre d'entre elles n'intervenaient que pour quelques unités. Il n'en résulte pas moins que presque toutes les communes suisses sont intéressées par ces déplacements et que dans tout le pays modes de vie industriels et agricoles existent côte à côte, fait unique dont seule la Belgique offre un exemple comparable.

Les régions les plus affectées par ces déplacements quotidiens de main-d'œuvre sont naturellement la Suisse du Nord-Est, la région bâloise et les banlieues de Berne, Genève, Lausanne.

D) RÉPARTITION GÉOGRAPHIQUE DE LA POPULATION

Le développement géographique de la population suisse est particulièrement intéressant à étudier car la neutralité suisse, en restreignant l'influence des guerres, permet aux facteurs économiques de jouer de façon plus apparente que dans les pays voisins. De plus, les statistiques sont abondantes et d'une qualité remarquable, ce qui facilite les analyses.

Nous examinerons d'abord les données fondamentales : dynamisme démographique et formation de la structure professionnelle actuelle, puis nous étudierons comment les faits s'inscrivent dans le cadre géographique.

a) *Les données fondamentales*

Ce sont, d'une part, le dynamisme démographique, qui permet de reconnaître le sens et la valeur réelle des changements quantitatifs dans la répartition de la population, et l'évolution de la structure professionnelle qui permet d'expliquer cette dernière.

1° **Le dynamisme démographique.**

Depuis un siècle, la population suisse est en augmentation constante : de 1850 à 1950, elle est passée de 2,4 à 4,7 millions. Elle a donc presque doublé Mais l'évolution n'est pas régulière : des périodes de rapide accroissement alternent avec des périodes de stagnation relative.

Les augmentations les plus nettes coïncident avec les époques de prospérité économique : 1888-1910, âge d'or de l'industrie textile ; 1941-1950, années marquées par une remarquable prospérité de la Suisse. Les crises se traduisent au contraire par des accroissements plus réduits : 1880-1888, crise agricole ; 1910-1920, première guerre mondiale, qui a peu profité à la Suisse. Le marasme général de l'entre-deux-guerres a pour corollaire une augmentation très modérée.

Type de période	Prospérité			Crise		Marasme	
Années............	1888-1900	1900-10	1941-50	1880-88	1910-20	1920-30	1930-40
Accr. annuel moyen.	33.141	43.785	49.921	10.746	12.703	18.608	18.118
Taux moyen d'accrt.	10,6 °/oo	12,4 °/oo	11,2 °/oo	3,7 °/oo	3,3 °/oo	4,7 °/oo	4,4 °/oo

Ces faits démontrent, si cela est encore nécessaire, l'importance primordiale des structures économiques et sociales pour la compréhension des phénomènes de population. Les crises cycliques du régime capitaliste, dont le développement est particulièrement net en Suisse, se répercutent même sur le dynamisme biologique du groupe humain, bien que ce pays ait échappé aux guerres mondiales, qui sont l'une des conséquences les plus marquées de ces crises.

De 1870 à 1950, l'accroissement global de la population helvétique correspond à peu près à l'excédent des naissances sur les décès : 2.061.457 contre 2.064.000. L'émigration nette de 3.553 personnes est négligeable. En fait, ce résultat algébrique recouvre des variations plus complexes.

— Le taux de natalité a décru de 30,9 °/oo en 1870-1880 à 21,2 °/oo en 1910-1920 et 19,1 °/oo en 1930-1941. En 1941-1950, on observe un renversement de la tendance avec une remontée à 23,1 °/oo. A l'inverse des pays belligérants voisins, ce taux a été beaucoup moins affecté par les guerres que par les crises. Ces dernières ont provoqué des abaissements brutaux.

— Le taux de mortalité a décru également : 23,6 °/oo en 1870-1880 ; 11 °/oo en 1941-1950. Mais le rythme de cette évolution est fonction au premier chef de la conjoncture économique. La baisse est rapide en période de prospérité, tandis que les crises se traduisent par des paliers. Pendant la longue période de prospérité 1888-1910, il passe de 21 en 1880-1888 à 14,8 en 1910-1920.

— Mais ce sont les migrations qui sont le plus directement influencées par la conjoncture. L'équilibre approximatif entre entrées et sorties n'est qu'un résultat moyen acquis sur un siècle. Pour de plus courtes périodes, les variations sont beaucoup plus irrégulières. Jusqu'en 1888, l'émigration l'emporte, accélérée par la crise rurale de 1880-1888. L'excédent moyen annuel des départs est de 2.316 en 1870-1880 et de 10.895 en 1880-1888. C'est le courant d'émigration d'un pays montagnard encore pauvre. Pendant les périodes de prospérité, au contraire, l'immigration domine, les excédents moyens annuels sont de 6.177 en 1888-1900, de 7.924 en 1900-1910, de 13.852 en 1941-1950. L'émigration reprend en période de crise : excédent moyen annuel de 11.752 départs en 1910-1920. Le marasme général des années 1930-1941 est caractérisé par un équilibre : l'excédent de l'immigration tombe à 481 personnes par an.

Le jeu combiné des excédents de naissances et du bilan migratoire se calque étroitement sur l'activité économique. En période de crise, en effet, la baisse de la mortalité se ralentit tandis que celle de la natalité s'accélère et que les départs prédominent. En période de prospérité, au contraire, c'est la baisse de la mortalité qui s'accélère et celle de la natalité qui se ralentit. Les excédents de naissances montrent l'évolution suivante :

1880-1888	1900-1910	1930-1941	1941-1950
7,5 %	10,2 %	4,3 %	8,1 %

Les mouvements migratoires sont caractérisés par :

— Une émigration suisse de techniciens. Les citoyens suisses établis à l'étranger étaient 204.000 en 1949. Leur dispersion était considérable : on en a dénombré dans 80 pays différents et la plupart ne forment que de petits groupes, de quelques centaines de personnes. Les centres principaux se trouvent dans les pays dont les relations économiques avec la Suisse sont les plus étroites : la France (69.300), les U. S. A. (27.600), l'Allemagne (20.600), l'Argentine (13.800), la Grande-Bretagne (13.780). En 1949, les émigrants appartiennent principalement aux professions commerciales (1.818 sur un total de 7.541), libérales (1.386), aux industries mécaniques (990), à l'agriculture (675), à l'alimentation (402), à l'hôtellerie (424). Il s'agit d'une émigration de cadres, fondée sur le haut niveau atteint par les techniciens suisses dans les branches principales de l'économie nationale.

— Une immigration composée de deux groupes principaux très différents l'un de l'autre. D'une part, de riches oisifs qui viennent s'installer en Suisse pour jouir de leur revenus, hantant palaces et stations en renom. Leur nombre a beaucoup diminué à la suite de la guerre de 1914-1918 et de la crise de 1930, mais il s'est à nouveau accru avec l'effondrement de l'Allemagne nazie, un bon nombre de personnages ayant cru bon de quitter leur pays d'origine avec leurs capitaux. D'autre part, une immigration de remplacement, formée de travailleurs qui complètent la main-d'œuvre suisse dans les branches où elle est insuffisante en période de prospérité. En 1950, on comptait 32.840 ouvriers étrangers dans les fabriques suisses contre 38.223 en 1949, cette brusque diminution étant en rapport avec le début de crise économique qui précéda le déclenchement de la guerre de Corée. Volant de sécurité, cette immigration est très instable et soumise très étroitement à la conjoncture. A l'inverse de ce qu'on observe dans la main-d'œuvre suisse, les femmes sont un peu plus nombreuses que les hommes (17.400 en 1950), la Suissesse répugnant à travailler en usine ou même comme domestique. Il faut ajouter environ 20.000 personnes travaillant dans l'hôtellerie et autant comme domestiques, 15.000 dans les banques et le commerce, 7.000 dans l'agriculture. On a recensé en Suisse en 1941 un peu plus de 233.000 étrangers. Les Italiens prédominent (100.000), suivis par les Autrichiens. Le dynamisme démographique de la Suisse reflète donc étroitement sa structure économique. Ce pays mérite d'être pris comme exemple de nation capitaliste industrialisée à haut niveau technique et à grande activité commerciale.

2º L'évolution de la structure professionnelle.

Dès 1888, date la plus ancienne pour laquelle on dispose de renseignements détaillés, la Suisse est un pays à prépondérance industrielle. Mais cette dernière est devenue de plus en plus marquée. De même, la proportion des professions non productives (secteur tertiaire) s'est considérablement accrue. La multiplication des agents des services publics (on compte, en Suisse, sous cette rubrique non seulement les fonctionnaires, mais les membres de l'enseignement, le personnel des cultes et des théâtres, les membres du service de santé) est un fait général dans tous les pays de haute civilisation technique. Mais il n'en est pas de même du reste du secteur tertiaire. Les professions commerciales (banques, négoce, assurances) occupent 10 % des travailleurs helvétiques, ce qui est en rapport avec le développement très poussé de la finance suisse, dont les ramifications sont internationales. Seuls la Grande-Bretagne et les Pays-Bas se haussent à des pourcentages du même ordre. L'hôtellerie, avec 4,3 % de la main-d'œuvre totale en 1941, période de crise profonde pour cette branche, et les transports (3,8 %) renforcent encore ce secteur. Significative également est la forte proportion des domestiques (5,8 % en 1941), qui dénote une aristocratie au niveau de vie élevé nombreuse.

STRUCTURE PROFESSIONNELLE DE LA POPULATION SUISSE (1888-1941)

| | Agriculture | | Industrie | | Secteur tertiaire | | | | | |
| | | | | | Serv. publics | | Commerce (1) | | Total | |
	Personnel	%	Personnel	%	Personnel	%	Personnel	%	Personnel	%
1888	488.530	37,5	539.856	41,4	51.158	3,9	126.720	9,8	210.291	20
1920	477.118	25,8	814.258	43,5	101.912	5,4	312.893	12,8	566.200	30,2
1941	414.936	20,8	860.528	43,2	147.453	7,4	360.182	18,1	677.284	34

L'évolution dénote une industrialisation croissante bien que de 1920 à 1941, la proportion des ouvriers soit restée la même. En fait, ces données statistiques ne traduisent pas fidèlement la réalité car elles groupent, sous la rubrique « industrie », à la fois les ouvriers d'usine et l'artisanat. Ce dernier a continué à décroître entre les deux guerres et la part de l'industrie s'est augmentée d'autant.

Deux faits sont frappants : la décadence de l'agriculture, dont les effectifs relatifs s'effondrent de 1888 à 1920 et dont les effectifs absolus continuent de baisser fortement. L'exode rural n'épargne pas non plus la Suisse, bien que la dispersion de l'habitat ouvrier freine les effets de l'abandon de l'agriculture et du recul de l'artisanat, en grande partie rural. Mais, de 1920 à 1941, ce n'est pas tellement l'industrie qui profite des changements de la structure professionnelle : c'est le secteur tertiaire, en particulier le commerce. De 1888 à 1941, il s'accroît de près de 470.000 travailleurs.

L'évolution de la structure professionnelle de la Suisse reproduit celle de bien des familles. On a d'abord quitté l'agriculture pour l'industrie, puis les enfants ou les petits-enfants abandonnent l'usine pour le bureau. Une part croissante de la population suisse vit des salaires payés par les formes non productives du capitalisme international.

b) *L'implantation géographique de la population*

Elle reflète, avec le retard propre aux faits de peuplement, l'évolution démographique et économique du pays.

1º Modifications de l'équilibre régional.

Le développement industriel localisé dans certaines parties de la Suisse et l'exode rural corrélatif ont modifié l'équilibre régional de la répartition de la population.

(1) Y compris le personnel des hôtels.

Depuis un siècle (1850-1950), l'accroissement moyen est de 97,1 % mais il n'a profité qu'à un tout petit nombre de cantons. Sur 25 cantons et demi-cantons, 6 seulement ont atteint ou dépassé cette valeur moyenne. Ce sont Bâle-Ville (561,7 %), Genève (216,3 %), Zurich (209,9 %), Soleure (144,7 %), Zug (141,9 %) et Bâle-Campagne (124,6 %). Géographiquement, le phéno-mène est nettement localisé en 3 taches : groupes de Zurich et de Bâle, Genève. Si les statistiques n'étaient pas faites par cantons, on verrait appa-raître une quatrième tache autour de Berne car les chiffres totaux de la popu-lation de ce vaste canton résultent d'une moyenne entre les régions où la population diminue et celles où elle augmente. Il y a eu concentration de la population au profit d'une petite partie du territoire fédéral : centres indus-triels de la Plaine suisse et du Jura bâlois.

Les migrations intérieures ont joué un rôle capital dans ce regroupement, comme le montre la proportion des Suisses résidant en 1941 dans un canton autre que celui où ils sont nés. Elle est inférieure à la moyenne suisse (30,4 %) dans les cantons alpins (Valais, Tessin, Grisons), dans la plupart de ceux des Préalpes (Schwyz, Uri, Obwald) et dans les régions rurales de la plaine (Fribourg, Lucerne). Elle est maxima dans Zurich, Bâle, Genève, Soleure, Schaffhouse, Zug, Thurgovie, c'est-à-dire dans les régions de grandes concen-trations industrielles. Pour la ville même de Zurich, elle atteint à peu près 50 %, autant à Genève, beaucoup moins à Berne (30,5 %).

En revanche, certains cantons se sont relativement dépeuplés, leur accroissement étant beaucoup plus lent que la moyenne. Ce sont surtout ceux qui manquent d'industries, comme le Tessin (48,7 %, malgré une natalité supérieure à la moyenne), les Grisons (52,5 %) et ceux dont les industries, de structure archaïque ou pâtissant de la concurrence, subissent une crise de longue durée : Appenzell (Rhodes extérieures 9,9 %, Rhodes intérieures 19,1 %), Glaris (24,7 %) dont les chiffres sont les plus bas, Argovie (50,5 %), dont l'essor industriel est récent. Les influences physiques ne jouent que fort indirectement : en pleine montagne, Uri, qui profite des communications par le Gotthard, du tourisme et de l'industrie, a un accrois-sement égal à la moyenne (96,9 %). Il en est de même du Valais (95,2 %) tandis que des cantons de plaine sont sans essor. L'influence des facteurs économiques est seule essentielle.

2º La concentration urbaine.

C'est le fait primordial de l'évolution, en rapport avec le changement de structure professionnelle.

Corrélativement, le nombre de « villes » (plus de 10.000 hab. pour les statisticiens suisses), est passé de 8 en 1850 à 21 en 1900, 31 en 1941 et 42 en 1950. Un palier très net de la courbe correspond à la période de marasme

	Communes rurales				Bourgades				Villes	
	inférieures à 499 hab.		500 à 999 hab.		2.000 à 4.999 hab.		5.000 à 9.999 hab.		supérieures à 10.000 hab.	
	Total	%	Total	%	Total	%	Total	%	Total	%
1850	436.132	18,2	515.310	21,6	495.236	20,7	131.103	5,5	154.197	6,4
1888	427.484	14,7	511.654	17,5	671.154	23	242.814	8,3	440.461	15,1
1900	418.627	12,6	485.707	14,7	730.551	22	286.720	8,6	728.385	22
1920	390.046	10	461.322	11,9	853.817	22	483.205	11,2	1.071.554	27,6
1941	384.526	9	434.720	10,2	875.854	20,5	509.596	11,9	1.402.335	32,9
1950	369.680	7,8	439.130	9,3	966.278	20,5	557.972	11,8	1.720.056	36,5

de 1920-1941 : 27 en 1910, 28 en 1920, 31 en 1930, 31 encore en 1941. Par contre, la prospérité de la dernière décade se marque par une augmentation rapide : de 31 à 42. Profitant plus que les autres groupements d'habitat de la situation de la Suisse dans le monde capitaliste, les villes enregistrent avec fidélité les variations de la conjoncture.

L'exode rural a pour conséquence une diminution importante de la population des petites communes, vivant essentiellement de l'agriculture et de l'artisanat. La chute est particulièrement marquée après le tournant des années 1880. Elle se ralentit pendant les périodes de marasme (1920-1941) et s'accélère pendant celles de prospérité. Tout l'équilibre du peuplement est lié aux crises cycliques de l'économie capitaliste.

L'évolution des bourgades est plus complexe et confirme des thèses exposées ailleurs (1) : elles ont profité, au début, du développement de l'économie commercialisée. Le développement de petites industries, du rôle de marché avec le remplacement de la polyculture vivrière par une agriculture spéculative, du tourisme parfois, a permis l'accroissement de leur population aux dépens des campagnes. Le pourcentage de leurs habitants croît de 20,7 % en 1850 à 24,1 % en 1880. Mais la concentration capitaliste interrompt bien vite cette évolution et le déclin commence, hâté par les crises (chute de 1,1 % pendant la crise de 1880-1888), ralenti lors des périodes de prospérité (22 % en 1900 ; 22,2 % en 1910). Les petites villes de 5.000 à 10.000 habitants atteignent plus tardivement leur population maxima (1941 : 11,9 %) mais enregistrent également les crises (chute de 11,3 % en 1910 à 11,2 en 1920 et 10,7 en 1930). La plupart d'entre elles appartiennent au type des petites villes industrielles satellites, soit dans la banlieue des grandes villes, soit autour d'une grosse usine.

La concentration urbaine se marque par le fait qu'en 1944, seulement 1/6 des ouvriers assujettis à la loi sur les fabriques travaillaient dans des communes de moins de 2.000 habitants. Il faut cependant noter qu'en Suisse, la disper-

(1) TRICART (J.), *L'habitat urbain*, C. D. U., Paris, 1951.

sion des usines est très poussée, ce qui freine la concentration par les grandes villes. Il en est de même des importants mouvements migratoires du type banlieue. De nombreux ouvriers n'ont pas les moyens suffisants pour occuper les logements neufs des villes et sont réduits à habiter dans des maisons rurales moins confortables mais moins onéreuses. Ils tirent de plus quelques ressources de leurs loisirs.

3° Le développement des grandes villes.

Ce sont les grandes villes (plus de 100.000 hab. dans les statistiques suisses) qui ont tiré le plus de profit de la concentration urbaine de la population. Zurich, Bâle, Berne, Genève et Lausanne groupent en 1950 20 % des habitants de la Suisse (972.000 personnes).

ACCROISSEMENT DE LA POPULATION DES GRANDES VILLES
DANS LEURS LIMITES ACTUELLES

	1850	1888	1900	1920	1941	1950
Zurich	41.585	103.862	168.021	234.808	336.395	390.020
Bâle...........	27.844	71.131	109.161	135.976	162.105	183.543
Berne..........	29.670	48.605	67.550	104.623	130.331	146.499
Genève	37.724	75.709	97.359	126.626	124.431	145.473
Lausanne	17.108	33.343	46.732	68.533	92.541	106.807

Zurich se place nettement en tête, alors qu'elle dépassait à peine Genève en 1850. Son taux d'accroissement est de 9,4. C'est en effet la métropole économique de la Suisse, celle des villes qui a le plus profité de la promotion mondiale du capitalisme helvétique. Sa bourse et son Polytechnicum sont les deux fondements de sa puissance. Ses banques et ses compagnies d'assurance étendent leur activité au globe entier : l'une d'elles a travaillé, en 1938, avec 85 monnaies différentes. Ses constructions mécaniques ont une renommée mondiale. Le commerce y employait en 1941 près de 38.000 personnes (21 %), mais l'industrie venait en tête, avec 73.500 (42 %), en y comprenant, il est vrai, l'artisanat.

STRUCTURE PROFESSIONNELLE DES GRANDES VILLES SUISSES (1941)

	Industrie et artisanat		Commerce banques assurance		Hôtellerie		Services publics	
	Effectifs	%	Effectifs	%	Effectifs	%	Effectifs	%
Zurich	73.430	42	37.735	21	12.955	7,3	19.063	10,8
Berne..........	24.588	36,5	10.810	16	4.301	6,4	13.435	20
Genève	31.459	43,9	13.761	19	4.177	5,4	8.609	12
Bâle...........	35.977	43	16.015	22	4.333	6	8.728	12
Lausanne	15.506	34	9.176	20	3.696	8,1	5.929	13

Plaque tournante des communications alpines et sise au bord d'un lac attrayant, la ville est également un centre touristique, bien que ce soient les affaires qui attirent la majorité des clients de ses hôtels.

L'essor hors de pair de la ville a multiplié les quartiers neufs escaladant les collines en bordure de la Limmat. Malgré l'annexion de plusieurs communes voisines, l'agglomération déborde largement le territoire municipal et comporte une importante banlieue qui s'allonge en antennes des deux côtés du lac (industrie textile) et vers le N. (Œrlikon : métallurgie).

Genève et *Bâle* appartiennent à la même nuance de grandes villes que Zurich. Ce sont à la fois des centres industriels importants et de grandes places de commerce, foyers d'intense immigration. Leur population s'est multipliée par 6,5 à Bâle contre 3,7 seulement à Genève. C'est à partir de 1890 environ que Bâle a dépassé Genève, lors de la période d'implantation des grandes industries modernes.

Bâle est en effet devenu le grand centre de l'industrie chimique suisse, qui a relayé le tissage de la soie, en crise depuis longtemps. 7,3 % des salariés résidant dans la ville en dépendent. Et la ville profite de la prospérité solide de cette branche. C'est également le seul grand port suisse, dont l'essor remonte aux environs de 1930 (4.500.000 t. en 1949) grâce à l'aménagement du Rhin. Cette activité explique la forte proportion des salariés vivant du commerce et des transports (5.300 environ en 1941 soit 7 % pour ces derniers seulement). Pendant la guerre, la Suisse s'est constitué une puissante flotte rhénane (242.000 t. de portée en lourd ayant fait 40 % du trafic suisse), où dominent les unités modernes et puissantes (19 remorqueurs rhénans à moteur, 205 automoteurs rhénans). Bâle est son port d'attache. La ville est aussi une tête de pont, tournée vers l'Allemagne et les Pays rhénans. Si on y trouve d'importants intérêts étrangers (notamment ceux de l'I. G. Farben allemande dans l'industrie chimique), elle a également de puissants intérêts dans les pays voisins : dans le textile notamment. Lörrach (Bade) et Saint-Louis (Haut-Rhin) sont des villes satellites outre-douanes, dominées par le capital suisse, surtout bâlois. L'imbrication d'intérêts est importante surtout dans le textile (S. de la Forêt Noire, groupe Mulhousien) et bien des marchandises passent les frontières en cours de fabrication (tissage en Allemagne pour le compte de firmes suisses, impressions et teinture tantôt en Suisse, en Allemagne ou en France suivant la conjoncture et le genre de travail). Bâle met fort bien à profit sa position à la rencontre de trois frontières et au terminus de la navigation d'un des plus grands fleuves d'Europe. Son essor ne fait que s'accélérer.

Genève, à côté, semble bien endormie sur les rives ensoleillées de son beau lac. Sa gloire plus ancienne est exempte de fièvre. L'industrie des constructions de machines prédomine, relayant l'horlogerie pendant longtemps incertaine (8,4 % des salariés du canton). Vieille antenne suisse vers la France, la ville est un centre bancaire tourné vers Paris (groupe Mirabaud notamment) en même temps qu'un foyer intellectuel du protestantisme de langue française. Mais elle ne profite pas d'un débouché navigable comme Bâle ni de facilités d'importation de matières premières. Comme Berne, elle tire gros profit des administrations, mais internationales. La S. D. N. fut pour elle une source de prospérité, aujourd'hui à demi tarie avec le transfert en Amérique de l'essentiel des instances supra-nationales.

Berne et *Lausanne*, bien que faisant également partie des capitales régionales à prépondérance industrielle relative, représentent, dans ce groupe, une autre nuance. Les salariés industriels et l'artisanat ne forment que le tiers des travailleurs. Les bureaucrates prédominent : fonctionnaires, employés de commerce. Ce sont des villes calmes et particulièrement

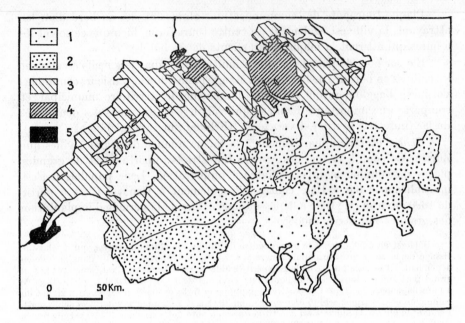

FIG. 50 *a*. — **La population suisse**

Densité par cantons, 1950. La densité moyenne est de 113

1. Moins de 50 % de la moyenne (57). — 2. De 50 à 100 % de la moyenne (57 à 113). — 3. De la moyenne au double de la moyenne (114 à 227). — 4. De 2 à 4 fois la moyenne (228 à 454). — 5. Plus de 4 fois la moyenne (454).

cossues, sans guère de banlieue, où les usines ne jouent qu'un rôle secondaire à côté des banques, des ministères (Berne) ou des hôtels (Lausanne). Elles ne profitent d'ailleurs pas d'une spécialisation industrielle et ont laissé à d'autres le soin de se lancer dans la grande industrie. On n'y trouve que des fabrications très variées, comme dans toutes les villes importantes.

Berne, autrefois puissance dominante dans toutes les branches de la vie suisse, reste une capitale administrative et un centre bancaire important, mais la primauté économique lui a échappé au profit de Zurich. C'est ce qui explique sa croissance relativement lente : en un siècle, sa population s'est multipliée par 5. De même, c'est la moins cosmopolite des villes suisses : seulement 30 % de sa population provenait en 1941 d'autres cantons. Son vaste canton, témoignage de son antique splendeur, constitue encore le cadre d'une grande partie de son activité économique.

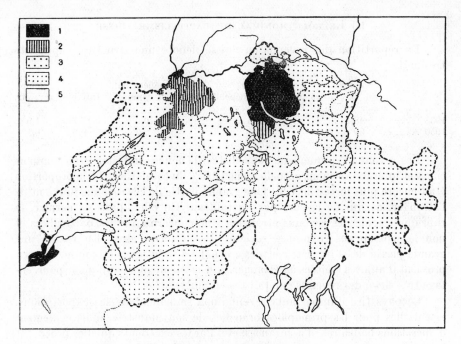

Fig. 50 *b*. — **La population suisse**

Variations de la population suisse, par cantons, de 1850 à 1950
Accroissement moyen : 97 %, arrondi à 100 %
1. Plus de 200 %. — 2. De 100 à 150 %. — 3-4. De 50 à 100 %. — 5. Moins de 50 %

Lausanne est la plus jeune des grandes villes suisses et fait preuve d'un dynamisme considérable : sa population s'est multipliée par 6,2 depuis 1850, il est vrai à partir d'un chiffre relativement faible. Étagée sur la rive escarpée du Léman, c'est un centre de tourisme important (8,1 % des travailleurs appartiennent à l'hôtellerie) mais aussi de commerce (assurances), d'industries diverses (mécanique de précision, alimentation). Plus jeune, son capitalisme est loin d'être aussi indépendant que celui de Zurich, de Berne ou de Bâle. C'est, de ce point de vue, une ville satellite.

La forte densité de population de la Suisse, dont la majeure partie du sol est ingrate, l'activité de ses villes ne peuvent se comprendre que si l'on replace l'économie suisse dans le cadre mondial. La majeure partie des revenus suisses proviennent de placements à l'étranger et de la vente à l'extérieur du travail suisse. Bien que n'ayant pas d'empire colonial, le capitalisme suisse a une structure identique à celui de la Grande-Bretagne victorienne.

E) LE RÔLE MONDIAL DU CAPITALISME SUISSE

La répartition des revenus en Suisse dénote une structure capitaliste très nette :

	Salaires %	Revenus des personnes indépendantes	Bénéfices ind. et comm.	Intérêts	Solde rev. étr.
1938	48,1	21,5	10,9	17,7	1,5
1950	59	21,1	9,9	9,6	0,1

Les revenus typiquement capitalistes (bénéfices industriels et commerciaux et intérêts) forment actuellement 19,5 % du total. En 1938, la proportion était encore plus forte : 30,1 %. Une grande partie de ces revenus provient de l'étranger, ce qui ne ressort pas du tableau. En effet, dans ce dernier, la rubrique « solde des revenus étrangers » ne concerne que les particuliers et non les entreprises (banques, sociétés d'assurances, etc.). En réalité une grande partie des « intérêts » et des « bénéfices industriels et commerciaux » provient d'affaires traitées à l'étranger. Ainsi seulement s'explique le pourcentage très élevé des revenus capitalistes en Suisse.

Ce pays tire d'importants revenus non seulement de ses exportations, essentielles pour les principales branches de son industrie, mais également d'opérations bancaires, d'assurances, etc. Par les excédents qu'elles procurent à la balance des comptes, par l'influence qu'elles exercent sur la politique monétaire suisse, elles commandent la structure du commerce extérieur. Nous les étudierons donc en premier.

1° La puissance financière.

En 1950, la répartition des capitaux suisses entre les diverses activités était la suivante (en millions de francs suisses) :

Industrie :		
Métaux	772,2	
Chimie	345,2	
Alim.	321	
Textile	275,5	
TOTAL		3.249,3
Commerce	784,5	784,5
Crédits et assurances :		
Banques	1.474	
Assurances	358,1	
Holdings	1.582,5	
TOTAL		3.414,6
Transports..................	482,7	482,7
Hôtellerie	84	84
TOTAL GÉNÉRAL........		8.576

Les investissements financiers viennent donc en tête, avec 40 %, suivis de peu par l'industrie (38 %). Les holdings à eux seuls forment 18,5 % du capital suisse. Les assurances ne sont dépassées que par une seule industrie, la métallurgie, et l'on sait quelle est l'importance du capital dans la construction mécanique suisse. Un tel appareil financier n'est pas à l'échelle d'un petit pays. Il outrepasse considérablement ses besoins : les investissements bancaires atteignent en moyenne 728 fr. s. par habitant, environ 75.000 fr. français !

La puissance financière suisse revêt plusieurs formes :

a) *Les placements bancaires.* — La Suisse est l'un des carrefours les plus importants du monde capitaliste. Grâce à la stabilité de sa monnaie, qui profite plus aux banquiers qu'aux industriels, grâce aussi à sa neutralité, la Suisse attire de nombreux capitaux. Ses banques savent offrir un refuge inexpugnable et discret particulièrement apprécié en période de crise. Depuis la première guerre mondiale, les capitaux étrangers ont afflué dans les banques suisses et le mouvement s'est accéléré au cours des dernières années. Lors de l'effondrement des rêves hitlériens, de très grosses sommes d'argent et d'importantes quantités d'or sont passées en Suisse. Malgré les demandes des Alliés, l'anonymat n'a pas été levé et la Suisse s'est contentée de verser une contribution à la reconstruction européenne. Il est donc impossible de connaître le montant de ces capitaux. Néanmoins, un fait frappe : le très bas taux de l'intérêt (2 à 4 %). Grâce à son rôle de refuge, la Suisse peut non seulement s'équiper à bon marché, mais placer à l'étranger à des taux plus élevés et faire de substantiels bénéfices. En 1949, année fort moyenne, les banques suisses ont placé 53,5 millions de fr. s. à l'étranger dans des emprunts, soit plus de 5 milliards de fr. français. Les titres étrangers forment 60 % du portefeuille des sociétés suisses d'investissements (237,5 millions de fr. s. sur 391,4). En 1939, les revenus du portefeuille étranger atteignaient 300 millions de fr. s. On évaluait, en 1947, les avoirs suisses en Allemagne à 3-4 milliards de fr. s. (Sliwka). De 1944 à 1946, la Suisse a donné 642 millions de fr. s. de crédits en Europe. Son stock or est monté de 2.889 millions en 1938 à 4.949,9 en 1945, période à laquelle il a atteint son niveau maximum. Depuis, la reprise des achats massifs à l'étranger l'a fait diminuer.

Si fragmentaires qu'elles soient, ces indications permettent néanmoins de se faire une idée de la puissance financière helvétique. Les créances en Allemagne (l'un des plus gros débiteurs de la Suisse, il est vrai) atteignent environ la moitié des investissements suisses en Suisse. Au total, la fortune suisse à l'étranger ne doit pas être loin d'égaler celle qui se trouve sur le territoire national.

C'est un fait qu'on ne doit pas perdre de vue si l'on veut comprendre non seulement l'économie suisse, mais la géographie du pays, sa prospérité, le développement de ses villes.

— 487 —

b) *Les assurances.* — Au même titre que l'industrie chimique (dont elle dépasse le capital) ou métallurgique, les assurances sont une des activités économiques essentielles de la Suisse.

Profitant de la principale forme d'épargne nationale, et, surtout, d'une organisation hors pair, sachant tirer parti des travaux des mathématiciens helvétiques (Euler, Bernouilli), les assurances se sont créé, comme les banques, un réseau mondial d'activité. En 1950, elles ont encaissé 419,6 millions de fr. s. de primes à l'étranger contre 326,7 sur le territoire de la Confédération. Le pourcentage est de 56 % contre environ 60 % avant guerre. Les difficultés internationales (changes, transferts de capitaux) n'ont pas atteint sérieusement cette source de prospérité suisse.

Comme les banques, les compagnies d'assurances montrent une très grande concentration : on en compte 49, avec un capital moyen voisin de 8.000.000 de fr. s. mais une dizaine seulement dominent nettement toutes les autres, de même que 5 banques seulement font le tiers des affaires. Ce sont les grandes villes suisses, particulièrement Zurich, Berne, Lausanne, Genève, qui profitent de leur activité.

c) *Les holdings internationaux.* — Nous avons déjà signalé la tendance de l'industrie suisse à se dénationaliser en créant de vastes entreprises supranationales qui n'ont plus en Suisse que leurs sièges sociaux et leurs laboratoires. Particulièrement poussée dans l'industrie alimentaire, cette tendance se retrouve, à des degrés variables, dans les autres branches. Elle fait partie de l'évolution normale du capitalisme.

Une part très importante des bénéfices des sociétés industrielles suisses provient de la vente de brevets à l'étranger, de royalties, d'accords techniques de toutes sortes. Il en est de même de l'activité des filiales, qui permettent de tourner les barrières douanières. Il est impossible de chiffrer les bénéfices qui en résultent, mais on peut se faire une idée de l'importance de ce phénomène en en relevant les conséquences sur l'industrie suisse. Elle a renoncé aux fabrications en série et constitue en quelque sorte une forme moderne d'artisanat.

Dans la pharmacie, dans les produits alimentaires, dans les constructions électriques, dans la mécanique de précision, les brevets suisses sont acquis par tous les grands États industriels.

La balance des comptes suisses est nettement bénéficiaire et le reste en permanence. Elle le doit aux importants excédents de rentrées nets du tourisme, des services (banques, assurances) et du portefeuille. Avant 1939, ils se montaient en moyenne à 600 millions de fr. s. par an : 200 pour le tourisme, 300 pour le portefeuille, 100 pour les services. On ne possède pas de statistiques pour la période actuelle mais il semble que le montant créditeur total de la balance des comptes soit au moins aussi élevé qu'avant guerre.

2° Le commerce international de la Suisse.

La spécialisation économique de la Suisse, les excédents permanents de sa balance des comptes, ses activités bancaires internationales expliquent l'importance du commerce extérieur suisse : son montant moyen par habitant atteignait en 1938 464 fr. s. et le plaçait au troisième rang mondial avant la Grande-Bretagne (430), l'Allemagne (166) et la France (160), mais après deux autres pays de même superficie et de population comparable : la Belgique (564) et les Pays-Bas (523). Elle s'est placée au premier en 1949. Les Suisses insistent sur le caractère vital de leur commerce extérieur. Comme la Grande-Bretagne, ils ont misé, au xixe siècle, sur le libre-échangisme et ne l'abandonnent qu'à contre-cœur et le moins possible. L'accumulation des capitaux en Suisse a suscité le développement d'une industrie hypertrophiée, qui ne peut vivre sans les marchés mondiaux. L'agriculture lui fut longtemps sacrifiée et le pays continue d'importer des quantités considérables de denrées alimentaires, qui, revenant moins cher que la production nationale, permettent de maintenir les salaires ouvriers plus bas que ce ne serait possible dans le cadre d'une autarcie nationale.

La puissance bancaire de la Suisse a guidé sa politique monétaire : maintien d'une monnaie forte, la plus solide aujourd'hui dans le monde capitaliste. Il en résulte une certaine gêne pour le tourisme, mais ce dernier bénéficie maintenant d'une hausse des prix très limitée, bien inférieure à celle des pays voisins. Cette politique monétaire a aussi contribué à la spécialisation de l'industrie, en lui interdisant la fabrication à bon marché, où la concurrence internationale est trop forte. Elle a donc indirectement favorisé le développement du commerce international de la Suisse. Mais elle a aussi une influence directe. La Suisse est le seul pays pour lequel le problème des devises ne se pose pas. La solidité de la monnaie, les excédents comptables, la neutralité aussi, permettent à la Suisse de s'approvisionner aux meilleures conditions, dans n'importe quelle zone monétaire, dans n'importe lequel des deux hémisphères politiques. Quand la France est obligée de payer à prix d'or le charbon américain, la Suisse recourt au combustible polonais, qui, rendu à Bâle, lui revient le moins cher de tous (83,4 fr. s. la tonne en janvier 1951 contre 85 fr. s. pour les mêmes qualités de charbon sarrois et près de 120 pour le charbon américain). Il y a là un avantage inappréciable, renforcé par les contraintes monétaires de la période actuelle. Il permet à l'économie suisse de se développer avec le minimum d'à-coups et justifie la préservation aussi bien de la monnaie que de la neutralité économique, à défaut de celle des sentiments. Il permet de comprendre pourquoi le commerce extérieur suisse reste l'un des rares commerces à extension mondiale.

a) *Les exportations*. — Comme la majeure partie de l'industrie suisse travaille pour l'étranger, ce sont les exportations qui jouent le rôle de moteur dans le commerce extérieur suisse.

Elles sont constituées par la plus grande partie de la production des principales branches industrielles : machines, appareillage industriel, horlogerie, produits colorants et pharmaceutiques. Au total, les exportations de produits manufacturés sont très prédominantes : 74,3 % en 1913 ; 87,5 % en 1938, 92 % en 1946. Le reste est constitué par quelques produits alimentaires (fromage, chocolat, spécialités), quelques animaux (surtout reproducteurs) et de faibles quantités de matières brutes (minerai de fer notamment). Dès 1937-1939, la part exportée de la production s'élevait à 75 % pour l'industrie des machines, à 66 % pour l'industrie chimique et à 95 % pour l'horlogerie. Les exportations de machines se montent à 25 % du total des exportations, celles de montres à 18 %. Si l'on inclut les autres produits métallurgiques, on arrive à 49,3 %. Le textile est bien déchu : 11,7 % seulement, contre 58,4 % en 1913.

Près de la moitié des exportations suisses sont constituées par des biens d'équipement (machines, produits métallurgiques, colorants) et c'est ce qui explique leur essor dans le monde actuel, caractérisé par une forte poussée d'industrialisation. Le premier client de machines suisses est actuellement l'Amérique du Sud (Argentine et Brésil principalement), avec 103,5 millions de fr. s. en 1949, suivie par la France, la Grande-Bretagne, la Belgique, la Scandinavie, les Pays-Bas, l'Italie, l'Allemagne, la Tchécoslovaquie. La Suisse fournit en effet des équipements d'usine complets aux pays neufs, souvent accompagnés des techniciens indispensables à la mise en route des fabrications, tandis qu'elle vend aux pays industriels des machines spéciales, des pièces détachées. C'est le fruit de la supériorité de ses laboratoires de recherche et de la qualité du travail de ses usines. L'industrialisation croissante du monde, loin de lui nuire, accroît sa prospérité, ce qui est dû aux incessants progrès de sa technique.

Une dispersion identique caractérise les exportations suisses de montres, en plein progrès depuis 1937. Au premier rang viennent les U. S. A., qui ne peuvent rivaliser avec la qualité des produits helvétiques et dont c'est une des rares importations importantes d'objets manufacturés. En 1949, ils en ont importé pour 229 millions de fr. s. Puis viennent l'Amérique du Sud (64 millions), l'Extrême-Orient (57), l'Italie (50), la Belgique (42), et presque tous les autres pays du monde.

Il en est de même pour les produits pharmaceutiques et les colorants. L'Amérique du Sud est le plus gros client. Elle a, en effet, créé des industries textiles et accru considérablement ses richesses, mais manque d'une industrie chimique perfectionnée. Viennent ensuite les pays industrialisés qui entourent la Suisse (Allemagne, France, Belgique, Tchécoslovaquie), qui achètent à la Suisse certaines spécialités et lui en vendent d'autres, les pays asiatiques et arabes, les états méditerranéens et à peu près tous les autres pays du globe.

Il est tout à fait typique que ce soient les branches dont la clientèle est largement répartie à la surface du globe qui soient les plus prospères. Au contraire, celles dont les produits ne se dirigent que dans des directions bien déterminées, connaissent des crises fréquentes. Tel est le cas des exportations de fromage, dont les acquéreurs sont surtout les pays voisins (sur 75,4 millions, l'Italie en a pris en 1949 pour 20,9 et le groupe Italie, Belgique, France, Allemagne, Grande-Bretagne pour 47,5 millions, soit 63 %). Il en est de même des tissus de coton : sur 104,7 millions de fr. s. exportés en 1949, l'Allemagne en a pris 26,7 et les autres pays voisins (Italie, Belgique, France, Pays-Bas et Grande-Bretagne 56,9, soit 54,5 %.

Cette large distribution des principaux produits suisses rappelle celle des exportations de la Grande-Bretagne victorienne. Elle est typique d'une expansion capitaliste mondiale.

b) *Les importations.* — Les importations suisses portent principalement sur des matières premières industrielles (fibres textiles, métaux, houille, matières premières chimiques) et sur des produits de consommation dont le pays manque (denrées alimentaires, certains objets manufacturés). Le premier groupe forme de 35 à 40 % du total suivant les années, les deux subdivisions du second se partagent à peu près également le reste.

En 1949, les importations de denrées alimentaires se sont montées à 1.206,8 millions de fr. s. sur 3.791 au total (32 %), celles de matières premières à 1.279,2 (33,8 %) et celles de produits manufacturés à 1.305. Mais il faut noter qu'une partie de ces derniers constitue en fait des matières premières industrielles.

En tonnage, le plus gros poste d'importations est représenté par la houille (2.000.000 de t. en moyenne), suivie de loin par les huiles minérales et produits pétroliers (900.000 t.), le blé (420.000 t.), les minerais et produits sidérurgiques (425.000 t.), les fourrages (425.000 t.), les bois (465.000 t.). En valeur, la répartition est différente. Les produits sidérurgiques viennent en tête : 239 millions (1949), avec les machines (204 millions), les produits pétroliers (180 millions), la houille (193 millions), le froment (183 millions), les véhicules (183 millions), les fourrages (150 millions), le coton brut (116 millions), puis toute une série de produits alimentaires (fruits, sucre, denrées coloniales, beurre, légumes, vins, œufs), de produits manufacturés (appareillage, quincaillerie, confection) et diverses matières premières (produits chimiques : au total 210 millions, laine, bois, filés de laine, soie). La multitude des produits, dont aucune catégorie n'est fortement prédominante, contraste avec la nature des exportations. Elle est caractéristique d'une économie techniquement développée et de tendance libre-échangiste.

Par contre, à l'inverse des exportations, très largement distribuées, la provenance des importations est géographiquement concentrée. Les U. S. A. ont une part très prédominante (766 millions en 1949, plus de 20 %), puis vient le groupe des pays voisins : France (353 millions), Allemagne (365), Italie (251), Belgique (228), Pays-Bas (137), Grande-Bretagne (276). Au total, ces pays fournissent 1.610 millions de fr. s., soit 42 %. Le reste se répartit entre de nombreux pays. Ce sont, en effet, les deux groupes ci-dessus qui fournissent la quasi-totalité des objets manufacturés, une grande partie des produits alimentaires (céréales, fourrages, fruits, légumes, vins) et la plupart des matières premières (coton, laine, métaux), une grande partie de la houille. Les autres courants importants sont constitués par les importations de produits pétroliers, provenant surtout de Curaçao et d'Iran, par le Rhin ; de produits alimentaires : céréales d'Argentine, du Canada, de Hongrie, œufs du Danemark, de Suède, de Pologne, bétail de Hongrie, d'Argentine, du Danemark, sucre d'Amérique centrale et de Tchécoslovaquie ; les fibres textiles : coton d'Égypte et du Soudan, soie d'Extrême-Orient, laine d'Australie et d'Argentine, cuirs de l'U. R. S. S. Grâce à sa structure financière, la Suisse peut opérer des achats très éclectiques et c'est pourquoi la répartition de ses importations reflète fidèlement celle de l'offre. Néanmoins, elle tire la plupart de ses produits lourds des pays voisins, en utilisant la voie rhénane (Allemagne, Belgique, Pays-Bas, Grande-Bretagne, Nord-Est de la France). Mais la pénurie relative de nombreuses denrées l'oblige à recourir largement, comme, du reste, ses voisins, aux fournitures américaines (coton, métaux, houille, produits chimiques). Il en résulte des problèmes, qui, pour ne pas être aussi aigus que ceux des autres pays de l'Europe occidentale, n'en sont pas moins graves.

c) *Le commerce suisse et les blocs monétaires.* — Le fait essentiel est la non-concordance entre les exportations et les importations. Ainsi, en 1950, le commerce suisse était largement déficitaire avec la Grande-Bretagne, la France, l'Allemagne, les U. S. A., l'Union sud-africaine, l'Iran, le Canada, c'est-à-dire avec presque tous les plus importants fournisseurs. Il était au contraire bénéficiaire avec les pays de l'E., sauf avec la Hongrie, important fournisseur de produits agricoles. Presque tous les petits clients achètent plus qu'ils ne vendent. La non-convertibilité des monnaies constitue donc une gêne considérable pour le commerce extérieur suisse. C'est pourquoi la Suisse a accueilli avec intérêt les tentatives de libération des échanges et l'U. E. P. Par suite de la difficulté où elle se trouvait pour s'approvisionner en matières premières, elle a été également amenée à adhérer au Plan Marshall. Mais, comme tous les autres participants, elle n'y a gagné qu'un déficit accru de sa balance commerciale avec les U. S. A. Ce dernier est passé de 35 millions de fr. s. en 1938 à 336 en 1949 et à 110 en 1950. Le remboursement des prêts consentis à cet effet, la rémunération des « services » liés au Plan Marshall (transports sur navires américains, opérations bancaires, assurances) ont accru également le déficit de la balance des comptes en dollars. Enfin, les clauses commerciales restrictives concernant les exportations vers les Pays de l'E., assorties au Plan Marshall, ont beaucoup gêné la Suisse. C'est ce qui explique qu'elle réduise de plus en plus ses importations des U. S. A. : 1.031 millions de fr. s. en 1947 ; 954 en 1948 ; 766 en 1949 ; 625 en 1950. Les Suisses souhaitent sortir de cette dépendance économique et traiter d'égal à égal avec tous les pays. Le Plan Marshall n'a été pour eux qu'un expédient passager, un moindre mal, et ils ont conscience de ne pas en avoir obtenu ce qu'on leur avait promis. En 1950, le déficit de la balance commerciale semble avoir été compensé approximativement par les excédents de la balance des comptes.

La Suisse s'est efforcée d'accroître ses ventes aux U. S. A., mais comme tous les autres pays, elle se heurte aux barrières douanières trop élevées d'un pays qui prône la libéralisation des échanges. Elle ne leur vend guère que des pièces détachées et, surtout, des montres (229 millions de fr. s. sur 430 en 1949), et cette exportation se heurte de plus en plus à la mévente causée, à partir de 1951, par les impôts trop lourds et la baisse du pouvoir d'achat. Le commerce américano-suisse est précaire, car il n'est pas pratiqué à armes égales. La Suisse offre des spécialités sujettes à la mévente et elle demande des matières premières, que monopolise l'industrie d'armement. Le problème est le même avec les pays industriels européens (Allemagne, France, Belgique, Grande-Bretagne), gros fournisseurs et mauvais clients, souvent concurrents de la Suisse sur les marchés mondiaux. Aussi les tentatives de cartélisation de l'industrie européenne (Plan Schuman, Pool vert), ont-elles suscité chez elle une inquiétude marquée.

C'est ce qui explique que la Suisse s'efforce de développer son commerce dans deux autres directions :

— Les pays neufs d'outre-mer (Asie, Proche-Orient, Amérique latine) qui sont pour elle de bons clients et peuvent être des fournisseurs importants. L'Inde (46 millions de fr. s. en 1950), le Brésil (56), Israël (24), le Chili (11), le Liban (12), le Maroc, fournissent les plus gros excédents commerciaux et les ventes suisses s'y développent favorablement par suite de leurs efforts d'industrialisation. Il en est de même de l'Argentine, mais le solde est déficitaire pour la Suisse, qui a, il est vrai, de gros intérêts dans ce pays.

— Les pays de l'E., dont le commerce laisse au total un fort solde bénéficiaire à la Suisse : 74,5 millions de fr. s. en 1950. Ils absorbent 8,5 % des exportations suisses, principalement des machines et des biens d'équipement. Les plus gros clients sont la Tchécoslovaquie (102 millions de fr. s.), la Chine (77), puis la Pologne et la Hongrie (49 chacune). Ce commerce croît régulièrement depuis 1947, surtout avec la Chine. La Suisse profite de l'industrialisation de ces pays comme de celle de l'Amérique du Sud, malgré les entraves mises par les exigences américaines : officiellement, elle a dû renoncer à jouer le rôle d'entrepôt et s'engager à ne pas réexporter dans ces pays les marchandises « atlantiques ». Les excédents fournis par la balance commerciale avec les pays de l'E. servent en partie à dédommager les capitalistes suisses qui avaient des intérêts dans les branches socialisées de l'économie. Ils jouent un rôle capital dans l'équilibre comptable de la confédération, en aidant à combler le déficit que laisse le commerce avec les pays capitalistes. Avantage de la neutralité...

L'économie de la Suisse constitue une sorte de cas particulier, au même titre que sa structure politique. Démocratie-témoin, comme l'a heureusement nommée M. Siegfried, c'est aussi une puissance capitaliste-témoin, sorte de survivance, sur le plan international, du capitalisme libéral en pleine période d'impérialisme et de monopoles.

Tirant parti de sa position géographique sur une des grandes routes du commerce européen, la Suisse a connu un développement capitaliste précoce qui lui a permis de devenir une puissance financière internationale et de se placer à la tête du progrès technique. Les qualités de la main-d'œuvre suisse y sont également pour beaucoup, mais aussi le caractère multinational de la démocratie suisse, qui a facilité la formation de liens commerciaux. Puissance financière, la Suisse a beaucoup investi à l'étranger, mais elle a su se tenir à l'écart des luttes entre les impérialismes, renforçant sa puissance par une profitable neutralité, utile également à ses voisins, ce qui fut sa plus sûre garantie. Elle est ainsi devenue un refuge international de capitaux dans les périodes troublées.

La puissance du capitalisme suisse, à prédominance financière, explique la stabilité de sa monnaie. Cette dernière rend compte de la structure de l'industrie suisse : assise sur de solides investissements, possédant un outillage ultra-moderne, mais défavorisée par de hauts prix de revient, elle s'est tournée vers des fabrications particulières, exigeant une haute technique et a su se rendre compte que la recherche scientifique payait. A l'échelle moderne de la grande industrie mondiale, la Suisse est à la fois une sorte de laboratoire et d'artisan travaillant sur mesure. La vente des brevets, la création de filiales à l'étranger constituent des éléments essentiels de la prospérité industrielle de la Suisse. Renonçant à l'impérialisme, la Suisse a étendu un solide filet d'intérêts financiers sur une grande partie du monde, au point que certaines branches de l'industrie suisse, autrefois exportatrices, se sont réduites à la dimension, exiguë, du marché national. Le cas des grandes industries alimentaires est typique de cette dénationalisation. La Suisse présente un exemple remarquable d'évolution capitaliste extrême dans un petit pays.

Contrastant avec l'industrie, l'agriculture s'est difficilement adaptée aux exigences des intérêts financiers. Comme celle de l'Angleterre de la belle époque, elle s'est spécialisée dans des productions spéculatives. Les difficultés de l'entre-deux-guerres l'ont mise en état de crise et ont provoqué son endettement (ce dernier a triplé de 1856 à 1928 et a atteint 5 milliards de fr. s. en 1939). Il en est résulté une tendance à l'autarcie, marquée par le Plan Wahlen dont il reste encore quelque chose, malgré le retour à des importations accrues. Mais il en est aussi résulté un phénomène typique des pays capitalistes : la disparité entre les niveaux de vie ruraux et urbains, entre les revenus de l'agriculture et ceux que fournissent les mêmes capitaux dans le commerce ou l'industrie. Sur le plan humain, cette disparité a servi de moteur au phénomène de l'exode rural, contrepartie du développement accéléré des grandes villes auxquelles profita la puissance financière.

ORIENTATION BIBLIOGRAPHIQUE

DOCUMENTATION STATISTIQUE

La documentation statistique suisse est remarquable par sa richesse et sa précision. Les dimensions réduites des cantons font que les cadres politiques dans lesquels elle est présentée sont généralement utilisables au point de vue géographique.

Les éléments fondamentaux de la documentation sont les suivants :

Statistisches Jahrbuch der Schweiz, annuel, qui est très complet mais paraît avec un an de retard. On le complétera par de dépouillement de la *Vie économique*, Berne, mensuel, qui contient des études fondées sur les statistiques et des rapports trimestriels sur l'état économique général. Nous avons puisé l'essentiel de notre documentation chiffrée dans ces deux publications. Enfin, le *Rapport annuel sur le Commerce et l'Industrie de la Suisse*, publié par le « Vorort » de l'Union suisse du Commerce et de l'Industrie, qui paraît en octobre de chaque année, contient quelques éléments statistiques récents et des études sur la situation économique dans chaque branche. Il permet de suivre les répercussions de la conjoncture sur l'économie suisse.

ÉTUDES SUR L'ÉCONOMIE SUISSE

Les ouvrages d'ensemble les plus récents sont : FRÜH (J.), *Geographie der Schweiz*, St.-Gall. 1930-1938, 3 vol., grand in-8°, t. II et III, qui contient des foules de renseignements, mais n'est plus à jour : CHAPUIS (A.), *La Suisse dans le monde*, Payot, Paris, 1940, in-8°, 307 p., qui contient des données intéressantes mais n'est plus à jour : SIEGFRIED (A.), *La Suisse, démocratie-témoin*, La Baconnière, Neuchâtel, 1948, in-16, 238 p., est une étude très personnelle de géo-politique. On y trouvera des chapitres fort intéressants sur bien des points de l'économie, mais la documentation s'arrête à 1946.

KELLER (Th.), *Der Kapital in der schweizerischen Wirtschaft* et d'autres études du même recueil, *Die Schweiz als Kleinstaat in der Weltwirstschaft*, St.-Gall, 1945, contient des données difficilement remplaçables, malheureusement déjà anciennes, sur la structure capitaliste de l'économie suisse. Il en est de même de l'étude plus restreinte de BILLETTER (E. P.), *Über die Messung der Einkommens-Konzentration. Eine statistische Studie mit besonderer Berücksichtigung der Einkommensverteilung im Kanton Basel-Stadt*, Staatswissenschaftliche Studien, N. F., n° 2, 1949, 134 p., Francke éd., Berne.

Comme étude générale sur l'industrie, nous citerons seulement le travail fondamental de ULIRICH (P.), *Der Standort der Schweizerischen Industrie*, Staatswissenschaftliche Studien, N. F., n° 8, 1951, Francke, éd., Berne, dont la documentation se réfère malheureusement au recensement des fabriques de 1944. On y trouvera une bibliographie des études sur les diverses branches de l'industrie suisse. SUISSE : *Paris, centre Nat. du Comm. Ext.*, 1951, in-8°, 32 p., Coll. Pays vendeur, pays acheteur, constitue une sommaire mise au point. On trouvera également des éléments dans SPEISER (E.), Quelques aspects de la vie économique suisse, *Bull. Bim. Soc. belge d'études et d'expansion*, L, 1951, n° 144 et, dans le même numéro de cette revue, dans un article de STADLER (R.), La Suisse et les matières premières.

Pour une étude régionale de l'industrie suisse, on dépouillera les *Geographica Helvetica*, les *Mitt. der Geographisch-Ethnographischen Ges. Zurich* qui donnent une bibliographie annuelle.

Sur les migrations du type banlieue, voir le travail récent de JENAL (S.), Pendelwanderung in der Schweiz, *Geographica Helvetica*, VI, 1951, n° 1.

Une courte mais excellente vue générale de la répartition régionale des activités économiques a été publiée par RATHJENS (C.), Die Wirtschaftslandschaften der Schweiz, *Geogr. Rundschau*, III, 1951, p. 170-5. Sur la répartition de la population, l'étude la plus récente est celle de CAROL et SENN, Jura, Mittelland und Alpen, ihr Anteil an Fläche und Bevölkerung der Schweiz, *Geogr. Helvetica*, V, 1950, p. 129-136.

CHAPITRE IV

L'AUTRICHE

Plus encore que la Suisse, l'Autriche est un État essentiellement alpin : 70 % de son territoire (contre 58 %) sont englobés par la chaîne. Comme elle, c'est également un petit pays : 83.850 km² et 8.384.977 habitants (1951), deux fois plus étendu que la Suisse, mais à peine deux fois plus peuplé. La densité de population (82 hab. au km² contre 112) étant sensiblement moindre. C'est aussi un État fédéral, formé par des provinces largement autonomes, dont la constitution fut copiée, au lendemain de la première guerre mondiale, sur celle de la Suisse.

Mais là se bornent les ressemblances. Le fédéralisme suisse est une sorte de relique, amoureusement conservée dans un pays prospère, tandis que le fédéralisme autrichien est un compromis destiné à éviter un complet éclatement des territoires germaniques de l'ancienne Autriche-Hongrie, qui regardaient les uns vers l'Allemagne, les autres vers la Suisse. C'est le symptôme politique d'un malaise économique, d'une crise permanente depuis trente ans, qui fait de l'Autriche le type même du pays dépendant, comparable aux États de l'Europe centrale orientale d'avant 1945. Un contraste aussi violent avec la Suisse mérite d'être analysé et expliqué.

A) Les conditions du développement économique de l'Autriche

L'étude morphologique nous a montré combien les Alpes orientales et leur bordure pannonique étaient différentes des Alpes centrales. Le milieu qu'elles offrent à l'exploitation économique, en Autriche, est tout différent de celui de la Suisse. L'influence des facteurs historiques s'y ajoute : les cantons suisses, autonomes depuis quatre siècles, se sont progressivement unis en un État profondément jaloux de son indépendance, se faisant une règle rigide d'une profitable neutralité, tandis que les régions alpines de l'Autriche n'étaient qu'un des éléments de la vaste construction politique austro-hongroise, brillant second de l'impérialisme pangermaniste, et furent violemment secouées par les vicissitudes politiques depuis 1914.

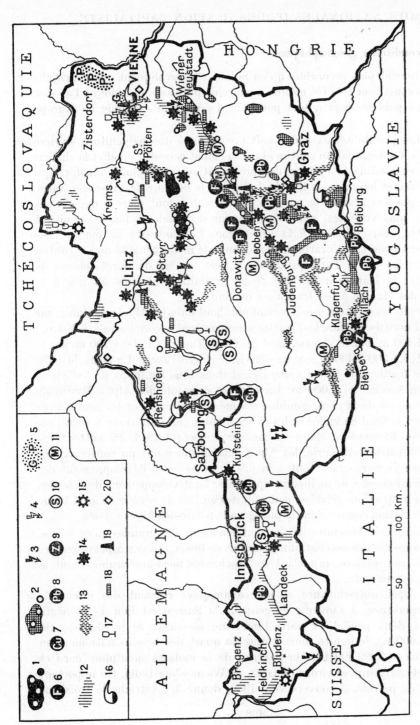

Fig. 51. — L'industrie autrichienne

1. Houille et point d'extraction. — 2. Lignite et point d'extraction. — 3. Centrale hydraulique. — 4. Centrale thermique. — 5. Champ de pétrole (P) ou de gaz (G). — 6. Minerai de fer. — 7. Minerai de cuivre. — 8. Minerai de plomb. — 9. Minerai de zinc. — 10. Sel. — 11. Magnésite. — 12. Industrie textile. — 13. Industrie du bois. — 14. Industries mécaniques. — 15. Mécanique de précision. — 16. Industries chimiques. — 17. Verrerie. — 18. Papeterie. — 19. Sidérurgie. — 20. Cuirs, meubles, porcelaine.

1º Les conditions géographiques.

Nettement plus favorables qu'en Suisse, elles expliquent que l'Autriche ait pu se constituer très tôt en une monarchie puissante qui bloqua l'avance des Turcs puis se livra à une politique d'expansion continue en Europe centrale.

a) Les possibilités agricoles sont favorables à une polyculture vivrière équilibrée. La dégradation continentale du climat accentue en effet la chaleur des étés et modifie le rythme des précipitations. Les pluies répétées qui rendent frais et humides les étés du Jura et de la bordure des Alpes centrales, gênant considérablement la maturité des céréales, font place à des averses orageuses plus violentes, mais séparées par des chaleurs lourdes, souvent étouffantes, mais propices à la végétation. Le contraste se marque dès l'Arlberg : à l'ouest, le Vorarlberg verdoyant a la même tonalité que le canton de Glaris ; à l'est, le Tyrol juxtapose le vert sombre des forêts claires de conifères et la blancheur grisâtre de ses murailles calcaires un peu à la manière des Hautes-Alpes françaises du Sud.

Les cultures montent sensiblement plus haut dans les Alpes orientales : sur le versant nord de l'Ortlès, les céréales se rencontrent encore jusqu'à 1.800 m. ; à 1.300-1.400 m. sur le versant nord des Hohe Tauern ; 1.600-1.700 m. sur le flanc sud ; à 1.300-1.400 m. encore dans les Niedere Tauern. La vigne, le maïs, les arbres fruitiers, le tabac apparaissent dans tous les fonds de vallées et bassins en dessous de 1.000 m. La bordure orientale des Alpes (Bassin de Vienne, collines de Styrie), combine ces mêmes cultures sur les pentes avec les prairies de fond de vallée et les riches labours (blé, betterave à sucre) sur les terrasses limoneuses. Malgré la concurrence, avant 1914, des autres territoires de l'Autriche-Hongrie, les Alpes autrichiennes ont pu conserver une polyculture vivrière grâce tout à la fois à un moindre développement des communications et à de meilleures aptitudes. Le développement de l'élevage y prit des proportions relativement réduites au lieu de revêtir l'aspect d'une mono-spéculation comme dans la plus grande partie des Alpes suisses.

b) Les possibilités industrielles sont beaucoup plus grandes qu'en Suisse. L'importance des masses cristallines, lardées de filons, fait des Alpes orientales une montagne minière, rappelant les Rocheuses nord-américaines dont la structure est parente.

Les Alpes autrichiennes et leur avant-pays recèlent des gisements dont l'importance, à l'inverse de ceux de la Suisse, est loin d'être négligeable, et dont peut tirer parti l'industrie moderne. Si le charbon est rare (196.000 t.), le lignite fournit plus du quart des besoins nationaux en combustibles (4.989.000 t.). On l'extrait de la molasse subalpine (nord et nord-est de Salzburg, environs de Graz, de Wiener-Neustadt). Un important gisement de pétrole, découvert vers 1930, donne à l'Autriche le **troisième** rang en Europe pour l'extraction de cette précieuse denrée (2.200.000 t., Bassin de Zisterdorf, au nord-est de Vienne). Les besoins nationaux sont entièrement couverts et une exportation est possible. Les ressources hydro-électriques, enfin, sont légèrement supérieures à celles de la Suisse. 81 % des 4.940.000.000 de kWh. sont fournis par les chutes d'eau mais l'équipement est loin d'être complet, et bien moins avancé qu'en Suisse.

Les ressources en matières premières industrielles sont également impor-tantes et variées : un très important gisement de minerai de fer de haute teneur est exploité depuis des siècles à Eisenerz, dans la vallée de la Mur et un autre, plus réduit, près de Wiener-Neustadt. La production, très variable, peut dépasser 2.000.000 de t. (2.370.000 t. en 1951, 1.884.700 t. en 1937). On trouve aussi des minerais de cuivre, exploités activement par suite de la conjoncture mondiale (7.000 t. en 1937, 80.000 t. en 1951), dont le principal gisement se trouve à Mittelberg, près Salzburg. La Carinthie (Bleiberg) fournit du plomb et du zinc (106.000 t. de minerai en 1951), la Styrie du graphite (15.000 t.), la Styrie et la Carinthie de la magnésite, très demandée par l'industrie métallurgique (530.000 t. de produit brut en 1951).

Enfin, 37 % du territoire sont boisés, les plus fortes proportions étant atteintes en Styrie (48,9 %) et en Carinthie (43,8 %). La prédominance des conifères permet de produire d'importantes quantités de bois de sciage et de bois à pâte. Des produits forestiers alimentent non seulement les besoins du pays mais une exportation importante.

Les conditions géographiques du développement de l'économie autri-chienne sont donc beaucoup plus favorables que celles de la Suisse : le pays est plus apte à nourrir ses habitants, il dispose de meilleures bases énergé-tiques et d'appréciables richesses minières, sans parler d'abondantes forêts. Le contraste entre l'économie des deux États alpestres revêt un caractère paradoxal que seule l'histoire peut expliquer.

2° Les conditions historiques.

Elles furent beaucoup moins favorables. En effet, tandis que la Suisse a toujours maintenu une politique de neutralité qui a mis sa monnaie à l'abri des effondrements qu'ont connus tous les autres pays européens, l'Autriche a été mêlée de très près aux vicissitudes de la politique.

Avant 1914, les provinces alpines de l'Autriche-Hongrie étaient une sorte de réduit de la monarchie, destiné à fournir des fonctionnaires, des officiers, des douaniers, des gendarmes pour tenir en main les régions peuplées d'éléments slaves. En 1920, dans l'Autriche de Saint-Germain, on comptait 1/6 de fonctionnaires... Comme dans nos pays de la Moyenne-Garonne ou la Corse, ce goût, pour les fonctions administratives n'a pas été favorable au développement économique et ce dernier fut beaucoup moins rapide et moins intense qu'en Suisse. L'industrie textile rurale, par exemple, qui joua un si grand rôle dans l'essor du capitalisme suisse, ne se répandit guère en Autriche que dans le Vorarlberg, sous l'influence, d'ailleurs, des négociants de Saint-Gall. Partout ailleurs, l'émigration administrative fournissait un débouché plus apprécié. La vieille métallurgie alpine fut concurrencée par la naissance des foyers tchèque et silésien. Elle ne se modernisa qu'en fonction des besoins de l'armement (fabrication de canons). L'équipement économique fut également beaucoup moins poussé : les besoins militaires de la monarchie ont fait construire les voies ferrées des grandes vallées et des cols, mais ont nui à la desserte des vallées secondaires qui reste encore bien déficiente. On leur préférait les projets impérialistes de chemins de fer balkaniques.

Les visées expansionnistes de l'Autriche-Hongrie étant au-dessus de ses forces, une partie de l'équipement moderne du pays fut effectuée par l'Allemagne, son alliée. L'industrie métallurgique de Styrie connut, dès avant 1914, une importante participation des firmes de la Ruhr.

Seule Vienne profita, en tant que capitale, de l'impérialisme des Habsbourgs. Elle leur dut de devenir une grande et belle ville, centre d'administration, de banque et de commerce, marché de l'Europe danubienne. Ses activités financières, souvent aidées par les capitaux allemands, dominaient l'exportation des produits agricoles hongrois, l'équipement de la Haute-Silésie et de la Bohême, quelques compagnies d'assurances opérant en Italie et dans les Balkans surtout. Il s'y développa une industrie typique de métropole : objets de luxe, couture, mode, ameublement, mécanique, disposant des matières premières de tout l'Empire et de la clientèle des élites germanisées d'un pays de 56.000.000 d'habitants et de ses satellites balkaniques.

En 1918, l'éclatement de l'Autriche-Hongrie, les méfiances des peuples autrefois sujets maintenant devenus indépendants, la volonté de pénétration du capitalisme occidental (notamment français), dans l'Europe danubienne modifièrent complètement la situation. L'Autriche se trouva isolée par des barrières douanières des régions avec lesquelles elle était économiquement liée. Ses produits ne pouvaient plus s'y vendre que dans le cas d'un accord mutuel et y rencontraient la concurrence internationale. Ses capitaux, amenuisés par les dépenses de guerre, furent relayés par d'autres et souvent perdus (Schneider chez Škoda à Plzen, Banque de l'Union européenne en Silésie, etc.). L'Autriche se retrouva avec un territoire national insuffisamment équipé, démuni de capitaux, avec une capitale hypertrophiée, séparée d'une grande partie de son hinterland et privée des moyens de pression politique qui avaient permis son essor économique. Ce fut la crise, qui commença par une banqueroute aussi complète que celle de l'Allemagne. Mais, tandis que cette dernière fut relevée par les capitaux anglo-américains, l'Autriche n'obtint que la tutelle d'un commissaire de la Société des Nations en 1922. L'Allemagne en profita pour accentuer sa pression économique, facilitée par la crise et la communauté de langue. Dès 1928, apparut un projet d'union économique entre les deux pays, qui échoua à cause de l'opposition de la France. En même temps que s'accentuait le noyautage politique avec le parti nazi, la pénétration des capitaux allemands se fit plus forte, allant jusqu'au contrôle complet de l'Ostalpine Montangesellschaft, principal trust autrichien qui avait fini par prendre en main l'essentiel des mines et de la métallurgie des Alpes orientales. L'Anschluss, ainsi préparé, eut lieu en mars 1938.

La pénétration du capitalisme allemand s'accentua et plaça toute l'économie autrichienne dans une position dépendante, semi-coloniale ; 70 % des entreprises tombèrent aux mains des Allemands. Berlin ravit à Vienne la primauté danubienne qu'elle s'était conservée tant bien que mal. Banquiers, industriels et commerçants de la Ruhr et de l'Allemagne du Nord relayèrent les Viennois dans la mainmise croissante sur l'Europe danubienne et balkanique. L'équipement progressa rapidement, mais en fonction des seuls besoins de l'économie de guerre allemande. On construisit de nouveaux barrages, surtout dans le Tyrol et le Vorarlberg, mais l'électricité fut dirigée vers la Bavière et une interconnexion réalisée avec la Ruhr. Les mines travaillèrent à plein, mais on ne construisit pas de fonderies ni d'usines d'affinage. L'équipement de deux grosses usines d'aluminium (Lend et Ranshofen) ne s'accompagna pas de la création d'usines de transformation, bien que tout le minerai soit importé. L'industrie textile, concurrente de celle de l'Allemagne pour les approvisionnements, fut mise en sommeil tandis que l'on installait dans le « réduit alpin » de nombreuses usines d'armement, principalement de fabrications mécaniques (Styrie, basse vallée de l'Inn) et de produits chimiques (azote à Linz, distillation de la houille). Le potentiel industriel de l'Autriche fut ainsi considérablement accru (environ 70 %) mais l'équipement ne correspond pas aux besoins d'un pays indépendant. Il a porté principalement sur les usines fabriquant des demi-produits avec les richesses nationales.

La résurrection de l'Autriche en 1945 s'accompagna d'une crise exceptionnellement aiguë : voies de communications détruites, dégâts considérables dans la région viennoise, absence totale de stocks de matières premières, masse de réfugiés allemands à rapatrier, innombrables prisonniers autrichiens dispersés dans les camps, absence de cadres administratifs et politiques, découpage du pays en 4 zones d'occupation entre lesquelles les échanges ne reprirent que lentement. Non sans d'innombrables difficultés, il fallut remettre l'économie en marche, essayer de lui donner un caractère national. Les principales industries (mines, métallurgie, électricité) et les transports ont été nationalisés. L'État publia de vagues programmes de développement économique, qui ne semblent guère suivis d'effet et qu'on peut difficilement considérer comme des plans. Les arrangements à court terme, résultant de compromis plus ou moins heureux avec les difficultés sont la seule politique économique.

Le problème des capitaux s'est posé à nouveau, lié à celui des biens allemands. Les accords de Yalta et de Potsdam ont reconnu à l'U. R. S. S. la propriété de la production des biens allemands situés dans sa zone, les puits de pétrole étant le principal d'entre eux. Il en est résulté des difficultés permanentes, les Russes s'en tenant à la lettre de l'accord malgré les manœuvres du gouvernement autrichien, poussé par les occupants occidentaux, pour récupérer cette importante richesse. De leur côté, les Américains ne restent pas inactifs : grâce au départ des Allemands et à la crise, ils ont acquis d'importants intérêts dans l'économie autrichienne, notamment les mines de magnésite, qu'ils ont fait excepter de la loi de nationalisation. Ils exercent aussi, par l'intermédiaire du Plan Marshall, une pression économique constante, qui a pour effet de réduire le commerce entre l'Autriche et les pays de démocratie populaire et même les échanges entre les provinces occidentales et la zone russe. Il en résulte parfois des difficultés de ravitaillement à Vienne, notamment en viande.

Tandis que le capitalisme suisse a pu, grâce à la stabilité monétaire et aux avantages de la neutralité, devenir non seulement le maître chez lui mais acquérir de solides positions internationales, clef de la prospérité du pays, l'Autriche présente un exemple achevé d'État dépendant dont l'économie a été bâtie en fonction de besoins qui ne sont pas ceux de son territoire national, dont l'équipement reste insuffisant et dont le commerce extérieur lui-même n'est pas libre. Cette situation est le résultat de l'évolution historique. Elle explique la faiblesse et l'état de crise permanent de l'économie autrichienne, en violent contraste avec la prospérité suisse, bien que les conditions géographiques soient au contraire plus favorables à l'Autriche.

B) La structure économique de l'Autriche

La répartition professionnelle de la population diffère en Autriche et en Suisse. En Autriche, l'industrie et l'artisanat occupent 40 % de la population active contre 32 % pour l'agriculture et 13 % pour le commerce et les transports. La proportion des travailleurs industriels est assez sensiblement inférieure à celle de la Suisse (44 %), de même que celle des employés du commerce et des transports (18 %), par contre celle des agriculteurs est bien plus élevée (20,8 % en Suisse). Cela décèle une structure économique nettement différente. Encore faut-il tenir compte que d'importantes modifications ont affecté la structure professionnelle de la population autrichienne au cours des dernières années. En 1934, la proportion des agriculteurs venait encore en tête, avec 36 %, suivie par l'industrie (32 %) et par le commerce et les transports (16 %). Tandis qu'en Suisse, l'agriculture est accessoire, il n'en est pas de même en Autriche.

(Cl. comm. par Serv. cult. fr. à Mayence)

A. — Paysage industriel a Bochum

(Cl. D. Z. f. Fremdenverkehr)

B. — Petite ville de Haute-Bavière
Bad Reichenwall

(Cl. comm. par Serv. cult. fr. à Mayence)

C. — Reconstruction
a Francfort-sur-le-Mein

Pl. VIII   SUISSE

(Cl. Coll. Off. nat. suisse du Tour

A. -- Fribourg

(Doc. Ch. de fer suisses)

B. — Un « bisse » pour l'irrigation des prés
dans le Valais

(Cl. Beringer, comm. p. Ch. de fer suisse

C. — Le centre de Zürich

1º **Persistance d'une agriculture vivrière.**

Profond est le contraste entre l'agriculture des deux États alpins, aussi bien par son orientation économique que par sa structure sociale. L'agriculture suisse s'est développée jusqu'à une date récente dans un cadre libre-échangiste et s'est lancée dans la spéculation herbagère. Au contraire, celle de l'Autriche a conservé une structure largement archaïque et la polyculture vivrière s'y maintient.

a) *La structure sociale.* — L'Autriche est la seule fraction de l'Europe danubienne à n'avoir pas connu de réforme agraire, même sous la forme bénigne qui fut adoptée au lendemain de la première guerre mondiale. Aussi des traits féodaux importants ont-ils subsisté jusqu'à nos jours dans le mode de possession et d'exploitation de la terre.

Deux catégories sociales s'opposent violemment :

— La petite propriété familiale paysanne, de moins de 5 ha., insuffisante, sauf dans les vignobles et les régions de cultures rémunératrices (terrasses couvertes de lœss de l'Autriche orientale), pour nourrir la famille qui la met en valeur. Ces exploitations de moins de 5 ha. froment 48 % du total mais n'occupent que 376.000 ha. sur 7.752.815, soit 6,1 %.

— La grande propriété nobiliaire et bourgeoise, constituée par les vastes domaines de l'aristocratie impériale, de l'église, des banquiers, des hommes d'affaires, des hauts fonctionnaires qui ont préféré les placements en terre aux aléas des valeurs mobilières. L'extension de cette grande propriété est une conséquence de l'évolution historique et constitue une différence essentielle avec la Suisse. Le faire-valoir indirect est important. Les seules exploitations de plus de 100 ha. occupent 45,4 % du sol, celles des « gros paysans » (entre 20 et 100 ha.) en couvrent pour leur part 26,7 %.

— La moyenne exploitation paysanne, permettant à une famille de vivre à l'aise, est relativement peu étendue. Les exploitations de 5 à 20 ha. forment 36,2 % du total mais n'occupent que 21,8 % de la superficie.

La situation, sans être aussi extrême qu'autrefois dans les autres pays danubiens, n'en est pas moins grave. Un problème agraire existe en Autriche. La grande propriété, généralement exploitée en faire-valoir indirect, couvre près de la moitié des terres tandis qu'une masse importante de petits paysans n'arrive pas à vivre sur ses lopins, et cherche des ressources complémentaires. Autrefois les emplois d'État permettaient le départ d'une partie des enfants de paysans pauvres. Maintenant, ces derniers cherchent à s'employer dans l'industrie tout en conservant leur petite exploitation. Il en résulte un grand développement des ouvriers migrateurs à résidence rurale et à genre de vie mixte, à l'instar de la Suisse.

La grande propriété revêt des formes diverses et sa répartition est irrégulière dans le pays. Dans le Tyrol (75,6 % du sol), Salzburg (65,1 %) et le Vorarlberg (58,3 %), elle consiste surtout en alpages et en forêts. Il en est de même en Styrie (47,7 %) et en Carinthie (48,7 %). Dans ces provinces, elle est entre les mains de l'église, de communautés villageoises, et, principalement les forêts, d'industriels et de nobles. Par contre, la grande propriété de l'Autriche orientale consiste essentiellement en labours, et occupe souvent les meilleures terres. Autour de Vienne, 46 % de la superficie totale lui revient, en Basse-Autriche encore 26,7 %, dans le Burgenland 22,6 %, en Haute-Autriche 25,9 %. Elle joue un rôle capital dans la production des céréales et des plantes industrielles.

b) *La structure économique.* — Dans l'ensemble, la production nationale couvre à peu près 70 % des besoins alimentaires.

La polyculture subsiste encore très largement dans la plupart des provinces. Ce n'est que dans le Vorarlberg (1,1 %), le Tyrol (3,7 %) et la province de Salzburg (7,3 %) que les labours occupent moins de 10 % de la superficie totale. Encore faut-il noter que seul le Vorarlberg s'est délibérément orienté, à l'instar de la Suisse voisine à laquelle il ressemble par plus d'un côté, vers une économie strictement herbagère. Dans le Tyrol, les champs persistent partout dans les fonds de vallées et le pourcentage n'est si bas que par suite de l'étendue considérable des alpages et des espaces improductifs. Il en est de même dans la province de Salzburg. A l'inverse de la Suisse, les fonds de vallées des Alpes autrichiennes sont rarement occupés par les prairies. Les cultures vivrières s'y maintiennent. Pour l'ensemble de l'Autriche, les champs couvrent encore 21,2 % de la superficie contre 9 % en Suisse. Le Burgenland, la Basse-Autriche, la province de Vienne viennent en tête (39,2 à 47,3 %), suivis par la Haute-Autriche (27,7 %). La Styrie et la Carinthie, malgré leurs montagnes, ont encore respectivement 14,8 % et 12,3 % de labours.

Les céréales panifiables occupent encore une forte proportion des terres labourables (50,4 %), suivies par les pommes de terre et les fourrages artificiels. La récolte de céréales panifiables n'a cependant atteint en 1951 que 690.000 t. contre 962.000 en 1934-1938. Les cultures industrielles, et notamment la betterave à sucre (1 million de t. en 1951), ne sont guère développées que dans la région périalpine. Les vignes, les cultures maraîchères, les vergers, se localisent également sur les pentes dominant la gorge du Danube, le Bassin pannonien et les collines de Styrie.

L'élevage est la principale activité, associé à une polyculture vivrière, dans toute la montagne alpine, surtout en Tyrol, en Vorarlberg et dans la province de Salzburg. Dans les environs de Vienne, son extension est limitée par l'importance des superficies forestières, conservées par la propriété féodale. En Carinthie, il n'utilise pas toutes les possibilités de la montagne. La vache laitière domine (1.128.000 en 1950). Les plus gros effectifs ne se trouvent cependant pas dans les provinces montagnardes mais en Haute et

Basse-Autriche, où les animaux sont nourris en grande partie au moyen de fourrages artificiels, souvent dans de grandes fermes, tandis que l'éleveur montagnard possède rarement plus de 5 ou 6 bêtes. La quasi-totalité du lait est consommée dans le pays et la fraction qui en est exportée sous forme de fromage est faible. Malgré les efforts récents, le développement de l'élevage montagnard est bien moindre qu'en Suisse. La sélection des animaux laisse souvent à désirer, de même que l'équipement en chemins, chalets, laiteries. L'impression est celle d'un relatif archaïsme et d'une absence de spéculation.

Dans son ensemble, la production agricole de l'Autriche reste inférieure à ce qu'elle était avant la dernière guerre. Vers 1937, le pays se suffisait en produits alimentaires dans la proportion de 75 % et la consommation était nettement plus forte. Le cheptel, progressivement reconstitué depuis 1945, reste encore bien inférieur. On comptait, en 1950, 300.000 bovins de moins qu'en 1938 (12 %), 345.000 porcins de moins (11 % : 2.523.000 animaux en 1950), 25 % de poules en moins. Seuls les ovins avaient légèrement augmenté (362.000) par suite de la forte demande en laine. Le même recul s'observe sur tous les produits de la culture : céréales, plantes fourragères, pommes de terre. Seules vignes et betteraves à sucre se maintiennent tant bien que mal. Or, cette diminution de la production s'observe malgré une amélioration des rendements, qui sont passés, par exemple, de 15 à 17 qx/ha. pour les céréales panifiables, en rapport avec un emploi accru des engrais, dont la consommation a plus que quadruplé depuis 1937 et une restriction des superficies. C'est à une diminution sensible des emblavures (près de 1/4), qu'il faut attribuer le recul de la production agricole autrichienne. Ses causes ne sont pas économiques mais sociales : le petit paysan, qui ne peut vivre de son exploitation, est amené à s'embaucher comme ouvrier d'usine. Par suite de sa nouvelle occupation, des déplacements, du travail industriel plus intense l'été, lors des hautes eaux, il ne peut plus soigner ses champs et préfère étendre les prairies. Ce n'est pas un hasard si le Vorarlberg, où les ouvriers-paysans sont le plus nombreux, est la province où les terres labourables sont le moins étendues et ont le plus reculé. Le rythme du travail industriel, calqué comme celui des champs sur le déroulement des saisons, se combine mal avec l'agriculture car il exige l'effort maximum en été, tandis que l'hiver est marqué par une recrudescence du chômage (à peu près 200.000 chômeurs chaque hiver).

De leur côté, la grande et la moyenne propriété réagissent par la mécanisation contre la fuite de la main-d'œuvre. Elle est rapidement poussée (1.782 tracteurs en 1939, 16.000 en 1950) et réussit bien surtout dans l'avant-pays. Elle a pour résultat d'accroître la différence de rentabilité entre grandes et petites exploitations et d'accentuer par ce fait le malaise social.

2º **Le développement industriel.**

La structure industrielle de l'Autriche est bien différente de celle de la Suisse. Il existe une importante industrie lourde, qui manque à la Suisse et l'industrie de transformation n'a guère recherché la spécialisation dans des fabrications très particulières largement exportables et n'utilise que partiellement les matières fournies par l'industrie lourde, qui exporte une bonne partie de ses produits. On reconnaît là les conséquences de l'évolution historique : l'industrie autrichienne s'est développée pour répondre aux demandes de l'Empire austro-hongrois et non pour lutter sur les marchés mondiaux. Lorsque, après 1918, elle s'est trouvée obligée de le faire, elle n'a pas disposé des capitaux et de l'autonomie nécessaires pour modifier profondément sa structure.

a) *L'importance de l'industrie lourde.* — L'extraction des matières premières, la fabrication des demi-produits occupent en Autriche près de 20 % de la main-d'œuvre industrielle, alors qu'en Suisse ces branches sont peu développées.

Il y a tout d'abord les mines, dont l'importance est réelle (30.300 ouvriers, soit 6,6 % du total) : houille, lignite, minerais de fer, zinc, cuivre, plomb, magnésie, pétrole. Ensuite vient l'exploitation forestière, accompagnée des scieries et des fabriques de pâte à papier (environ 30.000 ouvriers). En 1949-1950, la production de bois d'œuvre a atteint 6.185.000 stères, à peu près autant qu'avant guerre, bien que les forêts aient été surexploitées pendant l'Anschluss. L'Autriche possède également un important équipement de papeteries et d'usines de cellulose, qui ont fourni respectivement 238.000 et 250.000 t. en 1950, à peu près autant qu'en 1937.

La métallurgie lourde est également développée. L'importante production autrichienne de minerai de fer est traitée pour la plus grande part sur place. La sidérurgie occupe près de 29.500 ouvriers et fournit presque 1 million de t. d'acier, à partir de coke importé. Elle est concentrée dans la vallée de la Mur, autour de Donawitz. L'aluminium, fabriqué à partir de bauxite étrangère, est produit dans les usines de Lend et de Ranshofen, créées par les Allemands (17.990 t. en 1950, 30.000 en 1951).

La fabrication du ciment, spécialement autour de Kufstein, est importante et suffit largement aux besoins du pays : 1.300.000 t. environ. On trouve, de plus, une industrie chimique lourde, fondée sur l'utilisation de l'énergie électrique et équipée par les Allemands pendant l'Anschluss, dans la région de Linz. Elle produit en particulier de l'azote synthétique et des engrais (435.000 t.).

La plupart de ces industries de base manquent à la Suisse, dont l'industrie de transformation doit se fournir à l'étranger. L'industrie autrichienne se trouve donc dans une situation techniquement plus favorable. Or, elle est loin d'avoir rationnellement exploité cet avantage. Une grande partie des demi-produits de l'industrie lourde nationale, au lieu d'être transformés sur place en biens de consommation, sont exportés bruts ou demi-bruts, comme les minerais de cuivre, de zinc, de plomb, que l'on ne raffine même pas dans le pays : en 1918, les usines de raffinage autrichiennes se sont trouvées englobées par la Yougoslavie et ce n'est que maintenant que l'on s'efforce de les remplacer. On exporte de même la magnésie, la plus grande partie de l'aluminium, de la pâte à papier, des bois de sciage, des produits azotés. Tout cela s'explique par l'insuffisance du capitalisme national, conséquence elle-même de l'évolution historique particulière.

b) *L'industrie de transformation* ne présente pas les particularités de celle de la Suisse. Elle ne tire qu'imparfaitement parti des richesses nationales et n'a pas encore réussi à se spécialiser dans des fabrications particulières susceptibles de vaincre la concurrence étrangère à l'exportation. Ces traits sont à rapprocher de ceux des pays semi-coloniaux, dans lesquels entrait l'Autriche-Hongrie.

RÉPARTITION DE LA MAIN-D'ŒUVRE INDUSTRIELLE (1950)

Industries lourdes	Ouvriers	%	Industries de transformation	Ouvriers	%
Ind. minières	30.299	6,6	Métallurgie de transf. ...	143.000	31,7
Sidérurgie	29.142	6	Textile	75.522	17
Papeterie	25.500	5,6	Vêtement	14.999	3,2
Trav. du bois	14.951	3,2	Cuir, chaussures	13.300	2,9
			Ind. chimiques	28.592	5,9
			Produits alimentaires ...	40.000	8,8

Il ressort du tableau ci-dessus l'importante prédominance de deux branches : la métallurgie de transformation, qui a beaucoup profité de l'industrialisation pendant la guerre, et le textile, industrie traditionnelle. La répartition des investissements est sensiblement différente, bien que la métallurgie vienne également en tête :

INVESTISSEMENTS INDUSTRIELS DE L'AUTRICHE (1950)
(en millions de shillings)

	Capitaux	%		Capitaux	%
Ind. minières	244	10,2	Métallurgie	492	20,6
Papeterie	91	3,8	Textile	93	3,8
Prod. d'énergie	582	24,3	Ind. chimique	171	7,1
			Produits alimentaires ..	225	9,4

La comparaison avec la Suisse est éloquente : les mieux traitées des industries autrichiennes ont bénéficié d'investissements qui se montent, en schillings, à la moitié ou aux 2/3 des investissements des mêmes branches en Suisse, en francs suisses. Or le franc suisse vaut environ 6 schillings. En moyenne les investissements sont environ 10 fois moins importants. Tel est notamment le cas dans la métallurgie, la chimie, les industries alimentaires. Dans le textile, ils sont près de 20 fois moindres. A côté de celle de la Suisse, l'industrie autrichienne donne une impression de chétivité. Faute de capitaux, elle n'a pu atteindre son degré de perfection technique et de spécialisation. Son orientation commerciale est toute différente. Au lieu de se lancer dans les nouveautés, dans les produits de qualité exceptionnelle, dans les fabrications particulièrement difficiles, elle fournit des denrées de qualité courante, de celles qui ne s'écoulent bien que sur un marché national étendu, qui, par malheur, fait défaut à l'Autriche depuis 1918. Encore faut-il noter que les usines les plus modernes et les plus gros investissements (métallurgie, mines, équipement énergétique) ont été réalisés par le capital allemand pendant l'Anschluss (notamment les usines métallurgiques Hermann Gœring à Linz et dans la banlieue de Vienne, les usines de produits chimiques et d'aluminium).

La structure des entreprises reflète bien cette évolution. On trouve généralement côte à côte, surtout dans les branches traditionnelles, des entreprises moyennes, de vieille souche autrichienne, et de grosses entreprises, créées ou concentrées par le capital étranger. Tel était le cas dans les mines, où, sur 19 sociétés, il n'en existait qu'une seule grosse (capital supérieur à 20.000.000 de sch.), la Ostalpine Montangesellschaft, développée dès avant 1914 avec une participation de la Ruhr et tombée complètement sous le contrôle allemand entre les deux guerres. A côté d'elle seulement des sociétés médiocres (4 dont le capital est compris entre 1 et 5.000.000 de sch.) ou même petites (5 dont le capital est compris entre 100.000 et 500.000 sch.). On observe la même structure dans la métallurgie ; sur 113 firmes, il en est 3 dont le capital dépasse 20.000.000 de sch. et 8 dont le capital est compris entre 10 et 20.000.000 contre 30 moyennes (capital allant de 1.000.000 à 5.000.000 de sch.) ; dans l'industrie chimique : deux grosses entreprises (plus de 20.000.000), 3 assez grosses (10 à 20.000.000) sur 50 contre 16 moyennes (1 à 5.000.000), dans l'alimentation (3 grosses et 3 assez grosses, contre 14 moyennes sur 45). Par contre, dans le textile, laissé de côté par les Allemands, la moyenne entreprise traditionnelle est presque seule. Une seule firme sur 39 se classe parmi les assez grosses (capital compris entre 10 et 20.000.000 de sch.). Il en est de même du nombre des ouvriers : sont considérées comme grosses les firmes employant plus de 500 ouvriers seulement. On n'en compte que 168 sur 3.915 avec 40 % de la main-d'œuvre. En réalité, le critère choisi groupe les entreprises assez grosses et grosses. Les firmes ayant moins de 250 ouvriers, c'est-à-dire moyennes et petites, emploient encore près de 45 % des travailleurs. La concentration reste donc très modérée, bien moindre qu'en Suisse. Encore a-t-elle progressé très rapidement pendant l'Anschluss, lorsque l'économie autrichienne a été placée sous la dépendance étroite du capital allemand beaucoup plus puissant que le capital national.

Cette structure explique à la fois l'orientation de la production, la localisation des foyers industriels et l'incapacité à tirer entièrement profit des richesses nationales. L'exportation de produits bruts ou demi-bruts est une conséquence de la faiblesse du capitalisme national autrichien.

L'industrie textile fournit des cotonnades et des lainages ordinaires, qui alimentaient autrefois le marché austro-hongrois. Son principal centre se trouve dans le Vorarlberg pour le coton (Dornbirn, Hohenems, Feldkirch) dans le Tyrol pour la laine. La dispersion en usines moyennes domine. L'industrie du vêtement, des « articles de Paris » se concentre encore à Vienne.

La métallurgie s'est développée dans l'extrémité orientale des Alpes, par suite de la présence du minerai et des préoccupations stratégiques (« abri aérien » du IIIe Reich). Elle offre deux types d'implantation, qui correspondent aux types structuraux. Quelques centres de grosses usines, où sont présentes les grandes sociétés et un grand nombre d'usines moyennes et petites (100 à 250 ouvriers) dispersées dans les vallées alpines (Bas-Inntal) ou les faubourgs des grandes villes industrielles, où elles se greffent sur les grosses usines (Vienne, Linz, Graz). La principale concentration d'industrie métallurgique est la vallée de la Mur, aux abords du Semmering, fief de l'Ostalpine Montangesellschaft avec les minerais d'Eisenerz et le charbon du Bassin de Judenburg. C'est le plus grand centre sidérurgique d'Autriche, traditionnellement orienté vers les fabrications d'armement, qui produit aujourd'hui du matériel de chemin de fer, des camions, des machines-outils, des éléments de constructions métalliques. Il y a là une véritable rue industrielle s'allongeant le long de la Mur et de la Mürz, jusqu'au pied du Semmering, formée de communes de 5 à 20-30.000 habitants, véritable conurbation usinière. Vienne est un centre traditionnel de constructions mécaniques et particulièrement de fabrication d'équipement industriel, notamment électro-mécanique. Son potentiel a été sensiblement réduit par les destructions de la guerre. Linz a été promue au rang de grand centre métallurgique par les Allemands qui ont fondé une énorme usine Hermann Gœring, destinée à fabriquer des avions, des chars et des machines-outils. Remise en marche avec un équipement américain, elle est l'une des plus grosses et des plus modernes de l'Autriche. Wiener-Neustadt est un autre centre, moins important et qui a souffert de la guerre.

3° La médiocrité du secteur tertiaire.

Le secteur tertiaire de l'économie suisse a, comme nous l'avons vu, une importance capitale, non seulement par le nombre de travailleurs qu'il emploie, mais surtout par les rentrées d'argent dont il profite, rentrées qui sont proportionnelles aux énormes investissements qu'il représente. Les bénéfices considérables du secteur tertiaire sont un des éléments essentiels du haut niveau de vie suisse, qui favorise lui-même l'industrie nationale. Rien de semblable en Autriche, où ce secteur est médiocre. Au total, il emploie cependant 28 % de la population active contre 35 % en Suisse, mais la répartition interne est nettement différente : en Autriche, les fonctionnaires sont plus nombreux, les employés de banque et de commerce, le personnel hôtelier plus réduits. Or ce sont justement les professions qui influent le plus sur la balance des comptes.

Avant 1914, Vienne jouait un rôle important dans la finance et le commerce de l'Europe danubienne. La banque Rothschild en est un symbole bien connu. Capitale politique, elle était l'intermédiaire à peu près obligé entre cette partie du continent et la finance internationale, particulièrement allemande, anglaise et française. Pendant l'entre-deux guerres, ce rôle déclina déjà sensiblement, les Alliés profitant de la nouvelle situation politique créée par eux pour intervenir directement, notamment la France et l'Italie. L'Anschluss ramena, dans le Grand Reich, Vienne au rôle de capitale provinciale et toute l'activité financière et commerciale passa à Berlin, à Hambourg et à la Ruhr. Il en résulta à la fois une cruelle blessure d'amour-propre et un heurt d'intérêts qui est l'un des plus sûrs garants de la nouvelle indépendance de l'Autriche. Depuis 1945, Vienne aurait pu reprendre son rôle traditionnel de porte de l'Europe danubienne. Le gigantesque effort économique poursuivi dans le cadre des plans à longue durée offre les bases d'un commerce stable dans lequel l'Autriche pourrait jouer un rôle capital. Il n'en est presque rien par suite de l'orientation politique du pays, tourné vers l'Occident, adhérent du Plan Marshall et comme tel suivant dans une large mesure les interdictions commerciales des U. S. A. à l'égard des pays de l'E., bien que l'U. R. S. S. occupe encore une partie importante de l'Autriche. Par suite des dissensions internationales, la navigation danubienne est elle-même paralysée, le fleuve étant coupé à Mathausen par la limite entre les zones américaine et russe. Dans ces conditions, le capitalisme commercial et financier autrichien se borne à travailler à l'intérieur des frontières nationales. Il a perdu tout horizon lointain et sa puissance est bien médiocre. Il a été d'ailleurs sévèrement éprouvé par les deux guerres mondiales. La première l'a obligé à abandonner bon nombre de ses positions au bénéfice des nouveaux États danubiens, et, derrière eux, des Alliés. La seconde a permis aux Allemands de le spolier puis aux vainqueurs de se substituer aux Allemands. De la sorte, le capitalisme autrichien n'est même plus maître chez lui. Les participations étrangères en Autriche sont considérables, surtout les suisses et les américaines. Le pourcentage des firmes étrangères se monte à 20 % dans l'industrie chimique, 18 % dans le textile, 15 % dans la métallurgie, 9 % dans la production d'électricité, 23 % dans le commerce, 30 % dans les transports, 35 % dans les assurances. Rappelons que des mines d'importance primordiale, comme celles de magnésie, sont entièrement entre les mains du capital étranger (américain en l'occurrence). Financièrement, l'Autriche est donc un pays dépendant. Le capital étranger contrôle une part importante des productions de base, une grande partie de la production industrielle et une partie encore plus grande du secteur tertiaire (entre le 1/3 et le 1/4). Comme dans toutes les économies dépendantes, les bénéfices ne restent pas dans le pays et contribuent à élever le niveau de vie général d'États étrangers, U. S. A. et Suisse en l'occurrence.

L'élément le plus développé du secteur tertiaire est le tourisme, auquel le gouvernement autrichien demande des rentrées de devises. Un effort considérable a été fait ces dernières années, pendant l'Anschluss y compris, pour attirer les étrangers, en concurrençant la Suisse. En 1949-1950, on a relevé 16.142.000 unitées dans les hôtels, contre 20.341.000 en 1949 en Suisse, soit approximativement les 3/4, bien que l'Autriche soit deux fois plus étendue et presque deux fois plus peuplée. De plus, sur ce total, les étrangers comptent pour 4.809.000 contre 7.777.000 en Suisse. Le tourisme international en Autriche n'a pas la même structure qu'en Suisse. Il porte, dans l'ensemble, sur des clients plus modestes, qui viennent profiter de prix inférieurs de moitié, qui préfèrent une nature moins « commercialisée ». Dans ce tourisme, les refuges du club alpin austro-allemand jouent un rôle capital par leur situation près des cimes mais aussi par leur bon marché. Peu de stations de luxe : Salzburg, Ischl, Zell am See, Saint-Anton, mais surtout des hôtels moyens dans les agglomérations et des refuges (« Hütte ») en montagne. Aussi le touriste étranger abandonne-t-il en Autriche beaucoup moins de devises qu'en Suisse. Il ne se recrute d'ailleurs pas de la même manière. Les Allemands viennent largement en tête (18 %), suivis par les Italiens (17,5%) et, seulement en troisième position, les Anglais (16 %) ; encore n'appartiennent-ils pas aux mêmes classes sociales que ceux qui vont en Suisse. Ensuite viennent les Français (7 %), puis les Américains, qui se cantonnent pour moitié aux environs de Salzburg, centre de leur zone d'occupation, les Belges et les Néerlandais.

Le tourisme joue un rôle capital dans la balance des comptes autrichienne, en comblant une petite partie du déficit commercial. Il accentue la dépendance de l'Autriche vis-à-vis de l'étranger. Cette dépendance particulière était d'ailleurs encore plus forte avant la guerre, lorsque les Allemands fournissaient à eux seuls près de la moitié des touristes : après 1934, les restrictions apportées volontairement par le Reich aux séjours en Autriche ont contribué de façon non négligeable à accentuer la crise dans ce pays. A l'heure actuelle, le recrutement touristique est plus varié, en grande partie à la suite de l'occupation : c'est elle qui a attiré les Anglais, les Français, les Américains. Le courant sera-t-il durable ?

La faiblesse du secteur tertiaire en Autrichie se marque éloquemment dans les investissements : 352 millions de sch. seulement, soit 14,7 % du total, contre 5.327 millions de francs en Suisse, près de 100 fois moins. Et encore faut-il tenir compte des firmes étrangères, particulièrement nombreuses dans ce secteur. Dans l'hôtellerie, par exemple, les investissements ne se montent qu'à 14 millions. Il est vrai que les statistiques ne concernent que les sociétés anonymes. L'hôtellerie, en Autriche, est essentiellement une affaire familiale, tandis qu'en Suisse elle est souvent une affaire capitaliste. La différence de structure entre les deux pays alpins est éclatante.

C) Les aspects du déséquilibre autrichien

Le retard du développement du capitalisme autrichien avant 1914, les vicissitudes particulières qu'il a subies depuis ont donné à l'économie autrichienne une structure déséquilibrée. Cette dernière se traduit par deux aspects principaux : dans la répartition des forces productives et dans le commerce extérieur.

1º Le déséquilibre dans la répartition des forces productives.

Un certain manque d'harmonie entre les industries de base et les industries de transformation, qui crée un déséquilibre économique se combine à une répartition géographique très irrégulière de l'activité économique dans le pays.

— Le développement anarchique et souvent dépendant de l'économie autrichienne se traduit par un manque de coordination de ses diverses branches. Ce pays, qui dispose de ressources insuffisantes en énergie, exporte de l'électricité vers l'Allemagne, car cette dernière a équipé les barrages de l'Autriche occidentale en fonction de ses propres besoins. Il possède de belles forêts, les plus étendues de toutes les Alpes. Or cette richesse alimente des exportations de produits bruts : pâte à papier, bois de sciage. Le travail du bois, qui pourrait permettre une large vente à l'étranger d'objets manufacturés, est embryonnaire. Il a fallu des réquisitions pour qu'au lendemain de la guerre, l'Autriche nous vende quelques châlets démontables. Il en est de même encore pour les produits miniers. Seul le fer produit à partir du minerai national est utilisé sur place. Encore est-ce parce que les Allemands ont largement développé l'industrie métallurgique pour des raisons stratégiques. Entre les deux guerres, l'industrie autrichienne ne consommait guère plus de la moitié de la production actuelle d'acier. Et cette métallurgie ne produit que faiblement les machines-outils, l'équipement électrique, qui exigent beaucoup de travail et peu de matières premières. L'industrie automobile, par exemple, se cantonne dans les camions et les tracteurs. Une grande partie des produits métallurgiques autrichiens est faiblement élaborée : quincaillerie, outils à main, éléments de construction mécanique ordinaire. La valeur des exportations autrichiennes de produits métallurgiques est très inférieure à celle des exportations suisses. Pour les autres métaux, l'insuffisance de l'équipement national est encore plus criante : zinc et plomb ne sont pas raffinés sur place et vendus sous forme de minerais. Il en est en grande partie de même pour le cuivre, dans un pays de montagnes riches en chutes d'eau. L'aluminium est exporté brut presque en entier, bien qu'il soit élaboré à partir de bauxite importée. Une grande partie de l'azote synthétique et des engrais est vendue à l'Allemagne.

Une politique rationnelle consisterait à développer des industries de transformation utilisant les ressources nationales en produits bruts et demi-ouvrés afin d'incorporer aux objets le maximum de travail, à l'instar de la Suisse. Mais cette politique ne semble guère possible dans la situation dépendante du pays. C'est pourquoi le gouvernement hésite devant des plans d'ensemble et se contente, sous la pression des nécessités, de compromis timides, partiels et temporaires.

— La répartition géographique des forces productives reflète les mêmes causes de déséquilibre: Il est traditionnel de parler de la tête monstrueuse de l'état fédéral, de Vienne qui comptait avant la guerre 2 millions d'habitants, plus du 1/4 du total. Le problème reste aigu bien que la population de la ville ait diminué : 1.761.000 habitants en 1951. Les importantes destructions de la guerre, le déficit des naissances (c'est la seule province où il y ait diminution naturelle de la population), une fuite restée définitive en certains cas lors de l'avance de l'Armée Rouge en sont les causes. Mais aucune politique rationnelle ne vient corriger cet état de chose. L'Autrichien se résout d'ailleurs difficilement à ramener Vienne aux proportions du pays, tant est grande sa nostalgie sentimentale pour la grandeur révolue d'un empire étendu des Carpates à l'Adriatique. Vienne reste la capitale économique et politique. Elle vient encore en tête pour le nombre de nouvelles grandes entreprises qui se fondent : 367 en 1949, contre 228 pour la province de Salzburg, qui profite de la présence américaine, les Américains désirant contrôler étroitement les firmes dans lesquelles ils ont des intérêts, et 121 pour le Vorarlberg, domaine de la pénétration suisse. Sur 602 grosses soicétés anonymes recensées en Autriche, 445 ont leur siège social à Vienne. La guerre a seulement diminué la capacité industrielle, elle n'a pas fait disparaître les prétentions au rôle de métropole.

Mais le déséquilibre viennois n'est pas le seul sur le plan géographique. La répartition de l'industrie et de la population est essentiellement périphérique, à la seule exception du sillon Mur-Mürz près. Et le phénomène s'est accentué ces dernières années. Le bord des Alpes, de Linz à Vienne, à Wiener-Neustadt et à Graz, concentre les trois plus grandes villes (Linz 226.000 hab., Graz 185.000), auxquelles on peut ajouter Salzburg (100.000 hab.), la majeure partie de l'industrie métallurgique et chimique, l'essentiel du commerce, des industries du vêtement, des objets de luxe. Toutes proportions gardées, c'est le phénomène zurichois, la prédominance du piémont sur la montagne. Mais la configuration géographique de l'Autriche n'est pas celle de la Suisse. L'avant-pays lui échappe et elle ne dispose pas de Mittelland canalisant les richesses entre les Alpes et le Jura. Elle ne possède en Styrie que le pied de la chaîne, le long du Danube qu'un étroit couloir où la circulation a cessé depuis sept ans. Tandis que la Suisse s'organise autour de son Mittelland bien individualisé, l'Autriche s'écartèle le long d'une périphérie alpine dont elle ne possède qu'une frange étroite.

Le cœur du pays, les vallées de l'Inn, de la Haute-Salzach, de la Drave, du Gail, le pourtour des Tauern ne participent guère de l'industrialisation et restent avant tout des régions rurales archaïques, au niveau de vie bas, foyers de chômage hivernal et d'émigration potentielle.

Il y a discordance entre la construction politique, édifiée en 1918 d'après des critères historiques et ethniques et le développement économique, terriblement centrifuge par suite des caractères propres de l'organisation économique moderne autour de la chaîne alpine, qui donne la prééminence aux piémonts, et aussi par suite de l'insuffisance du capitalisme national, incapable d'organiser à son profit l'équipement actuel du pays.

2º Le déséquilibre du commerce extérieur.

Le commerce extérieur autrichien est bien réduit : 15.722.000.000 de sch. en 1950, soit moins de 2.000 sch. par habitant, contre 1.562 fr. par habitant en Suisse (1949), soit à peu près 5 fois moins. Sa structure est également différente de celle du commerce extérieur suisse.

STRUCTURES COMPARÉES DU COMMERCE EXTÉRIEUR : SUISSE ET AUTRICHE

	Importations		Exportations	
	Suisse	Autriche	Suisse	Autriche
Prod. aliment.	31 %	25 %	4 %	3 %
Combustibles minéraux	10 –	15 –		
Mat. premières	24 –	26 –	3 –	39 –
Prod. fabriqués	34 –	31 –	92 –	57 –

Pourcentages calculés sur les valeurs

A la lecture de ce tableau, on constate un certain nombre de points communs et une différence fondamentale, hautement significative.

— Les points communs sont essentiellement dans les importations. Comme la Suisse, l'Autriche doit acheter à l'étranger des denrées alimentaires. Bien que la production nationale permette une indépendance beaucoup plus grande que celle de la Suisse, le pourcentage de ces produits par rapport au total est presque le même : c'est que la Suisse importe beaucoup plus de matières premières et de produits fabriqués en valeur absolue. Les principaux achats de l'Autriche sont les céréales, les tourteaux, les oléagineux, les produits exotiques. Les céréales forment 34 % du total, les oléagineux 9 %, le sucre 15 %, le café, le thé et le cacao ensemble 9 %. Avant la dernière guerre, une bonne partie de ces produits était fournie par la Hongrie, la Roumanie (céréales), la Tchécoslovaquie (sucre). Aujourd'hui, l'essentiel des achats se fait dans la zone dollar : U. S. A. et Amérique latine. Comme la Suisse, l'Autriche est importatrice de combustibles, mais seulement de charbon : en 1950.

Houille	4.286.466 t.	dont Allemagne : 2.449.473 t.,	Pologne	: 1.472.052
Lignite	1.120.524	— —	644.864 t., Tchécoslovaquie :	412.310
Coke	271.443	— —	164.119 t., —	104.164

Le principal fournisseur est l'Allemagne, mais les relations traditionnelles avec la Silésie et la Bohême sont une nécessité vitale qui se maintient malgré les exigences américaines. En 1951, l'Autriche a eu de nouveau recours au charbon américain, qui lui revient à des prix prohibitifs.

L'Autriche est également importatrice de matières premières industrielles : coton, laine, peaux, bauxite, acier (90.000 t.), caoutchouc, dont une partie provient également de la zone dollar (coton et laine notamment).

Enfin, l'Autriche complète sa propre production industrielle par divers achats à l'étranger : les machines viennent en tête (22 % du total des produits fabriqués), suivies par l'appareillage électrique (9 %), les objets en fer (10 %), les voitures, les tissus, les produits chimiques. Une très grande partie de ces produits pourrait être fabriquée dans le pays même.

Un autre point commun est le déficit de la balance commerciale : les exportations ne couvrent guère que 70 % des importations. Mais, à la différence de la Suisse, l'Autriche ne peut guère le combler par sa balance des comptes. Il représente à peu près entièrement une pénétration de capitaux étrangers.

— Les différences résident essentiellement dans la structure des exportations. Tandis que la Suisse exporte seulement des produits manufacturés de haute valeur, l'Autriche est encore largement un fournisseur de matières premières (39 %). Ses produits manufacturés ont eux-mêmes une valeur plus faible que ceux de la Suisse : leur prix moyen est de 1.510 sch. la tonne. La Suisse importe à peu près 9 fois plus de matières premières qu'elle n'en exporte, l'Autriche à peu près autant seulement. Le bois vient en tête : 1.300.000 t. en 1950 (30 % en valeur des exportations de produits bruts), puis les minerais et métaux : 120.000 t. de magnésite, 444.000 t. de fer, 450.000 t. de minerais divers. Tous ces produits viennent essentiellement de l'Autriche alpine et illustrent le rôle de fournisseur d'énergie et de matières premières de la montagne, économiquement dépendante des avant-pays.

Naturellement, la valeur des exportations de demi-produits et de matières premières est faible de sorte qu'elles ne contribuent guère à combler le déficit de la balance commerciale. Il en serait tout autrement si ces denrées étaient manufacturées complètement en Autriche et exportées sous forme de produits finis. Dans ce cas, la balance commerciale de l'Autriche pourrait fort bien ne pas être déficitaire.

Le déséquilibre du commerce extérieur a aussi un aspect géographique. Le principal fournisseur de l'Autriche sont les U. S. A. (22 % du total). Or, les exportations autrichiennes à destination de ce pays sont particulièrement réduites comme c'est le cas de presque toutes les autres nations de l'U. E. P., la Suisse mise à part (à peine 5 % des exportations autrichiennes). Le problème du dollar est particulièrement aigu et résolu tant bien que mal par l'E. R. P. et les investissements privés. Mais ce système favorise la pénétration des capitaux américains et diminue considérablement la liberté économique de l'Autriche (discrimination des exportations, entraves au commerce avec les Pays de l'E.). L'Allemagne est le second fournisseur (18 %) et achète à peu près l'équivalent des 2/3 de ses ventes (courant électrique, aluminium, produits azotés, cuivre, bois, etc.). Le commerce porte sur des produits extrêmement variés par suite de l'influence considérable de l'Allemagne sur l'orientation économique de l'Autriche pendant l'Anschluss. La Grande-Bretagne est également un fournisseur important (machines, tissus, matières premières de son empire), mais, comme les U. S. A., un médiocre acheteur (1/3 de ses ventes), de sorte que le problème de la livre se pose également à l'Autriche.

Parmi les principaux partenaires commerciaux, les seuls avec lesquels les échanges soient équilibrés sont les pays de l'Europe centrale : Tchécoslovaquie, Hongrie, Suisse. Avec la Pologne, les importations dépassent les ventes, tandis que l'Italie, la Yougoslavie et Trieste achètent beaucoup plus qu'ils ne vendent. Un développement considérable des échanges commerciaux avec les pays qui faisaient autrefois partie de l'Autriche-Hongrie est possible. Ils peuvent fournir à l'Autriche la houille qui lui manque, la bauxite, les céréales, le sucre, certains produits industriels (verrerie, certaines machines) et ont besoin de sa production industrielle, de certains de ses minerais (magnésite, cuivre, pétrole). Entre les deux guerres, avant le Drang nach Osten du IIIᵉ Reich, ils étaient ses meilleurs partenaires commerciaux. Les relations furent reprises dès l'armistice, notamment avec la Tchécoslovaquie et la Pologne. Des traités de commerce sont signés. Mais le volume des affaires est artificiellement réduit par suite des facteurs politiques, dont le poids est proportionnel à la dépendance de l'Autriche vis-à-vis des U. S. A. Or ces derniers se refusent à acheter à l'Autriche, comme d'ailleurs aux autres pays européens. La situation est sans autre issue qu'une crise de plus en plus aiguë entraînant une dépendance progressivement accrue.

Profondes sont donc les différences de structure entre les économies des deux États alpins. La Suisse a connu un développement capitaliste précoce et a su renforcer sa position par une politique de neutralité. Petit pays, elle est une grande puissance financière et commerciale dont l'influence déborde de loin les frontières. L'Autriche, au contraire, est le type de l'État dépendant, à la structure disharmonieuse, en état de crise latenté, exportant de précieuses matières premières faute d'équipement pour les traiter. Or, la nature a beaucoup plus avantagé l'Autriche que la Suisse. C'est dans la différence des conditions de leur évolution économico-politique qu'il faut chercher les causes de ce contraste.

ORIENTATION BIBLIOGRAPHIQUE

ÉCONOMIE AUTRICHIENNE

La documentation est des plus dispersée et les études de synthèse manquent. Nous avons dû glaner dans les revues économiques, les annuaires statistiques, les journaux financiers. La documentation statistique est fournie par le *Statistisches Handbuch für die Republik Österreich.* détaillé pour l'agriculture, le commerce et la population mais presque muet pour l'industrie.

Sur l'agriculture, on dispose en français d'un rapport administratif : MASSET (E.), *L'agriculture 'n Autriche*, Vienne, 1946, in-8º, 55 p.

Sur les grandes branches de l'économie, quelques thèses autrichiennes, comme KREJCI (J.), Die Furnierindustrie in Österreich, *Wirtschaftsgeographische Untersuchungen*, Vienne, 1948, 122 p., et, surtout, de renseignements épars dans un grand nombre de revues.

On recourra aussi aux volumes de « Landeskunde » à demi géographiques comme celui de SCHWARZ (A.), *Heimatkunde von Vorarlberg*, E. Russ, Bludenz, 1949, 500 p.

(Cl. Ch. de fer suisses)

A. — LA LIGNE DU SAINT-GOTHARD

(Coll. Off. nat. tour. suisse)

B. — LE BARRAGE ET LE LAC DE RETENUE DE L'USINE HYDROÉLECTRIQUE DE GRIMSEL

Pl. X   POLOGNE

(Cl. Inf. polo

A. — Un quartier de la nouvelle ville de Howa-Huta

(Cl. Inf. polon.)

B. — Hauts fourneaux a Częstochowa

(Cl. Inf. polo

C. — Moisson a la « combine » près de Zielona G

QUATRIÈME PARTIE

LES RÉPUBLIQUES POPULAIRES
DE L'EUROPE CENTRALE

CHAPITRE PREMIER

LES FORMES COMMUNES D'ORGANISATION

La Pologne, la Tchécoslovaquie, la Hongrie et la Roumanie se différencient des autres États de l'Europe centrale par leur régime politique et leur organisation économique. Bien que les données politiques soient inséparables des données économiques et qu'elles aient des répercussions très importantes sur l'évolution économique (notamment par suite des incidences qu'elles comportent sur la nature du commerce extérieur), elles ne feront pas l'objet d'une étude spéciale dans cet ouvrage. En revanche, la géographie économique et la géographie régionale seraient inintelligibles sans une définition préalable des méthodes et des processus de l'économie.

Les quatre pays intéressés, et avec eux, en dehors d'Europe centrale, la Bulgarie et l'Albanie en Europe, la Chine, les républiques populaires de Mongolie extérieure et de Corée en Asie sont caractérisés par l'application d'un système d'économie planifiée qui se fixe pour but la construction d'une économie socialiste semblable à celle de l'Union soviétique.

Cette organisation économique et sociale procède de réformes de structure initiales et de processus de transformation de l'économie nationale. La planification économique est la définition et l'harmonisation de ces processus. Le trait commun est le caractère de révolution sociale des réformes de structure et de la politique économique de la planification. L'unité du système réside dans la rupture avec les formes de rapports économiques et sociaux du passé. Elle a pour effet la différenciation fondamentale entre l'économie, la société des démocraties populaires et l'économie, la société des pays demeurés fidèles aux anciennes formes d'exploitation économique et de structure sociale. Le but est la substitution d'une économie rationnelle où la production est fondée sur le rythme d'accroissement et de diversification de la consommation générale à une économie concurrentielle subordonnant toute considération à la recherche des profits et de l'accumulation des capitaux par les détenteurs des forces productives (ressources et moyens de production). Il implique la constitution d'une société sans classes où la participation individuelle à la répartition de la production distribuable est déterminée par la quantité et la qualité de travail de chacun (entendre par là : à la fois efficacité productive et spécificité du travail).

La période de transition est marquée par une dictature du prolétariat associé à la paysannerie pauvre et par la résorption progressive des privilèges acquis au cours de la période précédente par les classes possédantes, aristocratie foncière et koulaks, capitalistes industriels, bourgeoisie commerçante.

Les obstacles principaux sont, surtout au départ, la résistance des privilégiés nationaux et des représentants des intérêts étrangers dont l'importance est d'autant plus grande que la structure économique des pays intéressés était naguère une structure semi-coloniale. Cette résistance s'appuie sur tous les cadres sociaux anciens, notamment sur l'armature ecclésiastique (haut clergé surtout) de pays profondément catholiques. Des difficultés notables ont également découlé, au cours des premières années, de l'indifférence d'une partie de la population à l'égard de la nouvelle politique économique, en particulier dans les pays à niveau culturel très bas et à haut pourcentage d'analphabètes.

Il apparaît nettement que ces résistances à la transformation économique revêtent en même temps des aspects économiques, sociaux et politiques. C'est pourquoi il est pratiquement impossible de distinguer, dans les mesures prises pour les réduire, des réformes strictement économiques, ou sociales, ou politiques. L'exposé de la transformation de ces pays se doit d'être global, sous peine d'être incomplet et inintelligible. Toutefois, il suffira ici de signaler, sans entreprendre d'analyse de détail, les formes politiques de la transformation et de la lutte quotidienne, tandis que les données économiques et sociales feront l'objet d'études plus précises (1).

1º Les réformes liminaires.

Les conditions primordiales de l'instauration de nouvelles formes de développement économique étaient la destruction des monopoles ou des privilèges économiques et sociaux résultant de l'appropriation de tout ou partie des sources et instruments de production par des individus ou des collectivités les exploitant dans leur intérêt propre.

Deux séries de réformes ont été entreprises pour assurer la réalisation de cette condition : la nationalisation du crédit et de la grosse production industrielle, d'une part, la réforme agraire, d'autre part.

Ces réformes ont revêtu des aspects particuliers procédant des circonstances historiques dans lesquelles elles ont été faites dans chacun des pays intéressés, mais elles présentent un certain nombre de caractères communs :

a) Les biens ayant appartenu à des ennemis nationaux : biens allemands ou biens de personnes et de groupements ayant confondu leurs intérêts et

---

(1) On trouvera une étude d'ensemble des problèmes politiques et économiques dans : Pierre GEORGE, *Les démocraties populaires. L'exemple des démocraties populaires européennes,* Éditions sociales, Paris, 1951.

leurs actions avec ceux des Allemands, ont été confisqués au profit de la nation, quelles que soient leur nature et leur importance ;

b) Les sources et instruments de production dont la possession est décisive pour la sécurité de la nation et pour la réalisation de l'indépendance économique passent sous la gestion directe de l'État. La petite production artisanale et la petite économie marchande subsistent pour un certain temps à titre d'économie privée individuelle ;

c) La terre saisie aux latifundia est attribuée en majeure partie aux paysans sans terre et aux petits propriétaires paysans, à condition que les allocataires travaillent eux-mêmes les lots qui leur sont alloués. Une fraction, variable suivant les États et les régions, constitue un fonds domanial exploité comme centres d'expérimentation, fermes-pilotes et bases de ravitaillement à haute productivité.

Les nationalisations. — Les nationalisations ont été généralement effectuées en deux étapes. La première suit immédiatement la libération et définit les termes généraux de la nouvelle gestion des activités économiques fondamentales. Elle a rendu possible une nouvelle orientation économique et les premières formes d'économie planifiée. La seconde apparaît comme une conséquence des expériences de la planification et de l'affaiblissement des positions politiques des anciennes classes possédantes : elle élimine les survivances du capital privé en opposition avec le développement de l'économie socialiste : suppression des entreprises industrielles privées ayant bénéficié d'une exception lors des premières nationalisations, entreprises étrangères, entreprises moyennes, etc. Les nationalisations sont codifiées d'une façon définitive par les constitutions de chaque république.

La nationalisation est totale dans toutes les branches d'activité ayant impliqué une concentration par nature ou par évolution historique, ou exigeant une unité de gestion de la part de l'État. C'est en premier lieu le cas du crédit, banques et assurances. Les mines, la sidérurgie, la métallurgie lourde, les transports par chemin de fer, par route et par eau, les services des postes, télégraphe et téléphone, de la radiodiffusion et de la télévision, de l'édition des films, etc., entrent également dans cette catégorie.

Dans le domaine des industries et activités différenciées, comportant coexistence de grandes, de moyennes et de petites entreprises, le nombre des salariés (chiffres maxima variables suivant les branches d'activité), parfois les quantités de produits traités, servent à la discrimination entre secteur nationalisé et secteur privé. C'est ainsi que l'artisanat, le petit commerce constituent l'essentiel du secteur privé avec la petite exploitation paysanne. En revanche, les entreprises annexes travaillant en intégration technique avec des entreprises nationalisées sont nationalisées, quelle que soit leur importance, afin d'éviter les incohérences entre les parties d'un même dispositif de production d'intérêt national.

Il subsiste des différences entre les normes qui ont servi à la discrimination des secteurs nationalisés suivant les pays : 10 salariés en Hongrie, 50 en Tchécoslovaquie, 100 en Roumanie par exemple, mais partout il a été précisé que tout accroissement d'une entreprise lui faisant dépasser les normes limites fixées par la loi, impliquait son incorporation au secteur nationalisé. La reconstitution d'une économie privée de caractère industriel ou de grand commerce est donc impossible.

La nationalisation des banques s'est accompagnée d'une réorganisation générale du crédit et du contrôle monétaire, liée d'une part à la stabilisation de la monnaie, d'autre part à la politique d'investissements planifiés.

Les réformes agraires. — D'un point de vue strictement formel, les réformes agraires effectuées en 1945 et au cours des années suivantes s'inscrivent dans la tradition des distributions de terre pratiquées antérieurement en Europe centrale et notamment après la première guerre mondiale, mais leur efficacité a été très rapidement beaucoup plus grande.

Il s'agit de disloquer les grands domaines en fixant un plafond de superficie qui ne peut être en aucun cas dépassé par une quelconque propriété foncière individuelle et de distribuer les terres ainsi versées à un fonds de réforme agraire en lots destinés, soit à créer de nouvelles exploitations au profit de paysans sans terre, soit à rendre rentables les micro-exploitations paysannes existant antérieurement.

Les *caractères originaux* de ces réformes sont la rapidité d'exécution, les modes d'exécution, l'élimination de toute exception en dehors de celles qui concernent la formation des fermes d'État, la réduction à des taux très bas des indemnités d'acquisition, l'impossibilité de la spéculation foncière sur les terres distribuées et de la reconstitution de domaines d'une certaine importance, par rachat de lots abandonnés ou non exploités par leur bénéficiaire.

Les réformes entreprises dès la libération du territoire de chaque pays ont été réalisées en un à deux ans au maximum (tandis que les distributions de terre faites au titre des réformes de 1919-1921 avaient duré plus de dix ans). Cette procédure rapide a été rendue possible par l'octroi aux paysans eux-mêmes de l'initiative des révisions cadastrales, sauf dans les pays où le partage des terres s'accompagnait d'un repeuplement par des paysans venus d'autres régions (zone frontière de la Bohême dans les anciens districts allemands, territoires de l'ouest de la Pologne où les opérations agraires ont été confiées à des Offices spécialisés). En Pologne centrale et orientale, en Bohême méridionale, en Slovaquie, en Hongrie, en Roumanie, des comités locaux, composés de paysans, ont procédé aux opérations de partage des latifundia, et d'attribution des lots, la révision cadastrale étant ensuite revue et codifiée par les services des ministères de l'Agriculture. Le nombre des exceptions reconnues par la loi est très bas. Dans les pays tchèques de la Tchécoslovaquie, les propriétaires fonciers tchèques n'avaient pas été touchés par la première réforme agraire qui avait revêtu un caractère strictement national (élimination de la propriété allemande), la situation était demeurée indécise en Slovaquie. Des mesures complémentaires ont éliminé ces exceptions après 1948. En fait, *la suppression de la grande propriété foncière*, qui avait réussi à survivre aux réformes antérieures, *a été totale*.

Les attributions de terre ont été faites contre des indemnités d'acquisitions très basses : les lots varient suivant les États et les régions de 5 à 15 ha. de terre labourable ; ils sont cédés en toute propriété aux allocataires, moyennant le paiement, échelonné sur plusieurs années, d'une indemnité égale à une année de revenu. La tendance générale est à l'exemption des derniers versements. En décembre 1950, les dettes des allocataires vis-à-vis de l'État roumain ont été intégralement annulées.

Tout domaine abandonné par son exploitant retombe dans le domaine public et est attribué à un autre cultivateur. Les lots cédés au titre de la loi agraire sont inaliénables. Il est donc impossible de concentrer la terre par récupération à titre privé d'une exploitation abandonnée par son propriétaire. Il n'est pas davantage possible de vendre un lot reçu à un voisin, même si celui-ci en envisageait l'exploitation directe.

Les redistributions de terre au titre des diverses lois agraires ont intéressé en moins de cinq ans plus de 12 millions d'hectares dans les quatre pays étudiés. Plus de deux millions de petites économies paysannes ont été créées ou rendues viables. Mais il ne s'agit pas d'un nivellement de la propriété foncière. L'exiguïté de la propriété rurale n'a pas disparu. Il subsiste de petites exploitations et même de très petites exploitations dans des régions où des distributions de terres n'ont pas pu être faites au prorata des besoins des paysans. D'autre part, la limite tolérée est de 50 ha. de terres cultivées (100 ha. dans la voïévodie de Poznan en Pologne). La structure agraire demeure donc différenciée et la société rurale encore très diversifiée. La seule conséquence radicale des réformes est la suppression de la grande propriété foncière aristocratique et des biens de mainmorte, survivances d'une économie rurale de type féodal et, en même temps, la destruction des bases économiques de l'ancienne société rurale.

2º Les débuts de la planification.

Les premières expériences de planification ont porté sur la réparation des dommages provoqués par la guerre, et sur la reconversion d'une économie plus ou moins gravement désorganisée par les effets de la guerre et les réorganisations territoriales de l'après-guerre en une économie orientée vers l'équipement national et la satisfaction des besoins les plus urgents des populations.

Ces expériences ont été entreprises à des dates différentes selon les pays et ont porté sur des périodes de durée variable : plan de deux ans en Tchécoslovaquie, plan de quatre ans en Pologne, plan de trois ans en Hongrie, plans annuels en Roumanie. Les objectifs, limités, ont été atteints, en majeure partie, avant le terme fixé. On peut appeler ces premiers plans *plans de transition.*

Les plans de transition sont caractérisés non seulement par leur position historique à la charnière de l'économie capitaliste et de l'économie planifiée, mais aussi par un certain nombre de traits spécifiques :

a) Il s'agit de plans partiels, n'intéressant qu'une partie de l'économie, le secteur nationalisé, et se bornant à tracer, pour l'économie rurale par exemple, des perspectives générales ;

b) Ces plans ont été élaborés centralement par des commissions de planification, sans que soient possibles des consultations démocratiques des travailleurs des différentes entreprises ;

c) Leur réalisation a donné lieu à une épreuve de force entre les tenants d'une économie nouvelle inspirée par les principes fondamentaux du socialisme et les personnes ou groupements attachés aux traditions économiques capitalistes, qui ne les considéraient que comme un expédient provisoire ou espéraient y voir une expérience négative démontrant l'inefficacité de la planification ;

d) Les plans de transition ont servi de banc d'essai pour les opérations d'investissement et d'organisation des entreprises, pour la formation des cadres économiques nouveaux ;

e) L'exécution des plans et l'enregistrement des premiers résultats positifs, dans le domaine économique et dans le domaine social, ont donné l'occasion aux premiers mouvements de masse intéressant les travailleurs au développement de la production et stimulant l'initiative ouvrière.

La clarification des différents problèmes politiques, économiques et techniques posés par leur réalisation a ouvert la voie à une planification systématique, plus générale et à plus longue échéance, qui débute suivant les pays entre le 1er janvier 1949 et le 1er janvier 1951 :

Tchécoslovaquie, plan quinquennal........ 1949-1953
Hongrie, plan quinquennal 1950-1954
Pologne, plan sexennal 1950-1955
Roumanie, plan quinquennal 1951-1955

Tandis que les méthodes de la planification, qui sont des méthodes d'économie socialiste, s'appliquaient au cours de la période de transition à des objectifs circonstanciels de caractère empirique : reconstruction, reconstitution des conditions de fonctionnement d'une économie nationale, redistribution des forces productives essentielles, notamment par la remise en état des territoires transférés, restauration du niveau de production à 100 ou 110% du niveau d'avant guerre, etc., désormais les objectifs sont expressément la construction d'une économie et d'une société socialistes.

Les plans à longue échéance. — Les objectifs des premiers plans à longue échéance dans chaque pays sont de procéder à une conversion économique d'un type particulier. Il s'agit de passer d'une structure économique semicoloniale, subordonnée pour une large part au capital étranger, à une économie d'équipement national mobilisant toutes les ressources nationales en vue du colmatage du retard des pays intéressés par rapport à l'économie des États industriels, et d'un progrès social accéléré.

La nécessité première est la *création d'une industrie lourde,* base de tout équipement général. Les conditions en sont une mobilisation systématique de toutes les sources d'énergie et de matières premières minérales. Tandis que l'on s'accordait naguère à insister sur la pauvreté de l'Europe centrale de l'Est en ressources minérales et à justifier par cette indigence son statut de colonie agricole de l'Europe industrielle de l'Ouest et notamment de l'Allemagne, l'accent est mis dans tous les plans sur l'accélération de la production du charbon, du lignite, du pétrole, des minerais métalliques, et sur l'équipement de la sidérurgie. En 1955, les quatre républiques populaires d'Europe centrale doivent produire 125 à 130 millions de tonnes de charbon, 50 millions de tonnes de lignite, 12 millions de tonnes de pétrole, 11 millions de tonnes d'acier.

La production d'acier et de métaux industriels s'applique à l'équipement des transports, des usines, de l'agriculture, de la construction. Dans certains pays, peu industrialisés avant la guerre, en Roumanie surtout, une série de branches de fabrications entièrement nouvelles doivent être développées au cours de la première période de planification à longue échéance. L'électrification, la fabrication des machines-outils, du matériel agricole moderne (tracteurs, grosses machines agricoles et outillage pour cultures spéciales), des camions, du matériel de navigation fluviale et de transports ferroviaires, tient partout une place de premier ordre.

Le développement des industries légères est inséparable de la finalité sociale qui apparaît fondamentale dès le début de la planification : fabrication d'objets d'usage et de consommation.

Une place également très importante est faite aux constructions d'immeubles d'habitation, et de bâtiments publics à destination sociale, hôpitaux, écoles, lycées, universités, théâtres, cinémas, maisons de repos, etc.

Ces plans concernent par leurs objectifs tous les secteurs de l'activité productive et de la vie sociale nationale.

Leur exécution repose à la fois sur une répartition très étudiée des disponibilités financières, et sur un appel au zèle et au dévouement de la population laborieuse tout entière. Le revenu national planifié est réparti entre le secteur social : rémunération du travail, édification de services et équipement matériel destinés à élever le niveau de vie moyen de la population, et le secteur économique : investissements dans la construction socialiste. Des fractions de l'ordre du quart du revenu national annuel peuvent être réinvesties dans le capital de production, tandis que l'élévation du pouvoir d'achat des travailleurs est fixé par les divers plans entre 35 % en cinq ans en Tchécoslovaquie et 80 % pour la même période en Roumanie où le point de départ était beaucoup plus bas.

Des mouvements de masse sont déclenchés à l'occasion de l'exécution des plans. L'émulation dans le travail est un des facteurs essentiels de la réalisation des objectifs fixés. L'attention de l'opinion publique est particulièrement attirée sur la réalisation de grands travaux qui sont en même temps des pièces maîtresses du plan national, ou même d'une planification à plus longue échéance que le plan général en cours d'exécution et des œuvres symboliques de la construction d'une nouvelle économie : la reconstruction de Varsovie, la création de la nouvelle base métallurgique de Nowa Huta en Pologne, le percement du canal Danube-mer Noire et l'accomplissement du plan d'électrification en Roumanie...

De même, à la campagne, le plan trace des objectifs de production que les paysans individuels, comme les coopératives ou les fermes d'État, sont appelés à atteindre, mais jette en même temps les bases d'une aide de l'État à l'exploitation rurale, par la mise en place d'un dispositif de stations de matériel agricole (machines et tracteurs), de fermes d'essai et de haras, par l'introduction de cultures nouvelles (la culture du coton notamment), et par l'exécution de grands travaux d'aménagement et d'amélioration de la production et de la vie rurale : travaux d'irrigation, de drainage, de protection des sols contre le vent et le ravinement, de création de villages modèles et d'urbanisation des campagnes. La mécanisation et la motorisation du travail qui appellent à l'organisation de coopératives de travail sont encouragées dans la mesure où l'industrie est capable de fournir aux paysans l'équipement nécessaire. Des fermes d'État font la démonstration des méthodes de culture rationnelle et mécanisée.

Une tâche fondamentale incluse dans la réalisation des plans nationaux est la redistribution rationnelle des forces productives à l'intérieur de chaque territoire national. Dans chaque pays, des régions sont caractérisées par l'état arriéré de leur économie et les conditions difficiles de la vie de leurs habitants, d'autant plus que les régions les moins développées économiquement sont souvent des régions à haute densité de la population. Le développement de l'économie industrielle, qui détermine un important appel de main-d'œuvre, est un remède général au surpeuplement rural. Mais il n'apparaît pas toujours nécessaire ni même souhaitable de déplacer des contingents importants de population. Dans la mesure du possible, l'industrie va au-devant des réserves rurales de main-d'œuvre. Les régions économiquement arriérées sont équipées de telle sorte que la transformation sur place des produits de leur agriculture ou l'utilisation de ressources brutes locales puisse associer dans le cadre régional lui-même les diverses formes d'activité économique. Il doit en résulter une répartition spatiale plus harmonieuse des activités productives et une homogénéisation professionnelle et sociale de la population des différentes parties du territoire. La « planification géographique » est inséparable de la planification économique générale.

Progressivement, les difficultés intérieures à la réalisation des plans s'atténuent. La prise de conscience de ce que le succès de la planification peut apporter à la nation engage un nombre croissant d'individus dans une action volontaire pour l'exécution des normes du plan. Les résistances et les mauvaises humeurs, les actes hostiles mêmes, ont de moins en moins d'efficacité devant la poussée du plus grand nombre et la précision croissante de l'organisation et de la prévision économique. Cependant, deux facteurs retardateurs sont à considérer : la force d'inertie des campagnes, la résistance des propriétaires aisés (koulaks) et la pression de l'étranger.

L'individualisme agraire et surtout la méfiance et l'hostilité des propriétaires paysans riches (possesseurs, aux termes de la loi agraire nationale de chaque pays, de domaines pouvant aller généralement jusqu'à 50 ha., exceptionnellement dans certaines parties de la Pologne jusqu'à 100 ha.) freinent l'exécution des prévisions des plans à la campagne. Les livraisons de récoltes aux entrepôts d'État, la collecte des produits destinés à l'alimentation des régions industrielles et des villes ont été assez souvent entravées par les stockages paysans, destinés soit systématiquement à gêner le développement de la politique économique de l'État, soit à exercer une pression spéculative sur les prix. Le développement des coopératives paysannes a été combattu par la propagande, ou même par l'action directe, par les koulaks et des paysans abusés. Une politique efficace d'aide de l'État aux paysans pauvres, alliés naturels des ouvriers des villes, la force de persuasion des résultats obtenus dans les fermes modèles gérées par l'État, le succès même des premières coopératives organisées par les paysans les plus avancés et aidées substantiellement dans leurs efforts par l'État, ouvrent petit à petit la voie dans les campagnes aux méthodes socialistes d'exploitation rurale. Mais, dans chaque pays, le secteur agricole est en retard dans son développement, par rapport au secteur industriel et aux formes de distribution. Il a été reconnu en 1953, en Hongrie notamment, que trop de précipitation dans le développement du secteur socialiste à la campagne pouvait compromettre l'ensemble de la politique agricole et le ravitaillement immédiat. Les méthodes de développement et d'évolution de l'économie agricole se caractérisent par une très grande souplesse.

La pression de l'étranger s'exerce — du point de vue économique, le seul qui sera examiné ici — surtout par la pratique de la *discrimination commerciale*. Il s'agit, de la part des économies occidentales, européennes et américaine, de paralyser le développement du commerce extérieur des pays de démocratie populaire.

Ces pays, en cours d'industrialisation, ont de gros besoins d'importation. Il leur faut des machines, des métaux spéciaux, des brevets, des matières premières. A certains moments même de la reconstruction après la guerre et de la conversion de leur économie, des objets d'usage et de consommation sont apparus indispensables à des populations qui avaient déjà un niveau de vie très bas avant la guerre et qui avaient été sévèrement éprouvées. Des années de mauvaises récoltes (sécheresses de 1947 et de 1948 surtout) ont mis en péril le ravitaillement des populations. On put penser que la planification ne serait possible dans les limites de réalisation qu'elle s'était fixées que grâce à une aide extérieure comportant non seulement la vente de produits indispensables, mais l'octroi de crédits pour financer les premières tranches d'importation avant développement de l'économie nationale. Les auteurs des plans n'avaient d'ailleurs pas négligé l'hypothèse du recours au crédit étranger pour le financement des économies nationales. Des mesures législatives avaient seulement été prises pour que le montant de ces crédits étrangers ne dépassent pas un certain taux (25 % en Pologne par exemple), afin de ne pas menacer d'hypothéquer dangereusement l'économie nationale, et d'autre part pour éliminer toute possibilité de prise de garanties sous forme d'installation de sociétés étrangères sur des chantiers et des usines, à l'intérieur du pays.

Il est apparu aux puissances occidentales que le refus des crédits, en dehors d'une participation sans réserve aux systèmes politiques et économiques occidentaux (Plan Marshall) et la rupture progressive et presque totale des relations commerciales pourraient asphyxier les économies planifiées des démocraties populaires et amener ces pays à réviser leur politique économique, à se rallier aux formes capitalistes d'exploitation comportant le rétablissement des rapports économiques et politiques existant avant guerre, y compris la restauration des liens de dépendance à l'égard des économies industrielles de l'Europe occidentale et de l'Amérique.

A partir de l'année 1948, les échanges entre l'Europe de l'Ouest et l'Amérique du Nord, d'une part, les quatre États polonais, tchécoslovaque, hongrois, roumain, d'autre part, ont été sensiblement réduits, malgré le désir des démocraties populaires d'accroître leur commerce extérieur avec les pays les plus divers afin de faciliter les échanges de leurs produits nationaux, bruts ou élaborés, contre les importations techniques nécessaires à la construction de leur économie.

Cette situation de blocus de fait a eu pour effet d'accélérer une tendance inhérente à l'instauration de l'économie planifiée : la tendance au renforcement des relations commerciales avec des économies également planifiées, relations susceptibles d'être l'objet de prévisions à longue échéance, tant dans le domaine matériel des livraisons que dans celui de la stabilité des prix et des opérations comptables. Sans renoncer pour autant au principe du commerce universel avec tout partenaire acceptant de traiter sur les bases de l'égalité des deux parties, les Républiques populaires de l'Europe centrale ont négocié des accords bilatéraux entre elles, avec l'Union soviétique, et avec les autres démocraties populaires ou États démocratiques comme la Bulgarie ou la république démocratique allemande.

Le premier de ces accords, qui a joué le rôle de prototype de ce genre de relations commerciales, a été le traité de commerce et d'échange de services signé entre la Pologne et la Tchécoslovaquie dès le 7 juillet 1947. Les caractères originaux en sont, outre l'égalité stricte des partenaires, l'association des échanges de services et l'organisation de diverses formes de coopération internationale aux termes proprement commerciaux du système d'échanges. Il n'est pas seulement question d'un règlement des modes de paiement ou de crédit et de la fixation du volume et de la nature des échanges. Il s'agit en réalité d'une coordination permanente des deux économies, organisant leurs échanges en fonction du développement de leur production et réciproquement tenant compte dans l'orientation de leur production des prévisions de livraisons respectives. La mise au point et le réglage de ce système de coordination appellent une collaboration permanente et des réunions périodiques des ministres et des experts réunis tantôt dans un pays, tantôt dans l'autre. Des accords ont été convenus pour une distribution commune d'énergie électrique, de gaz, pour la construction collective d'usines d'usage également commun et pour la reconnaissance de droits de passage et d'usage au profit d'une économie sur le territoire de l'État voisin : cession de la presqu'île Ewa dans le port de Szczecin à l'État tchécoslovaque et droit de passage pour le trafic tchécoslovaque sur l'Odra. (Ce trafic sera intensifié quand, au cours des dix à quinze années à venir, aura été réalisé le grand canal de Moravie entre Odra et Danube, dont on établit les plans au cours des plans sexennal et quinquennal polonais et tchécoslovaque de la période 1949-1955.) Des missions scientifiques et techniques sont également échangées.

Des accords bilatéraux de cette nature permettent d'élargir les prévisions de la planification jusqu'à une conception de combinaisons économiques complémentaires susceptibles de résoudre des problèmes insolubles sur le strict plan national. Ces prévisions échappent aux imprévus de l'économie libérale et aux risques que pourraient faire courir aux économies planifiées l'arrêt ou l'affaiblissement de livraisons demandées à des États que des crises rendraient incapables de tenir leurs engagements financiers ou commerciaux.

Mais les moyens de l'ensemble des démocraties populaires européennes sont relativement limités : certains produits de base leur manquent et, à l'exception de la Tchécoslovaquie, leur retard industriel en 1945 rendait sensible l'absence de catégories fondamentales de matériel de production ou interdisait, au moins dans l'immédiat, un accroissement suffisamment rapide de fabrications essentielles : matériel textile, certain matériel minier ou d'exploitation pétrolière par exemple.

C'est ici qu'apparaît l'importance des relations économiques avec l'Union soviétique. Celle-ci, en effet, est seule capable, en dehors des économies occidentales, de répondre qualitativement et quantitativement à tous les besoins commerciaux des démocraties populaires. Elle peut d'autre part accorder les crédits à long terme facilitant les opérations d'investissement. Des accords très détaillés ont été signés entre la Pologne, la Tchécoslovaquie, la Hongrie, la Roumanie et l'Union soviétique. Ils portent tout d'abord sur des échanges normaux de marchandises, l'Union soviétique achetant aux démocraties populaires des produits spécifiques de leurs industries, des produits miniers ou agricoles, leur fournissant du matériel d'équipement, des matières premières (métaux, coton, en certaines circonstances des denrées alimentaires — à la Tchécoslovaquie notamment). Ils revêtent parfois le caractère de travail contractuel : l'Union soviétique a ainsi fourni du coton brut à la Tchécoslovaquie qui s'acquittait du montant de ses importations en réexpédiant une fraction de ses filés et de ses tissus. Des formes plus poussées de coopération internationale sont représentées par les sociétés mixtes associant pour un travail déterminé, à raison de 50 % de participation pour chacun des partenaires, l'Union soviétique à un des États étudiés. Le mécanisme de ces sociétés mixtes sera analysé à propos de l'économie roumaine où elles jouent un rôle particulièrement important, notamment pour la remise en exploitation des gisements pétroliers. Sans quitter le domaine des faits proprement économiques, l'aide de l'Union soviétique apparaît donc comme une des conditions fondamentales du succès des plans économiques des démocraties populaires et comme la compensation efficace aux mesures prises par les puissances occidentales à leur égard.

Depuis 1952, la reprise d'échanges entre les Républiques populaires et les États occidentaux a été amorcée. Elle s'est précisée au début de 1954, mais les mesures de contrôle et de discrimination édictées dans le cadre du Pacte Atlantique continuent à réduire quantitativement et qualitativement les possibilités de développement de ce commerce.

CHAPITRE II

LA POLOGNE

I. — LES BASES NATURELLES DE L'ÉCONOMIE

La Pologne a une forme approximativement rectangulaire. L'indice de développement linéaire de ses frontières est, de ce fait, relativement bas : 3.566 km. dont 3.069 de frontières terrestres, pour 311.700 km² (1,1 km. pour 100 km²) contre 3.553 km. de frontières tchécoslovaques pour 127.000 km² (2,8 km. pour 100 km²).

La frontière orientale, qui sépare le territoire polonais de celui de l'Union soviétique, suit approximativement le 24ᵉ méridien Est de Greenwich, entre 49°5 et 54°3 de latitude Nord. Limite des domaines nationaux polonais à l'ouest, ukrainien et biélorusse à l'est, cette frontière ne présente pas de caractère de limite physique. Elle se confond seulement sur environ 300 km. (son développement total est de plus de 1.000 km.) avec le lit du Bug.

Au sud et au sud-ouest, au contraire, la frontière s'appuie sur des lignes de relief : crêtes des hautes Tatras, des Beskides, dans les Carpates occidentales, hauteurs du rebord nord-oriental des monts de Bohême. Il ne s'agit d'ailleurs pas d'une identification de la frontière et des lignes de partage des eaux. Le caractère morcelé des massifs montagneux et les interférences de peuplement national, le souci de ne pas remettre en cause des tracés politiques péniblement établis naguère, expliquent le dessin apparemment capricieux de la frontière dans les Carpates et plus encore parmi les moutonnements des Sudètes entre la trouée de Moravie et les Krkonosze (1.300 km. pour une distance en ligne droite de moins de 600 km.).

La frontière occidentale est, comme la frontière orientale, presque méridienne, de la Porte de Lusace au golfe de Szczecin. Mais, ici, elle s'appuie de bout en bout à des tracés fluviaux : Nysa lusacienne et Odra (456 km.).

Au nord, la Pologne a une façade maritime de 497 km. et une frontière terrestre de 200 km. à peu près rigoureusement ouest-est, qui la sépare du territoire de Kaliningrad (nord de l'ancienne Prusse orientale à la R. S. F. S. R.).

A l'intérieur de ce territoire massif, il est facile de distinguer des

— 533 —

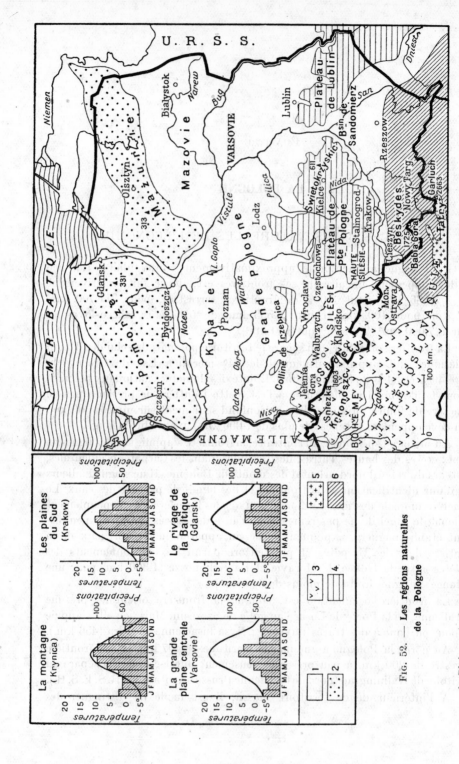

FIG. 52. — **Les régions naturelles de la Pologne**

1. Plaines et chenaux de la Grande Pologne. — 2. Collines morainiques. — 3. Vieilles montagnes. — 4. Plateaux sédimentaires. — 5. Massifs cristallins des Carpates. — 6. Plis du flysch carpatique.

En carton : moyennes mensuelles de températures et de précipitations dans les principales régions naturelles.

ensembles régionaux bien individualisés par leurs caractères physiques et leurs aptitudes aux diverses formes d'utilisation économique. Une carte hypsométrique fait immédiatement apparaître une disposition du relief en bandes longitudinales ouest-est :

— au nord, la succession des collines dites croupes lacustres de la Baltique (Poméranie et Mazurie) ;

— au centre, une longue bande de plaines à peu près parfaites, que l'organisation du drainage permet de diviser en deux unités : plaines de l'Odra à l'ouest ou plaines de Cujavie et de grande Pologne, plaines de la Vistule à l'est ou plaines de Mazovie ;

— au sud, une zone plus différenciée, représentée par les limites montagneuses de la Pologne et leurs avant-pays. Il s'agit, au pied des crêtes lourdes des Carpates et des ballons des Sudètes, d'une structure en bassins séparés par des plateaux et des collines où s'associent des éléments de *tables*, qui appartiennent déjà aux types de structure de l'Europe orientale, et des esquisses à peine dégagées de massifs hercyniens : bassin de Sandomierz, petit bassin de la Nida, bassin de Silésie, délimités par les abrupts tectoniques remaniés des Roztocze, le massif de Swiętokrzyskie (Sainte-Croix) ou massif de Kielce, les plateaux de Petite-Pologne et de la Haute-Silésie, les Sudètes, les collines de Trzebnicka.

I. — *LES BORDURES MONTAGNEUSES ET LES BASSINS DU SUD ET DU SUD-EST* (1)

A) LES MONTAGNES

1º Les Carpates.

Les Carpates polonaises forment un ensemble d'apparence confuse qui s'ordonne en deux éléments structuraux distincts :

le noyau dur du massif des hautes Tatras (Tatry en polonais) ;

la zone du flysch, chevauchée par des fronts de nappes, constituant des groupes de crêtes.

Le massif des hautes Tatras ou Tatry est un bloc cristallin, comparable par sa nature structurale aux massifs centraux des Alpes occidentales, mais dont la morphologie est plus pyrénéenne qu'alpine : ensemble de pyramides séparées par de larges cirques glaciaires étagés (2.663 m. au pic de Garluch). Le dégagement du cristallin est récent et des lambeaux calcaires des nappes

---

(1) Pour l'étude morphologique de la Pologne, voir ci-dessus p. 73.

charriées par-dessus le granit jouent encore un rôle important dans la topographie. Les sommets s'élèvent au-dessus d'un manteau forestier très dense, coupé de lacs de cirque. Des pelouses arctico-alpines constituent des pâturages d'été. Domaine de vie pastorale montagnarde très ancienne, les Tatry, sur leur versant polonais plus rude, comme sur le versant slovaque plus ensoleillé, sont devenues un domaine de tourisme en montagne et de sports d'hiver très fréquenté (Zakopane).

L'avant-pays septentrional des Tatry est constitué par la plate-forme de flysch crétacé aplani des Beskides, dégagée au Quaternaire de sa couverture néogène. Cette plate-forme, de 400 à 600 m. d'altitude, est hérissée de crêtes qui sont des klippes généralement calcaires. Les plus élevées, la Babia Gora et la Barania Gora, dominent le plateau de 700 à 1.000 m. (respectivement 1.725 et 1.214 m. d'altitude absolue). Au cours d'une histoire morphologique qui a pour point de départ la surimposition néogène et la stagnation des fronts glaciaires quaternaires sur la plaine du Nord, les cours d'eau ont dégagé des bassins longitudinaux. Le principal est celui de Nowy-Targ évidé, dans un ancien fossé tectonique monoclinal comblé au Tertiaire, par le haut Dunajec. Ils passent d'un sillon longitudinal à un autre par des entailles sculptées dans les flancs gréseux durs du flysch crétacé. Le mode de sculpture est appalachien, mais les surfaces planes ou arrondies dominent, et le paysage de plateau vallonné hérissé de quelques échines l'emporte sur celui de crêtes et de sillons.

Le climat de la zone montagnarde et des ondulations qui précèdent la montagne proprement dite est rude, les précipitations sont abondantes et alimentent en hiver une importante couverture neigeuse.

A Zakopane, quatre mois (décembre à mars) ont une moyenne thermique inférieure à 0°. La moyenne de janvier, pour la période 1891-1930, est de — 5°. En 1947, elle s'est abaissée à — 10°8.

La physionomie générale du climat des Carpates polonaises est donnée par les moyennes thermiques et pluviométriques de la station de Krynica, située dans le bassin du Poprad à l'est des Tatry (alt. 586 m.).

	Janv.	Févr.	Mars	Avril	Mai	Juin	Juill.	Août.	Sept.	Oct.	Nov.	Déc.
Températures	— 5°2	— 4°1	0°1	5°3	11°	13°8	15°6	14°7	11°3	6°6	1°	— 2°9
Précipitations	61	50	50	61	81	104	116	100	78	58	45	49

(Moyenne 1891-1930)

Ce pays rude est relativement très peuplé : plus de 120 ruraux par kilomètre carré exploité. Il constitue une des principales zones de surpeuplement rural de la Pologne. Une seule ressource minérale : le pétrole de la région de Krosno, Iaslo.

2° Les Sudètes.

Les cartes polonaises attribuent la dénomination de *Sudely* à l'ensemble du rebord nord-oriental du massif bohémien. Le territoire polonais commence au pied des montagnes de Pradzlad (en tchèque Pradel), mais englobe la dépression vallonnée de Kłodzko (en tchèque Kladzko et en allemand Glatz) et occupe un assez large ensemble de croupes boisées dominées par les formes plus rigides des Karkonosze (Sniezka 1.603 m.).

Structuralement, il s'agit de blocs basculés ayant conservé sur leur versant occidental leur couverture primaire et secondaire formant des entablements de plateaux et dressant des abrupts tectoniques vers le nord-est. Les accidents majeurs de cette région sont l'ensellement de Wałbrzych qui a permis la conservation du houiller et les bassins d'ennoyage de Jelenia Gora et de Kłodzko situés de part et d'autre. Les Sudètes polonaises sont un pays de collines boisées et de vallées intérieures plutôt qu'une région de montagne. C'est pourquoi les reliefs audacieux et dominants des Karkonosze retiennent spécialement l'attention et ont toujours impressionné les habitants des régions environnantes (monts des Géants). Les Karkonosze sont en effet de fières montagnes en raison de la sculpture de l'abrupt tectonique du bloc cristallin par les glaciations : une réplique des Tatry sur le revers du massif de Bohême. Ici aussi, le climat est rude, la neige abondante (le sommet culminant lui doit son nom). L'Observatoire de la Sniezka a enregistré, au cours des quarante années 1891-1930, les moyennes thermiques et pluviométriques suivantes (alt. 1.618 m.) :

	Janv.	Févr.	Mars	Avril	Mai	Juin	Juill.	Août	Sept.	Oct.	Nov.	Déc.
Températures	— 7°1	— 7°1	— 5°3	— 1°8	3°4	6°2	8°3	7°7	5	1	— 3°2	— 6°
Précipitations	78	62	66	80	100	128	150	125	108	97	79	85

En raison de l'exposition, le nombre de jours de précipitations est inférieur à celui qui a été relevé à Krynica ou à Zakopane : 160 contre 193 et 200, mais le nombre des jours de brume est très élevé ; la nébulosité du ciel dépasse 70%.

Le contact du massif bohémien avec les bassins silésiens s'effectue par un ennoyage progressif des accidents sous leur couverture mésozoïque plus que par une limite franche.

Cette région est une région de sols lourds, généralement pauvres. La forêt y occupe une large place. Mais à la différence des montagnes carpatiques, les Sudètes comportent de nombreuses inclusions filoniennes qui ont attiré, depuis le haut moyen âge, des collectivités de mineurs. Les affleurements ont été depuis longtemps exploités jusqu'à épuisement, mais des réserves actuellement accessibles par application des techniques modernes constituent un des centres d'attraction économique du pays. Autour de l'extraction de la houille de Wałbrzych, qui constitue la richesse minérale essentielle, s'ordonnent diverses possibilités d'exploitations métallifères : l'uranium de Jelenia Gora, le nickel de Kłodzko, les minerais arsénieux de Kłodzko et de Jelenia Gora, le chrome de Swidnica, des kaolins et des barytines.

La richesse minérale principale reste le charbon du bassin de Wałbrzych. Les conditions structurales sont moins favorables que dans le grand bassin silésien voisin. Le houiller a, suivant les endroits, de 250 à 900 m. d'épaisseur, mais les couches exploitables sont assez minces (0,40 à 1,50 m.) séparées les unes des autres par des terrains stériles friables. Les réserves sont évaluées à 1,5 milliard de tonnes. L'ensemble est fracturé et les veines se présentent généralement avec des pendages assez forts. L'exploitation appelle par consé-quent des travaux de boisage importants et exige une mécanisation poussée pour alléger un travail difficile et à faible productivité. L'avantage principal du bassin est de fournir de bons charbons à coke. Le bassin est donc la base naturelle d'une industrie gazière et métallurgique. L'équipement en place au moment de la libération permettait une extraction annuelle de 4 à 5 millions de tonnes. Il s'agit donc d'un ordre de grandeur comparable à celui du bassin de Saint-Étienne en France dans des conditions d'exploitation analogues.

B) Les bassins et les plateaux

1º Le bassin de Sandomierz et le plateau de Lublin.

En avant des Carpates occidentales, un vaste bassin triangulaire de près de 200 km. sur sa base sud, de 100 km. de hauteur du nord au sud, s'étend entre les Beskides au sud, le rebord crayeux des Rostocze au nord-est, les hauteurs de Swiętokrzyskie et le plateau de Petite-Pologne au nord-ouest et à l'ouest. Il s'agit d'une grande zone de subsidence précarpatique encadrée au nord-ouest et au nord-est par des zones de fracture. Cette zone a fonctionné comme zone d'accumulation de matériaux détritiques et lacustres au Néogène et au Quaternaire, notamment tant que l'écoulement des eaux des Carpates vers le nord a été interdit par la présence des glaciers sur les plaines situées plus au nord. Elle a conservé, dans sa fraction septentrionale, les caractères de région mal drainée, de part et d'autre du confluent de la Vistule et du San. Au sud, par contre, des épandages de lœss, ayant souvent évolué en tcher-noziom, recouvrent les glacis qui conduisent au pied de la plate-forme des Beskides. Les terres de moraines de fond du nord du bassin, les accumulations sableuses forment de pauvres terroirs piquetés de bois et de landes dans l'intervalle des marais. Le Sud est, au contraire, une zone agricole riche.

Le bassin communique à l'est avec le couloir du Dniestr, en Ukraine, à l'ouest avec la porte de Moravie et la Silésie par la vallée de la haute Vistule entre Krakow et Oswięcim. Il participe, malgré la très grande diversité de ses aptitudes agricoles, à la zone de surpeuplement rural de la Pologne méridionale. Au sud de Krakow, les grands gisements de sel gemme de Wieliczka sont situés à la limite du couloir Krakow-Oswięcim et du rebord carpatique.

Le plateau de Lublin, qui sépare le bassin de Sandomierz de la plaine de Mazovie, est la terminaison occidentale du plateau de Podolie dont il est détaché par la cuvette de Lwow, en Ukraine. Il se termine au nord et au sud-sud-est par un rebord tectonique. Ce plateau forme une zone de raccordement structural entre les accidents de la Podolie Volhynie et la zone hercynienne du massif de Swiętokrzyskie. A certains égards, il se rattache aussi à la terminaison occidentale de la table russe. Il n'excède pas 280 à 300 m. d'altitude.

2o Le massif de Swiętokrzyskie, les plateaux de la Petite-Pologne et la Haute-Silésie.

Massif de Swiętokrzyskie, plateaux de Petite-Pologne et Haute-Silésie appartiennent à la zone hercynienne. Ils forment un ensemble de voussoirs et de bassins sédimentaires comparable à l'ensemble constitué plus à l'ouest par le Harz et la Thuringe.

Le massif de Swiętokrzyskie est un groupe de crêtes appalachiennes culminant à 611 m. seulement à Lysica ou Lysa Gora, mais très vivement marquées dans la topographie et revêtant au-dessus des plateaux un faciès de montagne. D'épaisses forêts enveloppent les crêtes de quartzites siluriens. Le paysage rappelle celui des Brdy près de Plzen en Bohême.

Au sud-sud-ouest, un bassin sédimentaire de 100 km. de large se développe entre le massif de Swiętokrzyskie et le voussoir primaire de la Haute-Silésie. C'est à ce bassin, qui a une topographie de plateaux terminés vers le sud-ouest par des cuestas, que s'applique le nom de Petite-Pologne. Les roches du Trias, du Jurassique et du Crétacé n'affleurent qu'à proximité des côtes où l'érosion récente les a dégagées. Les calcaires jurassiques qui forment la côte de Częstochowa ont donné lieu à la constitution de rendzines. Ailleurs, le matériel sédimentaire, y compris le Néogène qui occupe le centre du bassin, disparaît sous les dépôts glaciaires recouverts par des sols forestiers gris (podzols). Les aptitudes agricoles sont assez médiocres, mais cette région a un potentiel industriel important : les minerais de fer sédimentaires de la région de Częstochowa, de petits gisements de cuivre, de zinc et de plomb et des minerais de fer également autour de Kielce au contact du bassin et des terrains primaires du massif de Swiętokrzyskie (1). L'intérêt industriel de ces ressources minérales est accru par la proximité des houillères et des grands gisements de plomb et de zinc de la Haute-Silésie.

Le plateau de Petite-Pologne domine topographiquement la Haute-Silésie orientale, bien que ce soit la Haute-Silésie orientale qui soit structura-

(1) Les réserves totales de minerai de fer sont évaluées à 300 millions de tonnes.

lement la région soulevée. Le Primaire, bombé en anticlinorium, a été aplani au-dessous du niveau de la côte triasique plus dure qui domine le pays noir au nord-est (voir ci-dessus p. 66).

L'intérêt économique de la Haute-Silésie se concentre intégralement sur ses richesses minières : charbon, plomb et zinc.

Rapports entre la stratigraphie et la répartition des richesses minérales en Haute-Silésie (d'après J. Smolensky). — Sur le bord occidental du plateau de la Petite-Pologne, on exploite les calcaires jurassiques et du lias et on extrait le minerai de fer apparaissant en strates ou en rognons sidéritiques dans les argiles brunes du Jurassique. Des grandes exploitations de calcaires et de dolomies se trouvent à Szczakowa, Grodziec, Wysika, Klucze, Rudniki, Lazy, Wonsowa, Ogrodzieniec et Wiek ; celles du minerai de fer, dans les environs de Tarnowskie Gory et de Częstochowa.

Le Trias qui apparaît sous le Jurassique contient dans le Muschelkalk dolomitisé, des minerais de zinc, de plomb, d'argent et des pyrites, répartis en trois régions minières : rebord oriental de la cuvette de Bytom (en rapport avec la région de Tarnowskie Gory) ; chaîne de Debnik-Niewierz ; gisements de Chrzanow dans le Keuper inférieur, du lignite (vallée de la Warta supérieure et de la Czarna Przemsza, dans les environs de Zawiercie) ainsi que des argiles réfractaires qu'on trouve aussi dans les formations du Jurassique.

Le Carbonifère productif, apparaissant en surface le long de la limite septentrionale et nord-est du bassin et dans l'axe de plusieurs élévations, fournit de la houille. Le calcaire foncé carbonifère sert à l'architecture monumentale et les grès carbonifères à la construction.

Le sel gemme apparaît dans les assises miocènes (Wodzislaw, Rybnik, Tony), ainsi que le gypse aux environs de Rydulty ; les argiles qui servent à la fabrication des briques (Rybnik, Mikolajow, Tony) et le soufre (Pszow, Kokoszyce).

On extrait le calcaire crétacé de Cieszyn, au pied des Beskides, en Silésie à Goleszow.

Les roches éruptives sont exploitées sur la bordure septentrionale du plateau de la Petite-Pologne. On trouve des porphyres (Miekiszna, Czerba), des tufs porphyriques (Filipowice), des mélaphyres et des diabases (Rudno, Regulica, Alwernia, Mirow, Poreba, Niedzwiedzia Gora).

Le bassin houiller couvre une surface d'environ 5.000 km² (son prolongement en territoire tchécoslovaque occupe encore un peu plus de 500 km²). Il est limité au nord par les hauteurs de Tarnowskie Gory, à l'ouest par une ligne Moravska-Ostrava, Rybnik, Gliwice, à l'est par une ligne inclinée du nord-ouest au sud-est allant de Dabrowa en direction de Krakow. Le charbon affleure rarement, car le carbonifère est mal dégagé de sa couverture mésozoïque, surtout triasique. La coupe à partir de la surface est généralement la suivante :

— Quaternaire (fluvioglaciaire) ;
— Tertiaire salin ;
— Trias (contenant minerais de zinc et de plomb) ;
— Carbonifère.

La série houillère a de 2.400 m. (à l'est) à 7.000 m. (à l'ouest) de puissance. Les couches de houille ont de 2 m. à 22 m. de puissance. Elles représentent au total une épaisseur de 100 à 250 m. Les évaluations de réserves varient, pour les charbons de moins de 1.000 m. de profondeur, de 67 à 100 milliards de tonnes. Pour l'ensemble exploitable, jusqu'à 1.500 m. de profondeur, elles sont de l'ordre de 150 milliards de tonnes.

La moyenne de puissance calorifique est de 7.000 calories. Elle s'élève, dans certaines mines, jusqu'à 8.000. La teneur en matières volatiles varie de 24 à 50 %. Une évaluation approximative attribue les quantités suivantes de réserves à chaque catégorie industrielle principale :

Charbons à longues flammes (40 à 50 % de matières volatiles)	71 %
Houille grasse (maréchale)...............................	18 –
— à coke de métallurgie	11 –

Les meilleurs charbons à coke sont extraits à Bytom et à Gliwice. Les conditions de travail sont très avantageuses : les morts-terrains sont stables, les couches généralement peu dérangées, toujours épaisses et compactes. Le problème technique principal est celui de l'évacuation des eaux que le toit laisse pénétrer. La mécanisation est aisée, et, déjà en 1938, sans que des efforts d'aménagements très considérables aient été faits par les compagnies étrangères qui exploitaient à raison de 75 % le charbon de la Haute-Silésie polonaise, le rendement était de 2,7 t. par jour et par mineur de fond, de 1,8 t. par ouvrier (fond et jour), donc bien supérieur à celui des houillères de la Ruhr.

3º Le bassin de Silésie.

Le bassin silésien est plutôt une zone complexe de subsidence tertiaire qu'un bassin au sens propre du terme. Au pied des Sudètes, à l'ouest des plateaux de Petite-Pologne et de Haute-Silésie, et au sud des hauteurs de Trzebnicka, il se présente sous la forme d'une aire d'ennoyage occupée par des matériaux tertiaires, communiquant avec la Moravie. Sa caractéristique principale est la grande extension des lœss et des tchernozioms qui en font une des régions les mieux douées au point de vue agricole. Toutefois, les étendues sableuses et tourbeuses sont encore assez importantes dans la Silésie d'Opole et en aval de Wrocław.

La Silésie est plus sèche que le bassin de Sandomierz ou le couloir de Krakow, mais le régime continental de répartition des précipitations assure une distribution suffisante d'eau au cours de la période végétative. Au point de vue thermique, les nuances sont imperceptibles entre Tarnow, Krakow et Wrocław.

	Janv.	Févr.	Mars	Avr.	Mai	Juin	Juill.	Août	Sept.	Oct.	Nov.	Déc.
Températures :												
Tarnow....	—1°8	—0°7	3°5	8°4	14°5	17°4	19°1	18°1	14°4	9°4	3°7	—0°1
Krakow ...	—2°5	—1°4	3°	8°1	13°9	16°8	18°8	17°5	13°8	8°6	3°1	—0°8
Wrocław...	—1°1	—0°2	3°4	8°2	13°8	16°9	18°8	17°7	14°2	9°	3°6	—0°4
Précipitations :												
Tarnow....	35	34	40	57	73	98	119	88	59	57	42	37
Krakow ...	32	29	36	47	77	97	111	95	63	56	40	36
Wrocław...	38	29	38	43	60	62	87	68	46	44	39	38

L'ensemble des régions méridionales de la Pologne peut être caractérisé par une grande inégalité et une grande diversité d'aptitudes. Mais la somme de toutes les sources de production avantage nettement ces régions, surtout dans leur fraction centrale et occidentale, par rapport au reste du territoire national.

Elles possèdent les ressources industrielles fondamentales : le charbon (Haute-Silésie et région de Wrocław-Walbrżych), le minerai de fer et les pyrites (Częstochowa et Kielce), les minerais de zinc et de plomb (Haute-Silésie), de cuivre et de nickel (Basse-Silésie), le pétrole (Jaslo et Krosno dans la voiévodie de Rzeszow), le sel (Wieliczka au sud-est de Krakow), des argiles réfractaires, de la barytine, des sables de verrerie et des matériaux de construction. De vastes étendues forestières produisent des bois d'œuvre, des poteaux de mine, des bois courants. Quantitativement, les ressources houillères sont de beaucoup les plus importantes des ressources brutes. Elles permettent d'envisager, outre la satisfaction d'une consommation industrielle importante, des ventes compensatrices des importations techniques.

Les régions les mieux douées pour recevoir des installations d'industrie lourde sont le triangle Kielce, Zywiec, Opole et, en second lieu, la région de Jelenia Gora, de Wałbrżych et de Wrocław.

La vocation agricole est inégale. Le climat relativement chaud du sud de la Pologne autorise les cultures riches à haut rendement : blé, betteraves à sucre, cultures fourragères et pommes de terre de forte productivité notamment. Mais l'extension de ces cultures est déterminée par les conditions de relief et de sol. Les forêts couvrent plus de deux millions d'hectares dans les voiévodies méridionales (28,5 % de la superficie totale des forêts polonaises sur moins de 24 % de la superficie totale). Elles occupent les sols de montagne des Carpates et des Sudètes, les plateaux gréseux du trias silésien, les terrains primaires du massif de Swętokrzyskie, certains épandages de sables morainiques dans le bassin de Sandomierz et en Silésie. Des landes et des marais, coupés de maigres bois de pins, occupent des superficies assez étendues dans les mêmes régions.

Mais le sud de la Pologne possède aussi les plus grandes superficies de bonnes terres, classées sous les rubriques lœss et tchernozioms, rendzines et limons alluviaux. Ces terres couvrent le centre de la voiévodie de Lublin sur le plateau, l'est de celle de Kielce et le sud-ouest de la voiévodie de Wroclaw, jusqu'aux premières pentes des Sudètes. Une longue bande de lœss et de tchernoziom suit le pied des Carpates depuis la source de la Vistule jusqu'à la vallée supérieure du San. Elle s'épanouit de part et d'autre du 20e méridien ouest, au nord de Krakow. Des terres moins fécondes (sables plus ou moins podzolisés) occupent la majeure partie de la Haute-Silésie, les plateaux de la voiévodie de Kielce et une partie de celle de Rzeszów, au nord de cette ville. Ces régions, avec moins de 40 % de la superficie totale, de la superficie nationale et de la superficie arable, représentent au moins la moitié du potentiel productif agricole de la Pologne.

II. — *LES PLAINES CENTRALES*

Les plaines centrales de la Pologne appartiennent à l'ensemble morphologique de la grande plaine germano-polonaise (ci-dessus p. 73). Leur topographie, les conditions de leur drainage, la nature de leurs sols procèdent de leur histoire glaciaire quaternaire. Ces plaines se présentent comme une large dépression au drainage lent et incomplet, allongée de l'ouest à l'est depuis l'Odra jusqu'à la frontière de l'Union soviétique, qui ne correspond à aucune différenciation physique, les mêmes formes et les mêmes paysages se poursuivant en s'amplifiant en Biélorussie. Sur 500 km. d'ouest en est et 150 à 200 du nord au sud, l'altitude ne dépasse pas 150 m., sauf au nord-est, dans la région de Bialystok. Il ne s'agit cependant pas d'une plaine idéale, mais d'une étendue aux formes très émoussées, comme surbaissées, faisant alterner des interfluves à peine bombés avec des vallées et des chenaux aux versants mous, empâtés par les glissements. Les différenciations de sols ont plus d'importance que les dénivellations et les limites morphologiques, qu'elles rendent perceptibles : rubans de basses terrasses limoneuses ou tourbeuses, hautes terrasses fluvio-glaciaires très dégradées où abondent tourbières, marais et sables remaniés en dunes, dos de terrains que recouvrent des sols gris (podzols).

L'orientation du drainage est double, comme en Allemagne du Nord : nord-sud et est-ouest. Les *pradoliny* ou chenaux est-ouest sont les éléments les plus importants de la topographie : ils découpent la plaine, entre Odra et Vistule et à l'est de la Vistule, en plateaux allongés. La mieux dessinée de ces pradoliny, voie de passage naturelle d'une haute importance historique, est le chenal communément désigné dans les ouvrages géographiques anciens sous le vocable : chenal Varsovie-Berlin. En fait, cette pradolina commence avec la vallée inférieure du Bug à l'est de Varsovie, et est jalonnée à l'ouest de la Vistule par les vallées de la Bzura, du Ner, de la Warta moyenne, de l'Obra et de l'Odra le long du 52e parallèle. Plus au nord, une autre pradolina bien développée a joué et continue à jouer un rôle appréciable dans l'organisation des communications est-ouest : c'est la pradolina qui unit la vallée de la Vistule aux environs de Torun et de Bydgoszcz à celle de l'Odra par le long sillon du Notec.

Ces pradoliny sont séparées par des interfluves très peu marqués où la moraine de fond supporte un revêtement plus ou moins continu de moraines terminales dégradées. Certains interfluves portent la marque de pradoliny intermédiaires, à peine esquissées, dont on suit le tracé plus aisément sur une carte des sols que sur une carte topographique : leur emplacement se signale par la présence de terres noires occupant le fond d'anciens marais. C'est notamment le cas du *Bachorze* à l'ouest de Wloclawek. La largeur des pradoliny n'est pas constante. On y reconnaît dans les formes et dans la nature des dépôts de fond d'anciennes extravasions lacustres des cours d'eau.

Les matériaux constituant l'ensemble de la plaine sont très peu variés, car les différentes formes procèdent des remaniements successifs du matériel morainique. La trilogie sables, cailloux, argiles, se prête à des combinaisons locales et régionales diverses, mais ne supporte pas d'exception. Cependant, le soubassement primaire et mésozoïque n'est jamais loin. La plaine de la moyenne Vistule doit à la proximité du Permo-Trias sous la couverture morainique de posséder des sources salines. Les surfaces occupées par les eaux, tout en étant beaucoup moins considérables que plus au nord, demeurent importantes, bien que de nombreux lacs et marais se soient progressivement colmatés et ne subsistent plus que sous la forme d'îlots de sols noirs ou de tourbières. La seule classification des lacs, d'après leurs formes et leurs origines probables, a inspiré une abondante littérature. Les uns, ronds et petits, sont interprétés comme l'empreinte de blocs de glace résiduels ayant fondu après le retrait des glaciers et après avoir empêché l'accumulation de matériel morainique à leur place. D'autres sont allongés dans le sens sud-est-nord-ouest ou sud-nord parallèlement aux lignes d'œsars (lacs de Niepruszow et de Strykow près de Poznan, lac de Goplo dans la vallée supérieure du Notec par exemple). Certains, généralement assez profonds (plusieurs dizaines de mètres), sont considérés comme occupant d'anciens chenaux sous-glaciaires : lac de Kiekrz, lac de Gorka, lac Budzyn, parsemés d'îles ou de presqu'îles (drumlins et œsars). D'autres, moins étendus, le colmatage ayant été plus rapide dans leur cas, s'alignent le long des pradoliny. Tous ces lacs ont joué un rôle important dans la protohistoire polonaise.

La disposition du réseau hydrographique, héritée de l'époque glaciaire, est curieusement dissymétrique. Dans leur cours moyen et inférieur, l'Odra et la Vistule n'ont presque aucun affluent de rive gauche ; la limite du bassin suit de très près le thalweg à l'ouest, tandis que le bassin s'étend largement à l'est. Le bassin de l'Odra en aval du confluent de la Nisa lusacienne occupe 5.000 km² sur la rive gauche et 62.000 sur la rive droite. Le dessin du réseau hydrographique suggère une autre remarque : la plaine centrale polonaise se présente comme une gouttière entre les croupes baltiques et les plateaux méridionaux. Sur le versant sud, le drainage s'effectue suivant les directions sud-nord, sud-est-nord-ouest et est-ouest. Sur le revers nord de cette gouttière, seules les artères principales ont un écoulement sud-nord. Les tributaires conduisent les eaux toujours d'est en ouest suivant la direction des pradoliny, mais aussi du nord au sud (Biebrza et bas Narew, Drweca, Brda, Glda, etc.).

Les changements de direction des cours d'eau, les carrefours entre axes nord-sud et pradoliny sont des lieux géographiques dont l'importance historique et le rôle dans l'organisation contemporaine des communications ne sont pas négligeables, malgré l'aisance avec laquelle on traverse les interfluves.

Le régime général de l'écoulement (ci-dessus p. 188) est dominé par la disharmonie entre la répartition saisonnière des précipitations et le régime d'écoulement. La Vistule apporte à la mer, d'après Stanislas Lencewicz, 16,1 % des eaux tombées sur son bassin entre le 15 avril et le 15 octobre, contre 42,8 % pour la période 15 octobre-15 avril, qui comporte la phase de hautes eaux nivales du printemps. Le minimum est en fin d'été (septembre). Le gel n'est jamais assez continu en hiver pour interdire un écoulement supérieur à celui de septembre.

Cependant, le climat devient plus nettement continental et plus sec d'ouest en est.

	Janv.	Févr.	Mars	Avr.	Mai	Juin	Juill.	Août	Sept.	Oct.	Nov.	Déc.
Températures :												
Gorzów	—1°5	—0°5	2°8	7°4	12°8	15°9	17°7	16°5	13°1	8°	3°	—0°1
Varsovie ...	—2°9	—2°	1°8	7°6	13°8	16°8	18°6	17°2	13°3	7°8	2°3	—1°3
Bialystok...	—4°1	—3°2	0°7	6°7	13°3	16°5	18°4	16°7	12°6	7°	1°4	—2°4
Précipitations :												
Gorzów	43	32	37	38	48	60	81	58	46	38	39	44
Varsovie ...	33	23	27	35	54	58	83	71	42	35	37	32
Bialystok...	30	24	27	37	46	64	80	67	37	37	37	26

(Total : Gorzów 564, Varsovie 530, Bialystok 522)

La répartition et la valeur des cultures dépendent des sols qui, à l'exception de sols des basses plaines alluviales et de certains fonds de lacs et de marais desséchés, se présentent presque toujours sous forme de sols sableux plus ou moins podzolisés. Ces sols ne sont que de médiocres terres de culture, comportent des zones stériles appelant de gros travaux de drainage ou d'amendement (sables et régions tourbeuses). Cependant, l'occupation du sol est très poussée. Sauf en Mazovie et sur la rive droite de l'Odra, les forêts et les pâturages tiennent peu de place. La plaine forme une vaste campagne labourée où le seigle l'emporte sur le blé, où le lin et la pomme de terre constituent, avec les produits fourragers, l'essentiel des récoltes d'appoint.

Les principales richesses minières de cette plaine sont le sel gemme et le lignite. Les réserves de lignite, abondantes autour de Zielona Gora, de Poznan, de Bydgoszcz, de Łodz et de Zawiercie, sont évaluées entre 10 et 20 milliards de tonnes. Plus abondante encore est la tourbe, qui peut suppléer à l'absence de combustibles à haut pouvoir calorifique dans l'est de la plaine.

III. — *LES CROUPES BALTIQUES ET LA FAÇADE MARITIME*

La grande plaine polonaise est séparée de la mer par l'ensemble serré et confus des moraines de la dernière glaciation ayant intéressé le continent européen au sud de la Baltique. A travers une topographie très différenciée, sans que les variations d'altitude absolue soient bien considérables (de quelques dizaines de mètres à un peu plus de 330 m.), un lacis embrouillé de vallées aux versants souvent arides, entre des chaînes de dunes et des collines morainiques, conduit de pradolina en pradolina du bassin intérieur de l'Odra ou de la Vistule aux rivages sableux de la Baltique. Les lacs sont ici très nombreux, souvent fort étendus (notamment les lacs Mamry et Sniardwy de part et d'autre de Gizycko dans la zone de partage des eaux entre Narew et Pregola, en Mazurie). Ce sont généralement des lacs de forme allongée dont on attribue l'origine à d'anciens chenaux sous-glaciaires, ou à des accumulations d'eau au flanc des lobes du glacier en voie de résorption, ou encore au barrage de l'écoulement par des œsars. Ces lacs s'échelonnent à toutes les altitudes. Les lacs Radunskie, de Brodnica, d'Ostzyce, qui sont à moins de 50 km. de la mer dans le pays de collines boisées que l'on appelle la « Suisse kachoube », à l'ouest de Gdansk, sont échelonnés entre 159 et 162 m.

Le rempart morainique forme une ligne de partage des eaux parfaitement stricte entre Odra et Vistule, et encore bien nette entre Vistule et Niemen, sauf dans la région des lacs de Gizycko. Il est percé par deux trouées aux versants souvent bien marqués : celle de la Vistule et celle de l'Odra, qui jouent un rôle de premier ordre dans la vie de relation de la Pologne. Ces trouées occupent l'emplacement de dépressions tectoniques où subsistent, sur le mésozoïque, des terrains oligocènes et miocènes. Ces dépressions paraissent avoir été en partie déblayées de leurs matériaux de remplissage, peut-être même rajeunies par des mouvements de subsidence, donc topographiquement individualisées avant le développement de l'inlandsis quaternaire. D'après R. Galon, le couloir de la Vistule entre Bydgoszcz et Gdansk correspond à un abaissement de la surface sous-glaciaire, jusqu'à — 100 contre + 60 dans la région située au sud-est de Bydgoszcz et de Grudziądz et + 40 à + 60 en Poméranie. La trouée de l'Odra, également préparée par l'ennoyage d'un bassin tertiaire situé en arrière de la côte où on connaît le substratum crétacé, présente les mêmes caractères. La surface préglaciaire s'abaisse ici à nouveau jusqu'à — 150 à Szczecin. Au cours du retrait des glaces, le front glaciaire s'est attardé sur le littoral actuel. Une pradolina s'est développée en arrière, amorçant la formation du golfe de Szczecin.

L'architecture du sol et la répartition des matériaux glaciaires différencient donc deux ensembles de formes :

a) Deux passages sud-nord aboutissant dans des conditions naturelles originales à la mer : celui de l'Odra, qui s'épanouit en une vaste rade de 5 m. de profondeur au moins avec des creux de 6 à 7 m. sur 50 km. d'W. en E., une vingtaine du N. au S. de part et d'autre du chenal de l'Odra ; celui de la Vistule, qui se termine sur une zone de colmatage où le fleuve s'épanouit en delta, atteignant par sa branche orientale la lagune du Qalew Wislany (Frisches Haff).

b) Deux alignements de moraines enchâssant de nombreux lacs. Ces deux alignements sont légèrement décalés l'un par rapport à l'autre : celui de la Poméranie ou Pomorze entre Odra et Vistule, celui de la Mazurie entre Vistule et Niemen au sud de la plaine prussienne.

Le climat n'est pas notablement différent de celui de la grande plaine centrale. Seule la frange côtière subit l'influence de la mer qui réduit la rigueur des hivers et accroît la nébulosité sans augmenter sensiblement les précipitations.

Stations maritimes	Janv.	Févr.	Mars	Avr.	Mai	Juin	Juill.	Août	Sept.	Oct.	Nov.	Déc.
Températures :												
Szczecin	—0°9	—0°1	3°	7°5	12°9	16°2	18°3	16°9	13°6	8°5	3°5	0°5
Gdansk	—1°5	—0°9	1°7	6°3	11°3	15°3	17°6	16°6	13°5	8°4	3°4	0°2
Station de l'intérieur												
Szczecinek (Pomorze) ..	—2°3	—1°6	1°3	6°1	11°8	14°9	16°9	15°5	12°2	7°4	2°5	—0°8
Précipitations :												
Szczecin	44	31	36	37	44	52	77	64	46	43	39	48
Gdansk	35	26	32	35	48	53	70	70	57	41	47	41
Szczecinek ..	42	32	36	39	57	57	81	71	54	44	44	47

(Moyennes 1881-1930)

Les conditions morphologiques tracent les perspectives essentielles de l'utilisation de ces régions. La Poméranie et la Mazurie sont des régions très médiocrement douées au point de vue agricole. Les sols les plus répandus sont des sols sableux et caillouteux occupés par des forêts de pins et des landes. Des sols tourbeux sont également peu exploitables. L'agriculture se réfugie sur les *sandr* et les argiles sableuses où les pâturages et les prairies alternent avec les cultures de seigle et de pommes de terre. Certaines terres argileuses lourdes constituent de bons terroirs dans le couloir de la basse Vistule, dans le bassin de la haute Pregola en Mazurie, au sud de Stargard et le long de la côte en Pomorze.

Le rôle principal de ces régions est de constituer une façade maritime. Les petites anfractuosités des côtes basses du Pomorze, le golfe de la Vistule (nom polonais du Frisches Haff) ne présentent d'intérêt que pour de petites installations de pêcheries : Swinoujcie, Leba, Puck, Tolmicko, Braniewo et pour des ports mixtes pratiquant la pêche et un petit cabotage, Kolobrzeg, Darlowo, Ustka, Elblag. Les positions et les sites portuaires permettant un développement important de la fonction commerciale sont ceux de la basse Vistule, groupe Gdansk-Gdynia et Szczecin sur l'estuaire de l'Odra. Les conditions naturelles les plus favorables sont celles du bas Odra. Szczecin dispose d'une vaste réserve d'espaces d'eau facilement aménageables, à 50 km. de la mer et en arrière de la rade naturelle du golfe de Szczecin, bien protégée d'une mer généralement calme. Les fleuves constituent des voies de transport qui se prêtent à un aménagement en vue de gros transports fluviaux. Par communications fluviales et par utilisation des itinéraires naturels tracés par les vallées principales et les pradoliny, s'ordonnent deux faisceaux de relations entre la mer et l'intérieur du pays : l'un draine la plaine centrale vers Gdansk et Gdynia, l'autre le sud de la Pologne et la Silésie vers le bas Odra et Szczecin.

II. — LES BESOINS DE LA NATION POLONAISE ET LES OBJECTIFS IMMÉDIATS DE L'EFFORT ÉCONOMIQUE

1º La population.

La population de la Pologne a subi des pertes très lourdes du fait de la guerre. Les combats, la destruction de Varsovie, les déportations, l'extermination systématique des Juifs par les Allemands ont coûté la vie à plus de 6 millions de Polonais : 123.000 soldats et 521.000 civils tués dans les opérations militaires, 5.384.000 personnes mortes dans les camps de concentration.

La fondation du nouvel État polonais sur les bases géographiques définies à la Conférence de Potsdam a été suivie d'importants déplacements de population : refoulement des Allemands sur leur territoire national, échanges de population avec les républiques soviétiques de Biélorussie et d'Ukraine, retour de Polonais de l'étranger. Le dénombrement de 1946 a précédé l'achèvement de ces déplacements. Il a fallu attendre celui du 3 décembre 1950 pour avoir une image exacte de la population de la Pologne.

Le chiffre total, au 3 décembre 1950, était de 24.976.926 habitants contre 23.929.757 au 14 février 1946, bien que le déficit résultant de l'achèvement des migrations de mise en place des populations nationales ait été de l'ordre d'un million d'individus pour cette période. L'accroissement naturel est de 2.139.000 personnes, ce qui représente un taux très élevé, de plus de 17 º/ºº par an. Ce taux se vérifie par la comparaison des taux de natalité et de mortalité. Les taux de natalité se sont élevés en 1947, 1948, 1949, respectivement à 26,1, 29,1 et 28,8 º/ºº contre 25,8 pour la moyenne 1936-1938.

Les taux de mortalité se sont abaissés plus sensiblement encore : 1947 : 11,2, 1948 : 11,1, 1949 : 11,5, contre 14,3 pour la moyenne 1936-1938. La réduction a porté spécialement sur la mortalité infantile ramenée de 122 º/oo en 1936-1937 et de 136,7 en 1946 à moins de 100 pour la moyenne des années 1947-1952.

La pyramide d'âges est expressive d'une nation jeune, malgré la réduction des naissances pendant la guerre et les répercussions sur les classes adultes du déficit de natalité dû à la première guerre mondiale (fig. 53). La population active (entre 20 et 59 ans) s'élève à 12.914.000 individus, contre un peu moins de 2 millions de vieillards et 9.303.000 jeunes de moins de 20 ans (au 1er janvier 1949).

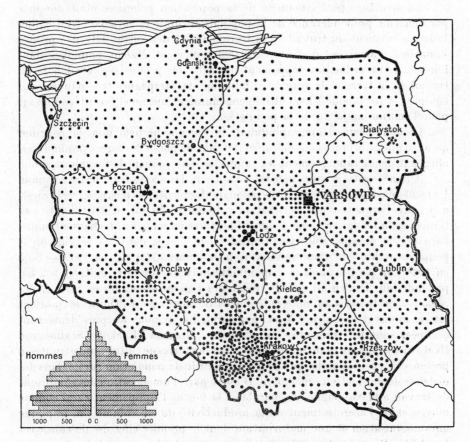

FIG. 53. — **La répartition de la population en Pologne**

Chaque petit point correspond à 10.000 habitants, un gros point rond représente 100.000 habitants, un carré noir plus de 500.000 habitants.

En carton, pyramide des âges au 1er janvier 1949.

La population polonaise est donc caractérisée plus encore qu'avant la guerre, tant du fait de l'accroissement des naissances que de celui de la réduction de la mortalité et surtout de la mortalité infantile, par son dynamisme démographique. Au rythme de croissance actuel, la Pologne pourrait avoir plus de 30 millions d'habitants vers 1960.

Or, avant la guerre, on considérait généralement la Pologne comme un pays surpeuplé. Le chômage était chronique dans les villes et l'on estimait à 6 ou 8 millions les paysans en surnombre à la terre. Cette situation démographique, associée à une structure agraire défavorable à la masse des paysans, était responsable de l'émigration permanente des Polonais.

La structure professionnelle de la population polonaise était dominée par l'énorme prépondérance de la population rurale et agricole : 61,4 % des Polonais vivaient du travail de la terre, 38,6 % des autres activités professionnelles. Parmi ces derniers, 800.000 seulement étaient employés dans l'industrie. Le faible développement des activités productives en dehors du travail de la terre et la surcharge humaine de campagnes très pauvrement équipées (1 rural pour 1 ha. cultivé) engendraient misère et bas niveau de vie pour l'énorme majorité de la population.

Le dynamisme démographique de la Pologne ne peut donc se concilier qu'avec une politique économique mobilisant de nouvelles forces productives, allégeant démographiquement les campagnes, accroissant le revenu national.

Aux nécessités d'ordre général s'associent des nécessités d'ordre régional. La recolonisation, par des paysans polonais, des territoires récupérés de l'Ouest, a permis d'organiser une occupation rationnelle du sol en attribuant (aux termes de la loi agraire) une dizaine d'hectares en moyenne à chaque famille. Bien que la natalité soit exceptionnellement élevée dans ces régions où le peuplement procède d'une immigration de jeunes (34,8 %o en 1949 — 35,5 en 1948), on peut évaluer la disponibilité moyenne de terre cultivée à 2 ha. par individu. Il n'en est pas de même des régions orientales et surtout des régions méridionales où, malgré le départ de colons pour l'Ouest, le quotient est de moins de 1 ha. à 1,5 ha. par rural. Les régions les plus densément occupées sont les voiévodies méridionales, Rzeszow, Krakow, Stalinogrod (Katowice). Compte tenu de l'inégale valeur des terres de culture, on se trouve en présence de cas de surcharge encore très lourde de population rurale dans des districts de productivité médiocre. D'autre part, l'amélioration des conditions de travail à la campagne, inséparable à la fois de l'équipement rural comme moyen et de l'accroissement de la productivité du sol comme fin, implique une mécanisation et une motorisation dont le premier effet est de consacrer l'inutilité d'une fraction plus ou moins importante, suivant les lieux, de travailleurs ruraux. A cette condition, le niveau de vie des paysans normalement employés dans les cadres d'une production techniquement rationnelle peut s'élever considérablement. Le problème à résoudre est donc celui du remploi de la main-d'œuvre rurale libérée du travail de la terre. La solution peut être également dans la concentration d'une partie de cette main-d'œuvre dans des régions industrielles particulièrement douées pour le développement des industries lourdes comme la Haute-Silésie, et dans l'utilisation sur place d'une autre partie de cette main-d'œuvre par la création d'une activité industrielle régionale.

De ces considérations dérive la dualité de la planification économique conçue d'une part dans le cadre des perspectives d'équipement national et de réalisation des bases d'une économie hautement productive et d'une société à niveau de vie croissant, d'autre part du point de vue de la régionalisation du développement économique et de l'élaboration de nouvelles régions définies d'après leurs possibilités naturelles, leur patrimoine historique, leur potentiel humain et l'intérêt que chacune d'elles peut présenter dans la réalisation du plan national.

La planification à longue échéance a été entreprise en Pologne avec la mise en application d'un plan sexennal en 1950. On a commencé, en 1952, la préparation d'un plan quinquennal pour la période 1956-1960.

2º Les objectifs du plan sexennal (1950-1955).

Deux extraits de discours officiels commentant le plan sexennal polonais en définissent les objectifs :

« Il résultera des réalisations du plan de six ans, une Pologne transformée en l'un des pays les plus industriels de l'Europe. » (B. Bierut, Président de la République, 16 juillet 1950.)

« La tâche essentielle du plan de six ans, en tant que plan de construction des bases du socialisme en Pologne, consiste à accroître d'une façon importante les forces de production, et avant tout la fabrication des moyens de production. C'est à l'industrie qu'incombent les plus grandes tâches dans le domaine du développement des forces de production et c'est pour cela que notre plan de six ans est le plan d'une industrialisation poussée du pays. » (H. Minc, ministre de l'Économie, 15 juillet 1950.)

Les chiffres repères permettent de mesurer quantitativement la portée de cet effort.

L'extraction de la houille, 100 millions de tonnes en 1955, assurera un quotient par habitant et par an de plus de 3,5 t. (Grande-Bretagne, 4 t., Allemagne, environ 2 t., France, 1,3 t. en 1950). La même année, la production d'énergie électrique est prévue à raison de 19,5 milliards de kWh., soit plus de 700 kWh. par habitant et par an contre à peine un peu plus de 100 dans l'ancienne Pologne. A ces disponibilités énergétiques, en quantité et en forme de distribution, s'ajouteront un peu moins de 400.000 t. de pétrole naturel et 430.000.000 de mètres cubes de gaz naturel (1).

Pour couvrir les besoins de la construction des bâtiments industriels et des immeubles urbains, la production de ciment sera poussée jusqu'à 4,9 millions de tonnes (2,3 millions de tonnes en 1949) — quotient individuel d'environ 180 kg. (En 1949, Grande-Bretagne 185 kg., France 162.)

Les objectifs pour l'extraction des minerais métalliques sont de 3 millions de tonnes de minerai de fer, de 3,2 millions de tonnes de minerai de cuivre, de 2,2 millions de tonnes de minerais de zinc et de plomb, représentant des tonnages de métal de respectivement 1 million de tonnes pour le fer (30 % du fer traité dans la métallurgie nationale), plus de 25.000 tonnes de cuivre, 197.600 t. de zinc, etc.

La production d'acier pour 1955 a été fixée à 4,6 millions de tonnes, 180 kg. par habitant,

(1) Des usines de pétrole synthétique, travaillant sur des lignites et de la houille, sont en construction.

celle d'acide sulfurique à 540.000 t., celle de soude calcinée à 389.000 t., celle d'engrais phosphatés à 250.000 t.

La valeur de la production des machines est appelée à croître de 3,6 fois en six ans. Il s'agit, en même temps que d'une augmentation globale de la fabrication, d'une grande diversification de la fabrication répondant aux multiples besoins de l'industrialisation, de l'équipement rural, du développement des transports. La demande de machines-outils lourdes, de matériel mécanique pour les mines, pour les centrales électriques, pour l'industrie textile, est très tendue, bien qu'une partie du matériel d'équipement des nouvelles usines soit importé. Le taux d'accroissement de la fabrication de l'outillage agricole en 1955 par rapport à 1949 est de 400 % pour les machines et de 450 % pour les tracteurs (11.000 unités en 1955). Le plan fixe également pour tâche la création de toutes pièces d'une industrie automobile devant livrer, en 1955, 25.000 camions et 12.000 voitures de tourisme.

L'importance de l'effort d'équipement ne comporte pas la négligence du secteur des industries légères. Toutefois, les taux d'accroissement de la production sont ici moins élevés. Les chiffres de 1955 se situent en moyenne au double de ceux de 1949, tandis que les industries d'équipement doivent quadrupler leurs fabrications.

		1949	Prév. 1955
Tissus de coton	(millions de mètres)	397,6	607,7
— laine	—	49	74,9
— soie	—	43,7	103,9
Chaussures cuir	(millions de paires)	8	22,2
Papier	(milliers de tonnes)	264,5	530
Sucre	—	745,3	1.100
Savon	—	41,8	88,1
Bière	(millions de litres)	239,5	600
Cigarettes	(milliards de pièces)	21,3	31

Bien que la planification soit moins facile à appliquer dans l'agriculture, où domine la petite économie privée, que dans l'industrie, des objectifs numériques sont fixés, que l'appel au patriotisme des paysans et l'aide technique de l'État doivent contribuer à faire réaliser.

La valeur de la production agricole doit augmenter de 50 % en six ans. La superficie cultivée ne sera accrue que de 7 % par des travaux d'aménagement et de défrichement. Il s'agit donc surtout d'un accroissement général des rendements et de la substitution à des assolements empiriques à faible rentabilité d'assolements rationnels ouvrant une place plus large aux cultures industrielles et aux cultures fourragères supportant un élevage qualitativement amélioré. Les fermes d'État jouant le rôle de fermes-pilotes sont appelées à exercer une influence décisive à cet égard (ci-dessous p. 570).

PRÉVISIONS D'ACCROISSEMENT DE RENDEMENT DE QUELQUES CULTURES

Pologne	de 1934-1938	1949	Prévisions 1955
Blé	11,9 qx/ha.	12,3	17
Seigle	11,2 —	13,1	15,5
Orge	11,8 —	12,2	17
Avoine	11,4 —	13,1	16
Pommes de terre	121	122	150

Dans le domaine de la céréaliculture, on envisage surtout le remplacement, dans de nombreux terroirs, des ensemencements en seigle par des ensemencements en blé. La récolte de blé peut ainsi largement doubler (dépassant 25 millions de quintaux), tandis que la récolte de seigle restera stationnaire (accroissement de 2 % par rapport à 1949, environ 50 millions de quintaux). De gros progrès doivent également être réalisés par la culture de l'orge dont la moisson 1955 doit atteindre 190 % de celle de 1949.

Parmi les cultures industrielles dont on encourage le développement, les cultures de plantes textiles sont en tête (prévisions d'accroissement : 73 %), suivies de près par les oléagineux — le colza surtout — (accroissement : 67 %). Les objectifs fixés pour les cultures de betteraves à sucre et de plantes fourragères sont moins élevés (augmentation de 25 et de 48 % par rapport à 1949).

La période sexennale 1949-1955 doit voir s'achever la restauration du troupeau presque anéanti pendant la guerre. Les effectifs prévisionnels sont, toujours pour 1955, de 3 millions pour les chevaux, de 9,5 millions pour les bêtes à cornes, de 10,5 millions pour les porcs, de 3,8 millions pour les ovins, et de 105 millions de pièces pour les volailles.

Parallèlement, les transports doivent répondre à une demande de plus en plus tendue, et il faut tenir compte du fait que le réseau hérité de la période antérieure avait été conçu en fonction d'une configuration différente des États et des rapports interrégionaux. Un enrichissement du matériel existant ne saurait suffire. La construction de nouvelles lignes, de raccordements divers est nécessaire. Les travaux de restauration et de construction de lignes de chemins de fer porteront sur près de 2.000 km. dont 700 km. de lignes nouvelles. Le réseau routier surtout est en complète transformation : 4.000 km. de bonnes routes à revêtement en dur seront remises en état, mais, en même temps, on en construira 6.500 km. de nouvelles. Cette période doit aussi voir commencer les travaux de la construction d'une grande voie d'eau Bug-Odra, tandis que se poursuivent les aménagements de la Vistule, de l'Odra et de la Warta pour les rendre accessibles intégralement à la batellerie de 1.000 t. au moins.

L'augmentation de la production d'instruments de production et la transformation des méthodes de production de l'agriculture s'accompagne de grands travaux de construction immobilière, d'équipement médico-social et culturel.

Pour assurer la réalisation du plan, on poursuit une redistribution professionnelle de la population en même temps que l'on fait appel à l'initiative créatrice et à la conscience des responsabilités.

Dès 1950 (recensement du 3 décembre 1950), le pourcentage des personnes tirant leurs moyens d'existence de l'économie agricole par rapport à la population totale s'était abaissé à 45,7 % contre 61,4 dans la Pologne d'avant guerre. Le nombre des travailleurs industriels s'est élevé de 1.701.000 en 1947 (1938, 913.000) à 4.200.000 en 1952 et doit atteindre 5 millions en 1955. Au total, les effectifs des personnes employées dans le secteur socialiste, y compris les fermes d'État et les coopératives agricoles, doit passer de 2.600.000 personnes à 5.700.000. Plus de 3 millions de travailleurs doivent être prélevés dans le secteur de surpeuplement professionnel de l'agriculture au profit du développement industriel. Ce glissement professionnel suppose une mutation qualitative : pendant les six années 1949-1954, les écoles et instituts techniques doivent former 790.000 ouvriers spécialisés et spécialistes (la formation professionnelle ne se limite d'ailleurs pas au domaine de l'économie industrielle). Un peu plus de 1 million de femmes doivent se trouver incorporées à la main-d'œuvre du secteur socialiste (agriculture non comprise, c'est-à-dire industrie, grands magasins coopératifs ou magasins d'État, transports, administrations). La proportion des femmes exerçant une activité professionnelle, hors de l'agriculture et du secteur privé du petit commerce et de l'artisanat, représentera un peu moins du tiers de la main-d'œuvre employée. Les excédents de main-d'œuvre constituant autrefois la surcharge permanente de population à la campagne, facteur de grande misère rurale, et cause du chômage urbain, sont entièrement absorbés par la nouvelle économie, et celle-ci devra de plus en plus faire appel à la campagne et à la main-d'œuvre féminine pour atteindre ses objectifs. Il s'agit donc d'un renversement de la situation démographique et sociale. Alors que l'émigration apparaissait comme une nécessité avant la guerre dans l'ancienne Pologne, l'exécution du plan requiert l'appel à toutes les réserves de main-d'œuvre de la nation et les perspectives de développement d'une économie fortement industrialisée, à large développement des services publics, notamment sociaux et culturels, rendent nécessaire un accroissement vigoureux et continu de l'effectif national.

Cette tendance quantitative s'accompagne d'une nouvelle répartition professionnelle et sociale de la population. A la campagne, la catégorie des ouvriers agricoles, autrefois nombreuse, a pratiquement disparu du secteur privé. Une nouvelle forme de salariat, de structure profondément différente, l'emploi dans les fermes d'État, ne saurait lui être comparée puisqu'elle appelle au contraire la comparaison avec la condition d'ouvrier d'usine du secteur socialiste.

Les campagnes polonaises comptaient, au dénombrement du 3 décembre 1950, 3.249.000 exploitations paysannes. En évaluant le nombre des personnes actives à deux par exploitation, puisqu'il s'agit, après la réforme agraire, d'exploitations familiales, à l'exception des propriétés des koulaks plus importantes, on peut avancer le chiffre de 6,5 millions de personnes actives agricoles, personnel des fermes d'État non compris. Le secteur privé du petit commerce et de l'artisanat rassemble, en 1950, environ 1 million de personnes actives. Les professions non agricoles du secteur socialiste emploieront, en 1955, plus de 5 millions de travailleurs, soit, au total, environ 13 millions de personnes (1). Ce chiffre est supérieur à celui de la population de 20 à 60 ans fin 1950. Autrement dit, pour satisfaire les besoins de l'économie industrielle et des services de transport, d'administration, d'équipement social et culturel en 1955, il faudrait, en l'état actuel de la répartition professionnelle de la population, incorporer toutes les femmes dans une activité professionnelle, et puiser 1,5 million environ de travailleurs dans la tranche d'âge des moins de 20 ans, ce qui correspond à peu près exactement aux classes d'âge de 18 à 20 ans en 1950. Cette hypothèse est irréalisable. Il s'agit donc de procéder à un glissement professionnel des activités agricoles et de celles du petit commerce et de l'artisanat vers le secteur socialiste non agricole, et c'est bien d'une véritable redistribution professionnelle de la population qu'il est question.

Cependant, le problème n'apparaît pas sous le même angle dans chaque région. S'il est des voiévodies insuffisamment peuplées qui doivent faire appel à des migrations intérieures pour réaliser leur plan, d'autres ont encore des excédents de main-d'œuvre très élevés, surtout celles du Sud. Les dirigeants de l'économie s'efforcent d'utiliser une partie notable de ces excédents sur place, en industrialisant et en urbanisant les régions agricoles à haut degré de peuplement, notamment pour éviter que ne se creuse le fossé des niveaux de vie entre les régions rurales surchargées d'hommes et les régions industrielles en plein essor, et que la solution locale au surpeuplement n'apparaisse encore le dépaysement, même borné à une migration à l'intérieur du territoire national.

Il en résulte un aspect important de la planification : la planification géographique, la distribution des investissements et, par conséquent, des créations de bases de travail et de production à travers le territoire national, en fonction de combinaisons complexes de facteurs faisant intervenir la rentabilité économique des entreprises (disponibilités régionales en énergie, matières premières, moyens de transport, etc.), l'offre locale de main-d'œuvre et la valeur sociale de l'implantation de forces productives nouvelles en un lieu donné.

La planification géographique dans le plan de six ans. Régionalisation dirigée de l'économie. — L'une des tâches essentielles du plan de six ans consistera à entreprendre sur une grande échelle une répartition plus uniforme des forces productives, ceci en industrialisant les territoires encore économiquement arriérés.

En 1949, sur la totalité des personnes occupées dans l'industrie, il revenait 65,8 % aux quatre voiévodies hautement industrialisées de Stalinogrod (Katowice), Opole, Wrocław et Łodz (y compris la ville de Łodz) et 34,2 % au reste du pays.

Il est certain qu'un tel état de choses ne peut être maintenu si nous voulons mener à bien l'industrialisation du pays et la construction du socialisme. L'industrialisation de la Pologne ne saurait se concevoir sur la base d'un seul district d'industrie lourde. En fait, nous ne disposons actuellement que d'un seul grand district d'industrie lourde, du bassin de Silésie-Dąbrowa ; partout ailleurs, les établissements d'industrie lourde sont éparpillés et ne forment nulle part un ensemble industriel compact. La construction des bases du socialisme exige une répartition plus uniforme des forces productives, un important développement des régions arriérées, la création, à travers tout le pays, d'agglomérations ouvrières, car c'est la classe ouvrière qui est la principale force motrice de la construction du socialisme.

Aussi, les nouveaux établissements industriels dont l'emplacement n'est pas strictement conditionné par l'existence d'une base de matières premières, seront-ils construits en dehors des voiévodies fortement industrialisées.

Environ 80 % des nouveaux établissements doivent être construits en dehors de la Haute

---

(1) Les pourcentages que l'on obtient en dénombrant les effectifs des catégories professionnelles ne sont pas les mêmes que ceux qui résultent du comptage des personnes tirant leurs ressources d'une activité professionnelle déterminée, en partie en raison de la proportion plus élevée de femmes recensées au titre de la population active dans les professions agricoles.

et de la Basse-Silésie, de la voiévodie et de la ville de Łodz. Ces établissements emploieront environ les deux tiers de la main-d'œuvre destinée à desservir les nouvelles usines et absorberont environ 70 % des investissements prévus pour les nouveaux investissements industriels.

Cela aura pour effet d'introduire des changements assez notables dans la répartition de l'industrie socialiste dans le pays.

La part des voiévodies hautement industrialisées dans l'emploi du personnel industriel, qui s'élevait, ainsi que nous l'avons déjà dit, en 1949, à 65,8 %, tombera à 54,3 % et, réciproquement, celle des autres voiévodies montera de 34,2 % en 1949 à 45,7 % en 1955.

Outre la répartition plus uniforme des forces productives, le plan de six ans verra se cristalliser de nouvelles régions industrielles, en particulier le district industriel de Cracovie, dont la base sera constituée par de grands établissements métallurgiques et des usines de synthèse chimique ; le district industriel de la ville de Varsovie, avec son industrie métallurgique et électrotechnique reconstruite et agrandie, le district industriel de Częstochowa avec de grands établissements métallurgiques et des mines de fer et le district du bassin de Kielce, principalement métallurgique. (H. Minc, ministre de l'Économie nationale, discours sur le plan sexennal du développement économique et de l'édification des bases du socialisme en Pologne, à la Vᵉ Session plénière du Comité central du Parti ouvrier polonais unifié, le 15 juillet 1950, Varsovie, Ksiazka i Wiedza, 1950, p. 34-35.)

A) L'INDUSTRIALISATION

Le développement d'une économie industrielle répond à deux séries de besoins : la création de nouveaux secteurs d'emploi de la population, l'affranchissement de l'économie nationale de l'assujettissement coûteux de l'ancienne Pologne aux économies industrielles étrangères achetant à bas prix des produits bruts, vendant cher les produits industriels non productifs (matériel de transport, de travaux publics ou objets d'usage et de consommation), refusant généralement la cession de matériel d'équipement susceptible d'être employé à la création d'industries nationales, par crainte de perdre le marché.

L'industrialisation bénéficie de bases naturelles précédemment décrites (p. 534) et d'investissements antérieurs qui, tout en ne procédant pas de la finalité de l'économie actuelle, présentent un intérêt notable à son avantage. Il s'agit de l'équipement des mines et de l'industrie lourde, tant dans l'ancienne Pologne où s'étaient placés les capitaux étrangers, que dans l'ancienne Silésie allemande, et des systèmes de transports régionaux et d'habitat, qui sont réincorporés dans les processus d'aménagement. Les usines de Basse-Silésie, très endommagées par la guerre (Wrocław surtout), ont pu être restaurées et tiennent leur place dans les bases de départ de l'effort industriel actuel. Il en est de même dans le domaine des industries légères surtout, des installations de Łodz et de Częstochowa. L'efficacité de ce matériel est variable. Très dépassées par les réalisations de la technique contemporaine, les créations de la période antérieure à la guerre, conçues en fonction d'une exploitation paracoloniale des ressources de la Pologne, sont destinées à être progressivement réadaptées ou remplacées, mais, au stade présent de l'évolution constructive, elles représentent un potentiel appréciable. Elles dominent encore la physionomie de la Haute-Silésie, tandis que des décors industriels tout nouveaux s'élèvent ailleurs, près de Cracovie et à Częstochowa notamment.

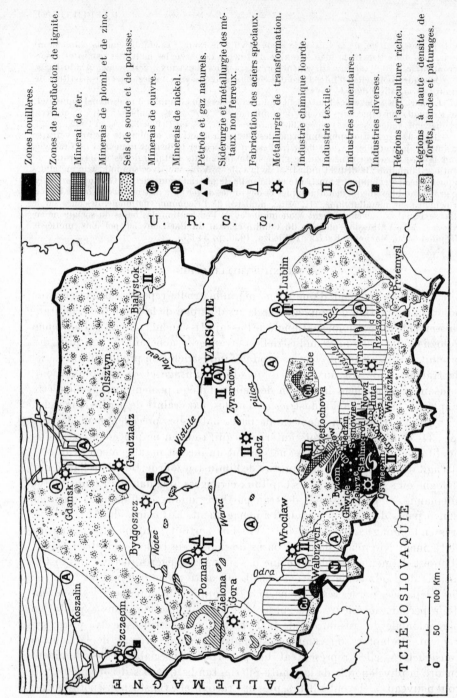

FIG. 54. — Carte économique de la Pologne

1º Charbon et industrie lourde.

Le bilan énergétique polonais est dominé vigoureusement par l'économie charbonnière. Le rôle croissant de l'électricité dans la consommation de l'énergie ne doit pas faire illusion. Les hydrocentrales existantes ne fournissent qu'une très faible fraction du courant distribué et le plan d'électrification, visant à porter la production d'électricité en 1955 à plus du double de ce qu'elle était en 1949, comporte surtout l'utilisation des combustibles minéraux nationaux, l'équipement hydro-électrique général se situant à une étape ultérieure de la mobilisation des ressources polonaises, sans interdire l'ouverture de chantiers de rôdage du matériel et des techniciens.

En 1955, la formule de production énergétique s'exprimera en kilowatts-heure conventionnels (1) dans les termes numériques suivants :

Houille	133	milliards de kWh.	97,7 %
Pétrole.....................	1	—	0,7 —
Gaz naturels	1,30	—	0,9 —
Énergie hydraulique	1	—	0,7 —
TOTAL................	136,3	milliards de kWh.	100 %

L'industrie houillère est donc, en fait, la base exclusive — les productions qualitativement spéciales des hydrocarbures mises à part — du système énergétique polonais. Elle assure également les conditions de développement d'une industrie métallurgique et d'une industrie chimique différenciées comportant en particulier la fabrication de caoutchouc et d'hydrocarbures synthétiques. Enfin, la possibilité de maintenir une marge substantielle entre l'extraction et la consommation nationale fait du charbon une monnaie d'échange permettant d'acquérir les matières et l'outillage nécessaires au développement de l'économie générale.

Les excellentes conditions d'exploitation des houillères polonaises (ci-dessus, p. 540) ont été beaucoup moins valorisées que les conditions moins favorables réalisées en Rhénanie. Ces réserves, évaluées suivant les auteurs entre 70 et 150 milliards de tonnes, n'ont fourni que de maigres annuités de 50 à 60 millions de tonnes pendant la période intermédiaire entre les deux guerres mondiales, malgré les possibilités de travail à très bon compte en raison de l'épaisseur des veines charbonnières (le record est à Dąbrowa Gornicza, 50 m. pour la couche *Reden*). Les investissements allemands étaient beaucoup moins attirés par les charbonnages de Silésie que par ceux de la Ruhr. Les spéculations étrangères et polonaises sur le charbon de la Pologne de 1919 ont subi lourdement les effets de la crise. La production polonaise a atteint un maximum de 46.200.000 tonnes en 1929 pour tomber

(1) 1 kWh. pour 0,750 kg. de charbon, 0,400 kg. de produits pétroliers et 0,333 m³ de gaz naturel.

progressivement, au cours des années suivantes, à 27,3 millions de tonnes en 1933 et ne se relever qu'à 38,1 millions de tonnes en 1938. Le nombre des mineurs, qui était de 120.000 en 1929, est descendu parallèlement au-dessous de 77.000 en 1933 et dépassait légèrement 80.000 en 1938.

M. J. Smolenski signalait, en 1934, que, dans la détresse qui suivit cette crise, « les chômeurs se sont mis à exploiter les mines abandonnées, les « puits de misère », où jusqu'à 8.000 sans-travail trouvent sporadiquement un gagne-pain dangereux et misérable ». (*Livret-guide des excursions au Congrès international de Géographie de Varsovie*, Varsovie, 1934, Silésie polonaise, p. 38, n. 1.) La profession de mineur était devenue une profession saisonnière, les ouvriers étant employés par roulement.

Les dégâts causés par la guerre, plus au système de transport et aux industries consommatrices qu'aux installations minières elles-mêmes, ont fait tomber la production charbonnière jusqu'à 27 millions de tonnes en 1945. La première période de planification (plan triennal 1947-1949) fut caractérisée par un redressement rapide de la production destinée à nourrir une exportation capable de financer des importations de tous ordres consacrées à la reconstruction et à la restauration de l'économie nationale en même temps qu'au démarrage de la nouvelle industrie.

ÉVOLUTION DE LA PRODUCTION HOUILLÈRE DE 1947 A 1951

1947	59.100.000 t.	1951	80.000.000 t.
1948	70.300.000 t.	1952	84.500.000 t.
1949	74.000.000 t.	1953	88.600.000 t.
1950	78.500.000 t.		

Cet accroissement procède à la fois de la pleine utilisation du matériel existant et de la rationalisation du travail minier. De 1945 à 1949, plus de 3.800 modifications techniques ont été apportées à l'abattage, au boisage, au transport, à l'entretien (pompage, aération, dépoussiérage, etc.). Par ailleurs, la charte du mineur stimule le zèle des travailleurs et fait appel à leur initiative technique.

La production du charbon ne pose pas que des problèmes quantitatifs. L'industrie polonaise demande du charbon de chauffe — dit charbon énergétique —, des charbons à gaz et du coke de métallurgie. Les importateurs sont désireux de trouver en Pologne, non seulement les traditionnels flambants, mais aussi des fines à coke.

Jusqu'à la guerre, l'extraction du charbon à coke, moins abondant en Haute-Silésie que les charbons énergétiques, a été négligée. La demande régionale était faible et l'exportation ne concernait guère que les flambants. L'accent a été mis spécialement, au cours des dernières années, sur l'extraction du charbon à coke qui doit faire l'objet de l'ouverture de plusieurs des dix grandes mines à mettre en exploitation avant 1955. L'usage des semi-cokes est aussi sensiblement accru.

PRODUCTION POLONAISE DE COKE EN 1946, 1947 et 1950

1946	1947	1950
3.575.000 t.	4.465.000 t.	5.584.000 t.

Compte tenu des besoins nationaux croissants (la sidérurgie polonaise absorbera en 1955 de 4 à 5 millions de tonnes de coke), la Pologne peut disposer assez vite d'excédents exportables de charbons à coke ou de coke.

La production polonaise de charbon est épaulée par une petite production de lignite en Basse-Silésie (5 millions de tonnes en 1950), et l'on construit une centrale thermique pour utiliser des tourbes dans la région de Bialystok.

Les neuf dixièmes du charbon proviennent des bassins dits de Cracovie et de Dąbrowa-Silésie qui forment une même unité minière. L'extraction y est pratiquée essentiellement dans un rayon de 20 km. autour de

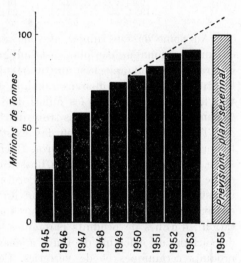

FIG. 55. — **Évolution de la production polonaise de charbon depuis 1945**

Stalinogrod (Katowice), métropole administrative et technique de la région minière. Cette région, qui est en même temps une grande région d'industries lourdes, constitue une conurbation comparable à celle de la Ruhr, mais numériquement moins importante (2 millions d'habitants). Les centres majeurs sont des villes d'une centaine de milliers d'habitants : Stalinogrod (Katowice), Chorzow, Bytom, Zabrże, Gliwice. Une douzaine d'agglomérations de 10.000 à 100.000 habitants forment une chaîne presque continue d'établissements humains, séparés plus par les terrains industriels, les déblais, les gares, que par une campagne grignotée par les jardins ouvriers, les stades et les jardins en cours d'aménagement : Sosnowiec, Będzin, Dąbrowa Gornicza, Mysłowice, Jaworzno, Chrzanow, Tarnowskie Gory, Czeladz, Siemianowice, Swięto-chłowice, Ruda, Nowy Bytom... Ces villes sont des villes-champignons de la fin du xixe siècle et du début du xxe siècle, poussées sans grâce, et dont l'urbanisation rationnelle a été entreprise en même temps que l'aménagement industriel de la région.

CROISSANCE DE STALINOGROD ET DE CHORZOW (ANC. KROLEWSKA HUTA)

	Stalinogrod	Chorzow
1860	6.000	13.000 (1)
1900	32.000	58.000
1910	43.000	73.000
1921	50.000	73.000
1931	126.000	81.000
1948	164.000	127.000
1953	250.000 (2)	

Au point de vue minier, il y a intérêt à examiner solidairement un ensemble régional un peu plus vaste qui groupe les mines de zinc et de plomb géographiquement associées aux mines de charbon, et les mines de fer de Częstochowa distantes d'environ 60 km. de Stalinogrod. A la même distance vers le sud-est, on atteint les mines de sel de Wieliczka près de Cracovie. Cet ensemble emploie plus des trois quarts des 300.000 mineurs polonais.

Toutes les industries lourdes existant en 1945 étaient localisées à l'intérieur du triangle Częstochowa, Raciborz, Krakow en Haute-Silésie, et entre Wrocław et Wałbrżych en Basse-Silésie. Il s'agissait d'une sidérurgie d'une capacité de traitement de l'ordre de 1,5 million de tonnes, d'une industrie du zinc et du plomb ayant un potentiel de 200.000 t. de zinc et de 50.000 t. de plomb (traitant pour une large part des minerais d'importation), d'usines de produits chimiques, livrant des engrais, des colorants, du carbure de calcium, de fours à chaux et de cimenteries, d'usines de produits céramiques et de verreries. Ces établissements se trouvaient à Sosnowiec, Dąbrowa, Zawierce, Jaworzno, Strzemieszyce, Bytom, Chorzow, Zabrze et dans le grand Stalinogrod.

La période actuelle se caractérise par l'intensification et la diversification de la production des zones industrielles existantes et aussi par la création de bases nouvelles.

Au cours de l'année 1951, la mise en service de trois nouvelles installations sidérurgiques illustre cette définition de l'évolution de la production. La première concerne les agrandissements des aciéries Kosciusko à Chorzow en pleine région minière silésienne. Les deux autres intéressent les créations de Częstochowa et de Nowa-Huta. Częstochowa possédait avant la guerre une petite aciérie de 110.000 t. de capacité de production annuelle. Il y a

(1) Plusieurs villages sont à l'origine de l'agglomération.
(2) Les travaux d'aménagement urbain de Stalinogrod sont conçus à l'échelle d'une agglomération future de 600.000 habitants. Actuellement, 130.000 ouvriers viennent du dehors y travailler chaque jour.

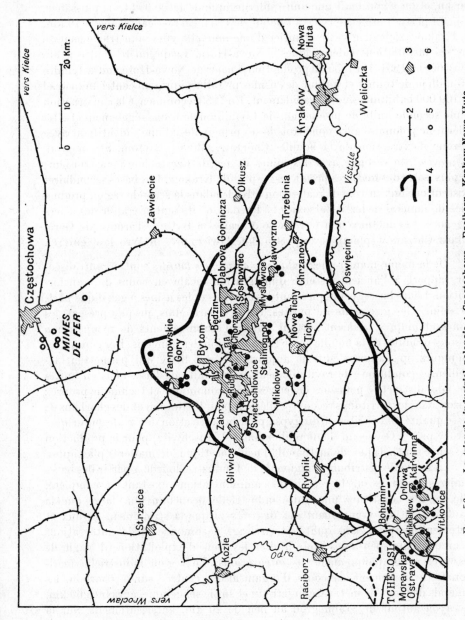

FIG. 56. — Le triangle industriel polonais : Częstochowa, Raciborz, Krakow-Nowa-Huta.

1. Limite du bassin houiller. — 2. Voie ferrée importante. — 3. Agglomération urbaine. — 4. Frontière polono-
tchécoslovaque. — 5. Mine de fer. — 6. Mine de charbon.

été achevé en 1951 un premier établissement neuf fournissant 360.000 t. par an, et on y construit une unité sidérurgique de 1.100.000 t. de puissance, déjà en partie mise en service au début de 1954. En rase campagne, à 10 km. de Krakow, s'élève le vaste chantier d'une nouvelle ville industrielle centrée sur ses installations sidérurgiques : Nowa-Huta. La première coulée a été effectuée en 1951. En 1955, la production d'acier de Nowa-Huta doit atteindre 1,5 million de tonnes et autour des usines métallurgiques un centre industriel de 100.000 habitants s'édifie rapidement. En 1953 a commencé la construction d'une seconde unité de production de 1,5 million de tonnes également (1). La sidérurgie polonaise aura donc trois bases principales : l'une s'identifiant avec la zone d'extraction de la houille (Chorzow, Gliwice, Bytom, Stalinogrod, Sosnowiec), la seconde avec les mines de fer de Częstochowa, la troisième — plus isolée des matières premières — près de Krakow. Des bases secondaires existent ou sont en voie de réalisation à Kielce dans la seconde région productrice de minerai de fer, à Varsovie et à Poznan, où il s'agit de traiter des aciers spéciaux. Les métaux non ferreux sont traités à Bytom, Tarnowskie Gora, Olkusz Chrzanov (plomb et zinc) et à Boleslawice, près de Wrocław (cuivre).

De la même manière, les *industries chimiques lourdes* sont décentralisées par rapport à l'ancien système d'intégration locale en cours de transformation. Leurs bases techniques sont les cokeries et les usines à gaz d'une part, les salines, les gisements de pyrites, d'autre part. Mais, jusqu'à présent, les usines chimiques faisaient surtout figure d'établissements de récupération de sous-produits de la houille ou de l'exploitation des minerais. Des complexes chimiques spécialisés s'édifient aujourd'hui aux lieux qui permettent les meilleures conditions de ravitaillement en produits de base, mais en unités spéciales distinctes, pourvues de leur espace économique et technique propre : Wizow dans les territoires recouvrés silésiens pour le traitement des charbons de basse qualité, des pyrites et du gypse pour la fabrication de l'acide sulfurique, Dwory près d'Oświęcim (le nom allemand est Auschwitz) pour la production d'essence synthétique, de méthanol, d'acide acétique, de matières plastiques.

La nouvelle distribution régionale de l'industrie lourde à partir des bases minières s'appuie sur le réseau de communications existant et complété. Elle tend à constituer une unité industrielle beaucoup plus large que la Haute-Silésie, en y englobant des districts jusque-là strictement ruraux et fortement peuplés. Sans qu'il soit envisagé de renoncer à des intégrations techniques indispensables pour limiter les frais d'exploitation, il s'agit de desserrer géographiquement ces intégrations. La région industrielle méridionale, actuellement en cours d'organisation, centrée sur le charbon, les minerais de fer et de métaux non ferreux et sur le sel gemme, aura 50 à 60 km. de rayon autour de Stalinogrod au lieu de 20 km. antérieurement. Sur la

(1) En juillet 1953, la ville de Nowa-Huta comptait 35.000 habitants.

houille ou à proximité immédiate de la houille, les cokeries, les usines d'agglomérés et de briquettes, les centrales électriques et la chimie lourde constituent un premier groupe d'intégration défini en unités distinctes plus espacées qu'au cours de la période antérieure, en même temps que techniquement beaucoup plus importantes. La sidérurgie — et les complexes de métallurgie de transformation qui lui sont associés — est plus décentralisée. Les installations de Częstochowa ont une localisation logique élémentaire, puisqu'elles correspondent à peu près à la capacité de traitement du minerai de fer extrait sur place. Celles de Nowa-Huta procèdent du désir d'élargir l'assiette industrielle régionale dans un rayon rentable autour de la base houillère, en évitant le déplacement des réserves de main-d'œuvre et la concentration de l'industrie et de la population industrielle en une seule région pivot. Par l'occasion donnée au développement des industries de transformation, elles préfigurent une nouvelle forme de liaison : celle de la sidérurgie et d'un grand complexe d'industries métallurgiques de transformation.

Une notable partie de l'outillage industriel moderne mis en place dans les nouveaux centres de production a été fourni par l'Union soviétique.

L'aide soviétique s'est manifestée d'une manière particulière dans le domaine de l'économie pétrolière. Ici, en effet, des rectifications de frontières, effectuées en 1951, ont agrandi les bases de production pétrolière polonaise en leur incorporant la petite région de Ustrzyki Dolne, dans le district de Drohobycz, en échange de territoires frontaliers de la voiévodie de Lublin. Ce district comporte des puits en exploitation fournissant une production égale à celle des puits polonais avant 1951, de telle sorte que les chiffres prévisionnels pour 1955 doivent pouvoir être atteints dès 1952.

Pour faire face aux besoins multiples de l'économie nationale, les principales branches d'industrie métallurgique auxquelles il est le plus demandé sont la fabrication des moteurs, des automobiles, des motocyclettes, des tracteurs, des machines agricoles, de l'outillage industriel de toute nature et du matériel de travaux publics, de l'équipement électrique et du matériel de chemin de fer.

La *métallurgie de transformation* est naturellement plus dispersée que la sidérurgie et la chimie lourde. Elle s'appuie sur des localisations et des équipements anciens en Haute et Basse-Silésie et dans les ports (constructions navales de Szczecin et Gdansk). Mais, en même temps que sont créées des branches de fabrication nouvelles, la répartition géographique se différencie. Les industries mécaniques utilisant des produits de base semi-élaborés peuvent être fixées, sans grande incidence sur les prix de revient, dans des régions diverses. C'est ainsi que les usines de constructions automobiles s'élèvent à Zeran (Varsovie) et à Lublin, que les principaux établissements d'électro-technique se trouvent à Wrocław, à Tarnow et à Varsovie.

Dans l'ensemble, les principales régions et les centres majeurs d'industrie métallurgique de transformation sont, en dehors de la région minière et sidérurgique de Haute-Silésie, Opole, la région de Wrocław, Zielona Gora, Varsovie, Poznan, Łodz, Bydgoszcz, Grudziądz. Des usines plus ou moins directement liées à l'industrie pétrolière et gazière du Sud-Est, consommatrice de matériel de forage de tuyaux et de countainers, ont été créées dans la voiévodie de Rzeszow.

Les industries mécaniques répondent à un double besoin : celui d'équiper les industries nationales et d'être toujours prêtes à livrer des types nouveaux d'outillage correspondant à l'ouverture d'une nouvelle branche d'activité industrielle ou à une modification des techniques de production, celui de fournir aux partenaires commerciaux contractuels des articles commandés à l'avance ou d'offrir au marché international des produits recherchés. On peut citer à ce double égard les fabrications de matériel d'industrie textile pour travailler la laine, le coton, les fibres artificielles, le lin et le jute, celles de compteurs et d'appareils de mesure, d'outillage électro-technique, et surtout du matériel différencié de machines-outils pour le travail du bois et des métaux. Les usines métallurgiques de Haute-Silésie produisent du matériel spécialisé pour les mines et en sont exportatrices.

La répartition géographique des principales branches d'industrie métallurgique. — En 1950, sur environ 300.000 ouvriers employés dans les usines métallurgiques, plus de 1/4 travaillait dans la voiévodie de Stalinogrod (Katowice), 12,2 % dans celle de Poznan, 8,8 % dans celle de Varsovie, 8,6 % dans celle de Wrocław, 8,6 également dans celle de Kielce, 8 % dans celle de Krakow, 7,4 % dans celle de Łodz.

De nouvelles installations ouvertes en 1950 et depuis cette date tendent à développer la part des autres régions de la Pologne, c'est-à-dire des voiévodies du Nord et de l'Est (Bydgoszcz, Rzeszow, Lublin, Szczecin, etc.).

L'industrie de l'équipement d'usines est concentrée à raison des 3/4 dans les circonscriptions de Stalinogrod, Varsovie et Łodz. Celle des machines agricoles est plus dispersée : voiévodies de Łodz, Bydgoszcz, Stalinogrod, Varsovie, Poznan, Kielce, Lublin.

Certaines villes ont une spécialité : Jelenia Gora celle des instruments d'optique, Wrocław, celle de la fabrication des compteurs à eau, Poznan celle des appareils à gaz, Włocławek celle des manomètres, Wiebodzice (près de Wałbrzych) celle de l'industrie horlogère, Milanowek (près de Varsovie) celle de la fabrication des instruments de chirurgie.

La fabrication de matériel électrique, qui occupe trois fois plus d'ouvriers (1950) qu'en 1938, est répartie entre les diverses grosses régions d'industrie métallurgique. Les plus gros établissements sont dans les régions de Varsovie et de Wrocław, mais c'est la voiévodie de Stalinogrod qui emploie le plus grand nombre d'ouvriers de cette spécialité (1/4). Les plus grosses machines sont fabriquées à Wrocław ; Tarnow livre en série les moteurs de petite puissance, tandis que l'usine de Torun au contraire fournit de grosses génératrices. Les nouvelles usines de Varsovie construisent des appareils de mesure électrique, des appareils de radio, etc.

2º Les industries légères.

Parmi les industries légères, deux catégories peuvent être distinguées. La première groupe les fabrications traitant des matières premières produites par la terre polonaise : industries alimentaires, industries du bois, de la cellulose, des fibres artificielles, industries du lin et du chanvre, industries du cuir, industries céramiques et verrerie. On peut y intégrer les industries de synthèse produisant les fibres synthétiques, les matières plastiques, certains produits pharmaceutiques. La seconde s'appuie sur l'importation de ses matières premières. C'est surtout le cas des industries du coton et de la laine.

Ces industries ont un double objectif : la satisfaction des besoins de la consommation nationale et l'exportation de produits spécialisés atteignant souvent des prix très élevés par unité de poids. Cette exportation, avec celle du charbon, permet d'équilibrer les importations fondamentales.

Aucune des deux classifications n'est parfaite et toutes deux interfèrent. Des industries destinées au marché intérieur, comme l'industrie des tissus et vêtements courants par exemple, emploient concurremment des matières premières nationales, des produits artificiels et des produits importés. Par ailleurs, les mêmes établissements desservent le marché intérieur et les services d'exportation : les usines fabriquant des produits textiles et notamment des tissus dits techniques : feutres, toiles cirées, revêtements, draperie de carrosserie, etc., une des produits d'exportation de l'industrie textile polonaise, ou celles produisant simultanément de la verrerie domestique et de la verrerie de luxe vendue spécialement sur les marchés extérieurs comme la verrerie tchécoslovaque.

L'*industrie textile* a déjà un assez long passé. Elle a été créée au temps du grand duché de Varsovie et sous la domination russe au début du XIXe siècle avec le concours de techniciens allemands. Ainsi naquirent les premiers établissements de Łodz. Il s'agissait alors de traiter des laines de pays, des laines d'importation et du coton. Łodz est devenu, au cours de la deuxième moitié du XIXe siècle et au début du XXe siècle, un des centres connus d'industries textiles de l'Europe centrale, bénéficiant du triste privilège d'être lieu de travail à bon marché en raison du régime social très dur de l'époque et du lieu. L'artisanat de la laine, du lin et du chanvre a donné naissance à de petits centres, déjà anciens, de travail des tissus qu'il s'agit aujourd'hui de moderniser : Bydgoszcz, Poznan, Bielsko, Częstochowa qui fut jusqu'à présent beaucoup plus un centre textile qu'un centre métallurgique, Varsovie, Bialystok et Lublin. Dans les montagnes des Sudètes, l'industrie textile revêt une forme dispersée. La période présente, loin d'appeler à un regroupement de l'industrie textile, en accroît l'importance dans ses lieux d'implantation, en en transformant l'équipement et en en diversifiant les fabrications. Au lieu de techniques frustes d'une industrie de type colonial travaillant pour le marché intérieur ou pour la vente dans des pays de bas niveau de vie, on évolue vers la fabrication générale d'articles de standing international et on vend à l'extérieur des produits de haute qualité. Les transformations portent donc à la fois sur l'accroissement des quantités de matières traitées et de produits fabriqués (près de 100.000 t. de coton en 1952 contre 60.000 en 1948) et sur la qualité des produits. Cette double transformation procède d'un remplacement de l'outillage ancien par un matériel nouveau à haute efficacité et de la formation technique du personnel.

Les fabrications sont très diversifiées. L'industrie polonaise livre simultanément des tissus courants de coton, de laine, de fibres artificielles pour les industries nationales de l'habillement, des articles de luxe et des articles spécialisés destinés à la fois au marché intérieur et à l'exportation : des quantités croissantes de cotonnades imprimées, de cretonnes, de draps de coton, de flanelles, de gabardines, de tissus de rayonne, de tissus de laine peignée de Bielsko, de lainages courants de Łodz, de gros draps et de couvertures de Bialystok, de bâches, de linge de table et de lingerie en lin de Żirardow, des tissus techniques : mèches de graissage, rubans de coton et de soie pour isolement électrique, courroies de transmission et tapis convoyeurs en tissus imprégnés, rideaux, tapis, tissus d'ameublement, feutres, peluches et velours, toiles cirées. Ces divers articles trouvent de très larges débouchés à l'étranger, notamment en Asie, en Afrique du Sud, en Australie, en Amérique du Sud.

Répartition régionale des industries textiles. — Sur environ 300.000 travailleurs des industries textiles (fabrication des fils et tissus), 54,4 % étaient occupés en 1950 dans la voiévodie de Łodz, 18,7 dans celle de Wrocław. La fabrication des vêtements est plus dispersée : six voiévodies emploient 10 à 20 % du personnel : par ordre d'importance, Łodz, Poznan, Wrocław, Varsovie, Stalinogrod, Krakow.

L'industrie du coton est la plus concentrée. Les trois quarts des 600 millions de mètres de tissus fabriqués en Pologne en 1950 ont été fournis par les usines du groupe de Łodz. Łodz anime une constellation de petits centres industriels ayant souvent chacun sa spécialité industrielle : Pabianice, Zgierz, Zdienska Wola, Ozorkow, Tomaszow Mazowiecki, Aleksandrow, Konstantynow, Piotrkow.

Le second centre cotonnier est celui de Wrocław (22 % de l'effectif employé). Des usines ont été récemment créées dans les régions de Zielona Gora et de Krakow.

La part de Łodz dans le travail de la laine est moins importante que dans les industries du coton : 33 % au lieu de plus de 70 %. Les autres centres lainiers sont Stalinogrod et ses environs (Bielsko Biala), Częstochowa, Sosonowiec, Krakow, le groupe de Wrocław (Wrocław, Jelenia Gora, Walbryżch), Zielona Gora, Bialystok.

Le chanvre et le jute sont travaillés surtout à Wrocław.

La rayonne et les textiles artificiels et synthétiques viennent des usines de Tomaszow Mazowiecki, Chodakow, Wrocław et Zydowce (près de Szczecin).

L'*industrie chimique* fournit à l'industrie textile, outre la rayonne, des fibres de caséine et des homologues du nylon, *polan* et *steelon*. Le steelon se prête à tous les usages du nylon, mais a l'avantage sur celui-ci de résister aux températures élevées. Dans l'ensemble, les industries chimiques de transformation ont atteint un haut degré de différenciation et se développent à un rythme rapide : la fabrication des matières plastiques augmente vingt fois en cinq ans, celle du caoutchouc quadruple, celle des produits pharmaceutiques est multipliée par sept, celle des peintures et vernis par huit. Ces industries offrent une gamme très riche de produits élaborés : articles photographiques, de la pellicule courante et du film de cinéma aux films de radiologie, articles pharmaceutiques jusqu'aux antibiotiques : pénicilline, choloromycétine, produits tannants, produits nécessaires aux industries du bois et de la cellulose, colorants et vernis.

L'*industrie du verre et de la porcelaine* est une vieille industrie nationale qui a assimilé les conditions modernes de la production ; elle livre des verres courants, des verres à vitre et des verres de cloison, des verres armés, des verres de sécurité, du verre ornemental, des verres d'optique, des récipients, des isolants, des cristaux, de la céramique populaire, de la céramique d'art, de la faïence, de la porcelaine technique, des articles sanitaires... Elle est localisée surtout dans le Sud (Krakow, Częstochowa) et dans les Sudètes (Kłodzko, Jelenia Gora, Wałbrżych).

L'*industrie du bois et du papier* est favorisée par l'abondance et la diversité de la matière première : elle livre les produits les plus variés, depuis les lames de parquet et le contreplaqué jusqu'aux meubles en bois courbé, aux papiers d'emballage et papiers forts dits papiers Kraft, aux papiers de tapisserie, au papier à cigarette et à la cellophane ou à l'article de décalcomanie... Près de la moitié des travailleurs de cette industrie sont employés dans les trois voiévodies de Stalinogrod, Poznan et Wrocław.

L'*industrie du cuir* produit chaussures, articles de voyage, articles de sport, maroquinerie et ganterie. Elle offre à l'exportation de nombreux articles en peau de porc.

L'*industrie alimentaire*, enfin, est à son tour en rapide développement. Aux traditionnelles sucreries et raffineries, malteries et brasseries, s'ajoutent dans tout le pays des fabriques de conserves : conserves de poissons de mer dans les ports de pêche de la mer Baltique, conserves de poissons d'eau douce dans le Pomorze, en Mazurie, conserves de fruits et de légumes notamment en Silésie, conserves de champignons, conserves de viande (bacon), distilleries produisant un vaste choix d'alcools et liqueurs, confiseries, biscuiteries (surtout à Varsovie).

Les industries légères font l'objet, comme les industries lourdes, d'investissements et de gros travaux de construction. Leur dispersion dans l'ensemble du territoire est, par définition, beaucoup plus grande (fig. 54), mais, en chaque lieu convenable, on édifie de grands établissements dont les dimensions correspondent au groupement quantitativement rationnel pour obtenir les meilleures conditions de production, en considération des possibi-

— 567 —

lités locales de recrutement de main-d'œuvre et de collecte de produits :
usine de produits pharmaceutiques de Starogard, usines de papier de Kostrzyn
sur la Warta, de Skolwin, près de Szczecin, etc.

Cependant, Varsovie conserve les industries pionnières et les industries
les plus spécialisées : le grand combinat polygraphique, par exemple.

RÉPARTITION RÉGIONALE DE QUELQUES INDUSTRIES POLONAISES PAR VOIÉVODIE
(d'après le nombre de personnes employées en 1950)

	Métallurgie	Textile	Vêtement	Bois	Papier	Industrie graphique	Cuir
Stalinogrod	26,3	9	10,7	13,6	31	12,4	10,7
Poznan	12,2	3,3	13,6	16,4	5,1	11,8	11,6
Varsovie	8,8	3,1	11,1	6,8	8,4	14,8	12,3
Wrocław	8,6	18,7	12,1	10	21	10,6	12,3
Kielce	8,6	4,5	5,2	5,1	4,2	2,1	8,1
Krakow	8	3,3	10,1	6,4	11,2	8,1	12,8
Łodz	7,4	54,4	16,3	7,7	7,8	22,5	10,3
Bydgoszcz	6,1	0,6	6,9	9	8,4	7,7	7,8
Gdansk	5,8	0,6	3,5	7,7	1,2	3,6	4,1
Rzeszow	2,8	0,9	1,7	3,9	0,1	0,8	0,9
Szczecin	2,2	0,8	3,6	6,6	1,1	2,6	1,6
Lublin	1,6	0,2	2,4	3,1	0,4	1,6	3,9
Bialystok	0,8	0,4	1,7	2		0,6	2
Olsztyn	0,8	0,2	1,1	1,7	0,1	0,8	1,6

B) La transformation de l'agriculture

L'exploitation rurale dans l'ancienne Pologne était dominée par la
juxtaposition en quantités inégales de trois types de structure agraire et de
trois systèmes de travail. Les latifundia représentaient encore, après les
essais de réforme agraire amorcés en 1919, un tiers de la superficie totale,
plus d'un cinquième de la superficie labourée. Les paysans moyens qui
avaient regroupé les terres de bénéficiaires malheureux de la réforme agraire
détenaient environ le quart du sol. La petite propriété paysanne, avec les
trois quarts des exploitations, disposait de moins du cinquième des terres.

Au point de vue des méthodes de travail, la grande propriété présentait
deux aspects : le premier était celui du domaine féodal exploité empiriquement par des journaliers faméliques groupés dans des villages d'une effroyable
misère, si nombreux que les ministres de l'Agriculture eux-mêmes n'hésitaient
pas à dire que toute amélioration technique se heurtait à deux obstacles, l'un
économique : l'accroissement des dépenses d'exploitation avec le remplacement d'une main-d'œuvre quasi gratuite par du matériel mécanique,
l'autre social : la condamnation à l'émigration d'une fraction importante de
la population rurale par toute rationalisation du travail.

Cependant, dans l'Ouest, région moins chargée démographiquement, la grande propriété était souvent techniquement progressive. Les rapports sociaux restaient d'une extrême dureté, mais la productivité du sol était plus élevée. Paysans moyens et petits exploitants étaient partout des cultivateurs archaïques. Une débauche de rudes travaux n'obtenait que des récoltes médiocres. Les années de mauvaises récoltes étaient pour les plus pauvres des années de famine, de recrudescence de la mortalité et de l'émigration.

LES RENDEMENTS PAR HECTARE ÉTAIENT EXPRESSIFS DE L'EXTRÊME INDIGENCE RURALE
(moyenne 1928-1932, en quintaux par hectare)

		Allemagne (1)
Blé	11,8	21,2
Seigle	11,2	17,2
Pommes de terre	114	155
Betteraves à sucre..............	207	275

Les quotients de disponibilité de produits agricoles fondamentaux étaient, dans ces conditions, de 0,6 q. par habitant et par an pour le blé, de 2 qx de seigle, de 9,4 qx de pommes de terre et de 1,25 q. de betteraves à sucre. L'alimentation nationale était essentiellement à base de seigle et de pommes de terre.

1º Les transformations de la structure agraire.

La réforme agraire, intervenue aussitôt après la libération sous une forme radicale, a fait disparaître la grande propriété privée et substitué à la structure antérieure une structure nouvelle comportant trois éléments principaux :

— la grande propriété d'État, à double finalité, productive et expérimentale-démonstrative ;

— la propriété moyenne des paysans riches ;

— la petite propriété paysanne, de dimensions inégales, suivant les régions.

Sur 30.745.200 ha., les propriétés d'État occupent environ 1,8 million d'hectares de terres labourables, dont 1,2 dans les territoires recouvrés de l'Ouest ; les paysans riches possèdent en propriétés de 25 à 100 ha. (y compris les forêts et pâturages), 2.500.000 ha. de terres labourables, les petits propriétaires paysans 11.500.000 ha. En pourcentage des terres labourables, cette répartition s'exprime ainsi : propriétés d'État, 11,2 % ; koulaks, 15,6 % ; petits propriétaires paysans, 73,2 % (1949).

Le contenu de la petite propriété est variable suivant les régions. Dans l'ancien territoire polonais, la réforme agraire a été insuffisante à nourrir la

(1) Dans des conditions de terroir comparables.

petite exploitation paysanne d'une façon convenable. Les domaines paysans demeurent en moyenne petits (les lots attribués au titre de la réforme sont de 5 ha., et beaucoup de très petites exploitations existant avant la réforme n'ont pu recevoir, du fait des conditions locales de redistribution, que des agrandissements minimes) : 1,5 million d'exploitations couvrent chacune moins de 5 ha. Le fractionnement de l'exploitation est particulièrement grand dans les voïévodies méridionales : Krakow, Rzeszow. Au contraire, dans les territoires recouvrés, il a été possible de procéder à une répartition plus harmonieuse de la terre. Les lots attribués au titre de la réforme agraire sont de l'ordre de 7 à 15 ha. Les exploitations de moins de 5 ha. ne dépassent pas le quart du total (y compris les jardins suburbains).

La répartition de la terre pose deux problèmes, celui de l'allègement démographique des campagnes à très forte densité paysanne et du remembrement consécutif de la terre, liés au développement de l'industrialisation (ci-dessus p. 551), et celui de l'équipement rural, qui ne se présente pas de la même manière pour des exploitations de plus de 20 ha. et pour de petites propriétés paysannes de 5 à 20 ha. A ce dernier problème se trouve associé celui du rendement de la terre et du travail.

Les fermes d'État sont à l'avant-garde de la technique. C'est là à la fois un fait et une nécessité économique et politique. Elles ont en effet la double mission de fournir une part relativement importante des récoltes fondamentales et des produits techniques, et de démontrer l'accroissement de productivité de la surface et du travail résultant d'une organisation scientifique de la culture et de la disposition d'un matériel à haute efficacité. Pour moins de 12 % de la superficie labourée totale, elles ont mission de produire plus du quart des céréales et de la viande et de consacrer des superficies importantes aux expériences de cultures nouvelles et d'assolements rationnels. En principe, leur mission éducatrice est d'autant plus féconde qu'elles sont plus dispersées parmi les terroirs de petite paysannerie, mais les disponibilités de terre ont réduit la possibilité de les disséminer d'une façon parfaitement rationnelle. Elles sont beaucoup plus nombreuses dans les territoires de l'Ouest (où leur implantation était plus facile et où une tâche de pilotage de colons inadaptés à leur nouveau terroir s'imposait) que dans le centre et l'est On en accroît le nombre par bonification de terres incultes et remembrement dans des districts où ont été mis en réserve des terrains non attribués. Leur superficie atteindra 2 millions d'hectares en 1955. Leurs dimensions sont également variables suivant les conditions locales, de quelques centaines à un millier d'hectares.

La gestion est la même que celle des usines. La direction responsable vis-à-vis des ministères de l'Agriculture et de l'Économie nationale se compose d'un directeur administratif et de sous-directeurs techniques (agronomes, vétérinaires). La ferme possède un service comptable et des services techniques d'expérimentation agricole. Ces services prennent des stagiaires parmi les paysans de la région désireux de devenir *conseillers agricoles* ou envoyés par leur coopérative. Les travaux courants sont effectués par des ouvriers qui bénéficient du statut des ouvriers d'industrie. Le personnel est logé, soit dans d'anciens villages transformés, soit dans de nouvelles colonies d'habitation pourvues des services sociaux fondamentaux : écoles, dispensaires, salles de réunion et de distractions, bibliothèques, clubs, etc., au même titre qu'une collectivité industrielle.

Au point de vue social, l'exemple des fermes d'État doit développer l'esprit coopératif en montrant les avantages de l'exploitation de la terre par grands ensembles. Mais le mouvement coopératif, traditionnellement développé en Pologne pour l'acquisition d'objets de consommation et le crédit, ne se transfère que lentement à l'exploitation de la terre. La généralisation du travail par coopératives de production requiert une assimilation des principes et de l'intérêt de la coopération par les paysans, que les koulaks s'efforcent de retarder, et une disponibilité suffisante de matériel à grand rendement. Au fur et à mesure de la fabrication et de l'acquisition de celui-ci, des stations de machines et de tracteurs sont constituées par l'État. Les stations louent leur matériel aux paysans individuels, amenés progressivement à reconsidérer les conditions de travail en fonction de l'emploi de machines convenant mal au traitement de petits bornages. Au 30 septembre 1953, il existait 401 stations de matériel agricole. Près de 500.000 ha. ont été travaillés à l'aide des machines fournies par ces stations au cours de la campagne agricole 1951-1952 (en dehors des 1.800.000 ha. des fermes d'État). Au 1er mars 1954, les coopératives de travail étaient au nombre de 8.500 (contre 210 à la fin de la campagne 1949) et groupaient plus de 200.000 membres travaillant plus d'un million et demi d'hectares.

Ces coopératives présentent *plusieurs formes organiques* : celle de la coopérative de gros travaux préparatoires (défrichements, déchaumage, labours), la culture proprement dite restant dans le cadre individuel, la coopérative de propriétaires, impliquant comptabilisation dans l'évaluation du revenu de chaque famille de son apport immobilier et mobilier en même temps que de sa participation aux travaux, enfin la coopérative de travail, où il n'est tenu compte dans la répartition des revenus que de la quantité et de la qualité (efficacité et qualification) du travail de chacun.

Quantitativement, les coopératives ne représentent qu'une portion encore très faible du secteur agricole. Elles obtiennent généralement des rendements très supérieurs à la propriété individuelle, malgré les difficultés rencontrées au début : nécessité de respecter les bornages des paysans individuels, donc de travailler sur un terroir morcelé et dispersé, hostilité des koulaks, parfois sabotages. Certaines coopératives se placent au même niveau technique que les fermes d'État : la coopérative de Grodztwo, près de Kruszwica, dans la région de Bydgoszcz, a récolté, en 1951, 25 qx de seigle, 36 qx de blé, 33 qx d'orge et 27 qx d'avoine par hectare, soit 30 % de plus que les exploitations individuelles voisines. Il est expressément recommandé de ne pas créer de coopératives avant que soient réalisées localement les conditions de leur développement afin de ne pas les exposer à des échecs, et en particulier de ne pas passer prématurément à la constitution de coopératives de 3e degré tant que les bases matérielles et idéologiques de leur succès ne sont pas assurées. Mais l'État accorde son aide aux paysans désireux de s'organiser en coopératives.

Le secteur socialiste, qui est, techniquement, le secteur avancé, ne représente que 20 % environ de la superficie labourée.

Malgré l'aide financière et matérielle de l'État (octroi de crédits, prêts de matériel avantageant systématiquement les paysans pauvres), le niveau technique et la productivité du travail agricole restent bas et la participation volontaire à l'effort économique national est moins grande que dans le secteur industriel. Il en résulte un décalage sensible entre l'évolution de la production agricole et celle de la production industrielle. En 1951, l'indice de la production industrielle par rapport à 1949 était de 151, les perspectives du plan pour l'agriculture ne prétendaient qu'à l'indice 123 et l'insuffisance de l'élevage du porc, la faiblesse de la récolte de pommes de terre ont empêché de réaliser les prévisions.

Cette situation, analysée par le ministre de l'Économie nationale polonaise, M. H. Minc, notamment le 9 octobre 1951, appelle une aide renforcée de l'État aux paysans pauvres sous forme de crédits et de prêt de matériel, de semences, de reproducteurs, une action vigilante contre les spéculateurs.

Mais il n'est pas dans l'intention des pouvoirs publics de brusquer l'évolution de l'économie rurale vers l'organisation des coopératives, qui doit être le résultat d'une action consciente des paysans.

Par ailleurs, l'État subventionne des travaux d'aménagement et de bonification : drainages et régularisation de la distribution de l'eau (200.000 ha. dans le delta de la Vistule, 140.000 ha. dans les vallées du Notec et de l'Odra), assainissement et irrigation le long de l'axe du canal Odra-Vistule, au pied des Carpates et dans la vallée du Bug.

2º Les produits et les régions agricoles.

Les lignes générales de l'orientation de la production agricole sont définies par le plan (ci-dessus p. 551). L'objectif est d'accroître les cultures alimentaires les plus productives, en quantité et en qualité, d'en obtenir des rendements plus élevés en perfectionnant les systèmes de culture (assolements rationnels, emploi des engrais, utilisation de semences sélectionnées, lutte contre les parasites, amélioration des sols), et de développer les cultures alimentaires ou industrielles susceptibles de fournir des produits remplaçant des denrées d'importation. La reconstitution du cheptel presque complètement détruit pendant la guerre s'est effectuée sous le signe de la qualité.

Le succès et la qualité technique des innovations des fermes d'État et des coopératives pionnières accroît provisoirement le décalage entre les systèmes de culture à assolements rationnels des exploitations les plus avancées et les systèmes encore archaïques comportant des jachères d'un grand nombre de petites exploitations paysannes. C'est à cette disharmonie que sont dues les valeurs moyennes relativement faibles des rendements par unité de surface et en temps de travail. Il faut tenir compte également des difficultés initiales au rééquipement des exploitations paysannes en cheptel et en train de culture après la guerre. L'année 1949 a été celle de la disparition des exploitations sans bêtes de somme. Un certain délai d'adaptation à leurs nouveaux terroirs est également indispensable pour engager les bénéficiaires de dotations de terre dans les territoires de l'Ouest ou en Mazurie dans la voie de l'exploitation intensive à hauts rendements.

a) *Le volume des récoltes principales* (1950)

Cultures	Superficies (en milliers d'ha.)	Rendements (en qx/ha.)	Récolte (en milliers de qx)	Pourcentage de la récolte par rapport à celle de 1949
Blé......................	1.494	12,4	18.540	104,1
Seigle...................	5.136	12,7	65.000	96,2
Orge....................	845	12,7	10.766	104,7
Avoine	1.719,8	12,4	21.260	91,1
Méteil	276	11,8	3.261	122,1
Millet	50,8	9,9	503	80,3
Sarrasin	126,8	6,5	827	87,4
Légumineuses (grain)	106,5	10,6	1.124,6	114,1
Colza...................	142	8,2	1.162	127,5
Lin	121,8			
Graine		5,7	690	110,3
Fibre		3,7	455	107,2
Chanvre	19,6			
Graine		5,2	102,8	147,5
Fibre		4,6	90,2	162,2
Pommes de terre........	2.642,7	140	368.835	119,4
Betteraves à sucre.......	286,9	222	63.772	133,2
— fourragères	158	249	39.370	130,1
Prairies artificielles.......	774,7		16.000	85
— naturelles........	2.410	28,5	68.660	83,7

b) *Les essais agricoles*. — Divers essais sont en cours pour la sélection de plantes alimentaires et industrielles susceptibles d'être acclimatées en Pologne. Il s'agit du riz, du kok-saghyz, du kenaf et du kanatnik, couvrant au total, pour la campagne 1952, 7.000 ha., et du coton.

Les conditions d'acclimatation portent spécialement sur la réduction de la période végétative des plantes envisagées, de manière à assurer leur complet développement dans le cadre de la saison chaude du climat continental. Les essais pratiqués en 1950 et 1951 sur la culture du coton permettent d'en envisager l'extension à des fins économiques dans les voiévodies méridionales. Le kok-saghyz et diverses variétés de ricin ont également donné des résultats encourageants.

La culture du tabac est aussi en développement rapide, à partir de variétés à cycle végétatif court.

Cependant, les quotients de disponibilité de produits agricoles fondamentaux par tête d'habitant marquent d'ores et déjà un progrès notable par rapport à la situation de l'ancienne Pologne : céréales panifiables, 3,3 qx (dont blé : 0,72) ; pommes de terre, 15 qx ; betteraves à sucre, 2,5 qx.

Un effort particulier porte sur l'élevage. Il procède de l'achat de reproducteurs de race à l'étranger, notamment au Danemark et en Suède, et de l'organisation de la reproduction sur le sol national à partir de haras annexés aux fermes d'État. La reconstitution du troupeau de chevaux et de bêtes à cornes devant s'échelonner sur une période de plusieurs années (voir les objectifs numériques du plan, ci-dessus p. 552), la production de viande pour l'immédiat a été demandée surtout à l'élevage du porc. L'accroissement de la consommation paysanne a cependant limité les quantités disponibles pour le marché urbain, par rapport aux prévisions. Mais on ne saurait préjuger de l'évolution générale du marché de la viande sur les résultats de quelques campagnes annuelles, surtout en période de transformation organique de la structure de l'économie rurale.

LA RECONSTITUTION DU CHEPTEL

	30 juin 1946	3 décembre 1950
Chevaux	1.729.518	2.797.424
Bovins	3.910.489	7.163.938
Porcins	2.674.122	9.928.418
Ovins	727.073	2.194.200

c) *Les grandes régions agricoles.* — Les grandes régions agricoles se calquent approximativement sur les grandes régions naturelles et notamment pédologiques de la Pologne.

Le Sud est, climatiquement, l'ensemble régional le mieux doué pour la culture des blés d'hiver. Des assolements à haute productivité assurent des rendements élevés sur les bonnes terres (lœss, tchernozioms) de Silésie, des voiévodies de Krakow, de Rzeszow et de Lublin. Les récoltes principales sont ici le blé, la pomme de terre, la betterave à sucre. C'est dans cette région que l'on acclimate le coton et les plantes à latex, les plantes à fibre (kenaf) et certains oléagineux (ricin). Les prairies artificielles interviennent également dans l'assolement. Parmi les céréales diverses, le seigle tient une place subordonnée.

Les plaines centrales sont caractérisées par l'assolement seigle, pomme de terre, lin, prairies. Le colza tient une place croissante. Ces régions sont celles où l'élevage du porc joue le rôle le plus important dans l'exploitation.

La part du blé est sensiblement plus élevée dans la plaine centrale de la Vistule (voiévodies de Varsovie et de Bydgoszcz). Le lin et la pomme de terre sont, au contraire, les compagnons d'assolement du seigle dans la voiévodie de Bialystok et le nord de celle de Lublin.

Les collines du Pomorze et de Mazurie sont des régions où la part des terres cultivées recule devant un taux de boisement élevé. Le seigle est presque exclusif en Pomorze et dans le sud de la voiévodie d'Olsztyn, tandis que le blé réussit dans les plaines de la basse Vistule et de la basse Prusse. Le colza tient une place importante dans l'assolement du seigle, avec la pomme de terre. Le cheptel de ces pays a été particulièrement décimé. Les taux d'effectifs du bétail par rapport à ceux de 1938 étaient les plus bas de toute la nouvelle Pologne en 1946. La tâche des fermes d'État, nombreuses dans cette partie du territoire, a été de procéder à un repeuplement rapide des exploitations. L'élevage est, en effet, une des formes d'utilisation principales du sol dans les régions baltiques. Il s'agit à la fois d'un important élevage des bêtes à cornes, des chevaux et des porcs.

L'accession du territoire polonais à une longue façade maritime, la rationalisation de l'utilisation des nombreux lacs et le développement de la pêche en rivière, ont ouvert des perspectives importantes de pêcheries et de fabrication de conserves de poisson. Le tonnage du poisson de mer pêché est passé de 40.000 t. en 1947 à plus de 60.000 en 1950.

3º L'habitat rural.

La valeur de la terre se répercute sur la forme de la répartition de la population rurale. Sauf dans les Carpates, où domine l'habitat dispersé en hameaux ou en fermes isolées, que précède entre 1.000 et 1.700 m. l'habitat saisonnier de chalets de fenaison et de garde estivale du bétail, les villages sont partout associés à de nombreux écarts et à des fermes isolées. L'habitat aggloméré l'emporte sur toutes les bonnes terres de colonisation ancienne. Il revêt la forme de *villages allongés*, composés d'une succession discontinue d'exploitations agricoles comportant chacune plusieurs bâtiments souvent enfermés dans un enclos palissadé. Une forme dérivée du village-rue est le *village en fuseau* ou en ellipse, modelé sur le dédoublement de la rue principale, de part et d'autre d'une mare naturelle ou artificielle servant d'abreuvoir communal. Ce type est fréquent dans les régions de l'Ouest, surtout dans le Pomorze, à l'est de l'Odra, et dans la terre de Lubusz. Beaucoup des villages polonais des bonnes terres sont d'anciens villages domaniaux, qui ont souvent conservé un nom patronymique évoquant leur origine féodale.

Les terres conquises plus récemment à l'agriculture, notamment les interfluves sablonneux et boisés, les plateaux forestiers du Sud, associent un habitat dispersé prédominant à de gros villages toujours axés sur une route, plus rarement à un carrefour (villages en étoile), et généralement situés dans les petites vallées. L'habitat dispersé est lié tantôt à une colonisation paysanne de terres pauvres, tantôt à des initiatives de défrichement de la part de grands propriétaires. Dans le premier cas, il s'agit de petites fermes isolées, dans le second de hameaux composés d'une grosse exploitation et d'un petit groupe de maisons d'ouvriers agricoles.

L'habitat aggloméré est généralement considéré en Pologne comme lié en majeure partie à une phase de peuplement très ancienne, probablement antérieure au XIIIe siècle. Les formes du village, les types de construction perpétuent de très anciennes traditions régionales, qui se diversifient en particulier dans la Pologne méridionale. L'habitat en hameau et l'habitat en fermes isolées résulte de l'éclatement progressif des vieux villages sous la pression démographique, et par désir de l'aristocratie foncière d'élargir, avec le travail de paysans sans cesse plus nombreux, l'assiette territoriale de sa fortune.

On a proposé une théorie cyclique du développement de l'habitat, d'après laquelle il serait possible de distinguer plusieurs générations d'habitat groupé et dispersé. Les études de M. Kielezewska dans le Pomorze ont montré que l'éclatement des anciens villages a introduit un processus de dispersion de la population rurale qui a créé les noyaux de nouveaux hameaux. Les plus favorisés de ceux-ci par les conditions d'exploitation du terroir sont devenus des villages appartenant à une seconde génération d'habitat groupé et ainsi de suite. Les guerres, la décadence de certains villages ont fait disparaître ou dégénérer des habitats plus ou moins anciens, de telle sorte qu'il ne s'agit pas uniquement d'un processus de multiplication du nombre des villages. De même, tout écart ne donne pas nécessairement lieu au développement d'un hameau, moins encore d'un village.

Les conclusions à tirer des importantes études des géographes polonais sur l'habitat rural font apparaître une double cause de coexistence des villages, des hameaux et des fermes isolées : d'une part, *l'inégale fécondité des terroirs*, les terres les plus riches ou les plus faciles à cultiver, spécialement les plaines limoneuses et les grandes vallées étant domaines d'habitat groupé prépondérant, les terres pauvres, les croupes lacustres du Nord notamment, offrant une occupation beaucoup plus dispersée, d'autre part, la *dynamique interne* du peuplement rural, les vagues de colonisation, plus récemment les essais successifs de colonisation rurale à l'emplacement de grands domaines au XXe siècle, remettant en mouvement, à l'intérieur de chaque région, une fraction de la population, créant de nouveaux noyaux résidentiels à fortune diverse.

L'exploitation rurale revêt deux formes principales : la grande ferme seigneuriale, ancienne ou moderne, associée à un château, qui présente souvent l'aspect de forteresse, et la petite ferme, siège d'une exploitation paysanne ou simple demeure d'une famille de journaliers. La première comporte généralement des bâtiments disposés en carré autour d'une grande cour centrale. La seconde est un groupe de bâtiments répartis dans un enclos, plus rarement une maison-bloc. La disposition dominante en groupe de bâtiments accroît considérablement les dimensions des villages et, en particulier, la longueur des villages-rues. Dans certains cas d'étirement des villages, notamment en Haute-Silésie, on a pu parler de villages-chaînes.

La maison rurale traditionnelle est de construction sommaire ; le bois et le chaume y tiennent une large place. Elle est souvent en torchis revêtu d'un enduit à la chaux. Les régions de l'Ouest, où de nombreux villages ont dû être reconstruits au cours des dernières années sont, de ce fait, plus favorisées que la Pologne orientale et méridionale. La constitution des coopératives appelle l'édification de bâtiments d'usage commun et amorce un renouvellement progressif de l'habitat rural, encore que, dans la phase initiale, la coopérative s'insère dans les cadres du terroir de chaque village. Des villages neufs en solides maisons de briques, avec un complexe de bâtiments d'exploitation (étables collectives, silos et granges, hangars à matériel) fournissent l'image de ce que sont appelés à devenir les centres ruraux polonais.

C) COMMERCE ET TRANSPORTS

Les transformations quantitatives et qualitatives de l'économie polonaise exigent un développement considérable des transports et du commerce extérieur et intérieur. Dans l'ancienne Pologne, l'économie rurale était caractérisée par l'importance de l'économie domestique paysanne. La pauvreté de la population agricole réduisait le commerce des campagnes à très peu de chose. Le commerce de type moderne n'apparaissait que dans les villes. Les transports ne jouaient qu'un rôle limité dans la vie économique nationale. Il s'agissait de transports de ville à ville, entre chantiers d'exploitation de produits bruts et ports ou gares de sortie, de transit de marchandises importées vers Varsovie ou les grands centres industriels : Łodz, Stalinogrod, plutôt que de transports complexes appelant l'emploi d'un réseau différencié et anastomosé de voies de communications. Le chemin de fer attirait l'essentiel du trafic. La circulation locale s'effectuait sur des chemins ou des routes non revêtues, à pied ou en voiture rurale, entre les villages et les innombrables marchés où chacun n'apportait que des quantités infimes de marchandises et ne pouvait acheter que de menus articles — trait caractéristique des économies rurales à très faible circuit en espèces.

1° Le commerce extérieur.

Le commerce extérieur était dominé par des exportations de produits bruts ou semi-élaborés d'origine agricole, forestière ou minière, et par des importations de produits industriels, surtout des produits d'usage et de consommation, et des matières premières textiles. Les partenaires étaient les États industriels de l'Europe et les États-Unis.

Le volume total de ce commerce extérieur était faible et a été considérablement réduit par la crise. Pour une valeur inférieure ou au plus égale à celle de l'importation, les exportations atteignaient un poids cinq à six fois plus élevé.

ORIGINE ET DESTINATION DES IMPORTATIONS
ET DES EXPORTATIONS POLONAISES EN 1928 ET EN 1933

(en pourcentage des valeurs des opérations)

	1928 Import.	1928 Export.	1933 Import.	1933 Export.
Europe	79	97	69	92
dont :				
Allemagne	27	34	17,6	17,5
Gde-Bretagne	9,4	13	10	19,2
France	7,5	1,8	6,8	5,5
Autriche	6,7	12,5	4,3	5
Tchécoslovaquie	6,4	9	4,3	5
Pays-Bas	4,2	3,1	3,5	5,7
Union soviétique	1,2	1,5	2,1	6,2
États-Unis	18	1,3	13,3	1,6
Inde	3,3		2,9	0,5

VALEUR DES IMPORTATIONS ET DES EXPORTATIONS EN 1928, 1930, 1933, 1937 (1)

(en milliers de zlotys)

	Importations	Exportations
1928	3.362.000	2.508.000
1930	2.246.000	2.433.000
1933	827.000	960.000
1937	1.184.000	1.190.000

Le développement de l'industrie, l'accroissement de la consommation dans la nouvelle Pologne appellent une augmentation considérable du volume du commerce extérieur et une diversification de son contenu. Les conjonctures politiques et les conditions générales de la construction du socialisme en Pologne et, d'une manière générale, en Europe centrale, apportent des modifications dans la répartition géographique des échanges.

Le tonnage global des importations en 1949 est supérieur de 50 % à celui de 1937. Parallèlement, les exportations de 1949 sont à l'indice 230 par rapport aux exportations de 1937 prises pour base 100. La comparaison des valeurs (sur la base de la conversion en prix 1937) montre que, malgré l'accroissement considérable du tonnage exporté (essentiellement du charbon), la

(1) Les tonnages sont, pour 1933, 2.356.000 tonnes aux importations, 12.986.000 tonnes aux exportations et, pour 1937, 3.681.000 tonnes aux importations et 15.000.000 de tonnes aux exportations.

COMMERCE EXTÉRIEUR POLONAIS EN 1937 ET EN 1949

	Année 1937				Année 1949			
	Tonnages en milliers de t.	Pourcentage du total	Valeurs en millions de zlotys	Pourcentage du total	Tonnages en milliers de t.	Pourcentage du total	Valeurs en millions de zlotys (prix de 1937)	Pourcentage du total
A) *Importations*								
Produits alimentaires bruts et semi-élaborés	340	9,3	180	15,2	360	6,5	210	10
Produits industriels bruts et semi-élaborés d'origine agricole et forestière	256	7	497	42	720	13,2	575	27,3
Combustibles minéraux et produits bruts et semi-élaborés d'origine minérale	3.050	82,7	345	29,3	4.300	78,6	685	32,2
Machines et produits fabriqués.	35	1	162	13,5	96	1,7	650	30,5
B) *Exportations*								
Produits alimentaires bruts et semi-élaborés	860	5,8	435	36,9	1.050	2,8	325	21,5
Produits industriels bruts et semi-élaborés d'origine agricole et forestière.	1.750	11,65	335	28,5	580	1,6	210	14
Combustibles minéraux et produits bruts ou semi-élaborés d'origine minérale	12.360	82,55	410	34,5	33.500	95,5	895	59,3
Machines et produits fabriqués.	4,5		10,25	1	42	0,1	89	6

valeur des importations s'est accrue beaucoup plus que celle des exportations, ce qui s'explique aisément par l'augmentation des importations d'outillage industriel.

On ne saurait tirer davantage des chiffres en valeur : la conversion en prix 1937, rendue nécessaire pour permettre les comparaisons, n'autorise pas à des évaluations de balance commerciale en 1949.

Quoi qu'il en soit, l'effort d'équipement de la Pologne nécessite, pour se développer à un rythme rapide, l'octroi de crédits à long terme. C'est à cette condition, réalisée notamment par la signature des accords commerciaux de 1948 et de 1950 avec l'Union soviétique, que peuvent être atteints les objectifs du plan : porter en 1955 le chiffre du commerce extérieur (en valeur) à 140 % de celui de 1949. En raison de l'octroi de crédits, l'augmentation des importations, pendant cette période, doit être plus considérable que celle des exportations (respectivement 60 % et 16 %). Toutefois, pour réduire le déficit de la balance commerciale, cette période verra se multiplier les exportations de produits de valeur, de telle sorte qu'avec un tonnage exporté supérieur à celui de 1949, le charbon n'entrera plus en ligne de compte, en valeur, que pour 33 % au lieu de 48 %.

Parmi les produits d'exportation dont la part s'est accrue sensiblement en 1950 et 1951, l'attention est attirée, en premier lieu, sur les graines de semence, les produits agricoles élaborés : confiserie, conserves, vannerie, sucre, peaux travaillées. Les produits chimiques augmentent en quantité et en nombre. Mais, surtout, les produits fabriqués occupent une place de plus en plus large : machines industrielles, tissus techniques, objets de céramique et de verrerie d'art, films, etc.

La modification majeure du contenu du commerce extérieur de la Pologne procède de la substitution à un commerce de pays semi-colonial, vendant indéfiniment des produits bruts ou peu élaborés pour payer des importations de produits de consommation, d'un commerce de pays industriel en cours d'équipement, achetant, mais vendant aussi de l'outillage, et déjà capable d'exporter des objets fabriqués. Le charbon continue cependant à occuper une place fondamentale dans ce commerce et à assurer une garantie de financement d'une notable partie des importations techniques.

A partir de l'année 1947-1948, l'accroissement des difficultés de transaction avec l'Europe occidentale et l'Amérique, et la conscience de plus en plus claire qu'un commerce ne peut être utilement planifié à échéance de plusieurs années qu'avec des pays à économie également planifiée, dont le développement de la production et des besoins s'effectue suivant un rythme régulier et connu à l'avance, ont introduit des modifications sensibles dans l'orientation géographique du commerce extérieur polonais. En 1947, la Pologne commerçait avec trente-six États étrangers. La part de ses importations en provenance des démocraties populaires et de l'Union soviétique représentait 30 % (dont 25,1 % pour les importations en provenance de celle-ci). Elle vendait à ces mêmes pays 37,3 % de ses exportations (dont 28,4 % à l'U. R. S. S.). En 1953, les ordres de grandeur des affaires commerciales négociées par la Pologne avec les États capitalistes et avec l'Union soviétique et les démocraties populaires d'Europe et d'Asie se trouvaient à peu près renversés : mais des efforts continus tendent au renforcement des échanges avec les pays occidentaux dans le cadre d'un commerce extérieur quantitativement accru. La Pologne est représentée sur toutes les grandes foires internationales européennes.

Malgré les avantages des opérations commerciales entre économies planifiées de même structure et les commodités offertes par les avances à long terme de l'U. R. S. S., remboursables en marchandises fabriquées à l'aide du matériel cédé à crédit, malgré aussi les restrictions apportées au commerce avec les États capitalistes, la Pologne s'efforce de développer ses relations commerciales avec le plus grand nombre possible de pays. Des accords ont été signés entre 1946 et 1954 avec divers États d'Europe (Suède,

Suisse, Angleterre, France, etc.) et de nombreux pays lointains d'Amérique et d'Asie.

La réception et l'expédition des marchandises, l'acheminement des produits à concentrer vers les centres de transit international, ou à répartir à l'intérieur du territoire, exigent, surtout sur la base d'un système de transports organisé en fonction d'une géographie politique différente, un aménagement important du réseau de communications.

2o L'organisation des transports.

Les relations internationales s'effectuent en partie par les voies terrestres unissant la Pologne à la Tchécoslovaquie et aux régions danubiennes (Hongrie, Roumanie, Bulgarie, dans le cadre des relations économiques entre démocraties populaires, Autriche, etc.), à l'Union soviétique (notamment à la Biélorussie et à l'Ukraine), à la République démocratique allemande.

Il s'agit en fait de deux directions principales de communications : la direction nord-sud et la direction est-ouest. Dans le sens nord-sud, les communications sont canalisées par la porte de Moravie. Leur développement matériel est lié à l'exécution du projet de grand canal Odra-Danube, dont la tête septentrionale a été aménagée sur le haut Odra, mais dont l'achèvement n'est pas envisagé avant une dizaine d'années. En attendant, un trafic ferroviaire important et des communications routières relient la Silésie polonaise et la région de Cracovie à la Moravie-Silésie tchécoslovaque et son arrière-pays.

Les relations Est-Ouest intéressent à l'Est les courants d'échange d'intensité croissante entre la Pologne et l'Union soviétique. De grands itinéraires ferroviaires, qu'il s'agit seulement de restaurer dans toute leur puissance après les dommages subis pendant la guerre, unissent Varsovie à Moscou et à Kharkov à travers la Biélorussie. Le réseau routier polonais atteint le grand axe de circulation automobile Moscou-Biélorussie. Plus au sud, les échanges avec le bassin de Krivoï-Rog et le Donbass s'effectuent par la rocade ferroviaire subcarpatique qui prolonge l'axe de circulation silésien en direction d'Odessa, de Kiev et du Donbass. La part du trafic lourd le long de cet axe (charbon polonais, minerai de fer ukrainien et russe) détermine l'effort d'aménagement d'une voie d'eau continue du Dniepr inférieur à l'Odra. Des travaux visent à rendre le Bug (entre Brzesc et son confluent avec la Vistule) accessible à une batellerie de moyen tonnage avant 1955. Cette voie devra être accessible plus tard à la batellerie de 1.000 t.

Dans ses relations avec la République démocratique allemande, la Pologne utilise l'ancien réseau de transport des territoires ex-allemands recouvrés.

Le tonnage déplacé sur les 24.000 km. de voies ferrées polonaises en 1947 s'est élevé à 73 millions de tonnes. En 1955, sur environ 25.000 km. de lignes dont 514 km. de voies électrifiées, plus de 200 millions de tonnes seront transportés (1950 : 120 millions environ).

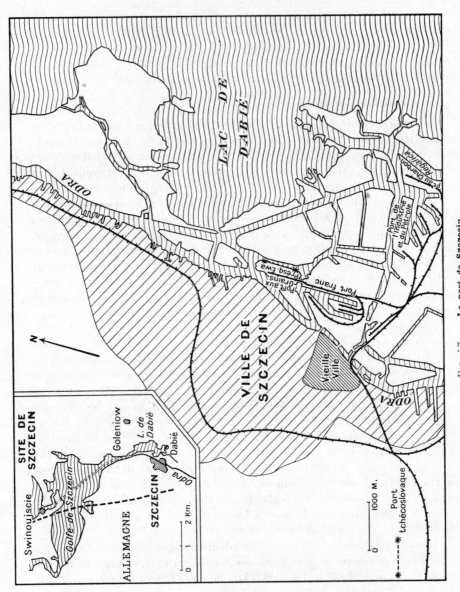

Fɪɢ. 57. — **Le port de Szczecin**

En carton, la situation au sud du golfe de l'Odra

Un effort particulier porte sur l'aménagement des liaisons Est-Ouest et sur la desserte des grands ports exportateurs de charbon et importateurs de produits divers. La réfection des anciennes routes et les constructions nouvelles assurent un contact intime entre villes et campagnes et entre villages et gares du réseau ferroviaire.

En même temps qu'elle devient grande puissance industrielle, la Pologne s'affirme comme puissance maritime en ordonnant le trafic des grands organismes portuaires de Gdansk-Gdynia et de Szczecin.

Le port de *Szczecin* n'avait été que médiocrement utilisé dans le cadre de l'économie allemande en raison de sa position relativement excentrique par rapport au territoire et au domaine d'influence de l'Allemagne. On n'avait ainsi tiré qu'un médiocre parti de conditions naturelles très avantageuses : vastes espaces d'eau tranquille dont il est facile d'organiser l'emploi par des dragages jusqu'à 10 m. et le coffrage des berges alluviales, liaison fluviale directe avec les régions industrielles silésiennes polonaises et avec la principale région industrielle tchécoslovaque. Szczecin est aujourd'hui port international. Un territoire tchécoslovaque (presqu'île Ewa) et la franchise de passage sur l'Odra en font à la fois le débouché maritime tchécoslovaque et un des deux grands ensembles portuaires polonais.

La partie la plus ancienne du port est située sur l'Odra, au pied des murailles du vieux château des Piasts. Mais les espaces d'eau se ramifient et s'anastomosent de manière compliquée toujours en eau tranquille, de telle sorte que toutes les parties du port se prêtent au transit entre navigation maritime et navigation fluviale. Cependant, en l'état actuel de l'équipement des voies navigables, les chemins de fer jouent le rôle principal dans la desserte du port. Une gare de triage très vaste assure le démembrement et la formation des convois. Szczecin est port d'escale international. Il reçoit des bateaux de nationalités très diverses, et, en particulier, des navires venant des différents pays riverains de la mer Baltique. Il est équipé pour le chargement rapide du charbon, pour le stockage et le commerce des grains, et l'on y achève l'équipement d'un bassin aux bois.

La progression des installations vers l'aval (avant-port au charbon et aux minerais) est suivie par le développement d'industries traitant des produits bruts importés. Les zones industrielles s'étalent à une dizaine de kilomètres en aval de la ville (fonderies, cimenteries, usines de superphosphates, papeteries...). Mais l'importance des destructions dues à la guerre et les problèmes posés par l'assimilation des installations à l'économie polonaise n'ont pas permis une utilisation équivalente de Szczecin et de Gdansk-Gdynia jusqu'à ces dernières années.

En 1950, le tonnage importé a approché de 1 million de tonnes, le

— 583 —

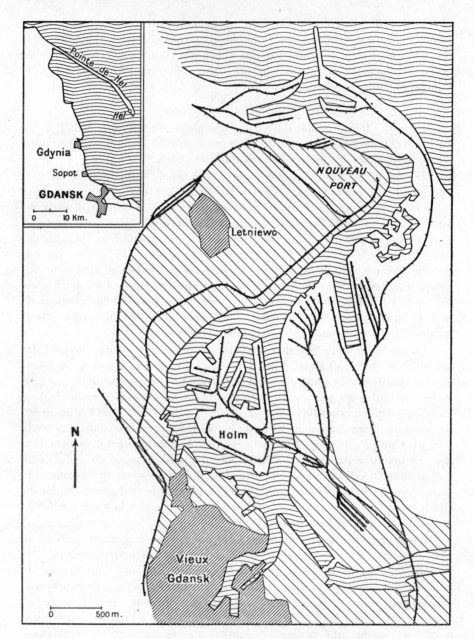

FIG. 58. — **Le port de Gdansk**

En carton, la situation de Gdansk, de Gdynia et de la station balnéaire de Sopot

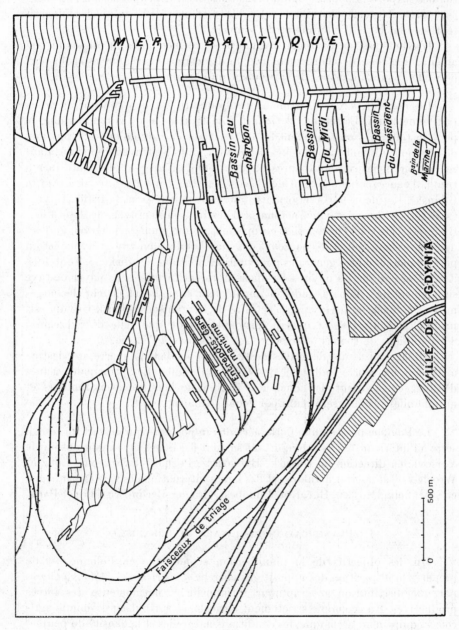

FIG. 59. — Le port de Gdynia

tonnage exporté a dépassé 3,5 millions de tonnes. A l'exportation, l'essentiel est représenté par le charbon, le coke et les agglomérés. A l'entrée, les minerais représentent la moitié au moins du tonnage.

L'avant-port de Szczecin, Swinoujscie (Swinemünde en allemand) est aménagé en base de chargement rapide des cargos charbonniers et en port de pêche, pourvu d'usines de traitement du poisson.

Les ports de la basse Vistule forment aujourd'hui un organisme administrativement uni. Le retour de *Gdansk* à la Pologne n'a pas rendu caduc le port de *Gdynia*. Non seulement les installations de Gdynia ont échappé aux destructions qui ont frappé celles de Gdansk, mais les travaux effectués dans ce port artificiel construit après 1919 en ont fait un port de haute mer à tirant d'eau supérieur à celui de Gdansk (en moyenne 10 m. contre 6 m. à Gdansk). Les deux ports désormais jumelés se répartissent le trafic. Gdynia est la tête de ligne des lignes polonaises à destination ou provenance lointaines. Gdansk est un port charbonnier européen et, d'une manière générale, un port de cargos chargeant et déchargeant des marchandises en vrac. Gdynia est un port de marchandises générales pourvu d'installations de stockage. Toutefois, il a été prévu que les navires étrangers auraient faculté, sans payer de taxe supplémentaire, d'opérer indistinctement leur chargement et leur déchargement à Gdansk ou à Gdynia. L'activité de l'organisme Gdansk-Gdynia est, jusqu'à présent, trois à quatre fois plus grande que celle de Szczecin : 8 à 9 millions de tonnes à la sortie, 2 à 3 millions à l'entrée.

Elblag, qui a subi de graves destructions pendant la guerre, est destiné à devenir un centre industriel de 60.000 habitants. Les principales usines d'Elblag construisent des machines, traitent le bois, réparent moteurs et automobiles ; Elblag sera réuni par canal à Gdansk.

La Pologne possède une flotte aérienne importante qui dessert un réseau serré à l'intérieur du pays comportant surtout des lignes rayonnant autour de Varsovie en direction de Gdansk, Bydgoszcz, Poznan et Szczecin, Łodz et Wroclaw, Stalinogrod, Krakow, et des lignes internationales vers Copenhague et Stockholm, Moscou, Bucarest, Budapest, Prague, Berlin-Bruxelles et Paris.

D) PLANIFICATION RÉGIONALE ET URBANISME

Un des objectifs de la planification économique en Pologne est de préparer la disparition des oppositions entre *régions riches* et *régions pauvres* par une distribution géographique rationnelle et harmonieuse des forces productives. En économie strictement agricole, et surtout en économie agricole à équipement archaïque, les conditions naturelles et la densité du peuplement interviennent sans contrepartie possible dans la classification des régions. La lutte des collectivités humaines contre la disette fait naître de pauvres correctifs à l'ingratitude relative de certains milieux : l'artisanat rural, les migrations saisonnières de colporteurs ont caractérisé jusqu'à l'époque présente les régions hautement peuplées des Carpates et de l'avant-pays carpatique, contribuant ainsi à l'originalité régionale. Les circonstances historiques ont fait le reste. L'opulence de dynasties princières ou d'oligarchies ecclésiastiques ont fait surgir des villes somptueuses dans certaines provinces, lors même que les paysans y frôlaient la famine (Krakow), tandis qu'ailleurs la médiocrité n'épargnait pas les marchés urbains (Olsztyn, Bialystok), petites villes au centre commercial étriqué, aux maisons basses, aux églises timides.

La Pologne rassemble de ces provinces disparates que des destins historiques divers ont marquées d'empreintes particulières. Les techniques modernes ne s'étaient inscrites dans le paysage qu'en Silésie, dans les ports, à Łodz et à Varsovie. La Mazurie, le Pomorze (Poméranie), la Mazovie, la Petite Pologne offraient une gradation de régions rurales inégalement douées ; la Cujavie avait subi l'influence de spéculations foncières capitalistes dès le début du XXᵉ siècle.

Au point de vue social, l'inégale richesse naturelle, l'inégale répartition de la population et l'inégal développement des formes d'économie et de technique modernes ont pour effet la différenciation des niveaux de vie, des architectures sociales et de la prise de conscience des problèmes économiques, politiques et sociaux. La Pologne apparaissait ainsi, tant dans ses limites de 1919 que dans son territoire de 1945, comme un pays hétérogène. L'hétérogénéité nationale d'autrefois avait été éliminée par la nouvelle organisation du territoire et les échanges de population après la deuxième guerre mondiale. La réforme agraire a fait disparaître les contrastes les plus accusés de la société rurale. Des populations rurales aux conditions de vie plus ou moins rudes occupent encore des régions peu productives et à fort peuplement paysan (Mazurie, voiévodie de Bialystok et nord de la voiévodie de Lublin), ou des régions mieux douées, mais surchargées d'hommes comme les régions méridionales — où l'on estimait que 650.000 ruraux constituaient une réserve de main-d'œuvre encombrant inutilement l'activité rurale (voiévodies de Rzeszów et de Krakow). Une structure professionnelle plus complexe résulte de l'introduction de l'économie industrielle en Silésie et de la concentration des fonctions administratives et commerciales, dont la capitale. La diversification des forces productives et des activités accroît les disponibilités distributives et assure un niveau de vie plus élevé. Les régions industrielles sont entraînées à un rythme plus rapide dans l'édification d'une économie et d'une société socialistes. La distinction de régions industrielles de transformation rapide et de régions agricoles où subsistent des forces d'inertie (voir ci-dessus, p. 572) risque d'aggraver les contradictions sociales et politiques internes, au cours de la période de transition du capitalisme au socialisme.

Les causes sont donc multiples d'une politique d'homogénéisation économique et sociale du pays. Elles guident une action systématique de diffusion des activités industrielles hors des premiers centres d'industrialisation, en considération des conditions d'installation économiquement viable : disponibilités en ressources de base, commodités de transport, réserves de main-d'œuvre. L'introduction de l'industrie a pour effet le regroupement d'une partie de la population dans les villes, et appelle des travaux de construction de quartiers résidentiels nouveaux, répondant aux principes et aux formes d'organisation moderne de la vie sociale. De proche en proche, les institutions médico-sociales et culturelles se répandent dans les campagnes environnantes. L'allègement démographique de la terre prépare la transformation des méthodes de travail. L'homogénéisation sociale et économique qui en résulte n'efface pas l'originalité régionale procédant de particularités physiques et de l'accumulation d'un patrimoine de traditions et de trésors artistiques hérité des périodes antérieures, mais elle aligne les régions naturelles et historiques dans les cadres d'une planification qui unifie les méthodes de mobilisation des ressources, les formes matérielles et sociales d'existence, tout en différenciant fortement le rôle de chaque région suivant ses aptitudes propres en regard des techniques du moment. Ainsi s'esquissent de nouvelles combinaisons régionales.

La plus importante est apparue au cours de l'étude de l'industrialisation : elle concerne la formation, à partir du pivot de la Haute-Silésie, d'un vaste ensemble d'économie mixte, comportant des terroirs riches, des zones plus ingrates truffées de grandes étendues forestières, d'Opole à la frontière de l'Ukraine, dans l'avant-pays des Carpates, débordant sur le plateau de la Petite-Pologne jusqu'à Częstochowa et Kielce. Il s'agit fondamentalement d'amalgamer deux formes d'économie demeurées jusqu'à présent étrangères l'une à l'autre comme deux témoins de deux processus historiques qui n'avaient pas convergé : une économie rurale de type médiéval et une économie industrielle exogène. Par ailleurs, au point de vue technique, le problème posé est celui de la coordination rationnelle de trois forces de production coexistantes sur un espace dont les limites autorisent cette coordination dans un cadre rationnel : l'énergie fournie par les combustibles minéraux, les matières premières offertes par les régions minières (mines de métaux ferreux et non ferreux, mines de sels), par l'exploitation forestière et agricole, le potentiel humain d'une zone de forte accumulation de population. L'ampleur des besoins industriels et le souci de ne pas submerger certaines villes historiques sous la charge des nouveaux quartiers fait associer la croissance des vieilles villes comme Częstochowa, l'organisation de la conurbation industrielle du début du xxᵉ siècle, et la création de centres urbains intégralement nouveaux dont l'ordre de grandeur est fixé autour de 100.000 habitants : Nowa-Huta à 20 km. de Cracovie, Nowè-Tychy en Silésie (voir fig. 56).

Ailleurs, il ne s'agit encore que de créer des foyers industriels en milieu rural en implantant des industries diverses dans les marchés provinciaux d'autrefois comme Olsztyn, Lublin ou Bialystok. Dans ce cas, la transformation régionale commence par l'aménagement urbain. Bialystok, par exemple, avait 56.759 habitants en 1947. Elle doit en avoir 120.000 en 1955. Bialystok devient un grand centre d'industries agricoles avec des usines travaillant le lin, des distilleries, les malteries, des brasseries, des huileries, etc. C'était jadis une agglomération de pauvres quartiers ruraux à l'image des villages des campagnes environnantes, entourant un centre urbain qui seul méritait le nom de ville, mais ne contenait qu'un quart des habitants. En même temps que ville industrielle, Bialystok est promue au rang de métropole administrative et culturelle régionale. On y a fondé une Académie de Médecine, diverses écoles techniques, on y a construit une grande Maison de la Culture avec théâtres, salle de concerts, clubs divers, des cinémas, un centre médico-social. C'est un des grands chantiers de construction d'immeubles de la Pologne actuelle. L'armature industrielle, sociale et culturelle, se développe à partir du centre régional à l'intérieur de la voiévodie dont 50 % de la population active sera employée hors des travaux de la terre en 1955, tandis que 90 % des personnes qui y travaillaient avant la guerre devaient puiser leurs moyens d'existence dans la seule exploitation de terroirs ingrats.

A Lublin, la politique d'industrialisation des campagnes et de création d'un centre industriel auprès de la vieille métropole religieuse, universitaire et administrative, a été définie au début de novembre 1951, lors de l'inauguration de l'usine de construction d'automobiles par le vice-ministre de l'Industrie lourde, M. Fidelski, qui a souligné que « des centaines et des milliers de fils et de filles de paysans entrent à l'usine, apprennent des spécialités nouvelles et difficiles, élèvent leur niveau de vie... »

Les métropoles régionales, placées à la tête de la transformation économique et sociale des campagnes auxquelles elles sont reliées par les liens de l'histoire, les formes matérielles de groupement des éléments de la géographie physique et l'aménagement des transports, agissent comme centres-pilotes dans l'introduction des nouvelles formes d'existence sociale. Il n'est pas sans intérêt de noter que, généralement, ce sont les villes que leur passé historique et administratif avait placées à la tête des divisions administratives, les voiévodies. Mais les impératifs d'une organisation régionale rationnelle font souvent éclater les limites administratives d'autrefois, et la géographie des voiévodies est appelée à se modifier. Un nouveau découpage est déjà intervenu depuis 1945. (Voir tableau page suivante.)

On voit nettement que le nouveau découpage administratif a désigné des centres de développement à partir de villes naguère effacées.

RÉPUBLIQUES POPULAIRES DE L'EUROPE CENTRALE

LES CHEFS-LIEUX A VOIÉVODIE POLONAISE EN 1951
(chiffres de 1946)

Szczecin	72.948	Zielona-Gora	15.738
Koszalin	17.115	Poznan	267.978
Gdansk	117.894	Bydgoszcz	134.614
Olsztyn	29.053	Wroclaw	170.656
Bialystok	56.759	Opole	27.666
Stalinogrod	128.290	Krakow	299.396
Łodz	496.929	Kielce	49.960
Rzeszow	29.407	Lublin	99.400

Diversité des processus d'évolution urbaine. — La période actuelle, qui est une période d'industrialisation est, par voie de conséquence, une période de développement urbain. Elle est caractérisée par la résistance à la tendance centripète qui aboutirait à un rapide gonflement de Varsovie telle qu'elle s'exprime dans le plan de régionalisation de l'économie nationale. Ce sont donc de nombreuses villes qui sont appelées à s'accroître et à se transformer.

Il est possible de distinguer plusieurs processus différents, s'inspirant des mêmes principes d'aménagement de la vie urbaine :

— la transformation d'une ville ancienne : Łodz en fournira l'exemple, l'évolution étant la même à Poznan, à Gdansk, à Szczecin et dans la plupart des villes polonaises ;

— le dédoublement d'une vieille ville : cas de Cracovie (Krakow), Nowa-Huta, et cas plus complexe du développement de la conurbation industrielle de Haute-Silésie ;

— la reconstruction de Varsovie, qui pose des problèmes quantitatifs à une échelle supérieure et fait figure d'aménagement pilote dans le cadre des perspectives d'urbanisme spécifiques du socialisme. Au niveau régional, la restauration et le développement de Wrocław s'apparentent aux travaux d'urbanisme de Varsovie.

Łodz. — Łodz est le type de la ville industrielle poussée anarchiquement sous l'impulsion du développement industriel : 400 habitants au début du XIXe siècle, 32.000 en 1860, 45.000 en 1880, 288.000 en 1900, 605.000 en 1931, moins de 480.000 au moment de la Libération, plus de 500.000 aujourd'hui.

Aucun effort d'urbanisme n'avait accompagné la croissance de Łodz. « On ne faisait absolument rien, non seulement pour placer la ville sur un pied de culture urbanistique, mais même pour satisfaire aux besoins les plus pressants du nombre croissant de ses habitants et de sa puissante industrie ; il n'y avait pas de canalisation, pas de jardin public, pas même de conduites d'eau, et les rues n'étaient pas convenablement parcées (1). » L'industrie, développée grâce à des privilèges accordés aux industriels employant de la main-d'œuvre qualifiée venue d'Allemagne et des manœuvres recrutés dans les campagnes, y accumula une population ouvrière constituant la grosse majorité de la population urbaine. En 1929, l'industrie textile y employait 110.000 salariés, les autres activités industrielles 50.000 travailleurs, représentant, avec leurs familles, une collectivité ouvrière approchant de 400.000 individus.

(1) J. LOTH, La vallée de la Vistule moyenne..., *Livret-guide de l'excursion 4 du Congrès international de géographie*, Varsovia, 1934, p. 31.

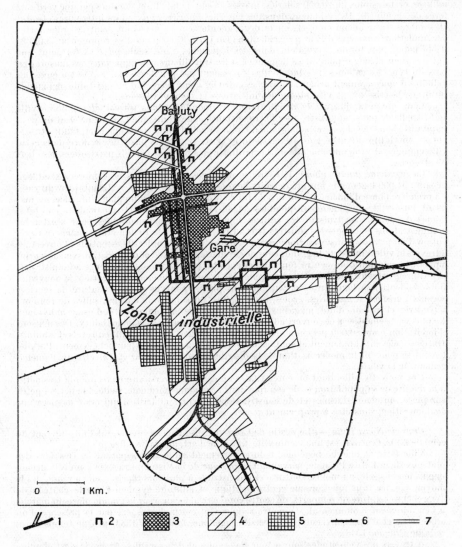

Fig. 60. — **Le vieux Łodz et les travaux d'aménagement de la nouvelle ville**

1. La « grille » du réseau de grande circulation en cours d'aménagement. — 2. Nouveaux groupes de cités d'habitation. — 3. Anciens quartiers de hautes maisons en ordre serré. — 4. Quartiers peu urbanisés. — 5. Zones industrielles. — 6. Principales voies ferrées. — 7. Grands axes routiers.

La plupart des ouvriers travaillaient dans de très gros établissements, employant plusieurs milliers, certains plus de 10.000 salariés, massés au sud de la ville et dominés par une véritable forêt de cheminées. Ils résidaient dans des casernes ouvrières aux cours intérieures étroites et sombres, sans aucun confort, où le degré d'entassement dépassait celui des plus fortes accumulations ouvrières d'Europe occidentale. En 1914, 120.000 familles, représentant 66,3 % de la population totale, y vivaient dans des logements d'une seule pièce, à tel point que l'observateur étranger pouvait se demander si les travailleurs campant dans des masures en bois du type des cabanes de « bidonvilles » n'étaient pas privilégiés par rapport à eux. Des velléités d'aménagement urbain, exprimées entre les deux guerres, il ne sortit que de maigres résultats, la crise ayant vite bloqué les initiatives et les investissements.

Łodz présenta, jusqu'à la deuxième guerre mondiale, tous les caractères d'une ville industrielle de pays capitaliste, avec la circonstance aggravante que la Pologne était un pays capitaliste sous-développé et subordonné. Grèves révolutionnaires, d'une part, taudis, tuberculose, mortalité infantile très élevée, d'autre part. Les seules oasis de verdure dans cette ville enfumée et prolétarienne étaient les jardins et les parcs des hôtels particuliers des chefs d'entreprise.

La deuxième guerre mondiale a creusé de larges brèches dans ce sombre assemblage urbain : 51.000 logements ont été détruits, le quartier juif de Baluty systématiquement rasé. La première phase d'aménagement urbain fut celle de l'exécution d'un plan d'urgence, normalisant l'usage des bâtiments disponibles : transformation des hôtels particuliers en clubs, homes d'enfants, construisant les édifices immédiatement indispensables pour abriter les administrations et reloger les sinistrés (1945-1948). A partir de 1949 a été commencée l'exécution d'un plan de transformation urbaine comportant trois objectifs essentiels : l'ouverture à travers la ville d'une série de grands axes de circulation nord-sud et de deux transversales principales, la création d'un centre fonctionnel encadré par de grands bâtiments administratifs et culturels : services publics, théâtres, palais de la culture, cinémas, édification de nouveaux îlots résidentiels à logements de deux et trois pièces, pourvus d'une armature de services sociaux : crèches et garderies, écoles, dispensaires, maisons de la culture, salles de réunion, buanderies et séchoirs d'îlot, magasins de vente d'objets de consommation et d'usage individuel. Le plus vaste chantier a été ouvert à l'emplacement de l'ancien ghetto de Baluty. Des maisons d'habitation pour 80.000 personnes en îlots de huit étages, des bâtiments culturels et administratifs s'y élèvent rapidement et sont occupés au fur et à mesure de leur achèvement. Parallèlement se poursuit la modernisation de la distribution d'eau, de gaz et d'électricité, l'aménagement de la voirie.

Une nouvelle ville, dont on entend faire un centre universitaire et technique très actif, à la mesure de sa population et de son rôle dans l'économie nationale, se dégage petit à petit, sur place, du chaos d'usines et de constructions obscures et tristes, qui était naguère une agglomération, sans être à proprement parler une ville.

Cracovie-Nowa-Huta. — Le destin de Cracovie, jusqu'au xxᵉ siècle, fut tout différent de celui de Łodz. Cracovie est une vieille ville, une ville d'art, une belle ville.

Ville forte et marché bénéficiant du resserrement du couloir séparant les Beskides des plateaux de la Petite Pologne, surveillant le passage de la Vistule, Cracovie a un rôle urbain depuis le ixᵉ siècle, au moins. Détruite et reconstruite à plusieurs reprises, elle a réuni, dès le moyen âge, les trois fonctions de centre politique et militaire symbolisé par le château de Wawel et sa ceinture de remparts, de centre commercial localisé sur la grande place du marché à l'encadrement monumental, de centre religieux et culturel consacré par la présence d'un archevêché et d'une Université, l'Université jagellone, fondée en 1364, peu de temps après celle de Prague (1348).

A travers des vicissitudes tour à tour favorables et défavorables, Cracovie s'est étendue en annexant d'anciens faubourgs et des villages suburbains, lentement aux xviiᵉ et xviiiᵉ siècles, rapidement au xxᵉ siècle. C'est à partir de 1908 que Cracovie devient une grande ville moderne. Sa population s'élève, entre les deux guerres mondiales, à 220.000 habitants. Elle est curieusement structurée : la ville historique, en même temps quartier de résidence aristocratique, de commerce, et centre culturel, est entièrement ceinturée par une vaste esplanade plantée qui rappelle le Ring de Vienne, les *Planty*, le long desquels subsistent des fragments des anciens remparts. Cette partie de la ville est reliée à la butte et au château de Wawel.

Un premier anneau extérieur, bien délimité par une seconde ceinture de boulevards, comporte des quartiers de résidence bourgeoise du xixe et du xxe siècles et, au sud, le ghetto de Kazmierz qui s'étend jusqu'à la Vistule au-dessous de la butte de Wawel.

Au delà ont été construits casernements, hôpitaux, quelques quartiers résidentiels suburbains, et de petits établissements industriels, la fonction industrielle n'étant ici que tout à fait accessoire.

Siège du gouvernement général de la Pologne occupée de 1939 à janvier 1945, Cracovie subit plus de dommages dans sa population que dans ses édifices. Il a été possible de reconstituer assez rapidement les trésors artistiques de la ville, notamment de restaurer le retable gothique du xve siècle dans l'église Notre-Dame. La ville s'adapte progressivement à la nouvelle évolution économique et sociale de la Pologne. La condition de son essor est l'adjonction d'une fonction industrielle aux fonctions administratives, intellectuelles, et à la vie du marché régional, qui y occupent 300.000 habitants.

La solution consistant à implanter l'industrie dans un centre jumeau éloigné de Cracovie d'une dizaine de kilomètres et réuni à la ville par une large esplanade de circulation rapide

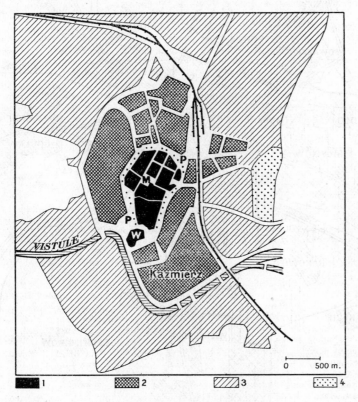

Fig. 61. — **La ville historique de Cracovie**
D'après J. Smolenski

1. Vieille ville. — 2. Quartiers anciens rattachés à la ville au xvie
et au xviie siècles. — 3. Ville moderne. — 4. Espaces plantés, parcs. —
M. Place du marché. — P. « Planty », esplanade circulaire. — W. Wawel.

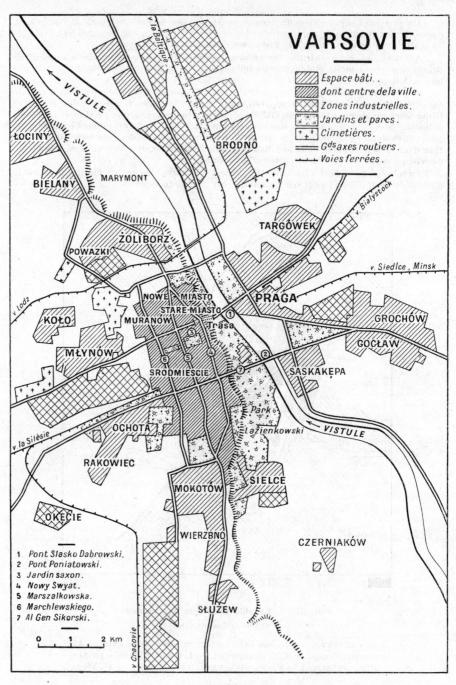

VARSOVIE

Espace bâti . .
dont centre de la ville .
Zones industrielles .
Jardins et parcs .
Cimetières .
G^ds axes routiers .
Voies ferrées .

VISTULE

BRODNO

v. Baltique

ŁOCINY

BIELANY

MARYMONT

v. Bialystock

TARGÓWEK

ŻOLIBORZ

POWAZKI

v. Siedlce , Minsk

v. Lodz

NOWE - MIASTO
STARE - MIASTO

PRAGA

KOŁO

MURANÓW

Trasa

GROCHÓW

MŁYNÓW

GOCŁAW

SRODMIESCIE

SASKAKEPA

v. la Silésie

OCHOTA

Park
Lazienkowski

VISTULE

RAKOWIEC

MOKOTÓW

SIELCE

OKECIE

CZERNIAKÓW

WIERZBNO

SŁUZEW

v. Cracovie

1 Pont Slasko Dabrowski.
2 Pont Poniatowski.
3 Jardin saxon.
4 Nowy Swyat.
5 Marszalkowska.
6 Marchlewskiego.
7 Al Gen Sikorski.

0   1   2 Km

a été préférée à celle de l'introduction de l'industrie — il s'agit de la sidérurgie — dans le périmètre propre de la vieille métropole polonaise. Ainsi est née Nowa-Huta (littéralement usine nouvelle) dont les hauts fourneaux, les aciéries, les ateliers de mécanique lourde sont associés à une série de groupes résidentiels articulés en une ville conçue pour contenir 100.000 habitants et qui en comptait 30.000 au 1er janvier 1953. La nouvelle ville est pourvue d'un port fluvial aménagé sur la Vistule, accessible aux chalands de 1.000 t.

Pour des raisons différentes, c'est la même solution qui a été appliquée pour assurer rapidement le développement des possibilités résidentielles dans la région industrielle de Haute-Silésie. Là, il ne s'agissait pas d'associer sans les confondre une ville-musée, haut lieu de la tradition nationale, et un des plus gros organismes industriels de la Pologne nouvelle, mais de permettre le décongestionnement d'agglomérations industrielles surchargées, par des voies plus efficaces que l'aménagement interne de complexes urbains dont la rationalisation demandera de longues années. Tandis que des cités complémentaires sont ajoutées aux plus grandes villes silésiennes : Stalinogrod, Bytom, Gliwice, etc., une ville neuve surgit, pour une capacité de logement d'une centaine de milliers d'habitants : *Nowe-Tichy*. La conurbation silésienne se trouve enrichie d'une unité dont l'ordonnancement servira de type à la normalisation des villes anciennes (fig. 56).

Varsovie. — La reconstruction et l'aménagement de la capitale ont une signification spéciale. Varsovie est appelée à être l'expression de l'effort de transformation de la Pologne, tout en symbolisant la continuité dans l'histoire de la tradition nationale. Sur les ruines de la vieille ville partiellement rasée, partiellement transformée en un impressionnant décor de façades noircies et mutilées vidées de leur contenu, on pouvait procéder à une restauration pure et simple ou construire une nouvelle ville. On a construit une nouvelle ville qui a assimilé, sans aucune discontinuité choquante, les témoins sauvés ou rétablis de l'histoire polonaise.
Le plan de l'ancienne ville était celui d'une ville oblongue d'axe parallèle à la Vistule, recoupé par deux transversales empruntées par les routes est-ouest franchissant le fleuve. Il a été conservé, mais les contradictions entre les besoins de la circulation et du transit et le développement empirique d'une ville tassée surtout au nord ont été supprimées par l'ouverture d'artères magistrales : la Trasa W-Z (voie E.-W.) passant en tunnel sous le Varsovie du XVIIIe siècle restauré, les allées de Jérusalem et Général-Sikorski, suivant la direction est-ouest, la voie monumentale de la Marszalkowska du nord au sud, flanquée de part et d'autre d'artères parallèles, Nowy-Swiat à l'est, avenue Marchlewski à l'ouest. Le coteau de la Vistule est progressivement dégagé des établissements et des quartiers industriels qui l'avaient enlaidi au XIXe et au XXe siècles, la perspective historique de la ville du XVIIIe siècle rétablie au-dessus des berges de la Vistule, les parcs du sud, évocation varsovienne de Trianon remis en état (parc Lazienki, jardins du Belvédère). Mais le contenu du noyau ancien ainsi restauré a changé. L'enchevêtrement de voies commerciales luxueuses et d'îlots résidentiels étroits et sombres, l'accumulation sordide d'une population besogneuse et pauvre au nord de la ville dans le quartier rasé par les Allemands de Muranow, font place à un ordonnancement monumental associant en ordre lâche tous les services administratifs sociaux et culturels à des quartiers résidentiels confortables. Le centre de la ville est, de ce fait, beaucoup moins peuplé qu'il ne l'était auparavant. Sa fonction administrative et culturelle se trouve largement dégagée et exprimée par des monuments dont le plus élevé sera le Palais de la Science et de la Culture Joseph-Staline, don de l'Union soviétique à la ville de Varsovie, formant des ensembles architecturaux imposants, notamment le long de l'axe de l'avenue Marszalkowska et place de la

---

← FIG. 62. — **Le nouveau Varsovie** (d'après *Szescioletin Plan odbudowy Warszawy*)
Extrait de Pierre GEORGE, *La ville*, P. U. F., 1952

La disposition du centre de Varsovie a été quelque peu modifiée en fonction de la construction du Palais de la Culture offert à la Pologne par l'Union soviétique qui est un haut édifice de 231 mètres dominant une nouvelle place, la place Staline, longue de 700 mètres sur 250, à l'angle des Allées de Jérusalem et de la rue Sainte-Croix, près des gares principales. D'autre part, l'élargissement de la Marszalkowska, au nord de la vieille ville, constitue le grand ensemble monumental de la place de la Constitution.

Constitution, sans qu'il ait été créé pour autant « une cité » fonctionnelle dépourvue de tout contenu résidentiel.

Mais la majeure partie de la population de la ville est logée dans des unités de résidence disposées tout autour du noyau principal en disposition alternée avec les zones industrielles, encadrées par des bandes de verdure et de parcs qui les isolent des quartiers d'habitation. Ces unités de résidence élevées dans les quartiers périphériques de l'ancien Varsovie et amalgamés dans les meilleures conditions aux quartiers ayant échappé au désastre sont conçues comme des groupements d'îlots et de quartiers formant des éléments hiérarchisés de résidence : îlots de quelques milliers d'habitants pourvus des commodités sociales indispensables à une petite collectivité, cité ou quartier de 10.000 à 30.000 habitants formant une petite unité urbaine avec centre commercial, centre scolaire et sanitaire, équipement culturel, s'agrégeant à son tour à un groupement plus vaste de l'ordre de la centaine de milliers d'habitants.

La présence des conditions fondamentales de la vie urbaine, en systèmes hiérarchisés à l'intérieur des unités résidentielles, n'implique pas une conception de vie isolée de chacune de ces unités en marge de la ville-capitale. L'exercice d'une activité professionnelle peut se réaliser dans le cadre du quartier ou du secteur urbain, comme il peut appeler des déplacements journaliers à travers l'agglomération. La présence de commodités commerciales et culturelles élémentaires sur place n'exclnt nullement la fréquentation du centre commercial, des théâtres, des musées et des grandes institutions culturelles du centre de la ville.

Les transports sont organisés de telle sorte que toute la ville soit parfaitement perméable à chacun de ses habitants, mais le nouveau Varsovie se présente comme une ville articulée suivant un zoning fonctionnel nuancé sauvegardant l'unité urbaine.

Les plus rapides des réalisations des huit années qui ont suivi la Libération, à partir du moment où la population est rentrée dans un amas gigantesque de décombres où se terraient quelques milliers de survivants des derniers combats de rues, sont le rétablissement des infrastructures de la vie urbaine (canalisations, distributions d'eau, d'électricité, de gaz), la réouverture des grandes voies et le percement de la Trasa W-Z au débouché du pont Slask-Dąbrowski, la construction des grandes unités résidentielles de Mokotow, de Koło, du quartier de Muranow (ancien ghetto rasé par les Allemands)[1], de Praga, la construction monumentale de la place Marszalkowska et de la place de la Constitution, l'ouverture des chantiers du métro dont la première ligne doit traverser l'agglomération de part en part du nord au sud (fig. 62). En même temps, les zones industrielles ont été aménagées à l'ouest (Mlynow), au sud, au nord-est (Zeran), à l'est (Praga et Grochow). Pourvues d'usines d'automobiles, de fonderies d'aciers spéciaux, à multiples entreprises d'industrie légère, Varsovie est, en même temps qu'une capitale ordonnée suivant le module de l'urbanisme socialiste, une grande ville industrielle pour laquelle on prévoit d'ici quelques années une population de 1.300.000 habitants.

ORIENTATION BIBLIOGRAPHIQUE

Sur la situation économique de l'ensemble des Républiques populaires en 1951, une étude générale en langue française : Situation économique des pays d'Europe orientale, *Études et conjoncture*, Économie mondiale, VII, 1952, n° 5, sept.-oct. 1952, p. 383-408, nombreux tableaux.

L'ouvrage français faisant autorité sur la géographie de la Pologne avant la deuxième guerre mondiale était celui de M. Emm. DE MARTONNE, *Géographie universelle*, t. IV, *Europe centrale*, IIᵉ Partie, dont la lecture demeure indispensable. Sur la Pologne de 1920, voir aussi A. MANSUY, *La Pologne, les États contemporains*, F. Rieder & Cie, Paris, 1925, 138 p.

PÉRIODIQUES

Annales Universitatis Mariae Curiae-Sklodowska, section B, Géographie, Sciences de la terre, Lublin (Université Marie-Curie de Lublin), 1ʳᵉ année, 1945.

Commerce extérieur polonais, édité par la Chambre polonaise du Commerce extérieur, Varsovie, 6 numéros par an, 1ʳᵉ année, 1950.

(1) Muranow, avec pour axe l'avenue Nowotko, a une capacité résidentielle de plus de 50.000 habitants.

Czasopismo geograficzne (Revue de Géographie), Wroclaw, 1ᵉʳ année, 1930 (revue publiée antérieurement par l'Université de Lwow).

Przeglad Geograficzny (Journal de Géographie), publié sous la direction de Eugeniusz ROMER, Varsovie, 1ʳᵉ année, 1926.

Wiadomosci statystyczne Glownego urzedu statystycznego (*Informations statistiques du Bureau central de statistique*), Varsovie, 1ʳᵉ année, 1926, et annuaires statistiques du même service.

Wirtschaftsdienst, publication mensuelle d'information économique en langue allemande, publiée par le Bureau d'Information polonais à Berlin, 1ʳᵉ année, 1949.

OUVRAGES ET ARTICLES

B. BIERUT, *Szescioletni plan odbudowy Warszawy (La plan de six ans de la reconstruction de Varsovie)*, 1 album de photographies et de plans de 361 p., Varsovie, in-folio, Ksiazka i Wiedza, 1949.

Congrès international de Géographie, Varsovie, 1934. Nombreuses communications concernant la Pologne.
Livrets-Guides des excursions, notamment :
Jerzy SMOLENSKY, *Cracovie, vallée du Dunajec, Hautes Tatras*, 96 p.
St. PAWLOWSKI, *Poméranie et littoral de la mer Baltique*, 80 p.
St. LENCEWITZ, *Le massif hercynien des Lysogory (Sainte-Croix) et ses enveloppes*, 50 p.
J. SMOLENSKI et W. ORMICKI, *La Silésie polonaise*, 84 p.
J. LOTH, *La vallée de la Vistule moyenne et quelques villes industrielles et thermales*, 40 p.
St. LENCEWITZ, *La vallée de la Vistule aux environs de Plock*, 14 p.

J. CZYZEWSKI et autres, *Oblicze zeim odsyskanych (Aspect des territoires recouvrés)*, *Dolny Slask (La plaine silésienne)*, Wroclaw et Varsovie, 1948, 2 vol., 455 et 750 p. (Le premier volume seulement intéresse directement la géographie.)

J. DARIC, Le peuplement des nouveaux territoires polonais, *Population*, III, 1948, n° 4, Paris, oct.-déc. 1948, p. 690-712.

K. DZIEWONSKI, Studia geograficzne do planu regionalnego, *Przegląd geograficzny* XXV, 1953, fasc. 4, p. 3-11. (Études géographiques pour la planification régionale).

R. GALON, Podzial polski polnocnej na krainy naturalne (The division of northern Poland into natural regions), *Czasopismo geograficzne*, XVIII, fasc. 1-4, Wroclaw, 1947, p. 113-122.

Pierre GEORGE, Les États nationaux slaves à l'issue de la deuxième guerre mondiale, *Politique étrangère*, XII, n° 2, Paris, 1947, p. 171-188 (à propos des frontières de la Pologne).

Pierre GEORGE, Varsovie, 1949 : reconstruction ou naissance d'une nouvelle ville, *Population*, IV, oct.-déc. 1949, p. 703-726.

Pierre GEORGE, Les transformations de la structure agraire en Pologne, *Problèmes de planification*, Paris, École pratique des Hautes Études et centre de politique étrangère, I, 1950, p. 149-167.

Pierre GEORGE, Problèmes actuels de l'agriculture polonaise, *Bulletin de l'Association de Géographes français*, nᵒˢ 204-205, nov.-déc. 1949, p. 106-114.

Pierre GEORGE, *La ville*, Paris, Presses Universitaires de France, 1952, 400 p. (chap. sur Varsovie).

Pierre GEORGE, T. LEHR-SPLAWINSKI, M. SCZANIECKI, M. WOJCIECHOWSKA, Z. WOJCIECHOWSKI, A. ZIERHOFFER, Les fleuves et l'évolution des peuples d'Europe orientale, Baltique, mer Noire, *Centre international de Synthèse et Institut occidental de Poznan*, Paris, Presses Universitaires de France, 1950, 104 p.

A. GRODEK, M. KIELCZEWSKA-ZALESKA, A. ZIERHOFFER, *Monografia Odry*, Poznan, Instytut Zachodni, 1948, 590 p. (Recueil d'études de géographie physique et humaine, d'un intérêt fondamental).

INSTITUT NATIONAL DE STATISTIQUES ET D'ÉTUDES ÉCONOMIQUES, Le plan polonais, *Études et conjoncture*, Économie mondiale, II, 1947, nᵒˢ 14-15, Paris, 1947, p. 47-68.

ID., Une expérience de nationalisation : les houillères polonaises, *Études et conjoncture*, Économie mondiale, II, 1947, nᵒˢ 14-15, Paris, 1947, p. 153-201.

ID., Les relations économiques extérieures de la Pologne et leur rôle dans le développement industriel du pays, *Études et conjoncture*, Économie mondiale, IV, 1949, n° 5, p. 58-81.

J. KOSTROWICKI, Problematyka malych miast w Polsce (Problèmes des petites villes en Pologne), *Przegląd geograficzny*, XXV, 1953, fasc. 4, p. 12-52.

Josef KOSTRZEWSKI, *Les origines de la civilisation polonaise, préhistoire, protohistoire*, Paris, Presses Universitaires de France, 1949, 670 p.

B. KRYGOWSKI, St. ZAJCHOWSKA, *Ziemia Lubuska. Opis geograficzny i gospodarczy*, Poznan, 1946, 280 p.

RÉPUBLIQUES POPULAIRES DE L'EUROPE CENTRALE

St. Leszczycky, Region Podhala, Podstawy geograficzno-gospodarcze planu regionalnego (Les bases géographiques du plan régional du Podhale), *Travaux Institut de Géographie de l'Université de Cracovie*, n° 20, Krakow, 1938, 280 p.

St. Leszczycky, Les types de l'habitat rural dans la Pologne du Sud-Ouest. *C. r. Congrès international de Géographie*, Varsovie, 1934, Varsovie, 1937, section III, p. 530-537.

St. Leszczycky, Influence du milieu géographique sur l'habitat du Podhale, *ibid.*, p. 537-541.

St. Lesczycky, Régions climatiques du sud-ouest de la Pologne, *Wiadomosci geograficzne*, 1934, n°s 5-9, p. 45-60.

St. Leszczycky, Les régions de l'industrie balnéaire et touristique en Pologne, *Acta balneologica Polonica*, I, 1937, fasc. II, Krakow, 1937, 17 p.

St. Leszczycky, The geographical bases of contemporary Poland, *J. of central european affairs*, VII, jan. 1948, p. 357-373.

M. Olechnowicz, Le peuplement des terres recouvrées en Pologne, *Revue occidentale*, Poznan Institut occidental, I, 1948, n° 2, p. 177-188.

St. Pietkiewicz, Podzial morfologiczny polski polnocnej i srodkowej. The morphological divisions of northern and middle Poland, *Czasopismo geograficzne*, XVIII, 1-4, Wroclaw, 1947, p. 123-169.

Le plan sexennal du développement économique et de l'édification des bases du Socialisme en Pologne, teste officiel, présentation et commentaires par B. Bierut et H. Minc, Varsovie, Książka i Więdza, 1950.

Société des nations, Conférence européenne de la vie rurale, Pologne, Genève, janvier 1940, 48 p.

Z. Wojciechowski, *Ziemie Staropolski*, I. *Dolny Slask*, 2 vol., 400 et 530 p. ; II. *Pomorze Zachodnie*, 2 vol., 590 et 320 p. Poznan et Wroclaw, Instytut zachodni, 1948-1949. (Recueils d'articles et d'études originaux sur les divers aspects de la géographie naturelle, de l'histoire et de l'économie régionale).

(Cl. Inf. polon.)

A. — LA PLACE DE LA CONSTITUTION A VARSOVIE

(Cl. P. George)

. — L'ENTRÉE DU CHATEAU DE WAWEL A CRACOVIE

(Cl. Inf. polon.)

C. — LA PLACE CENTRALE DU VIEUX VARSOVIE RECONSTRUITE

Pl. XII   TCHÉCOSLOVAQUIE

(Cl. Inf. tchsl.)

A. — Le Hradčany a Prague

(Cl. Inf. tchsl.)

B. — Semailles a la machine dans une coopérative agricole du Polabi

CHAPITRE III

LA TCHÉCOSLOVAQUIE

I. — LE PAYS. LES RESSOURCES NATURELLES

La Tchécoslovaquie couvre 127.891 km². Elle s'allonge entre le 12e et le 22e méridien Est de Greenwich sur plus de 700 km. entre Cheb (anciennement Eger, en allemand) et la frontière orientale de la Slovaquie. En latitude, elle atteint, au nord, le 51e parallèle et dépasse en Slovaquie méridionale le 48e. Elle se situe donc à la latitude du bassin de la Seine.

Beaucoup moins large que longue, la Tchécoslovaquie s'étale sur un peu moins de 300 km. du nord au sud en Bohême, 180 du nord-est au sud-ouest en Moravie et en Slovaquie occidentale. Elle a 100 km. de frontière commune avec l'Union soviétique (région autonome de Ruthénie subcarpatique, dans la République fédérée ukrainienne), près de 700 km. de frontière avec la Pologne, environ 400 avec l'Allemagne, 300 avec l'Autriche, 450 avec la Hongrie (1).

Son territoire se partage en trois régions naturelles qui sont en même temps des provinces historiques et méritent à tous égards la qualification de régions géographiques : la Bohême, la Moravie-Silésie et la Slovaquie.

Les deux premières constituent les pays *tchèques*. Elles couvrent respectivement 52.062 et 26.808 km² et comptent un peu plus de 10 millions d'habitants, dont les 2/3 vivent en Bohême.

La densité de la population était, au 31 mars 1946, de 128 habitants au kilomètre carré en Bohême et de 130 en Moravie-Silésie. La Slovaquie couvre un peu moins de 50.000 km² (49.021). Il s'agit de territoires beaucoup plus accidentés, où les ressources sont également moins diversifiées que dans les pays tchèques. La Slovaquie, avec 3 millions et demi d'habitants et une densité kilométrique de 72, apparaît surpeuplée, tandis que les pays tchèques manquent de main-d'œuvre.

A) LA BOHÊME

La forme de la Bohême est définie par l'expression classique de *quadrilatère bohémien*. Elle se présente, en effet, approximativement comme un

(1) La Tchécoslovaquie de 1938 avait, avant Munich, 1.100 km. de frontières communes avec l'Allemagne. Le déplacement de la Pologne vers l'ouest et la restauration d'une Autriche indépendante ont sensiblement amélioré sa situation stratégique.

trapèze, dont la grande base est constituée par les hauteurs tchéco-moraves (Česko moravska vysočina) et mesure 250 km. entre l'extrémité sud-est de la Šumava au sud de Česky Budejovice et les Jesenik. La petite base coïncide essentiellement avec les Krušne Hory et les hauteurs qui dominent la trouée du Labe (Elbe), à sa sortie de la Bohême, soit une longueur d'un peu moins de 200 km. Les deux côtés sont, au sud-ouest, la Forêt de Bohême (Česky Les) et la Šumava sur 250 km., au nord-est les montagnes de Lusace (Lužicke Hory), les monts des Géants (Krkonoše) et les Orlické Hory sur 200 km.

Au point de vue géologique, la Bohême est un massif que sa composition lithologique, sa structure et son degré d'érosion ont fait justement comparer au Massif Central français. Mais la comparaison n'est plus valable si l'on passe de la géologie à la géographie. Géographiquement, la Bohême est une cuvette. Les quatre côtés du quadrilatère sont des bombements bien marqués, et l'unité hydrographique de la Bohême est un témoignage de la disposition générale du relief : toutes les eaux convergent vers le Labe. *La cuvette est dissymétrique :* l'aire des points les plus bas (moins de 400 m.) est limitée au sud-ouest et au sud par une ligne tracée de Chomutov à Prague et de Prague à Česka Třebova, au nord et au nord-est par les hauteurs qui constituent les rebords du quadrilatère. Le paradoxe apparent entre le point de vue du géologue et celui du géographe, la dissymétrie générale de la cuvette de Bohême s'expliquent aisément par un rappel sommaire de l'histoire morphologique de la Bohême. Il s'agit d'un morceau de la zone hercynienne européenne usé par l'érosion, comme le plateau central français, au début de l'époque secondaire. A la fin du Jurassique, la pénéplaine posthercynienne de Bohême se gauchit. Une gouttière s'amorce, dans laquelle se déposent les formations continentales crétacées. Dès lors, le drainage s'organisera en fonction de l'existence de cette gouttière qui va devenir le *Polabi*, la plaine du Labe. Le relief, après avoir été aplani encore une fois, s'individualise au Tertiaire. Les lignes générales restent conformes au schéma élaboré au début du Crétacé, mais les rebords du quadrilatère se différencient plus nettement, l'ensemble du plateau se redresse par un mouvement de bascule depuis le Polabi jusqu'au Česky Les et à la Šumava. Au nord-ouest, le soulèvement se résout en fractures qui dédoublent la zone des hauteurs bordières et provoquent des phénomènes éruptifs (fig. 63) et ci-dessus t. I, p. 30.

Ces vicissitudes ont individualisé à l'intérieur de la Bohême cinq ensembles :

— le Nord-Ouest ;
— la bordure occidentale et son avant-pays de plateaux ;
— la plaine ;
— les montagnes de l'Est ;
— les croupes tchéco-moraves.

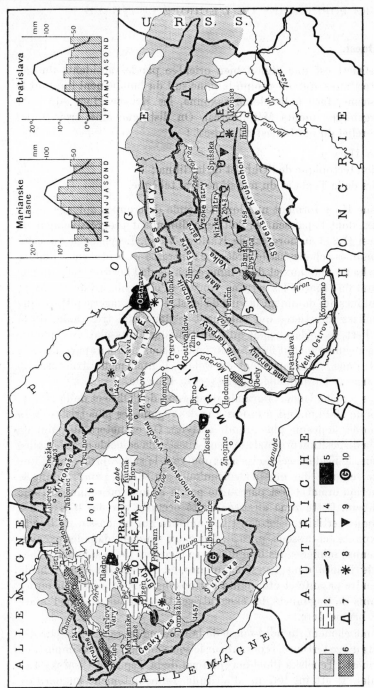

FIG. 63. — **Régions naturelles et ressources minérales de la Tchécoslovaquie**

1. Vieilles montagnes. — 2. Plateaux intérieurs de la Bohême. — 3. Chaînes des Carpates occidentales. — 4. Plaines. — 5. Gisement houiller. — 6. Gisement de lignite. — 7. Gisement de pétrole. — 8. Gisement de minerai de fer. — 9. Gisement de métaux non ferreux. — 10. Graphite.

En carton, diagrammes des températures et des précipitations moyennes mensuelles en Bohême (Marianské Lazné) et dans la plaine slovaque (Bratislava).

1º Le Nord-Ouest.

Le Nord-Ouest est une région bien orientée par les accidents du sol, les fractures tertiaires, qui ont rompu le flanc sud du bombement limitant le massif de Bohême, face à la plaine saxonne, les Krušne Hory (du côté allemand Erzgebirge ; monts Métallifères). On distingue ainsi trois zones successives de relief du nord-ouest au sud-est :

— les Krušne Hory ;
— la dépression tectonique de l'Ohře et de la Bilina ;
— les hauteurs de la Tepla et du massif central tchèque.

Les Krušne Hory forment une longue bande de croupes aplanies et de hauts-plateaux, dont l'épaisseur et l'altitude diminuent progressivement de l'ouest vers l'est (1.244 au nord-est de Karlovy-Vary). Le paysage est celui de « hautes chaumes » chaussées de forêts. Le contraste est brutal entre l'allure très calme des hauts-plateaux et de la ligne générale de l'horizon, telle qu'elle se profile quand on regarde les Krušne Hory de l'observatoire de Karlovy-Vary ou des collines qui dominent la ville de Most, et la sauvagerie pittoresque des petites vallées forestières qui entament le flanc sud, très raide, de la montagne. A l'est, le socle ancien, qui constitue les hauts-plateaux, plonge plus ou moins régulièrement (flexures et failles) sous une carapace de grès crétacés. C'est, dans le prolongement du Polabi, l'ensellement structural de la « porte de Lusace » par laquelle le Labe sort de Bohême.

Au sud des Krušne Hory, la grande dépression de l'Ohře et de la Bilina, longue de plus de 100 km., est à la fois une des régions les plus tristes de la Bohême et une des zones de plus grande activité. On en notera au point de vue physique la disposition originale. Au sud-ouest, elle coïncide avec la vallée de l'Ohře, mais, à Kadan, celui-ci s'échappe vers le sud, à la faveur d'une brèche dans le rempart des massifs volcaniques du sud et pénètre dans le Polabi. Sa fraction orientale est parcourue par la Bilina, qui rejoint le Labe à Usti-nad-Labem. Cette zone affaissée a été occupée par des lacs et des marais à l'époque tertiaire. Elle constitue aujourd'hui un bassin de lignite activement exploité (ci-dessous, p. 613). Les eaux stagnent dans les excavations des anciennes minières, les brouillards se chargent de la suie des usines consommant le lignite dans leurs chaudières, et l'odeur du lignite brûlé contribue à rendre pesante et étouffante l'atmosphère de ce pays noir où les treuils, les trains de wagonnets, les excavatrices tintinnabulent dans l'ouate sombre d'une brume âcre.

Le troisième élément du nord-ouest de la Bohême est représenté par des massifs éruptifs d'âge tertiaire, reposant sur le socle ancien. Le plus important est celui de l'ouest : Tepelska Plochina (plateau de la Tepla) et Cisařsky Les (forêt impériale). Il atteint 987 m. d'altitude, immédiatement au nord de

Marianské Lazné et 932 m. dans le massif basaltique de Dupov à l'est de Karlovy-Vary. Le paysage est celui de grands plateaux forestiers, au cœur desquels la Tepla décrit de pittoresques méandres encaissés, dont les derniers sont occupés par la ville de Karlovy-Vary. On reconnaît dans la montagne des formes de cratères volcaniques, des coulées de lave, et la persistance de l'activité éruptive est soulignée par le nom même de la rivière qui traverse le massif, la Tepla, la *rivière chaude*, et fait la fortune des stations thermales de Marianské Lazné et de Karlovy-Vary, lancées au temps de l'Empire autrichien sous les noms de Marienbad et de Karlsbad.

La dépression par laquelle l'Ohře rejoint le Polabi est un prolongement de la zone industrielle du lignite. Autour de Most, de petits necks volcaniques accidentent curieusement la topographie et annoncent le massif volcanique plus compact des montagnes centrales tchèques, Česky Středohori, très humanisées en raison du passage épigénique du Labe, dont l'étranglement est mis à profit pour la production d'énergie électrique en amont d'Usti-nad-Labem et de Střekov. Au nord, un paysage de collines encadre la sortie du Labe vers la Saxe.

2º La bordure occidentale.

La bordure occidentale est beaucoup plus simple : un long bourrelet de hauteurs forestières, percé par un abaissement d'axe. Au nord, la forêt de Bohême, Česky Les, forme une longue échine de 700 à 1.000 m. entre la trouée de Cheb et celle de Domažlice ; au sud, la Šumava, beaucoup plus massive et aussi sensiblement plus élevée : des Vosges plus densément boisées que les nôtres, culminant à 1.450 m. environ, avec de belles vallées en berceau, coupées par des moraines qui retiennent des lacs.

A l'est, on passe insensiblement au plateau intérieur de la Bohême, doucement basculé vers le nord-est. Ce plateau présente des paysages variés et une fortune économique très inégale. Au contact du plateau de la Tepla et du Česky Les, le bassin de Plzen est un riche district agricole où la culture de l'orge et du houblon, la présence de houille actuellement en grande partie épuisée et de kaolin, ont introduit l'économie industrielle sous forme de la brasserie, des industries métallurgiques et céramiques.

Au sud-est de Plzen, l'érosion a mis en valeur un faisceau de racines de plis primaires d'orientation parallèle à celle des Krušne Hory, les collines forestières des Brdy, dominant le plateau de 300 m. environ (700 à 863 m., type de crêtes appalachiennes).

Enfin, tout à fait au sud, le plateau se relève, dans l'angle compris entre Šumava et croupes tchéco-moraves ; c'est la région de Česky Budejovice, caractérisée par l'abondance des lacs et des marais. La richesse minérale de cette région est le graphite.

L'ensemble du plateau ne porte que des terres de fertilité médiocre, mais l'agriculture s'y est développée de bonne heure, ne laissant à la forêt que les bosses de granit. La grosse culture y occupe de larges surfaces sans obtenir des rendements aussi élevés que dans le Polabi. L'ensemble est à la fois plus rude et plus brumeux que le reste du plateau intérieur.

Sur la lisière orientale du plateau où l'érosion a dégradé de petits bassins encore séparés de la grande cuvette du Labe, l'attention est attirée par deux zones d'un intérêt humain majeur : le bassin houiller de Kladno et la petite dépression où s'est développée la ville de Prague (ci-dessous, p. 648). Cette portion du plateau est caractérisée par la convergence des eaux. En amont de Prague se rejoignent celles de la haute Vltava, qui draine le versant oriental de la Šumava, et le plateau de Česke Budejovice, celles de la Sazava, venue des croupes tchéco-moraves et celles de la Berounka formée dans le bassin de Plzen des apports de ses affluents descendant du Česky Les et du nord de la Šumava. La Vltava les conduira à travers Prague jusqu'au Labe tout proche. Ces diverses vallées sont généralement encaissées dans le plateau, dominées par des versants boisés, mettant à nu divers matériaux d'âge primaire, notamment les calcaires karstiques de la vallée de la Berounka en amont du site magistral du château de Karlštejn.

3º La plaine tchèque.

La plaine du Labe (Polabi) se développe sur 120 km. dans sa plus grande longueur, sur une largeur moyenne de 50 km. La plaine parfaite occupe une ellipse de 90 km. de long axée sur le Labe, qui coule à moins de 200 m. d'altitude, entre Podèbrady et Litomeřice, domaine complètement découvert, où l'arbre n'apparaît qu'en rideau le long des cours d'eau. Cette plaine est un sol de vieille colonisation agricole à haute fécondité. En s'écartant de cette ellipse, la topographie devient mollement accidentée, sans que la richesse rurale diminue visiblement. On passe progressivement de la plaine à des plateaux vallonnés dans la région de Mlada Boleslav, de Kutna Hora et de Pardubice. Petit à petit, le seigle devient plus fréquent, l'élevage en plein air plus répandu, mais ce n'est que beaucoup plus loin, en approchant de Česka Třebova et des hauteurs tchéco-moraves ou de Turnov et de Dvur Kralové, que l'on rejoint la montagne, c'est-à-dire la forêt. Cependant, la proximité du socle se manifeste par la très vieille exploitation de filons métallifères dans la région de Kutna Hora.

4º Les montagnes du Nord-Est.

La bordure nord-orientale de la Bohême est à la fois moins complexe que la bordure nord-ouest et moins simple que les montagnes du sud-ouest. Un premier alignement de hauteurs moyennes (700 à 1.000 m.) ferme l'horizon de la plaine, les Lužické Hory, montagnes de Lusace, qui se prolongent jusqu'à Dvur Kralové. En arrière de cet alignement assez mince, des bassins intérieurs sont des foyers de très vieille et très intense activité humaine. Il s'agit, avec la vallée supérieure de la Nisa de Lusace, d'une des plus importantes régions d'artisanat ancien ayant donné naissance aux industries de la taillerie de diamant et de faux diamant (Jablonec) et aux industries textiles (Liberec).

L'ensemble est dominé par les fières montagnes des Krkonoše, les monts des Géants, structuralement un simple élément du rebord de la cuvette de Bohême, mais délicatement sculpté par les glaciers quaternaires, qui y ont modelé un très beau relief de cirques. Avec 1.603 m. à la Snežka, « la neigeuse » (Schneekoppe en allemand), on atteint la plus haute altitude de toute la Bohême.

Le relief est plus simple au sud-est, avec les montagnes de l'Orlice et de la Bystrica, qui séparent de la plaine du Labe la cuvette de Kladsko, annexe de la Silésie polonaise.

5º Les croupes tchéco-moraves.

Topographiquement, les croupes tchéco-moraves attirent beaucoup plus l'attention en venant de la Moravie qu'en venant de la Bohême. Elles se présentent, en effet, comme une simple boursouflure du côté du plateau qu'elles dominent de 200 à 300 m., tandis que le passage à la Moravie s'effectue par une dénivellation complexe, plus marquée, de l'ordre de 500 à 600 m.

Il existe topographiquement un bourrelet continu entre le plateau de Bohême, à 500 m. dans les environs de Tabor, à 350 m. à l'est de Pardubice, et la plaine morave qui est à une altitude voisine de 200 m. Ce bourrelet atteint 767 m. dans le massif de Jihlava, 837 m. plus au nord dans les Jdarské Vrchy. Il est encore marqué dans la région de Česka Třebova. C'est cependant là qu'on le franchit le plus aisément. En effet, la grande gouttière du Polabi se prolonge au sud-est comme au nord-ouest par un ensellement des bordures du quadrilatère. Le seuil de Moravska Třebova est le symétrique de la porte de Lusace ; le socle s'ennoie et plonge sous le Crétacé. Aux formes arrondies du massif de Jihlava et de celui des Jdarské Vrchy succèdent les plateaux très découpés par des vallées présentant des corniches calcaires tantôt en haut du versant, tantôt en bas, mettant à nu une structure exceptionnellement calme dans un pays où l'on est habitué à voir les couches sédimentaires violemment redressées (les racines de plis primaires). Ce paysage se déroule en particulier le long des vallées de la Ticha Orlice et de la Sazava morave que suit la voie ferrée de Prague à Olomouc entre Česka Třebova et Zabřeh, en Moravie.

B) La Moravie-Silésie

La Moravie-Silésie constitue une unité naturelle axée sur la Porte de Moravie et sur la vallée inférieure de la Morava. Le caractère premier de cette région est, en effet, d'être un passage ouvert entre la plaine de l'Europe du Nord et la plaine danubienne. Il existe ici une solution de continuité entre les Alpes et les Carpates, et c'est précisément à cet endroit que la zone hercynienne des vieux massifs de l'Europe moyenne, qui constitue ailleurs un obstacle non négligeable, vient cesser d'exister topographiquement.

Un passage relativement étroit entre les basses Jeseniky et les Beskides moravo-silésiennes fait communiquer la Silésie et la dépression morave, qui s'ouvre largement sur le bassin pannonien. C'est à ce passage que l'on a attribué le nom de Porte de Moravie.

Au nord et à l'est de la Porte de Moravie, la Tchécoslovaquie possède une fraction de la Silésie, la Silésie tchèque avec le bassin houiller d'Ostrava Karvinna à l'est du cours supérieur de l'Odra, et la terminaison méridionale des Jeseniky, qui est le prolongement, en Moravie-Silésie, de la bordure orientale du quadrilatère de Bohême.

Le contraste est vigoureux entre la montagne, massive, entièrement recouverte par la forêt, à l'exception de pâturages d'altitude entre 1.200 et 1.500 m., peu humanisée, et l'avant-pays silésien très densément peuplé, associant une vie rurale et forestière de versant dans la région de Fryvaldov et d'Opava à la vie industrielle et commerciale reposant sur la présence d'un gros gisement de charbon, le plus important de la Tchécoslovaquie, et sur une très ancienne habitude d'utilisation du passage (ci-dessous, p. 629).

C'est encore à la Silésie tchèque qu'il faut rapporter le versant septentrional des Beskides moraves-silésiennes-polonaises, crêtes gréseuses le plus souvent, atteignant 1.000 à 1.300 m., d'allure généralement calme. Les Beskides portent de belles forêts de sapins comme les montagnes de Bohême et comme les Jeseniky, mais la colonisation humaine y a été vigoureuse : les prairies et les champs disputent leurs versants à la forêt qui s'arrête géométriquement le long de bornages rectilignes et occupent tous les fonds de vallées, notamment la belle vallée de l'Olšé, qui conduit à la passe de Jablunkov, une des portes d'entrée de la Slovaquie.

La Moravie présente deux aspects : la plaine interrompue de loin en loin par quelques pointements rocheux, recouverts de forêts, et le pied du massif de Bohême, une sorte de piémont qui a attiré la vie humaine, plus encore que la vallée de la Morava, et qui possède les deux grandes villes moraves, Olomouc et Brno.

La plaine est une région agricole de première importance, moins homo-gène dans sa fertilité que le Polabi, mais cependant plantureuse. Ses prolon-gements naturels sont le Marchfeld, dont elle est séparée par la frontière autrichienne, et la plaine de Slovaquie occidentale entre Petites-Carpates et Morava.

A l'est, la plaine est dominée directement par le chaînon des Carpates Blanches (Bilè Carpaty) qui la sépare de la Slovaquie. Le contact entre la plaine et les Carpates ne prend un aspect diversifié qu'au nord. Ici, le passage du coude de la Morava aux Beskides s'opère par un éventail de petits chaînons très verdoyants, où les pâturages repoussent la forêt sur les affleurements les plus stériles. Ce pays, où la vie est déjà plus rude que dans la plaine, joue le rôle de réserve de main-d'œuvre rurale. La firme Bat'a y puisait naguère les effectifs de ses usines, à la manière dont les industries de Clermont-Ferrand recourent aux travailleurs de l'Auvergne. C'est là en effet que se trouve la ville de Zlin — aujourd'hui Gottwaldov.

Le Piémont morave, à l'ouest, se décompose en une série de petits bassins alvéoles agricoles enchâssées par des hauteurs boisées. Au débouché du seuil des deux Třebova (Česka Třebova et Moravska Třebova), la vallée supérieure de la Morava forme le bassin d'Olomouc. Le bassin d'Olomouc est essentielle-ment agricole ; la vie industrielle n'apparaît qu'au confluent de la Bečva, qui ouvre la voie vers la Porte de Moravie, à Přerov.

Au sud, le bassin d'Olomouc est séparé de celui de Brno par un petit massif de 300 à 700 m., les Drahanska Vysoky, dont la portion la plus originale est le Karst morave (Moravsky Kras), un petit causse très pitto-resque, développé sur des calcaires dévoniens immédiatement au nord de Brno. La conque verdoyante dans laquelle est logée la belle ville de Brno est limitée au sud par un léger alignement de collines, les hauteurs de Rosice, où l'on exploite un petit bassin houiller.

Au delà, un troisième bassin, largement ouvert en direction de l'Autriche, s'étend au pied du massif de Jihlava, le bassin de Znojmo.

Moins variée que la Bohême, la Moravie est tout aussi humanisée, et sa civilisation matérielle et intellectuelle est identique à celle de la province sœur, tchèque comme elle. Seule une observation très attentive ferait appa-raître un léger retard de l'évolution rurale et des modes de vie paysans, que les transformations rurales actuelles font rapidement disparaître. Mais, même avant la deuxième guerre mondiale, alors que la Moravie apparaissait plus traditionnellement rurale que la Bohême, alors qu'il était possible d'y recruter pour les spéculations industrielles comme celles de Thomas Bat'a une main-d'œuvre moins payée que celle de la Bohême, il y avait moins de différences entre l'atmosphère de la Moravie et celle de la Bohême qu'entre celle de la Moravie et celle de la Slovaquie.

C) La Slovaquie

La Slovaquie est, à tous égards, un pays de montagnes : la montagne y occupe près des quatre cinquièmes de la superficie. Elle est montagnarde par son relief : on peut y escalader avec tous les attraits de l'alpinisme les plus hauts sommets de la Tchécoslovaquie, des crêtes effilées et des pyramides qui dépassent 2.500 m. Elle l'est tout autant par son ambiance humaine et par le caractère de sa population : les Slovaques sont pasteurs, bûcherons, petits cultivateurs de versants. Ils vivent dans de petits villages isolés, en économie presque fermée, très fidèles aux traditions anciennes, demeurés étroitement soumis jusqu'au xxe siècle à toutes les survivances féodales : grande propriété foncière aristocratique, biens de mainmorte. La quasi-autarcie villageoise, l'isolement des populations a maintenu des habitudes de méfiance à l'égard de tout ce qui vient du dehors. Cette autonomie villageoise a servi de support au nationalisme slovaque, forgé au cours des siècles de domination étrangère, exploité au cours des dernières années pour faire éclater l'unité tchécoslovaque. Particularisme et stagnation du niveau de vie à un plan très inférieur à celui des Tchèques allaient de pair et l'une entretenait l'autre. Dans les villages de la Slovaquie, où les meilleures terres étaient détenues par les latifundia, la fécondité naturelle accroissait sans cesse la détresse de la famille. La Slovaquie était une des provinces d'émigration de l'Europe centrale à la fin du xixe siècle et au début du xxe, malgré les hécatombes de la mortalité infantile. Les Slovaques ont essaimé en Europe et en Amérique et, cependant, la Slovaquie restait terre de surpeuplement rural, d'autant plus que l'industrialisation, si poussée dans les pays tchèques, ne l'avait pratiquement pas atteinte.

Les montagnes slovaques s'ordonnent assez simplement en dépit d'une confusion apparente. La Slovaquie s'identifie avec la terminaison occidentale des Carpates — à l'exception du versant nord, polonais. Elle en occupe en majeure partie une unité distincte qui comporte un noyau central, composé d'un massif granitique fendu en deux par un effondrement, et une double enveloppe d'arcs plissés se décomposant en une série septentrionale largement développée à l'ouest, et une série méridionale.

Le noyau de la montagne slovaque est constitué par les Tatry : Hautes Tatry au nord de l'effondrement longitudinal qui divise le massif, Basses Tatry au sud. La série externe septentrionale s'épanouit à l'ouest en éventail de chaînes : Grandes et Petites Fatry, Petites-Carpates et Carpates Blanches. On la retrouve à l'est, moins importante en Slovaquie orientale. La série externe méridionale se compose des monts Métallifères slovaques.

1º Les Tatry.

Les Tatry sont un massif cristallin, de forme amygdaloïde de 90 km. de l'ouest à l'est, sur 45 à 50 du nord au sud. Ce massif est scindé en deux par un accident structural qui a individualisé un sillon longitudinal élargi en bassin à l'ouest : bassin de Liptov, pincé à l'est dans la région de Štrba et de Poprad. Les montagnes les plus imposantes sont les Hautes-Tatry, au nord de ce sillon, à la frontière de la Slovaquie et de la Pologne. Le massif des Hautes-Tatry n'a que 60 km. de long sur 25 d'épaisseur du nord au sud. Il s'agit de montagnes imposantes, en dépit de leur altitude relativement modeste par rapport aux grands massifs des Alpes, mais s'inscrivant parmi les plus hautes redoutes carpatiques : 2.200 à 2.663 m. Le granit a été puissamment sculpté par la glaciation quaternaire en crêtes aiguës, en pyramides ourlées de cirques dans lesquels nichent des lacs, lacs de Poprad, lac de Štrba, séparées par de profondes vallées en auge. Des lambeaux de la couverture sédimentaire forment des bastions lourds enveloppant le cristallin. Le paysage est sévère et la montagne nue s'élève d'un seul jet au-dessus d'une timide ceinture de forêts. L'érosion fluviale actuelle continue à raviner sauvagement ce paysage tourmenté. Les cours d'eau, aux eaux froides, se disputent le drainage du massif. Le Poprad, qui prend sa source sur le versant sud des Hautes-Tatry en terre slovaque, est l'affluent du Dunajec et appartient au bassin de la Vistule, tandis que le reste du massif est drainé par le Vah et le Hornad, tributaires du Danube.

La fracture qui limite au sud les Hautes-Tatry est jalonnée par des sources minérales, dont la plus connue est celle de Štrba.

Au sud du bassin de Liptov (vallée de Vah) et du sillon du haut Poprad, on retrouve la fraction méridionale du massif granitique central des Carpates slovaques, les Basses-Tatry, qui dépassent encore 2.000 m. Le relief y est très fier, avec un beau modelé glaciaire, sans atteindre la sévérité des Hautes Tatry.

2º Les arcs occidentaux et orientaux.

Les arcs occidentaux et orientaux des montagnes slovaques sont les deux ailes d'une grande virgation de plis de la bordure externe septentrionale. L'éventail de montagnes est largement ouvert vers l'ouest, où l'on distingue deux ensembles structuralement et topographiquement différents :

Les *Fatry* forment l'enveloppe interne des Tatry et celui des Beskides et des Petites-Carpates. Dans la Haute-Fatra et dans la Basse-Fatra, le calcaire s'associe au granit pour maintenir des formes bien marquées sans que l'altitude soit très élevée (1.400 à 1.600 m.). La forêt monte ici presque jusqu'aux sommets.

Les Beskides et les Petites-Carpates constituent l'enveloppe la plus externe. Le matériel de la montagne est ici composé d'un complexe de roches malléables schisto-gréseuses auxquelles les géologues donnent le nom de *flysch*. L'érosion a travaillé rapidement dans ce matériel tendre et les formes sont très douces. Les seuls accidents vigoureux sont de petits pitons calcaires dus à la présence aberrante de lambeaux de calcaire charrié.

Les principales voies de communication sont les sillons longitudinaux séparant les divers alignements de crêtes, suivant une direction sud-nord ou sud-ouest-nord-est : la basse vallée du Vah entre Žilina et la plaine de Trnava, qui sépare les Carpates Blanches (Bilé Carpaty) de la Petite-Fatra, la vallée de la Nitra et celle de Touriec entre Petite-Fatra et Grande-Fatra. La vallée moyenne du Vah est plus délicate à définir. Elle emprunte la dépression structurale qui sépare les Hautes-Tatry des Basses-Tatry, puis tranche par une série de cluses successives les arcs des Fatry de bassin en bassin, constituant un axe de liaison transversale précieux.

A l'est, on reconnaît une disposition comparable des arcs externes du versant nord des Tatry avec les montagnes de Levoča, qui rappellent les Fatry et celles de Prešov, qui appartiennent à la zone du flysch dans leur partie septentrionale et passent au sud à un ensemble éruptif. Le Hornad est grossièrement symétrique du Vah. Il débute par un cours surimposé, recoupant les montagnes de Levoča, pour suivre ensuite le sillon longitudinal, qui précède la chaîne de Prešov. Au delà, un ensellement très marqué sépare l'ensemble Tatry-Beskides des Hautes-Carpates (région de la passe de Dukla).

La plaine de Slovaquie orientale correspond à cet abaissement d'axe de la montagne et constitue un golfe de la plaine pannonienne qui s'avance presque jusqu'à la frontière polonaise.

3º La bordure montagneuse méridionale.

Au sud des Basses-Tatry, un avant-pays montagneux encore sauvage domine la plaine danubienne. Il est constitué par des massifs éruptifs auxquels on a donné le nom de monts Métallifères slovaques (Krušné Hory). Les monts Métallifères sont bien séparés des Basses-Tatry dans leur partie occidentale par la vallée supérieure du Hron. Ils s'en dégagent moins nettement à l'est. Ils sont moins élevés aussi (1.400 m.) et s'abaissent vers le sud par une série de moutonnements. La topographie y est très compartimentée et la vie rurale très cloisonnée. Bien que les richesses minières soient connues depuis longtemps, comme en témoigne le nom donné à ce haut pays, l'exploitation systématique des gisements est seulement à ses débuts.

4º Les plaines.

Si l'on fait abstraction de la petite plaine de Slovaquie orientale qui mesure 75 km. du nord au sud, sur une cinquantaine de l'ouest à l'est, les plaines ne sont représentées en Slovaquie que par la plaine de la basse Morava et par la plaine de rive gauche du Danube entre Bratislava et le petit défilé du fleuve entre Novohradské et Pilisské Vrchy auquel s'accroche la frontière hongroise. La plaine, qui est une plaine de confluence fluviale, est d'aspect très varié. Elle offre des terrasses alluviales échelonnées à diverses altitudes. Les plus basses constituent la plaine d'inondation du fleuve et les îles, surtout la grande île dite *Ostrov*, l' « Ile » par excellence. Au-dessus s'étalent des terrasses recouvertes de lœss ou d'une terre noire, appelant la comparaison avec certains tchernozioms. Ce sont là les meilleures terres de culture, accaparées par la grande propriété magyare au temps de la domination seigneuriale hongroise sur la Slovaquie. Mais le paysage est changeant, et l'on passe vite d'une terre foncée aux riches moissons à une terre plus légère, grise ou beige, sablonneuse, où les récoltes sont plus maigres et où les bois de pins tiennent une place assez grande.

Tandis que les montagnes n'offraient à l'installation humaine qu'un cadre très compartimenté où, auprès des villages, n'ont pu se développer que de petites bourgades d'intérêt local comme Trenčin, Žilina, Ružomberok sur le Vah, Banska Bystrica sur le Hron, Košice sur le Hornad, la plaine se prêtait mieux aux concentrations urbaines. Komarno n'est qu'un marché agricole, mais Bratislava, adossée à l'extrémité des Petites-Carpates, qui viennent baigner dans le Danube, possédait à la fois les éléments naturels propres au développement d'une forteresse, d'une capitale régionale, d'un marché danubien international.

La Slovaquie est plus âpre que les pays tchèques, car elle supporte le lourd handicap de son retard économique et social, protégé par les facteurs conservateurs du milieu montagnard. Elle est pourtant plus ouverte aux influences méridionales, son ciel est plus clément : on vendange au bord du Danube, les épis de maïs sèchent sur les façades blanches des maisons villageoises, et la couleur de la nature, comme celle des costumes, annonce la proximité de la grande plaine du Danube et des Balkans.

Ses aptitudes industrielles ont été à peine exploitées. Cependant, la montagne est un réservoir d'énergie, l'avant-pays n'est sans doute pas dépourvu de pétrole et les monts Métallifères slovaques méritent aujourd'hui beaucoup mieux leur nom que les monts Métallifères de Bohême, car leurs trésors ont été à peine effleurés.

Le Nord et le Midi. — Les pays tchèques, la Bohême surtout, font figure de pays rudes par rapport à la Slovaquie. L'altitude, la topographie, la nature des sols ont plus d'influence sur ce contraste que la latitude. La Bohême a un climat voisin de celui du bassin souabe-franconien. Elle doit à son encadrement montagneux la limpidité de l'atmosphère et la sécheresse relative, particulièrement sensible dans le Nord-Ouest (moins de 600 m. de précipitations). Les précipitations sont d'ailleurs assez régulièrement réparties le long de l'année et suffisamment abondantes en été pour qu'on n'ait jamais une impression d'aridité.

L'amplitude thermique est du même ordre de grandeur que celle de la Pologne occidentale, en raison de l'accentuation de la continentalité par l'isolement résultant de l'encadrement montagneux : 20° d'écart entre la moyenne de janvier et la moyenne de juillet à Cheb, Prague, Česke-Budejovice. Mais cet accroissement de la continentalité se marque dans les limites d'une variante chaude. La température de janvier à Prague est identique à celle de Leipzig, tandis que celle de juillet est supérieure de plus d'un degré et s'appa- rente, soit à celle de stations plus méridionales comme celles de Vienne ou de Mulhouse, soit à celle de stations plus continentales comme Varsovie.

Des variantes froides et rudes correspondent aux plateaux du sud de la Bohême — Česke Budejowice a les hivers des rives de la Vistule et les étés frais du Danemark — et, au nord-ouest de la Bohême, la moyenne de janvier à Marianskè-Laznè est de — 2°7 (trois mois ont une moyenne négative) ; les étés sont encore plus frais que ceux de Česke-Budejovice (15°8 en juillet).

La Moravie méridionale, la Slovaquie sont des pays danubiens à étés chauds et humides à longue période végétative ; l'hiver est rigoureux : la moyenne de janvier est de — 1°6 à Bratislava, comme à Prague, bien qu'il y ait déjà un écart de 2° de latitude, mais celle de juillet est supérieure : 21°1 au lieu de 19°2. Entre les moyennes de juillet de Cheb ou de Česke-Budejovice en Bohême et celles du même mois dans la plaine slovaque, l'écart est de 3 à 4°. Bratislava a sept mois chauds (plus de 10° de température moyenne) contre cinq en Bohême et en Moravie. La température moyenne y dépasse 15° pendant trois mois ; au point de vue du régime des températures, la Slovaquie appartient au bassin pannonien. Mais elle n'en connaît pas la sécheresse. Les montagnes sont abondamment arrosées, et leur présence engendre une zone d'humidité qui les enveloppe largement. Bratislava reçoit plus de 700 mm. de précipitations, tandis que Budapest en enregistre moins de 600 et la moyenne vallée de la Tisza moins de 500. Moravie et Slovaquie, bénéficiant à la fois des nuances méridionales pannoniennes, d'une longue et chaude période végétative et d'abondantes précipitations, sont des pays exceptionnellement verdoyants qui échappent aux échaudages de la grande plaine hongroise et ne présentent jamais l'aspect de steppe.

Les montagnes ont des climats durs : à la Snežka, la moyenne de janvier est de — 7°4, celle de juillet de 8°8 ; dans les Tatry, les moyennes correspon- dantes à altitude égale sont sensiblement équivalentes : —8° et + 10°. Les précipitations sont beaucoup plus abondantes qu'en plaine et assurent la croissance et la régénération vigoureuse d'une épaisse couverture forestière. Elles constituent d'importants châteaux d'eau.

Trois paysages fondamentaux se partagent ainsi le territoire tchécoslo- vaque : celui de la forêt épaisse, supportant aisément une exploitation active, grâce à sa faculté de régénération, celui des campagnes souvent riches, mais de faciès septentrional, tantôt comparables aux terroirs de la Souabe, tantôt partageant la fécondité des limons saxons (Polabi), et enfin celui des plaines pannoniennes, dont la Slovaquie offre une variante humide.

La Tchécoslovaquie possède les bases naturelles d'une économie agricole différenciée. Sur 12.776.054 ha., les forêts occupent près du quart (3.979.512 ha.), les prairies et pâturages 17 %. Les terres labourées et les plantations couvrent un peu moins de la moitié du territoire national : 5,6 millions d'hectares. Elles comportent des sols à haute fécondité dans le Polabi, la Moravie méridionale, la plaine de Slovaquie, des terroirs plus rudes sur les plateaux de Bohême et dans les vallées slovaques. Le quotient de superficie de terre arable par habitant est du même ordre de grandeur qu'en France, mais la part des terres à gros rendement est plus élevée. Paradoxe de l'histoire : les terres de l'agricole Slovaquie sont moins productives que celles de l'industrielle Bohême.

D) Les conditions naturelles du développement industriel

Les bases naturelles de l'économie industrielle sont représentées en premier lieu par les disponibilités en énergie. Le vieux massif hercynien de la Bohême possède des bassins houillers d'inégale importance. Les aires de subsidence récentes contiennent des lignites et des hydrocarbures.

Le principal bassin houiller est celui d'Ostrava-Karvinna, en Silésie tchécoslovaque. Les réserves de ce bassin qui appartient à l'ensemble houiller silésien (voir ci-dessus, p. 540) ont été évaluées à 28 milliards de tonnes. Elles comportent une gamme complète de variétés de houille et notamment des masses considérables de charbons à coke.

Les autres gisements sont celui de Kladno à l'ouest de Prague, où des réserves limitées offrent d'excellentes conditions d'exploitation — veines exceptionnellement épaisses —, celui de Plzen, celui de Rosice en Moravie, près de Brno. Dans les conditions d'équipement de 1938, le bassin de Moravska-Ostrava était capable de fournir plus des trois quarts de la production nationale.

Les réserves les plus importantes de lignite sont situées le long des Krusnè Hory au nord-ouest de la Bohême. Elles se répartissent en deux bassins d'une puissance inégale : à l'est celui de Most qui s'étend entre Usti nad Labem et Kadan sur 60 km. de long : 5 milliards de tonnes de réserves ; à l'ouest celui de Falknov entre Karlovy-Vary et Cheb (800 millions de tonnes). Le combustible, accessible à ciel ouvert avec le matériel moderne, est de qualité variable : son pouvoir calorifique varie suivant les horizons exploités entre 3.000 et 4.500 calories.

Les gisements de Moravie (Hodonin) fournissent un combustible à 2.200/2.900 calories (réserves 100 millions de tonnes), ceux de Slovaquie (Handlova et Novaky surtout) des lignites de 2.700 à 6.000 calories (réserves : 70 millions de tonnes).

On exploite pour les besoins locaux des gisements de petites dimensions dans le nord de la Bohême (Zitava), dans les environs de Trebon et de Česky Budejovice, etc.

Deux régions pétrolifères d'importance inégale font l'objet de forages pour préciser les notions acquises au cours de la période précédant la guerre et pendant la guerre (recherches allemandes) : la principale est celle de Gbely-Hodonin, au nord de Bratislava, qui a produit, entre 1940 et 1944, 30.000 à 35.000 t. par an à partir d'horizons pétroliers peu profonds (150 à 400 m.). Du pétrole et des gaz ont été également obtenus dans le nord de la Slovaquie orientale.

Le fer est abondant en Bohême, en Moravie et en Slovaquie, mais réparti entre un grand nombre de petits gisements : groupe de la région de Prague (Nučice, Chrustenice, Zdice, Mnišek), groupe de Plzen, groupe de Šternberk, groupe de Kremnica, groupe des monts Métallifères slovaques surtout, autour de Spišska-Nova-Ves.

On exploite depuis le moyen âge de nombreuses mines d'or et d'argent en Bohême (Příbram, Kutna-Hora, Jachymov). Il s'agit de gisements poly-métalliques présentant encore de l'intérêt, lors même que l'objet de l'exploi-tation n'est plus le même qu'au moyen âge. Les mines de Jachymov, qui contiennent plus de quatre-vingts minéraux divers, sont exploitées aujourd'hui pour la production de l'uranium, de l'étain et du tungstène ; la fraction occiden-tale des monts Métallifères slovaques fournit la stibine (minerai d'antimoine) — près de Banska-Bistrica —, le minerai de plomb, la région de Trutnov en Bohême, celle de Spišska Nova Ves en Slovaquie possèdent des minerais de cuivre ; enfin, la Bohême méridionale possède d'importantes ressources en mica en grandes feuilles, en graphite, et des gîtes nickélifères.

Les kaolins et des sables très purs sont traditionnellement les matières premières des industries nationales de la porcelaine et de la cristallerie.

II. — DE L'ANCIENNE A LA NOUVELLE ÉCONOMIE

Les transformations récentes de la Tchécoslovaquie présentent un aspect original par rapport à celles des États voisins évoluant suivant les mêmes principes et visant au même but : la construction d'une économie socialiste. La Tchécoslovaquie est, depuis plus de cinquante ans, un pays partiellement industrialisé (dans ses régions tchèques), ce qui signifie non seulement la présence dans son économie d'un secteur de production indus-

(Cl. Inf. čsl.)

A. — Centrale thermique de Třinec

(Cl. Inf. čsl.)

B. — Aciéries d'Ostrava

(Cl. Inf. čsl.)

C. — Le vieux chateau de Domažlice

(Cl. Inf. hongr.)

A. — La nouvelle ville de Sztalinvaros

(Cl. Inf. hongr.)

B. — Haut fourneau a Dioszgyör

(Cl. Inf. hongr.)

C. — Paysage traditionnel en voie de disparition

trielle, mais aussi le développement dans sa géographie humaine de toutes les séquelles de l'industrialisation : urbanisation, intensification des communications, accélération de la révolution agricole.

Toutefois, l'industrialisation des pays tchèques de la Tchécoslovaquie a subi d'une manière exceptionnellement sensible les effets des modifications de la situation et de la géographie politique à plusieurs reprises depuis un demi-siècle. Les modifications de son orientation et de son contenu fournissent un exemple des plus expressifs des incidences historiques sur les caractères et le contenu de la production.

L'influence des conjonctures politiques sur l'évolution économique de la Tchécoslovaquie. — Les pays tchèques ont été entraînés dans le sillage des économies industrielles au xixe siècle. Il en est résulté le passage par trois périodes économiques successives : la première correspond à l'effort d'équipement industriel de l'Empire autrichien avant le Compromis, la seconde aux perspectives d'impérialisme nées de l'association des ambitions allemandes et austro-hongroises traduites par l'expression historique de *Drang nach Osten ;* la troisième procède de l'essai de réadaptation de l'économie des pays tchèques à une nouvelle forme de vie politique et de système économique international résultant du démembrement de l'Empire austro-hongrois et de la création d'une Tchécoslovaquie indépendante en concurrence avec les grandes économies industrielles occidentales.

1. Le commerce interrégional du moyen âge et du début de l'époque moderne a engendré les bases financières et sociales du développement industriel contemporain. La présence de marchés de marchandises et d'argent à Prague comme à Vienne, de très vieilles traditions artisanales, constituaient un ensemble de conditions favorables au développement industriel. La politique économique de l'Empire autrichien au cours de la première moitié du xixe siècle s'est efforcée d'assurer sur ces bases une certaine autonomie économique aux pays Habsbourg en protégeant leur marché par des couvertures douanières et en favorisant l'essor industriel dans les pays allemands ou considérés comme germanisés. Vienne et l'Autriche avaient la sympathie du gouvernement, mais la Bohême et la Moravie joignaient des conditions naturelles positives à une vieille tradition artisanale. Au milieu du xixe siècle, une opposition régionale est déjà très sensible entre les pays industrialisés de la monarchie Habsbourg, l'Autriche et les pays tchèques, et les « greniers » de l'Est, les pays hongrois et slaves. Les industries de la Bohême, comme celles de l'Autriche, procèdent de la transformation des anciennes activités artisanales. Elles sont dominées par la petite entreprise et par un régime de concurrence sévère. Les Allemands ont bénéficié d'un traitement de faveur de la part des établissements de crédit ; l'industrie s'est développée surtout dans les régions périphériques de la Bohême ou autour des grands centres administratifs allemands comme Brno (Brünn).

2. Le Compromis de 1867 amorce une nouvelle phase dans l'histoire économique de l'Empire austro-hongrois, celle de l'expansion politique et économique. Une impulsion supplémentaire est donnée à l'économie industrielle. Il ne s'agit plus seulement d'affranchir le marché impérial de la concurrence des produits fabriqués à l'étranger, mais d'entreprendre la conquête économique de marchés extérieurs et même d'affronter la concurrence internationale. Au début du xxe siècle, la part des pays tchèques dans la production industrielle de l'Empire est devenue dominante : 60 % des fabrications métallurgiques, 75 % de la production textile, de la fabrication des articles en cuir, du papier, 92 % de l'offre de produits en verre et en cristal. Pour la porcelaine, il s'agit d'un monopole absolu. Même pour les industries alimentaires, plus largement diffuses, la prépondérance des pays tchèques demeure incontestée.

Le marché de ces industries est triple : marché intérieur d'un État de 50 millions d'habitants, à pouvoir d'achat médiocre, mais constituant néanmoins un débouché appréciable ; marché politiquement contrôlé de l'Europe du Sud-Est, ouvert aux produits de consommation courante de caractère grossier et à vil prix ; marché international des produits qualifiés affrontant la concurrence dans la mesure où leur valeur et leurs prix supportent la comparaison avec ceux des usines étrangères.

La structure de l'industrie est encore très différenciée : un très grand nombre de petites

— 615 —

entreprises voisine avec les premières usines de type concentré. L'artisanat, le travail à domicile sont étroitement imbriqués avec les formes de production industrielle représentées par les entreprises métallurgiques de Vitkovice, de Brno, de Plzen, de Prague, les usines textiles de Liberec (Liebig), de Brno, les usines de chaussures (Thomas Bat'a emploie déjà 2.000 ouvriers en 1914). Les industries travaillant le plus régulièrement pour l'exportation étaient l'industrie du gant, qui employait 4.000 personnes à Prague, celle de la chaussure, la verrerie-cristallerie, la porcelainerie, la bimbeloterie et les industries textiles. Elles affrontent la concurrence étrangère, notamment allemande, sur les marchés des Balkans, de la Turquie, de l'Afrique du Nord, de l'Amérique du Sud. Leur situation est souvent difficile et le rêve de Liebig de faire de Liberec le Manchester du Proche-Orient est gravement compromis.

3. La première guerre mondiale et la création de la première République tchécoslovaque ont remis en question toute la construction économique de la période antérieure. Le départ des capitaux viennois et allemands a été salué avec satisfaction par la bourgeoisie tchèque, mais, pour parer à leur absence, il a fallu faire appel aux crédits occidentaux. Le marché de l'ancien Empire austro-hongrois se trouve disloqué, les perspectives de vente vers le Sud-Est réduites par le remplacement des intérêts germaniques et austro-hongrois par les spéculations anglo-saxonnes et françaises. Une nouvelle orientation a été recherchée dans la spécialisation des industries tchécoslovaques en vue de la vente de leurs produits sur les marchés internationaux. Les fabrications lourdes, jadis appelées par les besoins d'équipement des pays peu évolués de l'Europe du Sud-Est, supportent mal la concurrence des industries mieux pourvues en produits de base des économies occidentales. L'accent est déplacé vers les industries de luxe ou vers des spécialités livrant des produits à prix de revient bas (chaussures Bat'a) dans le cadre de spéculations qui dépassent vite le cadre national (Bat'a entretient des usines et des succursales dans un grand nombre de pays étrangers). Il s'agit d'une véritable reconversion industrielle appuyée par les prêts étrangers, qui s'accompagne d'une concentration financière. Cependant, la géographie industrielle demeure dominée par la dispersion des établissements. Les régions les plus hautement industrialisées, en dehors de la zone minière de Moravska-Ostrava, et des environs de Prague, sont les districts frontaliers du Nord-Ouest (région du lignite), du Nord-Est avec le centre textile de Liberec. La distribution de l'industrie appelle à beaucoup d'égards la comparaison avec la diffusion de l'industrie belge, entre un très grand nombre de petites villes bien reliées les unes aux autres par un réseau ferré aux mailles serrées.

Pays d'industries spécialisées et d'industries légères, travaillant pour le marché international, la Tchécoslovaquie est particulièrement sensible à la crise économique internationale qui se répercute chez elle à partir de 1932. De 1929 à 1933, le commerce extérieur recule de 70 %. En février 1933, on enregistre 920.000 chômeurs sur 2,5 millions de travailleurs industriels. Les salaires moyens baissent de 15 à 20 % entre 1929 et 1933. L'attention des milieux économiques tchécoslovaques est attirée, à partir de 1933-35, par la contradiction qui oppose à fermeture des marchés occidentaux par suite de la crise, aux besoins immenses, mais virtuels, de l'Europe danubienne, qui pourrait recevoir des industries tchécoslovaques tout le matériel d'équipement lui faisant cruellement défaut, mais dont la situation financière ne permet pas la concrétisation de ces besoins.

Malgré les vicissitudes et les déceptions de l'économie industrielle des pays tchèques de l'ancien Empire austro-hongrois, et de la première République tchécoslovaque, le développement industriel a entraîné une transformation de l'économie rurale, au moins en pays tchèque. Le report d'une fraction des capitaux accumulés vers l'exploitation rurale, soit dans le cadre de la grande propriété, soit par l'octroi de capitaux aux caisses coopératives de crédit agricole, le placement dans les campagnes de produits industriels — matériel de travail, engrais — l'accroissement de la demande de produits par les populations industrielles urbaines, ont joué le rôle de stimulant. Il en est résulté une modernisation de l'agriculture qui a accru le contraste entre les pays tchèques et les campagnes slovaques demeurées à tous égards à l'écart de cette évolution.

4. La période de l'occupation allemande a été marquée par la création de quelques entreprises stratégiques : usine d'essence synthétique de Most, usines de constructions aéronautiques de Prague, conversion accélérée des usines Škoda de Plzen. La libération comportait, au point de vue économique, un certain nombre d'incertitudes. Deux perspectives concurrentes s'offraient : la reconstitution pure et simple d'un système que la crise de 1930 avait déjà

condamné : c'est-à-dire la restauration d'une économie industrielle travaillant pour l'exportation, en concurrence avec les industries de l'Europe occidentale et de l'Amérique, ou la création d'une économie d'équipement national, permettant de colmater le retard des régions non équipées — sud de la Bohême et surtout Slovaquie —, comportant des prolongements extérieurs, sous forme d'industrie d'équipement participant à l'industrialisation des pays attardés de l'Europe centrale. Ces deux solutions présentaient chacune un aspect politique précis. La première comportait l'incorporation de la Tchécoslovaquie dans un système économique et politique occidental. La seconde comportait un repli de l'économie nationale sur la satisfaction de ses propres besoins, et une association économique avec les pays attardés constituant une clientèle naturelle pour les industries avancées de la Tchécoslovaquie. Dans une certaine mesure, la première plaçait l'accent sur les industries spécialisées et sur les industries légères, la seconde sur les industries lourdes, sans pour autant sacrifier les industries légères qui ont aussi leur marché dans les pays en voie d'essor économique.

Le premier plan économique tchécoslovaque, le plan biennal 1947-1948, ne comportait pas d'option nette. Son objectif était de remettre de l'ordre dans une économie désorganisée par la guerre, de faire face aux nécessités de la recolonisation des régions frontières, d'amorcer l'industrialisation de la Slovaquie, de rétablir le potentiel industriel au niveau de 1938. Il exigeait l'intensification de l'exploitation des ressources naturelles nationales pour alléger la charge des importations et du recours au crédit. La poursuite de l'effort économique impliquait un choix. Ce choix fut à la fois politique et économique. En refusant de s'intégrer au bloc occidental, la Tchécoslovaquie se tournait vers ses destinées européennes. Elle entreprenait la construction d'une économie socialiste tchèque *et slovaque* et la coopération avec les autres démocraties populaires. Cette nouvelle orientation apparaît clairement dans les termes du plan quinquennal.

Les objectifs du premier plan quinquennal (1949-1953). — Le plan quinquennal a fixé pour but global à la production tchécoslovaque un accroissement de 57 % (calculé en valeur).

a) Notamment accélération de l'accroissement de la production, surtout dans l'industrie de la fonderie, dans l'industrie métallurgique, en particulier dans la branche de la mécanique lourde, dans l'industrie minière et chimique, en même temps qu'un élargissement de la base énergétique par la construction de nouvelles usines électriques, thermiques et hydrauliques ;

b) Accroissement de la fabrication des matériaux de construction ;

c) Augmentation de la production de machines agricoles ;

d) Élargissement de la production de produits de consommation (art. 4).

Cette orientation peut être précisée par la référence aux chiffres absolus de prévision pour la dernière année de la période quinquennale (1953) :

A) Productions de base des industries minières et des industries lourdes (1)

Houille	20,8	Fer brut	2,7
Lignite	32,2	Acier brut	3,5
Coke	8	Laminés	2,5
Minerai de fer	1,4	Courant électrique	11,2 (2)

B) Principales productions de l'industrie mécanique

Locomotives	480	Moteurs élect...	890.000
Wagons	7.700	Appareils télé-	
Tracteurs	20.000	phoniques ...	150.000
Automobiles	24.000	Postes T. S. F.	300.000
Motocyclettes	75.000	Machines agri-	
Bicyclettes	330.000	coles	2,3 milliards Kcs

(1) En millions de tonnes.
(2) En milliards de kilowatts-heure.

C) PRODUCTIONS DES INDUSTRIES CHIMIQUES DE LA VERRERIE ET DES INDUSTRIES DU PAPIER

(en tonnes)

Engrais	110.000
Fibres artificielles	18.000
Rayonne	11.000
Savon	53.000
Cellulose	320.000
Papier	320.000
Carton	105.000
Verre creux	137.100
— plat	113.700

D) MATÉRIAUX DE CONSTRUCTION

Ciment	2,6 millions de tonnes	Tuiles	214 millions de pièces
Briques	1,3 milliard de pièces	Chaux	1,3 million de tonnes

E) PRODUCTIONS DES INDUSTRIES DE L'HABILLEMENT

Filés de coton	114.200 t.	Vêtements femmes.	6,9 millions
— laine	41.800 –	— travail	5,4 —
— lin	12.800 –	Chaussures cuir	33,7 mil. de paires
Vêtements hommes	3,8 millions	— légères	8,6 —
		— caout- chouc	30,2 —

F) PRODUCTIONS D'INDUSTRIES ALIMENTAIRES

Sucre raffiné	790.000 t.	Beurre	48.700 t.
Bière	11.700.000 hl.	Graisses	70.000 –
Farine blé	600.000 t.	Cigarettes	11,7 millions
— seigle	267.000 –	Cigares	60 —
Lait conservé	13.700 –	Tabac pipe	3.700 t.
Fromages	30.200 –		

G) PRODUCTIONS AGRICOLES

Blé	15 millions de qx	Plantes oléagineuses	0,7 million de qx
Seigle	10 —	Fourrages	130 millions de qx
Orge	13 —	Viande de bœuf	0,36 —
Avoine	11 —	— porc	0,5 —
Maïs	3 —	Lait	47 millions hl.
Légumineuses	0,65 —	Œufs	2 milliards
Pommes de terre	97 —		
Betteraves sucre	55 —		

Le premier plan quinquennal 1949-1953 peut être défini d'une manière générale par la mise en valeur de quatre caractères :

1. Il se présente comme un plan d'équipement mécanique, tant de l'agriculture et des transports que de l'industrie. La production des machines de toutes destinations doit atteindre, en 1953, l'indice 193 par rapport à 1948 ;

2. La production d'objets d'usage et de consommation est également accrue, mais dans des proportions moins grandes : indices 168 pour l'industrie textile, 141 pour celle du cuir, 110 à 180 pour les diverses industries alimentaires ;

3. C'est un plan de construction : en cinq ans, 177 milliards de couronnes sont consacrés à l'industrie du bâtiment et des travaux publics (ce qui représente l'équivalent de la valeur de deux années de la production métallurgique). La production de ciment est égale à la moitié de la production française pour une superficie et une population environ quatre fois moins grandes ;

4. Ce plan a accéléré la redistribution géographique de l'économie nationale et notamment de l'industrie, amorcée par le plan biennal.

La redistribution géographique de l'économie. — La redistribution géographique de l'économie se poursuit d'une façon continue depuis la Libération. Elle se présente, au moins à ses débuts, sous deux aspects concomittants :

— la rationalisation et l'allègement de l'économie industrielle des régions frontières surchargées d'industries vieillies et très morcelées ;
— l'homogénéisation de la structure économique des diverses régions par l'équipement des régions attardées, Bohême méridionale et surtout Slovaquie.

Le premier acte a été, lors du départ des Allemands des régions frontières, un classement et une réorganisation des entreprises comportant fermetures et démontages. Le matériel utilisable a été transféré dans des régions à équiper. Il existait 11.200 entreprises industrielles dans les régions frontières au moment de la Libération ; 7.200 ont été supprimées : il s'agissait de petites entreprises à rentabilité défectueuse, employant avant la guerre 45.000 ouvriers. Un millier de grandes entreprises, rassemblées en groupes d'intégration verticale ou d'associations horizontales, constituent l'armature de la nouvelle organisation industrielle ; 3.000 entreprises moyennes ont été placées dans une situation d'attente. Les unes ont été attribuées à des coopératives, les autres rattachées ultérieurement au dispositif nationalisé.

Le matériel récupéré sur les entreprises fermées et sur les entreprises réorganisées a été classé. Tout ce qui était rationnellement utilisable a été remis en état et transféré. En août 1947, un premier train de transfert porta sur le matériel de 260 entreprises, représentant une capacité d'emploi de 24.000 ouvriers (10.000 ouvriers métallurgistes, 8.000 travailleurs de l'industrie textile, etc.). Il fut complété par le dégagement de machines dans des entreprises réorganisées, représentant une capacité d'emploi dans de nouvelles installations de 2.000 postes. Au total, plus de 30.000 emplois ont été ouverts dans les régions économiquement attardées du pays par le transfert de ce matériel. La Slovaquie a bénéficié de l'attribution de 25.000 de ces emplois au cours de la période d'application du plan biennal. Mais les transferts de matériel ne sont qu'un expédient destiné à accélérer l'industrialisation des régions sous-équipées. Ils ne représentent qu'une partie de l'effort de développement industriel en Slovaquie. Dès le biennat 1947-1948, une politique systématique de construction des infrastructures d'un développement industriel général a été amorcée au profit de la Slovaquie : construction de barrages, d'hydrocentrales, de routes, de voies ferrées, de bâtiments industriels, ouverture de chantiers miniers (aménagement hydro-électrique du Vah et du Hron, construction de l'usine textile de Nijna-sur-Orava près de Žilina, de l'usine de matières plastiques de Topolcany, d'usines de conserves de fruits et de légumes à Trebisov, Nina, Orovska, Myjava, Zahore, Revuc, d'usines de traitement du bois et de la cellulose, etc.).

Les articles 29 à 33 du plan quinquennal ont consolidé et poursuivi cette politique :

ART. 30. — Il sera obtenu un développement économique accéléré de la Slovaquie par une transformation graduelle de sa structure économique et sociale. Cette transformation se fera avant tout

a) En continuant l'industrialisation déjà commencée du pays ;

b) En augmentant la productivité du travail dans l'agriculture ;

c) En augmentant les cadres des travailleurs qualifiés dans toutes les branches d'entreprise, notamment les cadres nécessaires pour développer la production industrielle ;

d) En intensifiant la recherche de toutes les sources de richesses naturelles, notamment des gisements minéraux.

ART. 31. — Le développement de la production, ainsi que le relèvement du niveau matériel et culturel pendant la période couverte par le plan quinquennal seront assurés :

1. *Dans l'industrie :*

a) En augmentant la production de telle sorte que sa valeur brute en 1953 par rapport à 1948 soit supérieure de 75 % ;

b) En créant environ 90.000 nouvelles occasions de travail.

2. *Dans l'agriculture :*

a) En augmentant sa production totale, de sorte qu'en 1953 sa valeur brute atteigne 27,4 milliards de Kčs, soit 37 % de plus qu'en 1948 ;

b) En augmentant la production animale, de sorte que sa valeur brute en 1953 dépasse de 98 % celle de 1948 et que sa part dans la production agricole totale soit de 42 % ;

c) Par la rationalisation de la production agricole, en intensifiant la mécanisation, en augmentant le rendement du sol agricole et l'utilisation des animaux domestiques, en précisant les bornes des pâturages et des forêts, en introduisant une exploitation rationnelle sur les superficies destinées aux pâturages et en afforestant les surfaces qui ne conviennent pas à l'agriculture.

3. *Dans le bâtiment :*

a) En augmentant la production de sorte que sa valeur brute en 1953 atteigne 15 milliards de Kčs ;

b) En augmentant de 35.000 l'effectif de la main-d'œuvre.

4. *Dans la construction des logements et dans les services sociaux, sanitaires et culturels :*

a) En augmentant de 3,39 millions de mètres carrés la surface habitée par de nouvelles constructions et des reconstructions ;

b) En créant des foyers pour les jeunes, des crèches, des hôpitaux, 2.080 écoles, etc.

L'effort économique engagé par la mise à exécution du plan quinquennal revêt la forme d'une opération de reconversion générale de toute l'économie nationale comportant à la fois transformation qualitative et quantitative de la production et nouvelle répartition dans l'espace des forces productives. L'industrialisation de la Slovaquie vise à incorporer sur place, dans le secteur industriel, une partie de la population qui peut être considérée légitimement comme en excédent par rapport aux besoins des exploitations rurales réorganisées et progressivement équipées de moyens matériels de travail à productivité croissante. Mais, dans les pays tchèques, l'effort industriel a posé, dès l'époque de l'application du plan biennal, le problème du sous-peuplement. Le départ des Allemands a retranché de la population active environ 800.000 individus. Or, au creux de la dépression économique d'avant guerre, le nombre des chômeurs s'élevait à un peu moins de 1 million. L'économie actuelle a non seulement résorbé tout chômage, mais doit mobiliser, à un rendement croissant, toutes les réserves de main-d'œuvre disponibles.

La nécessité d'un effort démographique. — La population, apparemment nombreuse par rapport à la superficie nationale — 12 millions d'habitants, 90 au kilomètre carré après le départ des Allemands — présentait, au lendemain de la Libération, un dynamisme démographique inégal suivant les régions et les catégories sociales. Les pays tchèques, industrialisés depuis cinquante ans, ont subi les effets démographiques de l'industrialisation et des transformations sociales qui en ont résulté. Le taux de fécondité a été abaissé par le malthusianisme de la bourgeoisie et de la classe moyenne des villes, et la crise économique, durement ressentie en Bohême, en Silésie et en Moravie à partir de 1932, a retardé l'âge moyen des mariages, réduit le nombre des naissances par ménage. Le rythme d'évolution de la population était comparable, en 1938, à celui des régions industrielles et urbaines de l'Europe occidentale. Les taux de natalité bruts étaient inférieurs à 11 $^o/_{oo}$ dans les villes de plus de 100.000 habitants, à 12 $^o/_{oo}$ dans toutes les communes de plus de 10.000 habitants. La « dénatalité » était beaucoup plus sensible dans la classe moyenne et dans la classe ouvrière que dans les campagnes, encore que la fécondité de celle-ci ne soit que relativement élevée, et ne s'exprime que par des taux assez éloignés de ceux qui caractérisaient au même moment la situation démographique slovaque. La pyramide d'âges en 1940 exprimait une situation menaçante : 7,4 % seulement d'enfants de moins de 10 ans, 25 % de jeunes de moins de 20 ans.

La Slovaquie, au contraire, était demeurée terre de fécondité. Les paysans continuaient à engendrer dans la misère et, malgré une mortalité infantile beaucoup plus élevée qu'en pays tchèque (plus de 120 $^o/_{oo}$ contre moins de 100), le taux brut d'accroissement demeurait élevé (plus de 10 $^o/_{oo}$). Cependant, la Slovaquie était atteinte à son tour par la décadence démo-

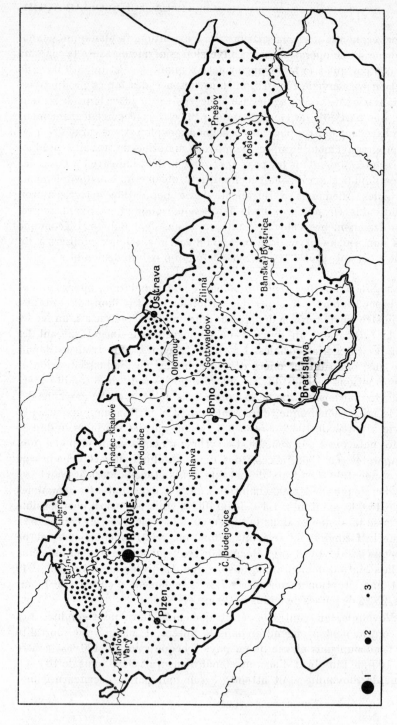

FIG. 64. — **Répartition de la population en Tchécoslovaquie**

1. Ville de plus de 500.000 habitants. — 2. Ville de plus de 100.000 habitants.
3. Chaque point représente 10.000 habitants recensés à l'intérieur des cadres administratifs locaux

graphique : l'accroissement naturel est tombé de plus de 16 %o pour la période 1921-1925, à 10,6 pour la période 1931-1935. La proportion des jeunes s'élevait encore en 1940 à 45 % dont 17 % pour les moins de 10 ans.

La Libération et les premières transformations de la structure économique, la certitude du plein emploi, ont amorcé un mouvement de renaissance démographique dans l'ensemble du pays. Ce mouvement a été plus sensible dans les pays tchèques, où les taux de natalité et de fécondité étaient tombés très bas, qu'en Slovaquie où ils avaient conservé une valeur élevée. Dès 1946, le nombre des naissances, pour l'ensemble du pays, s'est élevé à 287.000, l'accroissement naturel à 108.000. En 1947, les chiffres correspondants étaient de 300.000 et de 150.000, en 1949, de 280.000 et de 131.000, en 1950, de 280.000 également et de 142.000.

Les taux bruts de natalité pour l'année 1948 se sont élevés à 20,7 pour la Bohême, 23,2 pour la Moravie-Silésie, 24,1 pour la Slovaquie ; en 1949, 20,6 pour les pays tchèques et 25,9 pour la Slovaquie ; en 1950, 22,9 pour l'ensemble de la Tchécoslovaquie.

Le gouvernement a encouragé dès 1945 la reprise de la natalité en appuyant ses appels d'une aide matérielle aux familles, et par le développement des institutions sociales. Une lutte systématique contre la mortalité infantile a été entreprise (117 %o en 1937, 77,6 en 1950).

Malgré l'importance quantitative d'un accroissement naturel annuel moyen de l'ordre de 120 à 140.000 individus, représentant des perspectives substantielles d'augmentation de la population active à partir de 1964, le problème du recrutement actuel de la main-d'œuvre reste entier.

Un appel pressant a été adressé aux collectivités tchécoslovaques émigrées au cours de la période précédente (1900-1940). On évalue le nombre des émigrés tchécoslovaques dans le monde à un peu plus de 2 millions dont un million ayant conservé la nationalité tchécoslovaque. La moitié résidaient en Europe, le reste en Amérique. Au 1er janvier 1948, le nombre des rapatriés s'élevait à 150.000, revenus surtout de Hongrie, de Pologne, de Roumanie, d'Autriche et d'U. R. S. S. (Tchèques de Volhynie) — une dizaine de milliers de Belgique et de France. On estimait pouvoir doubler ce chiffre en quelques années, soit un peu moins de 150.000 personnes actives.

La politique de la main-d'œuvre et de la productivité. — La pénurie de main-d'œuvre a inspiré des mesures très strictes d'organisation du travail dans le texte même du plan quinquennal.

ART. 22. — Tous les citoyens tchécoslovaques participeront dans la même mesure, par leur travail, à l'accomplissement des tâches imposées par le plan quinquennal. Dans toutes les entreprises, administrations et services, il ne sera occupé que le nombre indispensable de travailleurs dans des postes adéquats et en utilisant pleinement les heures de travail.

Pour remplir les programmes de production du plan quinquennal, le nombre des travailleurs dans toute l'économie nationale sera augmenté de 5,6 % par rapport à 1948 ; dans l'industrie, leur nombre sera augmenté de 18,5 % et dans le bâtiment de 50 %.

On recrute de nouveaux travailleurs, notamment

a) En mettant rationnellement au travail les jeunes ;
b) En augmentant le nombre des femmes travaillant dans les diverses professions;
c) En mettant au travail les personnes qui ne travaillent pas encore ;
d) En favorisant la réimmigration ;
e) En mettant au travail les personnes dont la capacité de travail est diminuée (en procédant à un reclassement et à une rééducation professionnels), etc.

On attend d'ailleurs beaucoup plus d'élasticité de l'accroissement de la productivité du travail que de l'augmentation du nombre brut des travailleurs.

L'article 21 du plan a fixé l'accroissement de productivité du travail à 32 % dans l'industrie, 53 % dans le bâtiment, 20 % dans l'agriculture et l'exploitation du bois, 30 % dans les transports. Les moyens envisagés sont l'instruction des travailleurs, la répartition rationnelle des aptitudes et des capacités, l'amélioration de l'organisation du travail, afin d'obtenir à effort égal et dans les mêmes conditions de sécurité une efficacité plus grande, en développant l'émulation entre les travailleurs et l'émulation entre les entre-prises. Le stakhanovisme, associé à une planification rationnelle du travail dans chaque entreprise, constitue la base concrète de cet accroissement. D'autre part, des mesures sérieuses de contrôle sont prises à l'égard de l'absentéisme, des primes accordées aux meilleurs travailleurs. Les organi-sations syndicales et politiques appellent périodiquement à des journées patriotiques de travail consistant à l'abandon d'une journée de repos légal, soit au profit du travail de la profession du travailleur, soit pour un travail « de brigade » dans un secteur éprouvant des difficultés de main-d'œuvre : chantier de construction, exploitation minière, enlèvement de récolte, etc.

Vers un second plan quinquennal. — Pendant les années 1954 et 1955, l'économie est régie par des plans annuels, afin de faire partir la prochaine période quinquennale du 1er janvier 1956, pour synchroniser l'organisation de la production et des échanges avec les autres Républiques populaires et l'Union soviétique.

III. — L'INDUSTRIE TCHÉCOSLOVAQUE

1o L'exécution du plan et ses modifications dans l'industrie.

Les objectifs du plan ont été précisés et modifiés au cours de la deuxième année de la période quinquennale en raison de l'évolution des conjonctures extérieures et intérieures.

L'interruption presque complète des relations commerciales avec les pays occidentaux, par suite de la discrimination poussée jusqu'au blocus à l'égard des démocraties populaires, a rendu nécessaire une révision des programmes de fabrication et d'échanges. La Tchécoslovaquie s'est vue contrainte à renoncer au système d'échanges qu'elle avait élaboré avec l'Europe occidentale et l'Amérique. Ce système comportait achat de matières premières non produites dans le pays ou produites en quantités insuffisantes : métaux, notamment métaux non ferreux, matières premières textiles, machines d'équipement, prototypes et brevets, et financement des importations par des exportations de produits fabriqués trouvant preneur en Occident : articles textiles, fabrications spécialisées, objets de luxe. Pour maintenir l'équilibre de sa balance commerciale et l'activité industrielle, le gouvernement tchécoslovaque a négocié de nouveaux accords d'échange avec les pays de démocratie populaire et avec l'Union soviétique. Il est ainsi possible à la Tchécoslovaquie de se procurer les importations indispensables en métaux, matières premières et outillage. Mais les exportations compensatrices ne sauraient être les mêmes que dans le cadre des échanges avec l'Ouest, et il est d'autre part nécessaire d'alléger des importations de produits qui ne peuvent être présentement cédées qu'en quantités limitées.

Le commerce extérieur tchécoslovaque. — L'étude du commerce extérieur, qui apparaît comme le couronnement de celle de l'économie nationale dans un pays capitaliste, le commerce étant pour une notable part un des objectifs de l'effort économique, doit ici, obligatoirement, précéder l'étude de la production industrielle. En économie socialiste, le commerce est un moyen de réaliser les perspectives fixées par le plan. La situation particulière de la Tchécoslovaquie fait apparaître au plus haut degré ce rôle instrumental du commerce extérieur dans l'organisation et le développement de la production.

Aussitôt après la Libération, la Tchécoslovaquie a cherché à renouer les relations qu'elle entretenait avant la guerre avec un très grand nombre de pays, acheteurs de ses multiples produits fabriqués, fournisseurs de produits bruts ou demi-ouvrés, de produits fabriqués d'équipement et d'usage, de denrées alimentaires. La très grande diversité et le haut degré de spécialisation des fabrications tchécoslovaques permettaient aux produits d'exportation de trouver acquéreur, même dans les pays possédant eux-mêmes une économie industrielle évoluée et diversifiée. Le commerce extérieur de la Tchécoslovaquie ressemblait à celui de la Suisse. En quelques années, une multitude d'accords commerciaux ont été signés par la Tchécoslovaquie avec une trentaine de pays. Celle-ci participa à toutes les grandes foires internationales et invita toutes les nations du monde aux foires de Prague. Les commodités spécifiques des échanges entre économies planifiées, en particulier la possibilité d'établir des perspectives d'échanges sur de longues périodes suivant des normes d'évaluation contractuelles des marchandises à l'abri des fluctuations des marchés capitalistes, appelaient un renforcement des relations commerciales de la Tchécoslovaquie avec les autres Républiques populaires et avec l'Union soviétique.

Cette évolution a été brusquement accélérée par les restrictions apportées aux échanges avec les pays de l'Ouest européen et l'Amérique du Nord. Depuis 1948, un glissement géographique très sensible a modifié la répartition dans l'espace des échanges commerciaux tchécoslovaques. En application d'accords bilatéraux signés avec les Républiques populaires et avec l'Union soviétique, la part des échanges avec ces pays est passée en cinq ans de un tiers à près des deux tiers. En 1951, la Tchécoslovaquie a importé d'Union soviétique et des Républiques populaires d'Europe et d'Asie 60 % de ses achats et leur a vendu 62 % de ses exportations (en valeur). Les restrictions frappant le commerce extérieur des pays de démocratie populaire et de l'Union soviétique procédant essentiellement de l'attitude à leur égard des pays industriels de l'Europe de l'Ouest et des États-Unis, la Tchécoslovaquie a également accru ses échanges avec les pays économiquement sous-développés : Pakistan, Union indienne, États du Proche et du Moyen-Orient, Amérique latine (1949, 18,5 % de ses échanges, dont 5,8 % pour l'Amérique latine ; 1951, 23,8 % dont 7,8 % pour l'Amérique latine — le volume du commerce extérieur de la Tchécoslovaquie ayant augmenté sensiblement dans l'intervalle).

La Tchécoslovaquie n'a pas pour autant renoncé à être un partenaire commercial des États européens de l'Ouest. En 1951-1952, elle a exposé aux foires internationales de Leipzig, Vienne, Milan, Stockholm, Bruxelles ; ses échanges ont été particulièrement développés avec la Suisse.

Il résulte de cette structure complexe du commerce extérieur trois types d'échanges :

1. *Commerce avec les pays industriels de l'Ouest européen.* — La Tchécoslovaquie offre du matériel de construction mécanique (automobiles, motocyclettes, fusils de chasse, machines-outils, installations de cabinets dentaires, matériel de chirurgie, jouets mécaniques, etc.), de la verrerie-cristallerie, de la porcelaine, des articles de bureau, des articles de sport, des tissus d'ameublement, des meubles en bois courbé, de la bijouterie (grenats, articles de Jablonec), des instruments de musique.

Elle achète certaines machines, des matières premières techniques : produits chimiques, produits pharmaceutiques, métaux, cuirs et peaux, produits coloniaux.

2. *Commerce avec les pays sous-développés d'outre-mer.* — La Tchécoslovaquie envoie du matériel d'installations industrielles : matériel de sucrerie et d'industries agricoles diverses, des machines agricoles, des moteurs *Diesel*, des camions, des motocyclettes, des bicyclettes, de l'appareillage électrique, du ciment, des bois sciés, du papier. Elle importe du mica, de la gomme laque, du jute, du coton, des peaux, des minerais, des ferro-alliages, des bois coloniaux, des produits tannants, des épices, du café, du riz, des huiles végétales, des graisses, du thé, du caoutchouc, etc.

3. *Commerce avec l'Union soviétique et les Républiques populaires.* — La Tchécoslovaquie cède du matériel d'équipement industriel lourd : installations pour les mines, la sidérurgie, machines-outils, des machines agricoles, des automobiles, du matériel électrique et de télécommunication, des produits chimiques, des articles de consommation courante, produits textiles, articles en cuir, chaussures, gants, matériel sportif, équipement de bureau, porcelaine et verrerie.

Elle achète aux autres pays industriels, outre les matières premières que ceux-ci peuvent lui livrer (Union soviétique surtout), des machines non produites en Tchécoslovaquie, des prototypes, des produits semi-ouvrés. A ces pays et aux Républiques populaires les moins avancées dans leur industrialisation, notamment à la Chine, elle demande des produits alimentaires et des matières premières d'origine agricole : peaux et fourrures, oléagineux, thé, épices, bois, viandes, grain, des produits minéraux : pétrole, minerais métalliques, produits chimiques, engrais.

L'ouverture croissante du secteur des échanges avec les deux dernières catégories de pays implique un effort de production de plus en plus développé dans le domaine du matériel d'équipement qui est le produit d'échange fondamental avec ces pays. C'est à ce prix que la Tchécoslovaquie peut assurer son ravitaillement et la marche de ses industries.

L'effort de production doit donc s'appliquer à la fois aux fabrications exportables vers les pays voisins de démocratie populaire et vers l'Union soviétique, et à une mobilisation plus complète de toutes les possibilités nationales. Dans les deux cas, l'industrie lourde voit accroître ses responsabilités. La Tchécoslovaquie entreprend l'utilisation de tous ses minerais, spécialement des minerais de Slovaquie et accélère les rythmes de la sidérurgie, de la fabrication des machines de tous types et de toutes destinations qui disposent de larges commandes en Union soviétique et dans les démocraties populaires. En outre, les industries chimiques susceptibles de fournir des produits synthétiques ou artificiels, carburants, fibres, matières plastiques, sont appelées à un développement rapide. Des usines nouvelles doivent être capables de traiter des quantités croissantes de fibres, d'oléagineux, de cuirs, fournis par l'agriculture nationale à laquelle sont également tracées des perspectives nouvelles. Loin de comporter une réduction de la production des industries légères, les réadaptations du plan leur fixent un objectif plus élevé que celui qui avait été préalablement fixé. Toutefois, l'effort demandé est moins considérable que celui qui est attendu des industries lourdes.

RÉÉVALUATION DES PRÉVISIONS DU PLAN QUINQUENNAL

	Base 100 1948	Prévisions initiales 1953	Nouveaux objectifs 1953
Industries lourdes (mines et métallurgie)	100	166	231
Industries légères et alimentaires.................	100	154	173
Agriculture	100	137	153

Cette nouvelle orientation s'est traduite par un effort économique général beaucoup plus tendu que l'effort initialement prévu. Elle impliquait un accroissement des effectifs incorporés au secteur directement productif, une augmentation considérable du rendement du matériel et du travail. Elle a eu pour conséquence une détermination beaucoup plus précise du rôle de l'économie tchécoslovaque : valoriser l'avance industrielle dont bénéficie historiquement ce pays pour en faire une grande base d'équipement en matériel mécanique de l'Europe centrale.

Les industries légères et les industries de luxe ont aussi un marché dans les pays de démocratie populaire et en U. R. S. S., car, au fur et à mesure que le niveau de vie de ces pays s'élève, ils deviennent acquéreurs de produits chers d'usage individuel. Mais l'équilibre immédiat de l'économie nationale repose sur le succès d'une conversion accélérée en économie de production de matériel mécanique de tous ordres.

La révision du plan a été rendue possible par l'expérience des deux premières années du quinquennat qui ont montré que les chiffres prévisionnels pouvaient être atteints et même rapidement dépassés dans certaines branches de fabrication.

En 1949 et 1950, les productions des industries lourdes ont pu être accrues, conformément aux lignes générales du plan, et par rapport aux chiffres de 1948 pris comme base 100, respectivement de 3 et 14 % pour la production minière, de 9 et 8 % pour la sidérurgie, de 12 et 50 % pour les constructions mécaniques, de 8 et 17,5 % pour l'industrie chimique, de 7 et 17,7 % pour l'industrie textile, de 8 et 10,3 % pour l'industrie des cuirs et du caoutchouc.

La montée en flèche des constructions mécaniques répondant aux besoins exigeait un réajustement des industries de base : production du charbon, de coke et d'acier. Dans un certain nombre de fabrications, la production peut être accrue par une utilisation plus continue du matériel (travail à deux ou trois équipes par vingt-quatre heures au lieu d'une). Dans d'autres, une intensification de l'équipement mécanique est indispensable. Pour accélérer son équipement, la Tchécoslovaquie a bénéficié de la fourniture de machines soviétiques, notamment pour mécaniser à 60 % le travail des houillères dès 1951.

Mais le problème le plus difficile à résoudre apparaissait être celui de la main-d'œuvre. Les nouvelles prévisions du plan impliquent l'incorporation, dans la production industrielle, de 780.000 travailleurs nouveaux au lieu de 426.000 initialement prévus. La seule industrie lourde occupera 350.000 travailleurs de plus en 1953 qu'en 1948. Pour couvrir ces besoins en effectifs, il a été nécessaire de procéder à une redistribution de la main-d'œuvre disponible. En 1951, 77.500 employés d'administration et de commerce ont été dégagés de leurs occupations professionnelles et mis à la disposition des divers secteurs d'activité industrielle. Une politique de salaires hiérarchisés vise à attirer vers les professions où les besoins de main-d'œuvre sont les plus urgents. L'installation de gros établissements nouveaux en Slovaquie utilise les réserves de main-d'œuvre rurale slovaque. Au cours de l'année 1951, plus de 25.000 paysans se sont embauchés dans les entreprises industrielles, dont 20.000 dans l'industrie lourde. Des constructions de logements, constituant des villes nouvelles, comme sur la rive gauche de l'Oder, face au vieil Ostrava, assurent à la nouvelle main-d'œuvre industrielle des conditions matérielles de vie enviables pour les paysans pauvres.

L'émulation, une organisation améliorée du travail, la formation d'ouvriers qualifiés et de cadres professionnels à un rythme accéléré permettent, avec un outillage sans cesse plus efficace fourni par les fabriques tchécoslovaques de machines-outils ou par les livraisons de l'Union soviétique, un accroissement de la productivité du travail. Il en résulte la possibilité d'accroître les salaires et de hiérarchiser la rémunération des travailleurs suivant leur qualification et leur efficacité.

Les plans annuels pour 1954 et 1955 sont conçus dans les mêmes conditions que le plan quinquennal dont les objectifs essentiels ont été atteints en 1953. L'accroissement de la production industrielle au cours de l'année 1954 a été fixé à 5,1 % (production de houille, 8,5 %, de lignite, 7,9 %, de courant électrique, 12,2 %, d'acier, 4,5 %, d'aluminium, 600 %, de l'industrie mécanique, 10,6 %). La fabrication des articles de consommation est également l'objet d'une attention particulière au cours de ces deux années. L'évolution de la politique commerciale influera certainement sur la fixation des objectifs du prochain plan quinquennal.

2° Les mines et l'industrie lourde.

L'accélération de la construction industrielle et des rythmes de production de l'industrie mécanique requiert un accroissement des livraisons de charbon, de coke, de lignite et d'acier. Des appels pressants, appuyés par l'octroi d'avantages professionnels (charte du mineur, accroissements des salaires, primes de rendement, construction rapide de nouvelles cités d'habitation, équipement social des régions industrielles), ont invité les mineurs à augmenter leur effort. Un important matériel mécanique a été mis en service avec l'aide des industries spécialisées qui ont assuré le rééquipement moderne des houillères du Donbass.

Les mines de houille et les cokeries ont fourni, en 1953, 22 millions de tonnes de charbon et près de 10 millions de tonnes de coke ; les mines de lignite ont livré 33 millions de tonnes correspondant, en équivalents calorifiques, à environ 15 millions de tonnes de charbon dur. La production de minerai de fer a été portée à 3 millions de tonnes, celle d'acier à plus de 4,3 millions de tonnes.

La principale région d'industries lourdes est la *Silésie tchécoslovaque*.

FIG. 65. — **La Silésie tchécoslovaque**
D'après M. Miroslav STŘIDA

1. Canal. — 2. Voie ferrée. — 3. Grande ville. — 4. Ville. — 5. Nouvelle ville en construction. — 6. Hydrocentrale. — 7. Extension de la région industrielle.

La présence du charbon y a engendré, depuis la fin du XIXᵉ siècle, un complexe d'industries minières et métallurgiques centré sur l'exploitation du charbon et sur la fabrication des fontes et aciers dans les grandes usines de Vitkovice créées sous les auspices de la banque Rothschild de Vienne. Ces installations, très bien équipées avant la guerre de 1914, ont végété, surtout depuis la crise des années 30, et avaient besoin d'être modernisées à la veille des événements de 1938. Leur capacité de production utilisée au maximum en 1913 et en 1929 était de l'ordre de 12 millions de tonnes de charbon, 3 millions de tonnes de coke, d'un peu moins de 2 millions de tonnes d'acier. Une population industrielle de 60 à 80.000 ouvriers mineurs et métallurgistes formait l'armature d'un groupement urbain de l'ordre de 200.000 habitants.

Le bassin houiller d'Ostrava-Karvinna a été découvert au début du XIXᵉ siècle ; il constitue la fraction méridionale de la grande zone houillère silésienne dont il occupe environ le dixième de la superficie totale. La puissance des couches de charbon qui s'échelonnent sur plus d'un millier de mètres d'épaisseur, s'élève à 300 m. Les réserves sont évaluées, suivant les auteurs, entre 13 et 28 milliards de tonnes. Toutes les catégories de charbon utilisées par l'industrie y sont représentées. Les charbons à coke représentent une importante proportion des réserves totales et forment la source à peu près exclusive du coke tchécoslovaque. Les conditions d'exploitation sont générale-ment très favorables ; certaines couches atteignent plus de 4 m. d'épaisseur. Mais l'aménagement des mines était assez rudimentaire jusqu'à présent et le rendement de la main-d'œuvre relativement faible pour des gisements d'accès aisé. L'extraction s'est développée de proche en proche, et la ville a progressi-vement enkysté les installations minières. Comme à Saint-Étienne, les cheva-lements surgissent en pleine ville au-dessus des longs murs qui enferment les fosses.

En raison des qualités du gisement d'Ostrava Karvinna et de l'impor-tance de ses réserves, hors de proportion avec celles des autres gisements tchécoslovaques, c'est sur la Silésie que porte le principal effort d'équipement destiné à assurer la réalisation des objectifs du plan dans le domaine des industries lourdes. La modernisation des établissements, l'accroissement des cokeries avaient déjà fait l'objet de travaux pendant la période d'application du plan biennal. Les investissements ont porté, à partir de 1950 surtout, sur la mécanisation de l'abatage de la houille, sur la rationalisation du travail et de l'emploi des produits et sous-produits en surface : construction de centrales thermiques, d'usines à gaz et d'usines de produits chimiques, et sur l'augmentation de la puissance de production d'acier. Les aciéries de Vitkovice, ont été modernisées ; la construction d'un nouveau groupe sidérurgique a été commencée en 1951, en face de Vitkovice, à Kunčice (Grandes fonderies et aciéries K. Gottwald), et le premier haut fourneau allumé le 1er janvier 1952. En 1953, la région industrielle d'Ostrava a produit une vingtaine de millions de tonnes de charbon, 7 à 8 millions de tonnes de coke, 3 millions de tonnes d'acier, d'importantes quantités de gaz distribuées par feeder, des produits chimiques dérivés de la houille. L'accroissement de production, la nécessité de construire de très grandes installations — les travaux des forges et aciéries Gottwald ont nécessité, pendant la seule année 1951, le déplacement de 2.250.000 m³ de terre, l'emploi de 100.000 m³ de béton, et de 80.000 t. de fers, tôles, machines, etc. — concentrent une population plus nombreuse que celle que possédait autrefois la région. Il a été décidé en conséquence de mettre en application un plan d'urbanisme et d'aménagement régional portant sur une période d'exécution de douze ans au plus, et visant à la constitution d'un grand complexe urbain moderne pour un effectif de l'ordre du demi-million d'habitants. La vieille ville sera transformée par le percement de grandes artères, la création d'un centre administratif, culturel et commercial monumental. Dans le discours annonçant en août 1951 l'ouverture des travaux, le ministre de l'Industrie, M. G. Kliment, a annoncé la construction de cités résidentielles nouvelles : « Outre une grande ville sur les terrains entre Poruba, Svinov et Polanka, qui comptera dans douze ans 150.000 habitants, nous proposons de bâtir une autre ville sur les terrains situés entre Šenov Šumbark, Bludovice, comptant 50.000 habitants. Le nombre d'habitants de Karvina passera à 70.000, celui de Mistek à 40.000 habitants. »

Cette région est liée techniquement et commercialement à la Silésie polonaise voisine à laquelle l'unissent réseau de transports et réseau de distribution d'énergie électrique. Elle sera à la tête du grand canal de Moravie, reliant la Silésie et, par l'Odra, la mer Baltique au Danube, et dont l'exécution est prévue au cours d'une période de dix à quinze ans.

Le second foyer traditionnel d'industries lourdes est le *bassin de Kladno*. On y exploite le charbon dans une région forestière à l'écart de la ville. Le gisement, sans comporter de réserves très volumineuses, présente des conditions d'exploitation avantageuses. Certaines veines atteignent 6 à 8 m. d'épaisseur et permettent un abatage mécanique assurant un rendement moyen journalier de 4 tonnes par mineur de fond (environ 2 t. par mineur fond et jour). Le bassin de Kladno fournit relativement peu de charbon à coke, et les cokeries locales traitent en majeure partie des fines à coke de Silésie. La ville noire de Kladno est le centre d'un complexe métallurgique comportant deux aciéries qui emploient 15.000 ouvriers, et une usine de câblerie. La population industrielle, comprenant environ 6.000 mineurs, s'élève à environ 25.000 ouvriers d'industrie lourde. En 1949 a été commencée la construction d'une nouvelle unité urbaine de 8.000 habitants. En deux ans, 450 logements en 20 blocs d'immeubles ont été réalisés.

Le fait le plus original au point de vue géographique est la *création d'un complexe métallurgique à grande puissance en Slovaquie*. Sur la base d'une extraction rapidement accrue de minerai de fer et de minerais de métaux non ferreux est édifié un combinat sidérurgique et polymétallique slovaque à Huko, au sud de Košice, dont les premières installations doivent être achevées en 1953 et qui sera en plein rendement en 1955 avec, notamment, une capacité de production de 1 million de tonnes d'acier (voir ci-dessous fig. 68).

L'équipement énergétique est inséparable de l'équipement des industries lourdes. Il a en effet pour objet de fournir aux entreprises industrielles l'énergie sous sa forme la plus économique, c'est-à-dire sous la forme assurant la valorisation maximum de la source d'énergie utilisée. L'électrification sur la base de l'utilisation des bas charbons et des lignites, la mobilisation croissante de l'énergie hydraulique répondent à ce souci. L'emploi de l'énergie hydro-électrique est d'une importance particulière en Slovaquie où les combus-

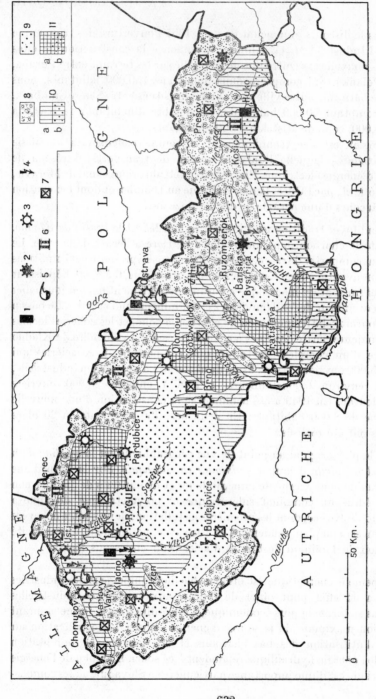

Fig. 66. — **Carte économique de la Tchécoslovaquie**

1. Production d'acier. — 2. Production des métaux non ferreux. — 3. Métallurgie de transformation. — 4. Production de courant électrique. — 5. Industrie chimique lourde. — 6. Industrie textile. — 7. Industries légères diverses. — 8. Forêts et pâturages. — 9. Céréales secondaires, pommes de terre, cultures fourragères. — 10. Culture céréalière à rendement moyen : *a*) A base de blé ; *b*) A base de blé et de maïs. — 11. Culture céréalière à haut rendement : *a*) A base de blé et de betterave à sucre ; *b*) A base de blé, de maïs et de betterave à sucre.

tibles minéraux sont peu **abondants** et de qualité médiocre. Avec une production de 12,5 milliards de kWh. en 1953, la Tchécoslovaquie a un quotient individuel de disponibilité moyenne de courant électrique de près de 1.000 kWh., du même ordre de grandeur que celui des pays les plus industrialisés de l'Europe occidentale.

En 1955, la Slovaquie doit fournir 4 milliards de kWh. (l'équivalent de la production totale de la Tchécoslovaquie en 1937). Ce résultat est subordonné à la construction d'hydrocentrales sur le Vah, le Hernad, le Hron et les petits cours d'eau de montagne (fig. 68). La même période verra se réaliser les travaux préparatoires à la construction d'une grande hydrocentrale danubienne. Le potentiel équipable en Slovaquie a été évalué à une capacité de production de 10 à 11 milliards de kWh., dont 3 milliards fournis par le Danube. On équipe, d'autre part, le réseau hydrographique des pays tchèques. Les plus importantes des installations en construction sont sur la haute Vltava : Vranè, Štěchovice, *Slapy*.

Dès 1955, la part du courant d'origine hydro-électrique s'élèvera à un sixième de la production totale d'électricité.

Les branches de **construction mécanique** qui ont le profil d'accroissement le plus tendu depuis 1950 sont les fabrications de matériel industriel de base : turbines à vapeur, turbines hydrauliques, moteurs électriques, grues à portiques et tous engins de levage, équipement pour les industries chimiques, sidérurgiques, minières. Ces fabrications représentent près de la moitié des exportations tchécoslovaques vers l'Union soviétique et les pays de démocratie populaire. Un glissement est opéré à l'intérieur de l'industrie des constructions automobiles au profit de la fabrication des camions dont la moitié est destinée à l'exportation (32.000 véhicules automobiles en 1953).

La production mécanique reste très différenciée **et** se différencie même de plus en plus par la création de nouvelles chaînes **de fabrication**, notamment pour réaliser des commandes faites par l'Union soviétique qui fournit les cartons des machines à réaliser. En poids, les fabrications de matériel de chemin de fer, de matériel de travaux publics, de tracteurs, de machines agricoles, de machines-outils, viennent en tête, après les fabrications précédemment citées. Mais la production mécanique légère et la construction des appareils de précision représentent une valeur élevée : machines comptables et matériel de mécanographie, machines à écrire, duplicateurs, matériel d'imprimerie, appareillage électrique et radiophonique, matériel de transmission, appareillage ménager, machines à coudre, jouets, voitures d'enfants, petits moteurs à essence et petits moteurs électriques, bicyclettes, motocyclettes, etc.

La répartition de la production reste très diffuse. La région d'Ostrava livre la majeure partie des constructions mécaniques lourdes. Les centres traditionnels conservent une place importante : Prague, Plzen (usines

Škoda, nommées usines V. I.-Lenine depuis décembre 1951), mais d'autres ensembles industriels sont construits ou en cours de construction : dans les croupes tchéco-moraves, en Slovaquie. Ces créations réduisent les inégalités de distribution des industries mécaniques à l'intérieur du territoire tchécoslovaque en les implantant dans des régions où elles étaient absentes. La dispersion s'en trouve accrue. Nombreuses sont les villes, grandes ou petites, qui ont une activité mécanique plus ou moins spécialisée : les villes du Nord, dont les usines sont animées par l'utilisation du lignite, Usti-nad-Labem, Podmokly, Teplice Trnovany, Most, Chomutov, les villes de la Bohême centrale et orientale, Beroun, Brandys, Mlada-Boleslav, Hradec-Kralove, Pardubice, des villes de Moravie, Olomouc, Brno, etc.

Les industries chimiques. — L'industrie chimique tient, comme la métallurgie lourde et les constructions mécaniques, une place essentielle dans l'effort économique actuel. Elle doit fournir de plus en plus de carburants synthétiques fabriqués à partir du lignite, des engrais, des fibres synthétiques, des matières plastiques, des produits pharmaceutiques. L'industrie chimique est beaucoup plus concentrée que l'industrie mécanique. A l'exception des productions chimiques légères et de la fabrication des fibres artificielles qui est assez dispersée (dans les villes d'industrie textile, à Prague), les principales usines de produits chimiques sont dans la région des bassins de lignite du nord : à Usti-nad-Labem, à Most, sur la houille du bassin d'Ostrava Karvinna, en Slovaquie à Bratislava où existaient déjà de grands établissements de produits chimiques, et sur les gisements de métaux non ferreux et de pyrite des monts Métallifères slovaques. Les fabrications se diversifient en raison des besoins croissants de produits techniques et de produits de remplacement : substances nécessaires pour le tannage des cuirs, textiles synthétiques et artificiels, matières plastiques remplaçant des métaux non ferreux, colorants, vernis, etc.

3º Les industries légères.

Très développées avant la deuxième guerre mondiale, les industries légères tchécoslovaques ont dû être réadaptées aux nouvelles conditions de l'économie nationale. La raréfaction croissante des matières premières d'origine occidentale a provoqué d'une part la mobilisation de ressources nationales nouvelles et d'autre part l'appel à des produits venant d'Union soviétique ou des pays de démocratie populaire. Des modifications ont été apportées au matériel pour traiter les nouvelles matières de base employées.

Les tâches de l'industrie légère se répartissent suivant deux séries d'objectifs : la première rassemble les fabrications auxiliaires indispensables au fonctionnement de l'industrie lourde : fontes minérales, porcelaine et verre technique, la seconde intéresse la production d'objets d'usage courant pour la population du pays : industries textiles, industries du cuir, du papier, de l'imprimerie, du film, etc.

Techniquement, les branches principales sont celles du verre et de la porcelaine, du textile, des cuirs et peaux, du bois et de ses dérivés.

Les *industries du verre et de la porcelaine* demeurent dans leurs implantations traditionnelles, Teplice Šanov, Karlovy-Vary, Ostrava pour la verrerie et la cristallerie, Jablonec pour la verrerie décorative et la verroterie, la bijouterie en minéraux fondus, Karlovy-Vary, Budejovice pour la porcelaine de table, Plzen, Ostrava pour la porcelaine technique. Elles travaillent pour un triple marché : marché des produits de luxe (cristaux à facettes de la Šumava), intérieur et extérieur, marché des produits d'usage courant, et marché industriel (verrerie industrielle, articles d'optique, flacons de tous ordres).

L'*industrie textile* s'est modifiée qualitativement et géographiquement. Les usines de filature et de tissage de coton du nord-ouest de la Bohême (Liberec) travaillent essentiellement aujourd'hui des cotons soviétiques et, pour une petite fraction, des cotons égyptiens. De même, les filatures et tissages de laine de Silésie et de Brno traitent des laines importées d'U. R. S. S. Le matériel ancien a été réadapté ; il est relayé par des machines importées d'Union soviétique et par des métiers fabriqués par l'industrie mécanique nationale. La part du lin et des textiles artificiels ou synthétiques dans l'industrie textile est considérablement accrue (rayonne, nylon, silon, etc.). De nouvelles fabriques traitant textiles naturels et textiles synthétiques ont été construites en Slovaquie, notamment à Žilina, Ružomberok. La production de rayonne doit s'élever en 1953 à 17.000 t., celle de fibres artificielles à 27.000 t., contre environ 120.000 t. de filés de coton, 45.000 t. de filés de laine et 15.000 t. de filés de lin.

L'*industrie de la chaussure* a toujours pour base principale l'ensemble industriel de Zlin, aujourd'hui Gottwaldov, aménagé sous forme d'établissements nationalisés. La maroquinerie travaille des cuirs nationaux, des peaux de porc, de gibier, pour pallier l'arrêt des importations de peaux. Cette industrie entièrement mécanisée a dépassé le niveau de production d'avant-guerre.

Industries textiles et industries du cuir — industrie de la chaussure principalement — alimentent le marché intérieur et des exportations vers l'Est : cotonnades et chaussures surtout.

L'*industrie du bois*, de plus en plus orientée vers la fabrication des pâtes de bois et des produits à base de cellulose, s'étend en Slovaquie. Les deux principaux centres de fabrication et de formation des spécialistes sont Ružomberok en Slovaquie et Hostinne en Bohême, au pied des Krkonoše. La production de papier, déjà considérable avant-guerre (la Tchécoslovaquie était fortement exportatrice) avec 250.000 t. environ, s'est élevée à 350.000 t. en 1953. L'industrie du meuble (fabrication de meubles en bois courbé notamment) est très active.

Certaines *industries d'art* tiennent une place importante dans l'activité productive et le commerce extérieur, les industries photographiques et cinématographiques, la fabrication des instruments de musique, la bijouterie (5 millions et demi de disques de phonographe ont été produits en 1950).

Issue de l'industrie du bois et de l'utilisation du graphite, la fabrication des crayons demeure une des grandes spécialités tchécoslovaques, ainsi que celle de tous objets utilisés pour le dessin industriel et le dessin d'art.

Les *industries alimentaires*, sans être soumises au même rythme d'accroissement que les industries lourdes et certaines industries légères, gardent une place importante dans l'activité industrielle : la production de sucre, de bière, d'alcool, de farine, de conserves alimentaires, de tabac et cigarettes représente une valeur égale à celle des industries réunies des filatures et tissages et du cuir. Ces industries, localisées surtout autrefois dans le nord-ouest de la Bohême pour la brasserie (houblon de Žatec), avec le centre de renommée internationale de Plzen, dans la plaine du Labe à Prague, en Moravie et autour de Bratislava pour le sucre, les minoteries, les conserves, se sont étendues rapidement à toute la Slovaquie pour la fabrication de lait condensé, de conserves et de confitures, de conserves de viande, de chocolat et d'alcool.

Le déplacement du centre de gravité de l'effort industriel vers les industries d'équipement, la substitution d'une politique industrielle nationale à une politique de spéculations sur les exportations, la coordination des fabrications et du commerce planifié d'échanges avec l'Union soviétique et les pays de démocratie populaire ont eu pour effet de mettre en relief les industries lourdes et d'accroître considérablement la part des effectifs des travailleurs de ces industries, par rapport aux ouvriers des autres secteurs industriels. Mais toutes les fabrications s'inscrivent sur des courbes ascendantes : aucune industrie n'est en régression par rapport à son activité d'avant-guerre, lors même qu'en importance relative elle apparaît en retrait dans la phase actuelle.

IV. — STRUCTURE ET PRODUCTION
DE L'ÉCONOMIE AGRICOLE

Réformes agraires et modifications de structure de l'exploitation agricole. —
Le développement de l'économie agricole a suivi celui de l'économie industrielle depuis le milieu du xixᵉ siècle et, du fait de l'inégal essor industriel
des pays tchèques et slovaques, a inégalement touché les campagnes tchèques
et les campagnes slovaques.

Une première différence entre l'ouest et l'est de la Tchécoslovaquie résidait
dans la diversité des structures foncières. La Slovaquie a gardé, jusqu'à la
veille de la deuxième guerre mondiale, une structure foncière latifundiaire,
tandis que la grande propriété avait davantage reculé en pays tchèque (réforme
agraire de 1919). Les grands domaines aristocratiques et les fondations d'Église
occupaient encore, en 1938, la majeure partie du sol slovaque : 3 % des
propriétaires possédaient 52 % de la surface. En pays tchèque, la grande
propriété aristocratique et la propriété bourgeoise, laissées en place par une
application très opportuniste de la réforme agraire, présentaient des caractères particuliers : le grand domaine slovaque a gardé jusqu'à la deuxième
guerre mondiale une physionomie féodale ; les paysans attachés au domaine,
groupés en villages, ne disposent pour travailler la terre que d'un matériel
rudimentaire, qu'il s'agisse d'un travail sur de grandes pièces exploitées par
des ouvriers agricoles, ou d'une économie de petit locataire. Au contraire, la
grande propriété de Bohême ou de Moravie est traitée industriellement, avec
des machines, des engrais, application de méthodes agrotechniques rationnelles. La campagne offrait l'image de terroirs utilisés au maximum et d'une
remarquable propreté.

Les rendements moyens étaient bien supérieurs en pays tchèques à ce
qu'obtenaient les paysans slovaques, malgré une débauche d'efforts individuels : 20 qx par hectare pour le blé et le seigle, en Bohême et en Moravie,
contre 12 à 14 qx en pays slovaque, 300 qx de betteraves à sucre en Bohême,
250 à 260 en Moravie, 200 en Slovaquie. En 1926-1930, le rendement moyen
en argent d'un hectare de terre agricole s'élevait à près de 2.000 couronnes
en Bohême, à 1.650 couronnes en Moravie-Silésie, à 1.221 en Slovaquie. Or,
la densité de la population agricole était près de deux fois plus forte en
Slovaquie qu'en Bohême et en Moravie-Silésie : 100 par kilomètre carré de
superficie exploitée contre 55. De ce fait, la campagne slovaque était domaine
de niveau de vie très bas. Les disponibilités en espèces de la population étaient
très réduites, les dépenses pour achat de produits vestimentaires, d'instruments de travail, de denrées alimentaires non produites par l'exploitation
domestique très comprimées : la consommation moyenne de viande et

de sucre par habitant était de l'ordre de 50 % de celle des Tchèques.

Au cours de la période 1945-1949, plusieurs réformes agraires ont intéressé successivement les différentes parties du pays. La première concerna la confiscation et la redistribution (en lots de 5 à 13 ha.) des biens allemands. Elle a touché surtout les régions bordières des pays tchèques et s'est identifiée avec l'ensemble des opérations de recolonisation agricole des anciens districts « sudètes » (1). Une répartition rationnelle de la terre arable dans un pays caractérisé par une surcharge de population rurale auparavant, la création de coopératives d'exploitation pastorale et de fermes d'État ont assuré dans ces territoires un·partage harmonieux de la terre en fonction des possibilités et des besoins des économies familiales et d'une utilisation optima du sol avec les moyens techniques actuellement disponibles.

La liquidation des grands domaines en pays tchèque et en Slovaquie s'est achevée plus tard. La répartition générale de la propriété en 1949 fait apparaître un morcellement très poussé de la terre : sur un million et demi d'exploitations agricoles, un tiers seulement occupe 5 ha. ou plus de 5 ha., dont 35.000 propriétés de paysans riches possédant de 20 à 50 ha. ; 351.000 exploitations de 2 à 5 ha. sont au-dessous de la limite de suffisance pour une exploitation familiale ; 700.000 paysans ne possèdent de la terre qu'à titre d'appoint (moins de 2 ha. par famille). La surcharge de population agricole est particulièrement sensible en Slovaquie où la terre porte en fait une réserve de main-d'œuvre de plusieurs centaines de milliers de personnes actives.

Pour aider les paysans à tirer le meilleur parti de la terre avec le minimum de travail techniquement remplaçable et libérer ainsi de la main-d'œuvre, des stations de machines et de tracteurs ont été créées dans tout le pays, notamment en Slovaquie. Le matériel, loué par l'État aux exploitants agricoles, permet un rapide accroissement de l'efficacité du travail agricole et contribue à l'élévation technique de la production. Mais il requiert, dans de nombreux cas, une organisation des façons culturales par grandes fractions du terroir villageois chevauchant les bornages des petites propriétés paysannes. La modernisation et la mécanisation du travail ont accéléré l'évolution du mouvement coopératif rural. Un réseau de coopératives agricoles s'était développé en Tchécoslovaquie comme en Pologne avant la deuxième guerre mondiale, dans les cadres souvent équivoques d'une organisation coopérative interférant avec l'armature bancaire. Il comportait des coopératives de stockage des produits agricoles, de minoterie, de traitement des récoltes diverses et des caisses de crédit. Il existait donc une tradition coopérative rurale, et des cadres paysans pour la gestion d'organismes collectifs. Cependant, le passage à un système de coopératives de production marque une étape

(1) Pierre GEORGE, La renaissance de la Tchécoslovaquie, *Annales de géographie*, LVI, 1947, p. 94-103.

décisive dans la transformation de l'économie rurale et exige la résolution d'un certain nombre de contradictions entre traditions et opportunités coopératives et individualisme agraire. Aussi les modalités de ce passage sont-elles variées et le mouvement de réorganisation du travail inégalement rapide suivant les lieux.

On distingue quatre types de coopératives de travail ou de travail et de production :

1. L'association se borne à l'organisation en commun des gros travaux, chaque propriétaire gardant l'initiative des emblavures sur ses terres, conservant son cheptel, réalisant individuellement ses récoltes. Cette forme d'organisation permet l'utilisation du matériel des stations de machines et de tracteurs, sans mettre en cause la structure agraire et le système individuel d'exploitation.

2. La coopération s'étend à l'ensemble des façons culturales et de l'exploitation, mais le cheptel reste propriété individuelle. Sur les revenus du terroir coopératif est prélevée d'abord une rente foncière convenue, servie à chaque propriétaire au prorata de la superficie cadastrale possédée par chacun. Le reste des bénéfices d'exploitation est partagé également en fonction de la superficie cadastrale ;

3. La coopération englobe tout l'ensemble de la production agricole, dans le cadre du maintien des bornages. Dix à 15 % du revenu sont affectés à la rente foncière. Le reste est réparti au prorata du nombre d'unités de travail fourni par chaque adhérent ;

4. Le quatrième type comporte abolition des bornages et de la rente foncière. La totalité du revenu est partagée en fonction de la quantité et de la qualification professionnelle du travail effectué par chaque adhérent.

Au 30 juin 1953, le nombre des coopératives dites de deuxième degré (types 2, 3 et 4) s'élevait à 8.284, soit en moyenne une coopérative dans plus de la moitié des communes. La superficie travaillée par ces coopératives, un peu moins de 2,5 millions d'hectares, représentait plus de 40 % du territoire agricole national et 44 % du territoire arable. La proportion est sensiblement la même dans les pays tchèques et en Slovaquie.

L'adhésion aux coopératives est un acte volontaire, mais il rencontre souvent l'opposition d'une fraction des paysans qui s'efforcent de paralyser la constitution des coopératives ou de gêner leur développement. Les paysans riches sont à la tête de la campagne de dénigrement des coopératives et d'intimidation à l'égard de leurs membres.

Les fermes d'État, qui jouent le rôle de bases de ravitaillement à haute productivité (les rendements obtenus sont généralement de 15 à 20 % supérieurs à ceux de la petite propriété individuelle), de haras et de fermes modèles, occupent plus d'un demi-million d'hectares (environ 8 % de la superficie agricole nationale). Au total, le secteur socialiste d'exploitation agricole s'étendait, à la fin de 1953, sur près de la moitié du territoire cultivé national.

Au 30 septembre 1953, les campagnes tchécoslovaques disposaient de 255 stations de machines et de tracteurs, pourvues de près de 20.000 tracteurs, de 20.000 moissonneuses-lieuses, de 819 machines de récoltes spécialisées et de matériel lourd d'usage divers. Ce parc est en cours d'accroissement au cours des années 1954 et 1955.

La production agricole. — L'économie agricole de la première République tchécoslovaque — tout en comportant une très forte inégalité entre la productivité des pays tchèques et celle des pays slovaques — était caractérisée par un important volume des récoltes fondamentales de grain, de sucre, de pommes de terre.

PRINCIPALES PRODUCTIONS AGRICOLES EN 1938

Blé	18 millions de qx	Sucre	4,5 millions de qx
Seigle	19 —	Pommes de terre ..	90 —
Toutes céréales (environ 4 qx p. habitant dont un peu plus de 2 qx de céréales panifiables)	65 —		

EFFECTIF DU TROUPEAU (1934)

Chevaux	707.579	Ovins	475.093
Bovins	4.404.351	Caprins	866.375
Porcs	3.429.235		

La Tchécoslovaquie produisait entre les deux guerres mondiales d'importantes quantités de lait (35 millions d'hectolitres), de fromages (80.000 qx), de beurre (150.000 qx. au moins). La production de viande était toutefois inférieure de moitié à la consommation en pays tchèque.

Les objectifs tracés par le plan quinquennal visent à maintenir le rapport numérique entre la production de grain et la population : 52 millions de quintaux en 1953, dont 25 millions de quintaux de céréales panifiables — 4,1 qx de grain par habitant et par an dont 2 qx de céréales panifiables. Les cultures techniques sont accrues : plus de 7 millions de quintaux de sucre, 700.000 qx de plantes oléagineuses, de grandes quantités de fourrages et de plantes fourragères, plus de lin et de chanvre, plus de légumes.

L'élevage doit satisfaire les besoins de la consommation : un effort particulier est donc développé à son profit : la production de viande et de graisses, de lait et de produits laitiers doit s'élever à près du double de celle d'avant-guerre.

Les résultats escomptés doivent être obtenus par l'amélioration des méthodes de travail et des rendements, celle-ci pouvant être particulièrement sensible en Slovaquie où la productivité était basse avant la guerre. On y obtient des rendements en grain de 19,2 qx (1950, 17,1), en blé de 17 qx (1950, 15), en betteraves à sucre de 260 qx (1948, 222), en pommes de terre de 130 qx (1948, 101,7), soit en moyenne de 30 à 35 % supérieurs à ceux d'avant-guerre.

L'industrie fournit aux campagnes un matériel de plus en plus différencié et à large efficacité : matériel de labour, distributeurs de fumier, moissonneuses-lieuses, faneuses à grand rendement, arracheuses de betteraves, de pommes de terre, de lin, etc.

La superficie ensemencée en grain couvre un peu moins de 3 millions d'hectares et fournit une récolte de plus de 50 millions de quintaux. La récolte de betteraves à sucre s'élève à plus de 50 millions de quintaux également, la récolte de pommes de terre à près de 90 millions de quintaux ; 40.000 ha. sont occupés par les cultures de plantes oléagineuses, 7.000 par les houblonnières, 5.300 par le tabac. La production fruitière et maraîchère a été étendue. La principale récolte fruitière reste celle de prunes (plus de 10 millions de quintaux). La Slovaquie a reçu 12 millions de plants de mûrier. Vingt millions de plants doivent être produits et mis en place chaque année. En 1955, 100 millions de jeunes mûriers doivent être plantés. On a également introduit dans ce pays la culture du riz et celle du coton qui en est encore au stade expérimental.

L'élevage marque un progrès sensible par rapport à l'avant-guerre : la production de viande et de graisse de bœuf a été supérieure dès 1949 et 1950 de 10 à 15 % à celle de 1938. L'élevage du porc s'est rapidement développé et sa production est presque double de celle d'avant-guerre, mais la consommation paysanne s'est accrue très sensiblement et les difficultés d'approvisionnement des centres urbains ont persisté en 1950 et 1951. Les pays tchèques et la Slovaquie sont toujours de gros éleveurs de volaille, notamment d'oies.

La production laitière est l'objet d'un soin particulier. Le renouvellement progressif du troupeau par introduction de races à haute productivité, alimentées de manière particulièrement effective à l'aide de fourrages riches et d'aliments préfabriqués, permet d'enregistrer des progrès qui, d'abord sensibles dans les élevages-pilotes des fermes d'État (2.288 l. de lait par vache et par an en 1950-1951) et les élevages rationnels des coopératives (1.825 l.) s'étendent aux élevages privés (1.606 l. en 1950).

Les régions agricoles privilégiées sont le Polabi — où sont obtenus traditionnellement les plus hauts rendements en blé, sucre, pommes de terre, et où l'on entretient un très beau bétail — et les plaines de Moravie. Le sud de la Slovaquie réalise des progrès rapides. Moins bien douées, les régions de terre froide du plateau de Bohême à l'ouest du méridien de Prague, les terroirs des croupes tchéco-moraves, des collines de Moravie orientale, des vallées slovaques, sont appelées à se spécialiser dans les cultures les plus productives en fonction des qualités du sol. Les cultures fourragères et l'élevage sont appelés à y remplacer partiellement des cultures céréalières à faible rendement.

Paysage rural et habitat rural. — La physionomie traditionnelle des pays tchèques est celle d'un *openfield* divisé en parcelles de grande taille et de forme régulière généralement massive. En Slovaquie, le terroir proche des villages était souvent très morcelé (petite propriété paysanne), tandis que l'ensemble du paysage rural était dominé par un parcellement en grandes unités de culture propre à la structure latifundiaire. Le morcellement agraire est compensé partiellement et localement par l'organisation coopérative du travail, et la tendance générale est à la conservation de grandes unités de culture. En revanche, en Slovaquie, où commencent à se faire sentir les effets des vents chauds et secs à caractère de fœhn en été, la campagne se hérisse de bandes boisées, d'écrans protecteurs des cultures contre le vent.

L'habitat est partout un habitat en villages importants. Originairement, l'habitat groupé procède de la grande propriété et des modes de défrichement des régions forestières. On lui a attribué, antérieurement encore, une origine spécifique slave. La communauté villageoise rurale a en tout cas de très anciennes et de très solides traditions. Elle a correspondu jadis à des coutumes d'exploitation du terroir, au rassemblement des paysans des grands domaines dans un village résidentiel, à une forme de résistance nationale des paysans tchèques à l'aristocratie foncière germanique ou magyare. Elle est consolidée aujourd'hui par le développement des institutions coopératives et tend vers des formes plus évoluées accédant à une organisation moderne de la vie en groupe, à l'urbanisation de la vie rurale.

Un caractère uniforme est la disposition du village en ordre lâche. Les villages sont donc toujours très étendus, qu'ils soient étirés le long d'une route ou de forme massive. Chaque ferme est pourvue d'un enclos. Lors même qu'il n'y a pas d'arbres dans la campagne, le village a un aspect bocager. Il est enfoui dans les arbres, arbres décoratifs — de très beaux saules pleureurs dans les vallées de la Berounka, de la Vltava et du Labe —, arbres fruitiers aussi. Chaque enclos comporte une cour où l'on parque les oies, quand elles n'errent pas en troupes bruyantes dans la rue, un jardin et quelques arbres fruitiers ou un véritable verger. Longtemps, cet enclos fut pour beaucoup de paysans leur seule propriété personnelle.

La variété des types de construction, d'ordonnancement du village, introduit une grande diversité dans l'aspect des agglomérations rurales. En Bohême, rien qui dépayse l'observateur occidental : villages de montagne des régions bordières de la Bohême, où l'usage du bois tient une large place dans les constructions, comme dans toute l'Europe hercynienne, villages de plateaux et de plaine construits en lourdes pierres ou en briques, aux maisons couvertes d'ardoises ou de tuiles. La richesse du terroir s'exprime par l'importance plus ou moins grande des bâtiments. Le nombre des maisonnettes à petits enclos évoque un passé récent de grande propriété à nombreuses familles de journaliers agricoles. Quelques fermes isolées, ou formant exception au village par leur importance, évoquent aussi la structure latifundiaire. Elles ont été souvent occupées par les services des fermes d'État ou des stations de machines et tracteurs.

Le village morave porte la marque d'une tradition régionale originale. Il est plus diffus que le village de Bohême. On y voit apparaître balcons et galeries extérieures ; le goût des enduits aux couleurs vives annonce la proximité des régions pannoniennes.

Mais c'est en Slovaquie que s'affirme avec vigueur une tradition rurale différente de celle des pays situés plus à l'ouest. Sur de très courtes distances, l'aspect des maisons change. En montagne, trois types paraissent dominer : la petite maison crépie, souvent protégée à la base par un coffrage de bois, pourvue d'un perron couvert par un auvent que supportent six ou huit piliers de bois, très fréquente en Slovaquie occidentale, aux confins de la Silésie et dans la vallée du Vah ; la petite maison entièrement en bois, y compris le toit, qui caractérise les régions montagneuses des Tatry ; enfin, en Slovaquie orientale, la maison en pisé ou en bois, à balcon et auvent couverts en chaume. Dans la plaine, autour de Komarno, ou plus à l'est, en aval de Košice, dominent les villages en ordre très lâche avec maisons en bois ou en pisé, peintes ou crépies, entourées de petits enclos soigneusement palissadés, et les villages-rues aux maisons alignées le long d'une route centrale très large sur laquelle débouchent des impasses étroites avec, au milieu du village, le puits à balancier : c'est déjà le décor des villages hongrois.

Jusqu'à présent, la diversité des villages a recouvert une inégalité de développement économique et social. La construction des édifices coopératifs, des écoles, l'électrification les transforment lentement, surtout en Slovaquie, mais la physionomie régionale des constructions demeure comme un élément durable du paysage rural.

V. — L'AMÉNAGEMENT RÉGIONAL

Les transformations politiques, économiques et sociales de la Tchécoslovaquie entraînent, par voie de conséquence inéluctable, des modifications sensibles de la répartition géographique des forces productives, des courants de circulation de produits. L'utilisation du sol et du sous-sol ne s'effectue pas suivant les mêmes déterminations géographiques qu'auparavant. Les besoins techniques et les besoins sociaux ont également changé. Un ensemble de modifications, les unes rapides et essentielles, les autres mineures et moins directement perceptibles, mais constituant un amas de ferments de transformation, fait craquer les anciens cadres régionaux, efface les contrastes d'hier pour faire surgir de nouveaux caractères spécifiques. Or, la majeure partie des éléments de transformation ne sont pas des conséquences spontanées de quelques initiatives organisées. Il s'agit d'un tout volontairement coordonné et dont les liaisons multiples ont été pensées préalablement. Le planificateur sait que l'implantation d'une grande usine dans une région agricole appelle une organisation nouvelle des transports, des travaux d'urbanisme, l'élaboration de nouveaux rapports économiques et sociaux entre villes et campagnes, l'intégration de l'organisme nouveau dans un ensemble régional, national, et même, par le jeu des importations nécessaires et des exportations compensatrices, international. Les spécialistes tchèques appliquent à cette planification régionale, que nous appellerions volontiers planification géographique, l'expression de *géonomie*, ce qui signifie, par analogie avec agronomie, géographie appliquée ou organisation de l'espace. Dans le cadre des organismes du plan, elle est du ressort des commissions régionales de planification. Il ne s'agit de rien moins que d'élaborer des régions correspondant, par leurs limites et leur contenu, à l'harmonisation de facteurs permanents (ou du moins à rythme d'évolution très lent comme les facteurs physiques) et de données circonstancielles procédant des conjonctures politiques et économiques présentes. Les combinaisons régionales ainsi constituées sont valables à des échéances plus ou moins longues suivant la part d'éléments stables et celle d'éléments circonstanciels dans leur élaboration. Dans la mesure où l'organisation régionale appelle la mise en place d'un dispositif productif et d'un appareil de services comportant des investissements importants, on s'efforce de constituer des combinaisons stables ou du moins articulées en unités susceptibles, suivant les conjonctures, de s'agréger en complexes plus vastes différemment composés.

Les éléments de base sont en fait attribuables à un petit nombre de séries spécifiques :

Les caractères physiques, dont la valeur est évidemment relative, suivant les moyens dont disposent les collectivités humaines pour en tirer partie, et suivant l'opportunité à exploiter dans l'immédiat une fraction ou une autre du potentiel qu'ils représentent ;

Les caractères nationaux et démographiques : présence de l'homme, sous ses aspects quantitatifs et qualitatifs, ces derniers comportant l'ensemble des données historiques et leur aboutissement : l'état présent au point de vue social et culturel du groupe humain dans un cadre spatial à définir ;

Les caractères économiques, degré d'équipement, virtualité de développement suivant des conditions définies d'investissement et de rentabilité, besoins particuliers de la région relatifs à la construction générale : rôle de la région dans la construction d'ensemble (voie de passage, base de matières premières ou d'énergie), rythme des processus de transformation déterminés par les initiatives antérieures et par les besoins.

De la combinaison de ces facteurs en regard des exigences de la période de planification résulte l'importance et le sens des décisons prises à l'égard de l'équipement de chaque région. Les effets de ces décisions s'inscriront pour une phase ultérieure parmi les divers facteurs de base à une planification nouvelle, apportant, suivant les conjonctures du temps, complément ou modification à l'organisation régionale. Les réalisations immédiatement nécessaires comme corollaires à toute mobilisation de nouvelles forces productives, impliquant une nouvelle répartition de la main-d'œuvre, un accroissement des distributions de pouvoir d'achat en fonction du déploiement d'efforts nouveaux et sur la base de productions supplémentaires, sont les réalisations sociales au sens le plus large du mot : construction de logements, équipement sanitaire, scolaire, culturel, toutes données qui peuvent être contenues dans l'expression *urbanisation*, étant entendu que celle-ci s'applique aussi bien à la création de villes qu'à la transformation des conditions de vie dans les campagnes.

Dans ces perspectives générales s'inscrivent des entreprises de caractère et d'importance relative très divers, dont l'enregistrement dans le paysage géographique s'effectue plus ou moins rapidement et d'une manière plus ou moins sensible. Les services du ministère de l'Agriculture ont entrepris un travail dit de géonomie agricole qui peut se définir comme un plan de rationalisation des assolements en fonction d'un inventaire minutieux du patrimoine pédologique et climatique et du répertoire de variétés de plantes cultivées actuellement disponibles du fait des résultats acquis en biologie. La base en est une cartographie des sols, des climats et microclimats et une définition stricte des conditions de productivité des plantes cultivées. Une *classification régionale des domaines agricoles* a été élaborée à partir des cultures les moins ubiquistes : maïs, betterave à sucre, pomme de terre, fourrages. Le maïs caractérise les plaines continentales à moins de 200 m. d'altitude, la betterave à sucre les zones moyennement arrosées de sol semi-calcique entre 200 et 300 m. d'altitude ; les pommes de terre donnent les meilleurs résultats sur des sols recevant 600 à 800 mm. de pluie entre 350 et 500 m. d'altitude, les pâturages assurent le maximum de rentabilité du sol au-dessus de 500 m. avec au moins 800 mm. de pluie. Il revient au « type maïs » 219.645 ha. (3 % de la superficie nationale) dans la plaine slovaque, au « type betterave » 1.986.884 ha. (environ 25 %) dans le Polabi, en Moravie et dans la plaine slovaque. Les pays tchèques sont caractérisés en majeure partie par le

« type pomme de terre » qui correspond à 60 % de leur superficie, les pâturages occupant les hauteurs non boisées. A l'intérieur de chacun de ces types se différencient des sous-types qui définissent les assolements rationnels locaux : les principaux sont les sous-types pomme de terre-seigle, pomme de terre-avoine, pomme de terre-blé, betterave-blé, betterave-orge. Les cultures secondaires et les cultures industrielles s'incorporent à l'intérieur de ces combinaisons discriminatoires suivant les mêmes procédés rationnels. L'accroissement de la productivité dépend pour une large part dans l'agriculture de la pratique dans chaque région et sous-région des assolements qui se rapprochent le plus des assolements types.

Des méthodes analogues président à la redistribution des industries. Socialement, celle-ci apparaît plus facile, puisqu'elle n'a pas à tenir compte des résistances et des routines de la population paysanne, mais, en revanche, la force d'inertie principale est représentée ici par les installations existantes, tant en qualité d'établissements de production que sous forme d'infrastructures ou de superstructures de services et de commodités sociales : disposition du réseau de transport, équipement urbain. Il faut donc faire place à une multitude de cas particuliers. Le plus simple et le plus important en pays tchèque est celui des régions frontières anciennement occupées par des majorités allemandes refoulées hors du territoire national et qui a été antérieurement évoqué (ci-dessus, fig. 34 et p. 619). Le plus massif dans l'ensemble de la Tchécoslovaquie est celui de la Slovaquie. Entre ces deux termes extrêmes, l'organisation rationnelle du territoire procède par retouches de détail et opérations à efficacité lente : aménagement urbain, construction de logements ouvriers dans les villes en voie de développement industriel et insuffisamment pourvues de bâtiments résidentiels et de services. On peut cependant détacher deux problèmes qui se situent à une échelle supérieure : celui de la reconsidération des grands axes de circulation et celui de l'aménagement de la capitale.

Le développement des industries lourdes, l'industrialisation de la Slovaquie, l'intensification des échanges commerciaux avec la Pologne, l'Union soviétique, la Hongrie, la Roumanie, la Bulgarie, créent de nouveaux besoins de *transports*, tant au point de vue du tonnage à déplacer que des directions principales de trafic. L'activité des transports ferroviaires a dépassé dès 1948 celle de 1937 ; elle est, en 1954, supérieure de plus de 50 %. Les transports routiers sont également intensifiés. Mais plus que l'accroissement quantitatif des déplacements, l'ouverture de nouveaux courants de trafic à gros débit est caractéristique de l'époque actuelle. Les chemins de fer slovaques ont à jouer un double rôle à l'égard de l'équipement de la Slovaquie et de la liaison avec le territoire de l'Union soviétique par Lvov et par Jassy en utilisant le territoire de la République roumaine. D'autre part, dans le cadre d'un système de coopération économique et d'échanges importants entre les pays de démocratie populaire, l'axe nord-sud, unissant la Baltique au Danube par la Pologne (Odra) et la Tchécoslovaquie, est appelé à jouer un rôle beaucoup plus important que précédemment.

La Tchécoslovaquie jouit de la liberté de navigation sur l'Odra et de l'extraterritorialité à son bénéfice des quais et entrepôts de la presqu'île Ewa dans le port de Szczecin. Mais la liaison fluviale entre la Silésie et la Baltique n'est que l'amorce d'une transversale de première importance dont le grand œuvre doit être le canal de Moravie entre Odra et Danube. Sa réalisation est prévue pour une période de dix ans environ. Les travaux techniques préparatoires ont été effectués. La tête du canal en territoire polonais a déjà été aménagée. En territoire tchécoslovaque, la période quinquennale 1949-1953 a été la période de l'exécution de tous les travaux préliminaires : levés, préparation de la tête danubienne. La construction du canal est liée en effet au relèvement du plan d'eau du Danube qui résultera lui-même de l'exécution du système hydroélectrique danubien-slovaque présentement entreprise. Récemment, le rôle du canal dans l'aménagement régional et le développement économique du bassin houiller et de la grande zone industrielle d'Ostrava a été évoqué officiellement lors de l'inauguration des chantiers de construction de la « nouvelle Ostrava ». La réalisation en Hongrie du grand centre métallurgique de Sztalinvaros (Dunapentele) présume par avance des résultats économiques de la construction de cette grande voie permettant de recevoir de Pologne ou par la Pologne du coke et des minerais.

La Moravie est donc appelée à être la croisée de deux grands axes de communications internationales : l'axe est-ouest unissant la Bohême aux régions industrielles et en voie d'industrialisation de l'Ukraine et des pays danubiens, l'axe nord-sud Baltique-Danube assurant la liaison directe avec la grande base houillère polonaise.

L'aménagement urbain est par définition très diffus dans un pays aussi urbanisé que la Tchécoslovaquie, surtout dans ses régions tchèques. Mais le problème se pose différemment suivant les lieux. Dans les régions frontières, il s'agit plus d'une modernisation et d'une réadaptation à des besoins économiques et sociaux nouveaux que d'un accroissement quantitatif, en raison de la présence d'un équipement — naguère insuffisant il est vrai — élaboré en fonction d'une occupation humaine légèrement supérieure à l'occupation actuelle. A Ostrava, au contraire, il s'agit d'une croissance rapide faisant surgir autour des vieux centres des satellites-champignons dont les avantages draineront la majeure partie de la population, cette attraction permettant, en une seconde phase, de transformer radicalement le paysage urbain des vieilles agglomérations (ci-dessus, p. 630). En Slovaquie, il s'agit d'un essaim de créations nouvelles en même temps que de travaux complémentaires transformant plus ou moins profondément les petites villes d'autrefois et la

— 647 —

capitale slovaque de Bratislava. Le cas de Prague est un cas particulier qui retient spécialement l'attention par son ordre de grandeur hors de mesure avec les autres cas particuliers.

La transformation lente d'une grande ville héritée du passé : Prague. — La ville de Prague a enregistré la succession des apports d'une histoire riche en péripéties. La ville de l'époque moderne était une ville double, comme Budapest. Sur la rive gauche de la Vltava, la ville aristocratique, le Hradčany et Mala Strana ; sur la rive droite, la ville marchande aux collectivités diverses.

Prague a rivalisé avec Vienne au XIXe siècle. Sa bourgeoisie, surtout sa

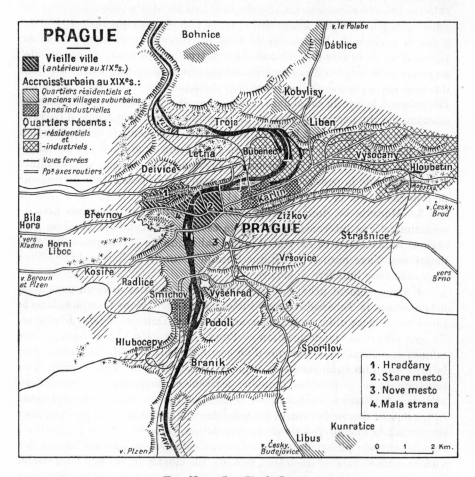

Fɪɢ. 67. — **La ville de Prague**
Extrait de Pierre Gᴇᴏʀɢᴇ, *La ville*, P. U. F., 1952

bourgeoisie allemande, s'est lancée dans les grandes aventures financières et industrielles. Une nouvelle ville a enveloppé la vieille capitale de la Bohême : ville industrielle, nouveaux quartiers de résidence. Soutenue par le capital étranger, la grande bourgeoisie tchécoslovaque développe ses affaires entre 1919 et 1938. La population de la capitale augmente de près de 100 % et on conçoit un district urbain immense à l'intérieur duquel la ville proprement dite bourgeonne sous des formes très diverses : cités-casernes, grands immeubles à loyers moyens pourvus de toutes les commodités locatives, maisons luxueuses des beaux quartiers (Letna), cités-jardins de tous faciès, de la cité ouvrière d'ailleurs coquette (Sporilov) à la cité-parc riche de Deivice.

Bien que certains quartiers industriels soient d'une tristesse immense, le vieux quartier de Karlin surtout, Prague n'a pas connu la ceinture de faubourgs désolés des autres capitales de l'Europe centrale et orientale, de Budapest et de Bucarest en particulier. Plus occidentale que Budapest par sa structure, ce qui n'exclut ni les ségrégations sociales, ni une certaine anarchie de son développement, Prague présentait, en 1945, les caractères d'une ville ayant évolué dans la série des grandes villes de l'Europe occidentale. Les problèmes de l'adaptation aux besoins actuels sont ainsi différents de ce qu'ils sont dans des villes de structure plus aristocratique à banlieues lépreuses et à bidonvilles. La politique urbaine à Prague est donc proprement originale, ne ressemblant ni à celle de la reconstruction de Varsovie, ni à celle de l'humanisation de Budapest ou de Bucarest.

La formation de l'agglomération. — La ville s'est développée en aval du confluent de la Berounka et de la Vltava, dans une petite cuvette où la Vltava s'attarde en décrivant à l'aval un grand méandre avant de s'engager dans les gorges qui la conduisent à Kralupy dans le Polabi.

Cette cuvette est dissymétrique. La rive gauche de la Vltava est dominée directement par des plateaux d'une altitude absolue de 250 à 300 m., entaillés par des vallons aux pentes raides à l'intérieur desquels pénètrent les quartiers d'habitation dominés sur les éperons par les redoutes historiques de la ville (Hradcany) ou par des parcs. Le contact entre le plateau et la vallée ne s'adoucit qu'au nord, au droit du grand méandre de la Vltava : pentes de Letna, de Deivice, et quartiers de Holešovice et Bubenec. A l'est, sur la rive droite, une série de gradins dominés par des éperons du plateau dit plateau de Prague (Prajska Plochina) offrait plus de facilité à l'épanouissement de la ville. Au nord, la cuvette s'élargit encore dans la petite vallée de la Rokytka qui prolonge à l'est la plaine du méandre de la Vltava.

Cette cuvette est un important carrefour routier. Les voies venant de la Bohême occidentale et méridionale par les vallées de la Berounka et de la haute Vltava quittent ici la vallée pour éviter les gorges qui commencent en aval de la ville (Podbaba) et grimpent sur le plateau par les rampes de Kobylysi et de Liben, qui les conduisent en vue de la plaine du Labe. Les petites vallées qui convergent vers la cuvette en venant de l'est ouvrent des accès faciles vers le Levant (vallées de Kunratice, de Vinohrady, de Hloubetin) ; sur la rive gauche, le plateau est atteint à partir des encoches de Hlubocepy, Koziře, Horni Liboc, et, par la Montagne Blanche, on aborde les routes du bassin de Kladno.

La position est occupée depuis l'époque préhistorique. Dès l'installation des Tchèques en Bohême, des postes fortifiés ont été établis à Vyšehrad, au Hradčany et à Devina. Au xve siècle, la ville a acquis les lignes générales de sa structure actuelle, tout en étant beaucoup plus petite. Au pied de la citadelle et de la ville noble et ecclésiastique de rive gauche, la ville marchande se construit sur la rive droite, sur des terres remblayées pour mettre habitants et marchandises à l'abri des inondations (on retrouve dans les caves de la vieille ville marchande — Stare Mesto — les constructions voûtées des maisons romanes antérieures aux travaux de remblaiement). Prague est alors protégée par des remparts que jalonnent aujourd'hui les rues Na Přikopé et Narodni Třida. Cette vieille ville commerciale, aux rues étroites, aux multiples cours intérieures communiquant les unes avec les autres en passages permettant la circulation tranquille en dehors des rues, a conservé avec une remarquable fidélité l'empreinte d'une histoire économique et politique originale. On y retrouve le plus aisément la distinction en quartiers nationaux : ancien quartier allemand avec son église de la Havel, vieux quartier tchèque avec l'église Tynska et l'ancien caravansérail. Seul l'ancien ghetto de Josefov a concrètement disparu. L'évocation de la vie urbaine il y a trois siècles est si prenante que Stare Mesto peut paraître plus séduisante que le quartier le plus riche archéologiquement de Mala Strana, la ville baroque par excellence, située sur l'autre rive en contrebas du Palais Royal (Hradčany).

Autour de cette ville historique, Prague a proliféré dès le xviiie siècle : développement de Novè Mesto hors de l'ancienne ligne de remparts dont le cœur sera, au début du xixe siècle, l'esplanade de Vaclavské Namesti — place Saint-Venceslas.

Quantitativement, la croissance de la ville se place au cours des cent dernières années : 150.000 habitants en 1850, un demi-million avant la première guerre mondiale, près d'un million en 1938. Cette croissance s'explique par le développement des activités commerciales, le déplacement en 1919 d'une partie de la fonction administrative naguère centralisée à Vienne dans la capitale de la première République tchécoslovaque, la création d'industries à essor rapide.

Les premières usines, édifiées au cours de la première moitié du xixe siècle, ont été construites sur les bords de la rivière, en amont sur la rive gauche (Smichov), en aval sur la rive droite au pied de l'éperon de Žižkov (Karlin).

C'est à Karlin que se sont le mieux conservés les caractères de vieux quartier industriel évoquant tour à tour la Croix-Rousse et Belleville. Les quartiers industriels récents ont été construits sur les espaces plats convenant le mieux à la mise en place de grands établissements bien desservis par fer et par eau, à l'intérieur du lobe convexe du grand méandre de la Vltava (Holešovice) et dans la vallée de la Rokytka (Vysočany). Les usines traitant les bois, le charbon — notamment la centrale électrique — les grands moulins, les brasseries, les abattoirs, sont à Holešovice ; Vysočany et la vallée de la Rokytka jusqu'à Hloubetin ont plutôt retenu les industries métallurgiques.

En 1921, devant la pression exercée sur les limites administratives de la vieille ville par les intérêts des sociétés industrielles et des groupes de construction immobilière, une réforme administrative a substitué à l'ancienne structure communale une unité urbaine très vaste, les 17.210 ha. du « Grand Prague » débordant largement au delà de la zone urbanisée. Mais aucun zoning, aucune orientation de développement n'ont été imposés. Prague a donc connu le développement empirique et souvent anarchique des grandes villes à croissance rapide en économie libérale. C'est ce qui explique son aspect disparate, l'affrontement des expériences et des styles. La densité de la vieille ville l'a mise à l'abri d'innovations qui auraient pu être redoutables pour son esthétique. En revanche, Nove Mesto et les quartiers extérieurs offrent des exemples de tout ce qu'a pu imaginer le dernier demi-siècle, du bâtiment cubiste de la Maison des Pensionnés de Žižkov à la choquante association au long d'une même rue à Liben des petites maisons princières d'autrefois, discrètes retraites dans un parc disparu, et des lourdes bâtisses, maisons à loyers ouvriers de toutes les grandes villes de l'Europe surgissant d'un seul bloc au-dessus d'un champ de choux, en face des échoppes sans étage qui évoquent les faubourgs de route du XVIIIe siècle. Anarchie architecturale et histoire profanée.

Entre les deux guerres mondiales, le développement des affaires a engorgé l'activité des quartiers centraux, accéléré les spéculations sur les loyers, engendré le classique phénomène de cité, refoulant la fonction résidentielle vers les quartiers extérieurs. Le centre, très encombré par une circulation que le petit nombre de grandes artères ne suffit pas à assurer commodément aux heures d'activité, retrouve le calme le soir quand la masse des employés de commerce et de bureau est repartie vers ses appartements de Bubenec, de Břevnov ou de Vršovice, ou vers un pavillon plus lointain.

Le plan d'aménagement. — Dans un pays où les industries lourdes sont normalement attirées par les régions minières, où il existe déjà une tradition de dispersion industrielle qu'accentue l'équipement des régions économiquement arriérées, Prague n'est pas appelé à une hypertrophie industrielle. Le plan d'équipement et d'aménagement urbain a pour objectif premier la détermination des entreprises industrielles qui doivent être développées en raison des commodités techniques et économiques, et pour assurer à la population un choix suffisant d'activités professionnelles. Il est important, en particulier, de créer des industries employant la main-d'œuvre féminine. Mais il s'agit plus d'organiser une activité industrielle à la mesure de la ville que d'accroître les dimensions de celle-ci par une nouvelle industrialisation.

En second lieu, il s'agit d'assurer l'équilibre entre offre et besoin de logements et d'assurer une première étape de remplacement de logements vétustes par des logements modernes.

Le troisième problème est celui de l'amélioration de la circulation et des transports, lié en grande partie aux plans à longue échéance de modification de la structure de la ville, d'ouverture de grandes percées et de transformation générale du panorama urbain.

Les réalisations ont été retardées par les difficultés rencontrées pour obtenir le consentement des propriétaires aux contraintes d'un plan d'aménagement. Celui-ci ne s'exécute donc que par touches dispersées dont la coordination n'apparaît qu'aux experts ou à la lecture d'un plan général d'aménagement urbain. Les terrains acquis par la ville sont convertis en jardins, ou consacrés à la construction d'écoles, de services sociaux. On réserve aussi la place d'établissements industriels destinés surtout à l'emploi de main-d'œuvre féminine, et qui, pour la commodité de la conciliation d'un travail professionnel et des obligations ménagères, doivent se trouver dans les quartiers d'habitation même.

Deux quartiers cependant offrent massivement l'image des chantiers d'urbanisme : celui de Letna qui, sur le flanc de la vieille capitale historique du Hradčany, est appelé à être le quartier administratif moderne, celui de Karlin-Žižkov où, à travers les vieux îlots industriels et ouvriers d'il y a cent ans, on perce une esplanade monumentale.

Un plan de voirie à gros débit comportant des tunnels sous les parties les plus encombrées de la ville vise à dégager le centre de son encombrement quotidien.

L'équipement régional de la Slovaquie. — L'aménagement de la Slovaquie dépasse les cadres d'une simple opération de planification régionale. Malgré l'importance que revêtaient le repeuplement et la reprise en main des forces productives des régions frontières des pays tchèques, l'organisation de la Slovaquie présente un intérêt plus considérable encore pour l'harmonie de la Tchécoslovaquie.

La Slovaquie est une région *nationale*. Sa population a vécu isolément, sans contact avec la population tchèque, pendant plusieurs siècles. Elle a suivi le sort des pays hongrois et a été soumise à l'aristocratie foncière et à l'Église catholique magyare. Tandis que les pays tchèques étaient entraînés dans le sillage des États industriels, la Slovaquie est restée un pays d'économie agricole attardée. Sa population, trop nombreuse pour les ressources d'une terre travaillée empiriquement avec des moyens rudimentaires, n'avait d'autre échappatoire à sa misère que l'émigration. Jusqu'à la deuxième guerre mondiale, le niveau de vie moyen est demeuré très inférieur en Slovaquie à ce qu'il était dans les pays tchèques — sauf pour la bourgeoisie et l'aristocratie foncière de Bratislava. Il a été facile à plusieurs reprises dans l'histoire contemporaine de l'Europe centrale et en dernier lieu lors du démembrement de la Tchécoslovaquie après Munich, d'exciter le nationalisme slovaque contre les « maîtres » tchèques en leur reprochant d'avoir négligé l'essor économique et social de leur province agricole...

L'équipement de la Slovaquie, le colmatage de son retard économique et social sont une condition de l'unité tchécoslovaque. De plus, la Slovaquie peut fournir à la République tchécoslovaque le concours de ses ressources inexploitées : minerais, énergie hydroélectrique, et de sa population féconde. L'organisation régionale de la Slovaquie présente donc un double aspect, politique et économique. Au point de vue politique, elle est indispensable pour dissiper toute équivoque et faire disparaître toute infériorité de la nation slovaque par rapport à la nation tchèque, pour affaiblir progressivement les influences traditionalistes d'une société rurale spontanément défiante à l'égard de la construction socialiste. Au point de vue économique, la mobilisation des ressources de la Slovaquie et l'incorporation de sa population à l'œuvre commune de construction d'une économie rationnelle à haute productivité est indispensable au succès de la planification tchécoslovaque. La transformation de l'économie et de la société slovaques suppose l'aide financière et technique des pays tchèques plus évolués et plus riches. La première phase est donc dominée par des prêts de la part des Tchèques, matérialisés sous forme de crédits d'investissement, de fourniture de machines d'équipement, d'installations industrielles, de construction d'écoles et d'instituts de formation professionnelle et d'enseignement général.

Il est assurément nécessaire de hausser l'agriculture slovaque, fondement de l'économie traditionnelle de ce pays, au niveau technique de l'agriculture tchèque et, compte tenu des aptitudes naturelles du sol slovaque, de faire disparaître les écarts excessifs entre le rendement du sol et du travail dans les deux parties de la République tchécoslovaque. Mais des solutions agricoles ne sauraient être trouvées dans un seul et unique effort d'aménagement agricole. La modernisation de l'agriculture requiert une ambiance technique inhérente au développement d'une ambiance technique industrielle. Elle implique un allègement démographique des campagnes qui doit être assuré par l'ouverture, sur place, de nouveaux secteurs d'emploi. Par ailleurs, l'utilisation des disponibilités industrielles et humaines de la Slovaquie est une nécessité pour l'État tchécoslovaque. Dans ces conditions, la transformation de l'agriculture apparaît en fait comme un corollaire, et même comme une conséquence de l'industrialisation.

En cinq ans, de 1948 à 1953, la part de la production industrielle de la Slovaquie dans la production industrielle tchécoslovaque tout entière doit passer, en valeur, de 14,1 % à 19,6 %, ce qui est considérable si l'on tient compte du fait que les premières branches d'industrie à développer au cours de ces cinq années sont des branches d'industries lourdes dont la production en valeur croît beaucoup plus lentement que celle des industries spécialisées des pays tchèques. Il s'agit, en effet, d'ouvrir des chantiers d'exploitation du lignite, du minerai de fer, des minerais de métaux non ferreux, spécialement dans les monts Métallifères slovaques, d'équiper des centrales hydroélectriques de telle sorte que la part de la Slovaquie dans la production nationale d'électricité passe de 10 à 23 % en cinq ans. Les industries des matériaux de construction se développent à un rythme accéléré : la production de ciment, prévue initialement pour 1953, a été atteinte en 1951. Elle augmentera encore de 50 % entre 1951 et 1955 et sera quintuplée au cours des années suivantes. Il s'agit en effet de construire de grands barrages, notamment le système hydroélectrique danubien, des usines, dont le combinat métallurgique de Huko au sud de Košice (capacité de traitement : 1 million de tonnes d'acier). Au cours du quinquennat seront fondées les bases d'une industrie mécanique destinée à satisfaire les besoins de l'équipement en machines de tous ordres de la Slovaquie.

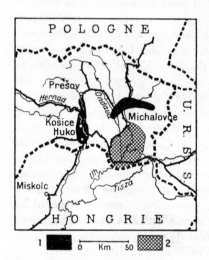

Fig. 68. — **Aménagement de la Slovaquie orientale**
D'après M. E. HRUSKA

1. Région industrielle
2. Zone d'aménagement agricole

Par ailleurs, des entreprises sont fondées ou considérablement agrandies pour traiter des produits du sol slovaque et des produits techniquement assimilés : bois et produits dérivés, verres et porcelaines, cuir et caoutchouc, lin, chanvre, coton et fibres synthétiques, et enfin produits agricoles. Une chaîne du froid est en cours d'exécution, des usines de conserves construites, des sucreries, des combinats de traitement des produits du bétail : lait, viandes, graisses.

La localisation des entreprises procède du souci d'utiliser les produits au lieu même de leur production ou à des emplacements tels que les transports soient limités au minimum indispensable. En outre, il est apparu à la fois nécessaire et possible de répartir les industries dans les différentes fractions du territoire, tandis que les seuls établissements industriels importants existant avant la guerre étaient massés autour de Bratislava ou égaillés le long du Vah. La Slovaquie orientale, en particulier, devient une région industrielle différenciée avec industries lourdes et industries légères.

Cet immense effort d'industrialisation implique un mouvement massif de mutation professionnelle. Dans les prévisions initiales du plan quinquennal, le nombre des travailleurs industriels devait passer, entre 1948 et 1953, de 190.000 à 277.000, soit de 11,3 % de la population active à 20 %. La révision des programmes d'industrialisation, effectuée en 1949-1950, a appelé l'incorporation au secteur industriel de 340.000 travailleurs nouveaux au lieu de 90.000. Au cours de la seule année 1950, on a embauché dans l'industrie (y compris le bâtiment) 163.000 travailleurs. En 1953, plus de 40 % des personnes exerçant un métier en Slovaquie travaillaient dans l'industrie ou le bâtiment. Afin de colmater le retard culturel du pays et d'assurer le recrutement d'une main-d'œuvre qualifiée à tous échelons, un effort d'équipement scolaire accompagne l'effort d'équipement industriel. Le nombre des élèves des écoles d'enseignement général passe de 690.000 à 755.000, celui des élèves des écoles professionnelles de 34.000 à 41.000, celui des élèves des écoles industrielles de 5.584 à 15.000, celui des étudiants des écoles supérieures techniques de 3.870 à 7.000 en cinq ans.

L'agriculture, libérée de la charge sociale d'une population rurale surabondante, est en voie de mécanisation rapide : 70 % des travaux ont été mécanisés entre 1949 et 1953. Les stations de machines et de tracteurs initient les paysans slovaques à l'agriculture moderne. Les fermes d'État couvrent 8 % de la superficie arable, les coopératives plus de 25 % (1954). Il est considéré comme possible, dans ces conditions, d'accroître la production animale dans la proportion de 41 % et la production végétale de 48 % en quelques années. L'élevage doit bénéficier d'un accroissement sensible des superficies consacrées aux prairies artificielles : 110.000 ha. de luzernières en 1953, 205.000 en 1955. L'humidité estivale peut être accrue par la mise en place d'écrans boisés brise-vents (sur 8.000 ha.). Le repeuplement des élevages par des bêtes de race assurera une production moyenne de 1.750 l. de lait par vache et par an. Les principales cultures ont vu leurs rendements s'accroître suivant les ordres de grandeur indiqués au tableau de la page suivante.

L'économie agricole plus productive, et supportant une densité de population agricole comparable à celle des campagnes tchèques, pourra assurer à brève échéance un niveau de vie assez proche de celui des paysans tchèques, tandis que les ruraux passés au secteur industriel auront acquis de

	Rendement	
	en 1948-50	en 1953 (1)
Blé	15	17
Seigle	14,2	18,2
Maïs	22,2	26,7
Betteraves à sucre..........	222	260
Pommes de terre...........	101,7	130

leur côté des conditions d'existence plus élevées. L'essentiel du retard social de la Slovaquie sera ainsi comblé en un temps très court, tandis que la production slovaque réduira les besoins d'importation de l'économie nationale et commencera ainsi à couvrir une partie des avances d'investissement consenties par les pays tchèques.

ORIENTATION BIBLIOGRAPHIQUE

Outre les ouvrages qui donnent une image précise de la Tchécoslovaquie d'avant-guerre : Emm. DE MARTONNE, *Europe centrale, Géographie universelle*, t. IV, IIe Partie, 1931, p. 533-620 ; L. EISENMANN, *La Tchécoslovaquie*, Paris, Rieder, 1921, 126 p., bibliogr. ; A. TIBAL, *La Tchécoslovaquie*, Paris, A. Colin, 1935, 224 p., on devra utiliser, pour prendre conscience des problèmes nouveaux et des transformations de l'économie et des différentes formes de la vie humaine, des études et des recueils de documents récents, revues, articles d'ouvrages.

PÉRIODIQUES

Zemepisne aktuality et *Zemepisme zpravy (Actualités géographiques et nouvelles géographiques)*, publ. par l'Institut de Géographie de l'Université Charles, Prague.

Lidé a země (La terre et les hommes), revue mensuelle de culture générale géographique publiée par la Faculté des Sciences de la Terre à Prague, sous la direction du Pr Vlastislav HAÜFLER. Les chroniques concernant les nouveautés géographiques en Tchécoslovaquie, agrandissement de villes, achèvement de chantiers de travaux publics, inauguration d'usines, accompagnées de plans et de croquis, sont particulièrement utiles pour la mise au point.

Publications de l'*Office national de Statistiques : Statisticky Zpravodaj*. Renseignements statistiques, tableaux, par rubriques suivies, précédés de commentaires ; *Statisticky Obzor (Revue statistique)*, publie des études de fond sur les grands problèmes économiques et démographiques ; *Zprav statniho Uřadu statistickeho... (Rapports du Service national de Statistique...)* Très riche recueil de monographies sur l'état de la population, de l'économie, etc., *manuels* et *annuaires*.

Bulletin économique tchécoslovaque, bimensuel, publié en langues étrangères par le ministère du Commerce extérieur, 266 numéros parus au 1er mars 1954. Chronique commode précédée par un exposé officiel de la situation économique.

Deux beaux recueils de photographies fournissent une documentation figurée accompagnée de brefs commentaires explicatifs : *Československo (Tchécoslovaquie)*, revue mensuelle éditée par le ministère de l'Information et de la Culture ; *Čekhoslovakiia v kartinakh (Czechoslovakia in pictures)*, revue trimestrielle bilingue (russe et anglais) destinée à l'étranger. Très belles photographies. Utilement complété par la revue hebdomadaire *Svět v obrazech (Le monde en images)*, qui contient toujours quelques rubriques consacrées à la Tchécoslovaquie.

OUVRAGES, ARTICLES

Actualité (L') économique en Tchécoslovaquie et le plan biennal, *Études et conjoncture*, Économie mondiale, Institut national de Statistique et d'Études économiques, II, 1947, n°s 14-15, juill.-août 1947, p. 69-103.

(1) D'après les objectifs du plan.

G. Beis, La nouvelle géographie administrative de la Tchécoslovaquie, *L'Information géographique*, XIII, n° 4, juill.-oct. 1949, p. 143-144.

A Blanc, La recolonisation tchécoslovaque dans les régions frontières, *Politique étrangère*, XIII, févr. 1948, p. 65-86.

Guy Braibant, *La planification en Tchécoslovaquie (Le plan biennal)*, Paris, Cahiers de la Fondation nationale des Sciences politiques, n° 6, 1948, A. Colin, 160 p.

Commerce extérieur tchécoslovaque (Le), *Études et conjoncture*, Économie mondiale, Institut national de Statistique et d'Études économiques, Paris, IV, 1949, n° 3, mai-juin 1949, p. 10-29.

R. Dumont, L'évolution agraire tchécoslovaque, Revue du ministère de l'Agriculture, *Études et monographies*, Paris, décembre 1948, 13 p.

Pierre George, La renaissance de la Tchécoslovaquie, *Annales de géographie*, LVI, 1947, p. 94-103, 2 pl.

Pierre George, The new settlement policy in Czechoslowakia, *The Slavonic and east european review*, Londres, XXVI, n° 66, nov. 1947, p. 60-68.

Pierre George, *Le problème allemand en Tchécoslovaquie (1919-1946)*, Collection historique de l'Institut d'Études slaves, XI, Paris, 1947, 96 p., 2 fig. Contient une bibiographie des principaux travaux historiques sur la Tchécoslovaquie.

Pierre George, La population de la Tchécoslovaquie. *Population*, Paris, Institut national d'Études démographiques, II, n° 4, oct.-déc. 1947, p. 281-292.

Pierre George, *Études économiques sur la Tchécoslovaquie*, Paris, C. D. U., Constans., 1947, 50 p.

Pierre George, Planning for socialism in Czechoslovakia, *Science and Society*, New York, XI, n° 4, p. 325-339.

Pierre George, La coopération technique et économique polono-chécoslovaque du 7 juillet 1947 à la fin de l'année 1948, *Politique étrangère*, XIV, 1er févr. 1949, p. 75-86.

Pierre George et Simone Desvignes, Le grand Prague, *Annales de Géographie*, LVII, 1948, p. 249-256, 2 fig.

Institut national de Statistique et d'Études économiques. Les minorités ethniques en Europe centrale et balkanique, *Études et documents*, série B, I, Paris, 1946, p. 71-79.

J. Kral, *Zemepisny pruvodce velkou Prahou a jeji kulturni oblasti (Guide géographique du grand Prague et de sa zone d'influence)*, Prague, Melantrich, 1946, 310 p., 25 fig., 68 phot.

J. Kotatko, *La réforme agraire en Tchécoslovaquie*, Prague, « Orbis », 1948, 45 p.

J. Kotatko, *Czechoslovak agriculture on a new path*, Prague, « Orbis », 1951, 64 p.

L. Malassis, Les principaux types d'entreprises agricoles et leur évolution en Tchécoslovaquie, revue du ministère de l'Agriculture, *Études et monographies*, Paris, mai 1950, p. 103-112.

Nationalisation (La) en Tchécoslovaquie, texte des décrets de nationalisation, Prague, « Orbis », XII, 1945, 64 p.

Plan biennal (Le) tchécoslovaque, texte de la loi, Prague, « Orbis », sept. 1947.

Plan économique quinquennal (Le), texte de la loi, Prague, ministère de l'Information et de l'Éducation populaire, déc. 1948, 72 p.

Situation économique en Tchécoslovaquie (La), Institut d'observation économique, *L'observation économique*, série B, économie étrangère, n° 1, mai 1950, p. 3-39.

CHAPITRE IV

LA HONGRIE

A) LES BASES ET LES PERSPECTIVES DE L'ÉCONOMIE

1° La diversité de la terre hongroise.

La Hongrie est un État continental de 93.000 km². Les frontières fixées au traité de Trianon offrent dans leur ensemble un exemple de frontières conventionnelles, ne correspondant ni à des limites physiques, ni à des limites de peuplement national (ci-dessus, p. 265). La frontière hungaro-slovaque suit le Danube sur un peu moins de 150 km. Elle présente ensuite un tracé sinueux dans la zone montagneuse externe des Carpates occidentales, au nord de la première ligne de relief dominant la plaine pannonienne. Elle traverse le golfe de plaine de la haute Tisza d'ouest-nord-ouest en est-sud-est. C'est dans cette région que le territoire hongrois entre en contact avec le territoire soviétique sur une longueur d'un peu plus de 80 km. La frontière hungaro-roumaine est également entièrement en plaine sur 300 km., se tenant à l'écart des premières hauteurs transilvaines et coupant le Banat. La frontière commune avec la Yougoslavie comporte trois éléments : sur près de 200 km., elle est tracée à travers la plaine perpendiculairement au Danube et à la Tisza. Elle se confond ensuite avec la vallée de la Drave sur environ 150 km., puis atteint les premières hauteurs alpines en suivant la direction de la basse Mura (100 km. environ). La frontière hungaro-autrichienne suit le rebord alpin entre la haute Raba et Sopron, sur plus de 100 km., et coupe la plaine dite Kis Alföld, « petite plaine » (lac de Fertö) par deux tronçons orthogonaux de 50 km. chacun.

La Hongrie est un pays varié où s'affrontent les paysages découverts et classiques des grandes plaines, des décors audacieux de montagne sans que l'altitude absolue dépasse 1.000 m., sauf dans les monts Matra et des horizons de collines très différenciés. L'ensemble s'ordonne d'une manière simple.

L'axe topographique principal de la Hongrie est constitué par une succession de hauteurs orientées du sud-ouest au nord-est : monts Bakony, Vertes, Pills, Matra, Bukk, Hegyhalja, d'une altitude moyenne de 500 à 600 m.

s'élevant progressivement vers le nord-est où les plus hauts sommets approchent de 1.000 m. (l'un d'eux, Kekes dans les monts Matra, dépasse cette altitude). La dorsale hongroise sépare deux zones déprimées : la petite plaine, Kis Alföld, au nord-ouest, la grande plaine, Nagy Alföld, et la région accidentée située au sud du lac Balaton, au sud-est. Si la dépression septentrionale présente une unité, de part et d'autre de la frontière hungaro-tchécoslovaque d'ailleurs, la dépression méridionale comporte deux éléments distincts, de part et d'autre du Danube. Celui-ci constitue une limite régionale recoupant la disposition générale du relief hongrois en bandes sud-ouest-nord-est selon une direction méridienne. Suivant les désignations géographiques usitées en Hongrie, le Danube sépare une Transdanubie accidentée, au relief et aux terroirs différenciés, à l'ouest du Danube, et un ensemble de plaines portant le nom de Danube-Tisza entre ces deux cours d'eau et celui de Transtisza à l'est de la Tisza. On peut donc distinguer quatre régions naturelles en Hongrie : le petit Alföld, l'axe montagneux sud-ouest-nord-est, la Transdanubie méridionale, et les plaines du grand Alföld.

a) *Le Kis Alföld.* — La « petite plaine » s'étend en territoire hongrois sur 120 km. dans sa plus grande longueur du sud-ouest au nord-est entre Szombathély et Komarom sur une largeur moyenne de 60 km. C'est un bassin d'ennoyage développé entre le prolongement des Petites-Carpates au sud du Danube à l'ouest et l'axe monts Bakony-Vertes-Pills au sud-est.

Le Néogène raviné a été balayé par des nappes alluviales descendant des Alpes, modelées en terrasses plus ou moins dégradées et inégalement recouvertes de lœss. A la frontière autrichienne, la partie la plus basse de la plaine est occupée par des marécages et par la fraction méridionale du lac de Fertö (Neusiedl). Malgré la diversité de ses sols, le Kis Alföld est, dans son ensemble, une région agricole riche.

b) *La Dorsale hongroise.* — La dorsale hongroise présente une unité structurale et morphologique d'un bout à l'autre. Il s'agit d'un témoin de l'ancienne structure pannonienne ennoyée par l'effondrement de l'Alföld. Cet axe de hauteurs se compose de blocs de terrains sédimentaires modérément plissés ou faillés, se présentant généralement en structure tabulaire, truffés de formes éruptives et de laves ou de tufs. Les terrains éruptifs forment à eux seuls l'essentiel du massif des monts Matra. Tous ces massifs s'alignent le long d'un grand faisceau de failles, jalonné de sources thermales et minérales, continu depuis la rive septentrionale du lac Balaton jusqu'à la frontière slovaque — sur 350 km.

L'élément le plus méridional est constitué par les monts *Bakony*. Dominant le lac Balaton, par un abrupt de 200 à 300 m., les monts Bakony sont plutôt un plateau disséqué sur les bords qu'une crête. On y retrouve un empilement de couches mésozoïques faillées, flanqué au sud d'une région volcanique, recouvert au nord par des tufs et des basaltes. La région volcanique du Sud donne lieu à un paysage curieux. Au sud d'un ensellement dans l'axe des monts Bakony proprement dits apparaît une succession de buttes aux pentes raides, couvertes de vignobles et coiffées de forêts. La plupart sont composées de Néogène surmonté par un reste de coulée basaltique développant sur les bords de beaux abrupts festonnés d'orgues. D'autres sont des necks. (Colline de Badacsony : talus de Néogène planté en vigne, dominé par des orgues basaltiques ; pitons de Szentgyörgy, Gulacs, presque entièrement boisés, etc.)

L'altitude maxima des monts Bakony atteint au nord 704 m. Cependant, cette masse de plateaux entaillés par des vallées étroites constitue une redoute, jadis un refuge, protégé par un épais manteau forestier, contrastant vigoureusement avec les plaines environnantes.

Une percée transversale sépare les monts Bakony des monts Vertes, eux-mêmes séparés par un ensellement des hauteurs de Budapest et du massif de Pills, qui forment un dense moutonnement de croupes forestières occupant toute la région comprise à l'intérieur du coude du Danube. Du Janos Hegy, qui domine Budapest, cet ensemble de massifs boisés évoque certaines portions du massif de Bohême, autour de Karlovy-Vary notamment.

Cette similitude est due plus à l'intensité de la couverture forestière qu'à la composition lithologique des massifs, encore que les terrains éruptifs tiennent une large place, comme dans la Bohême du Nord-Ouest. Budapest doit au passage de la grande faille thermale hongroise de posséder de nombreuses sources d'eaux chaudes. Entre le Kis Alföld et Budapest, le Danube perce et contourne ces hauteurs. De la frontière tchécoslovaque à Vac, sur 25 km., le fleuve coule dans un défilé d'une profondeur de 500 à 600 m. entre le massif de Pills et celui de Borzsony et de Naszaly. Bien que la vallée soit déjà très évoluée, cette zone d'encaissement dominée par des pitons boisés aux pentes raides, couronnées par des ruines de forteresses du moyen âge et de l'époque des guerres turques (Visegrad), a joué un rôle décisif dans l'histoire hongroise. Avant l'entrée du fleuve dans la grande plaine, cette petite région hérissée de buttes a attiré, depuis la protohistoire, les installations défensives, et, en même temps, l'établissement de capitales politiques. Les Romains avaient fondé un des points d'appui de leur limes pannonien à quelques kilomètres au nord de Buda, à Aquincum. Au moyen âge, Visegrad a partagé le rôle de forteresse avec Buda.

Cependant, le défilé du Danube pouvait être assez aisément tourné par les cluses qui recoupent la Dorsale hongroise au sud du coude du fleuve. La fonction militaire et politique a donc été partagée entre les citadelles surveillant le fleuve et la ville de Szekesfehervar gardant le principal des passages à travers la montagne, entre Vertes et Bakony.

A l'est du Danube, la dorsale hongroise porte généralement le nom de Haute-Hongrie. C'est là en effet que les altitudes sont les plus élevées et que

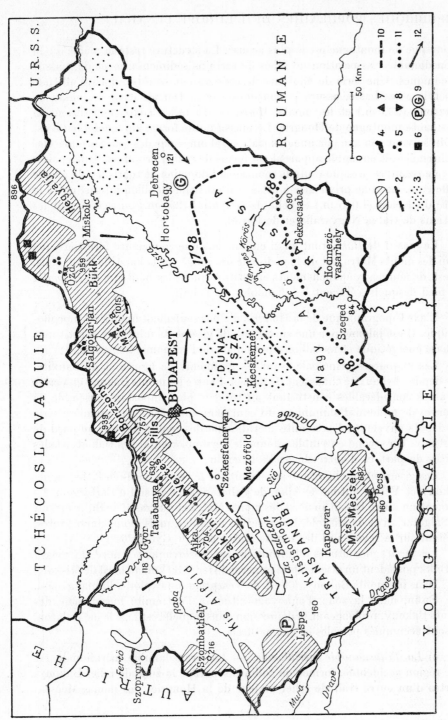

FIG. 69. — **Les régions naturelles et les ressources minérales de la Hongrie**

1. Région de topographie contrastée. — 2. Ligne de fracture et de volcanisme de la dorsale. — 3. Sables d'origine dunaire. — 4. Houille. — 5. Lignite. — 6. Minerai de fer. — 7. Bauxite. — 8. Autres métaux non ferreux. — 9. Pétrole et gaz naturel. — 10. Isotherme de 17°8 pour la période du 1er.4 au 30-9. — 11. Isotherme de 18° pour la même période. — 12. Direction des vents les plus fréquents.

le paysage de montagne est le plus accusé. La structure reste la même qu'en Transdanubie : association de blocs de terrains sédimentaires et de massifs volcaniques. Une série de hauteurs de topographie confuse, mais d'altitude générale assez basse, assure la continuité de la Dorsale entre le massif de Borzsony (939 m.) et les monts *Matra* (1.015 m.). Ceux-ci constituent la plus haute montagne de Hongrie. Le massif a une forme amygdaloïde ; il est fendu suivant son axe par une dislocation jalonnée par des sources minérales et thermales. L'ensemble apparent est formé de roches éruptives. Une épaisse hêtraie recouvre presque toute la montagne : domaine de tourisme, de chasse et de cure. La zone privilégiée à cet égard est celle du sillon interne entre la crête du Kekes (1.015 m.) et celle de Galyatetö (965 m.) où se trouvent les stations de Galya Nagyszallo et de Parad.

Le massif de *Bükk*, tout aussi enfoui sous une couverture forestière que celui des monts Matra, est un bloc de calcaire rongé par la karstification. Mais, à l'est, de nouveaux épanchements éruptifs forment les hauteurs de *Hegyalja* au pied desquels s'étagent les vignobles de Tokaj.

L'axe topographique de la Hongrie n'a pas seulement un intérêt morphologique. Il est jalonné par une succession de gisements minéraux constituant la base énergétique et métallifère principale de l'économie hongroise.

Les ressources principales sont les gisements de lignite et de bauxite. Les dépôts de bauxite chaussent de part et d'autre les monts Bakony et Vertes en amas considérables constituant au total le plus important ensemble de réserves de minerai d'aluminium du continent européen. Une première série de dépôts enveloppe l'extrémité méridionale des monts Bakony au nord de Kesthely. Un second ensemble jalonne le versant oriental des Bakony et des Vertes de part et d'autre de Szekesfehervar.

Les gisements de lignite se succèdent sur le revers nord-ouest des monts Bakony et Vertes autour de Ajka, de Tabatanya, et au sud d'Esztergom. Ils forment un autre bassin au nord des monts Matra et du massif de Bükk autour de Salgotarjan et de Miskolc. Des réserves notables, mais moins importantes, existent sur le revers sud des monts Matra près de Gyöngyös.

Les montagnes situées à la frontière tchécoslovaque au nord du massif de Bükk possèdent un gisement de minerai de fer (à 30 km. au nord de Miskolc)

Dans les monts Bakony, à l'est de Veszprem, on exploite du manganèse.

Enfin, dans la zone d'ennoyage située à l'extrémité méridionale des monts Bakony, prolongeant la dépression dans laquelle est logé le lac Balaton, se sont accumulés pétroles et gaz naturels.

c) *La Transdanubie méridionale.* — La Transdanubie méridionale est une région accidentée, formée de collines séparant la zone de relief Bakony-Vertes d'un autre trait de relief majeur de la Hongrie : les monts Mecsek.

Le premier accident morphologique notable est la grande dépression occupée par le lac Balaton. Le lac Balaton est le plus grand lac d'Europe. Sur 80 km. de long, il présente une largeur de 2 à 8 km. Mais il est caractérisé par sa très faible profondeur. Il occupe une aire déprimée tectoniquement dont l'ennoyage a avorté. La structure est d'ailleurs plus celle d'un contact de blocs basculés que celle d'un graben. De toute manière, la dépression est à peine esquissée. Au pied des falaises terminant les Bakony et des promontoires rocheux dont le principal est celui de Tihanya qui coupe presque complètement le lac en deux, la profondeur ne dépasse guère 10 m. et le soubassement est assez vite atteint sous quelques mètres de vase. La cuvette est dissymétrique. La rive sud-orientale est très plate et s'enfonce lentement sous les eaux. A certains endroits, il faut s'avancer de 800 m. dans le lac pour dépasser une profondeur de 150 m.

Le lac Balaton n'en constitue pas moins un des traits les plus originaux et les plus pittoresques du paysage hongrois. Les stations du rivage septentrional, qui bénéficient à la fois du charme du contact des hauteurs boisées avec le lac et de la présence de sources thermales et minérales, appellent la comparaison avec quelques stations du Chablais. De l'autre côté, la situation moins accidentée des petites villes de Balatonszentgyörgy ou de Siofok est compensée par le panorama du lac dominé sur l'autre rive par les lignes boisées des Bakony. Bien que complètement gelé en hiver, le Balaton exerce une influence adoucissante sur le climat continental hongrois et les versants abrités du nord sont doublement privilégiés. De Veszprem à Kesthely se développe une zone d'ambiance méridionale où les vergers disputent les talus à la vigne.

Au nord-est, la cuvette du Balaton se prolonge par une zone de basses terres où subsistent des dépressions salines et des marécages : Velenceito.

Entre cette dépression, parallèle à l'axe de la dorsale hongroise et les monts Mecsek, un grand glacis découpé par de multiples petites vallées forme un paysage de croupes entre la vallée de la Kapos et le lac Balaton. On a donné le nom de Külsö Somogy à un imperceptible dos de terrain qui sert de ligne de partage des eaux entre le lac et le bassin de la Kapos.

Au sud, une nouvelle ride montagneuse s'élève brusquement au-dessus de ce paysage de croupes molles : l'épine dorsale de ce système est constituée par les *monts Mecsek* qui culminent à 682 m. La conservation du manteau forestier, le découpage de la masse rocheuse en plusieurs alignements de crêtes par de petites vallées aux versants raides donne à ces hauteurs d'une médiocre altitude absolue un aspect de montagnes. Une disposition dissymétrique, comparable à celle de la structure des Bakony, accroît cet aspect pour qui regarde la montagne du sud. Les monts Mecsek s'arrêtent brusquement au-dessus de la dépression de Pecs (tête de pli déversé et faillé).

— 663 —

Les monts Mecsek ont une grande importance économique : ils possèdent divers bassins houillers situés au nord-est (région dite du Völgyseg), au cœur du massif (Komlo) et au sud, où ils sont le plus intensément exploités : bassin de Pecs.

Au sud des monts Mecsek, on atteint la vallée de la Drave par un nouvel ensemble de collines dominées par une ride de 300 à 400 m.

d) *L'Alföld*. — La grande plaine ne présente que des différences d'altitude insignifiantes, et les variantes de sol ont souvent plus d'importance humaine que des écarts topographiques imperceptibles. Cependant, il faut distinguer les deux grandes vallées du Danube et de la Tisza qui constituent des limites de pays et introduisent des formes de paysage originales.

Danube et Tisza écoulent leurs eaux sur un remblaiement alluvial qui tend à s'élever au-dessus des rubans d'alluvions récentes longeant le lit majeur. Un dédale de méandres fonctionnels et de méandres recoupés, de faux bras, offre un remarquable exemple d'évolution morphologique d'une plaine alluviale à pente insignifiante. Les inondations recouvrent de larges espaces, modifient le drainage, menacent les berges. Les installations humaines sont à l'écart des rives, ou s'accrochent à un accident topographique, terrasse ancienne généralement, les mettant à l'abri des inondations. Cependant, l'ensemble des plaines est à peine plus haut et l'on reconnaît aisément un ancien cours fluvial unissant le Danube et la Tisza entre Budapest et Csongrad à travers la Cumanie.

De part et d'autre de la Tisza, des dépressions, tour à tour humides ou occupées par des croûtes salines suivant les saisons, forment des annexes à la plaine d'inondation, esquissent des passages naturels entre Tisza et Körös par exemple.

La plaine, insensiblement vallonnée par de molles ondulations à très grands rayons, offre divers types de sols et de formations morphologiques : la plaine de lœss, ayant évolué vers des sols de la famille des tchernozioms, les nappes d'alluvions assez grossières, spécialement à proximité de la Transylvanie, et les zones d'épandage de sable et de dunes.

Les dunes occupent des superficies notables, surtout dans la région Danube-Tisza (entre Danube et Tisza), au sud de Kecskemet où elles gênent le drainage et maintiennent un grand nombre de petits lacs allongés du nord-ouest au sud-est. Fixées, elles donnent des sols légers qui se prêtent à la culture sans avoir les qualités des lœss. Une seconde zone de dunes occupe la région frontalière de l'Union soviétique, au nord-est de Debrecen, le Nyirseg. Également fixées, ces dunes ont été entièrement mises en culture.

La classique distinction de l'*Alföld* et de la *puszta* — l'alföld désignant à cet égard la campagne cultivée et la puszta la steppe pastorale — reposait beaucoup plus sur une inégale occupation rurale du territoire que sur une différenciation de terroir ou d'aptitudes des sols. Devant la poussée de la colonisation agricole, le paysage de la puszta avait progressivement reculé dans quelques régions de dunes mal fixées et de plaines basses à efflorescences salines : la puszta de l'Hortobagy à l'ouest de Debrecen. Ces dernières reliques de la puszta et du paysage déshumanisé par les invasions turques sont en train de disparaître.

Dans ce pays topographiquement indifférencié, où les dénivellations susceptibles d'exercer une influence sur la fécondité des sols sont des dénivellations de quelques mètres, séparant des terrasses de lœss de haute productivité de *solontsi* ou de tertres dunaires, les nuances climatiques, pour légères qu'elles soient, jouent aussi un rôle (direction des vents, inégale chaleur des étés, date des premières gelées).

Climat continental, le climat de la Hongrie est uniformément caractérisé par une forte amplitude thermique, qui oppose à un hiver assez long et rigoureux une saison chaude de cinq mois. Les variantes thermiques de cette période, qui est la période végétative, ont de l'intérêt au point de vue économique, bien qu'il ne s'agisse que d'écarts minimes. Les isothermes moyens pour l'ensemble des mois d'avril à septembre font apparaître une différenciation du nord-nord-ouest au sud-sud-est (fig. 69). L'isotherme 17e, pour cette période, passe par Murakeresztur, Keszthely, Szekesfehervar, Budapest, Gyöngyös, Miskolc, Nyiregyhaza. Celle du 18e enveloppe le sud-est de l'Alföld par Baja, Szentes et Biharkereszteb. Les agronomes attachent une importance particulière à l'isotherme estivale (avril-septembre) de 17o8, qui atteint Kalocsa, Szolnok et passe à une vingtaine de kilomètres au sud de Debrecen, car elle constitue la limite de possibilité de grande culture des variétés de cotonniers actuellement acclimatés en Hongrie.

La disposition de ces isothermes est fort expressive : elle fait apparaître, en effet, une accentuation des caractères thermiques de l'été à la fois du nord au sud et de l'ouest à l'est, l'influence de la latitude se combinant avec celle d'une continentalité croissante d'ouest en est.

La carte des isohyètes complète celle des isothermes d'été pour aboutir à une première esquisse de régions climatiques. Le facteur déterminant de la répartition des précipitations à l'intérieur du pays est le relief. Les précipitations annuelles dépassent 600 mm., dans toute la Transdanubie, à l'exception du golfe de plaines du Mezöföld entre Budapest, Szekesfehervar et Kalocsa. L'isohyète de 600 mm. enveloppe également les massifs de la Haute-Hongrie et le nord-est du pays. Tout l'Alföld à l'ouest du méridien de Debrecen reçoit moins de 600 mm., la région la plus sèche étant le bassin moyen de la Tisza entre Tiszalök au nord-est, Gyöngyös au nord-ouest et Szentes au sud.

En comparant la carte des isothermes de la période végétative et celle des isohyètes, on voit apparaître une Hongrie chaude et aride du sud-est où peuvent être pratiquées des cultures subtropicales d'été, mais où, souvent, l'irrigation est nécessaire.

Le calcul des composantes des directions des vents dominants, spécialement pendant la période végétative, oppose deux grands ensembles régionaux et individualise quelques petites régions. Le nord-est de la Transdanubie et la majeure partie de la plaine Tisza-Danube sont balayés par des vents de Nord-Ouest et de Sud-Est, tandis que l'Alföld connaît un régime de vents de Nord-Est et de Sud-Ouest. Le relief explique les exceptions locales : prédominance des vents du Nord-Est au sud et au sud-ouest des monts Mecsek, des vents du Nord dans le sud du petit Alföld et dans la région de Miskolc, des vents d'Ouest et d'Est au nord de l'Alföld, au pied des monts Matra. Les composantes sont méridiennes sur la basse Tisza. La plupart de ces vents, présentant le caractère de foehn dans le bassin pannonien, sont des vents desséchants et chauds en été. Ils érodent le sol, soulèvent des nuages de poussière dans les régions lœssiques. Leur direction a déterminé celle des dunes. Le vent est considéré comme un facteur climatique néfaste à l'agriculture et dont il convient de se protéger. La déforestation de la plaine depuis un passé reculé expose les cultures à des risques graves : échaudage et égrenage des céréales, stérilisation des fleurs par la corrosion des poussières, aggravation de l'aridité. Caractéristiques du paysage de la puszta, le vent et son cortège de tourbillons de poussières sont une des tares de l'économie de l'Alföld où aucun obstacle ne s'oppose à leur propagation. La lutte contre le vent est, avec la lutte contre la sécheresse, une des conditions de l'accroissement et de la régularisation de la productivité dans la grande plaine hongroise.

Relief, climat et répartition des sols individualisent cinq régions naturelles.

En Transdanubie, trois régions sont nettement distinctes :

— le *Kis Alföld*, plaine de grande culture, interrompue par quelques terroirs graveleux ou marécageux, assez fraîche et bien arrosée ;

— la *zone de plateaux disséqués et de massifs* aux formes lourdes des monts Bakony, Vertes, Börszöny et des hauteurs de Budapest, qui forme une langue de forêts plus ou moins clairiérées dont la lisière sud, abritée des vents du Nord, est occupée par des vergers et des vignobles et se prête au séjour de villégiature et de cure, surtout au bord du lac Balaton et le long des failles thermales. Les deux versants de cette bande de pays accidenté et boisé sont aussi lieux d'implantation industrielle, en raison de leurs richesses minérales ;

— le *sud-est de la Transdanubie*, qui en constitue la plus grande partie, est une région de transition entre le Nord-Ouest et l'Alföld. Sur une topographie atténuée, dominée par le massif forestier des monts Mecsek, des sols assez variés, un ensemble encore bien arrosé voit alterner les bois et les labours. Les fumées industrielles obscurcissent le bas pays que l'on découvre vers le sud des pentes des monts Mecsek dominant Pecs et son bassin houiller.

Deux régions d'inégale étendue se partagent le territoire situé à l'est du Danube, la *Haute-Hongrie* et le *grand Alföld*. La Haute-Hongrie est accidentée et boisée, les versants exposés au sud sont des terroirs de vignoble et d'arboriculture. Le tourisme et l'industrie y ont leur place.

Le grand Alföld est totalement dépourvu d'arbres, sauf à l'est de Debrecen et sur les sables dunaires les moins féconds et les plus instables de la plaine Tisza-Danube au sud-ouest de Kecskemet (il s'agit surtout de bois plantés au xixe et au xxe siècles pour fixer les dunes — l'acacia est l'essence dominante). Les zones basses présentent des aspects de solontsi, marécages saisonniers au sol salin ; aménagées, elles offrent pâturages et prairies. L'irrigation peut en accroître considérablement la fécondité. Les grandes surfaces de lœss forment une campagne continue. L'aridité et la chaleur des étés permettent de distinguer une nuance particulière intéressant le sud-est du territoire.

2° Le tournant économique.

Investie naguère de la mission de produire du grain et du bétail pour l'ensemble de l'Empire austro-hongrois, affligée de la qualification de « pays agricole », la Hongrie est restée jusqu'à la deuxième guerre mondiale un pays d'économie agricole à faible productivité. L'industrie n'y avait fait que de timides apparitions, surtout autour de la capitale et à Pecs. La bauxite brute était le principal article d'exportation de caractère industriel.

Il en résultait, comme en Pologne, un niveau de vie général très bas, surtout dans les régions rurales les plus peuplées. Les sécheresses fréquentes provoquaient de cruelles misères dans le sud de l'Alföld. Le prix des objets d'usage et de consommation, de l'outillage, même rudimentaire, était élevé, en raison de la nécessité d'acheter à l'étranger la majeure partie des produits fabriqués.

Le premier plan économique hongrois (plan triennal, réalisé en fait en deux ans et cinq mois), plan de remise en état du pays et de restauration de ses principaux instruments de production comme tous les plans de transition mis en application dans la première phase de l'économie des démocraties populaires, avait déjà pour objectif de préparer les conditions d'une industrialisation de la Hongrie.

Le plan quinquennal 1950-1954 a été délibérément conçu comme un plan d'industrialisation :

ARTICLE PREMIER. — Les tâches principales que doit accomplir le plan quinquennal sont les suivan'es :

1. Accélérer l'industrialisation de la Hongrie, et en premier lieu développer l'industrie lourde et la construction mécanique, condition essentielle du développement de l'industrie

légère, de la mécanisation de l'agriculture et de son organisation socialiste, enfin de la modernisation des transports. Condition essentielle également pour que le niveau économique et culturel du peuple continue à s'élever, pour que la consolidation de notre État populaire et de notre indépendance nationale soit assurée ; en un mot, essentielle à la construction du socialisme dans notre pays... »

LES OBJECTIFS NUMÉRIQUES

A) *Production d'énergie et de matières premières de base*

		1949	1954
Charbon et lignite	(en millions de tonnes)	11,5	18,5
Pétrole	—	1	1,5
Énergie électrique	(en millions de kWh.)	2.200	4.270
Fer brut	(milliers de tonnes)	482	960
Acier	—	890	1.600
Ciment	—	400	1.000
Engrais	—		500

B) *Production de quelques industries de transformation*

Tracteurs	(unités)	2.600	4.600
Wagons et autorails	—	4.850	10.000
Camions	—	3.200	9.000
Motocyclettes	—	12.000	23.000
Filés de coton	(tonnes)		15.900
— laine	—		4.200
— lin et chanvre	—		2.200
Tissus de coton	(millions de mètres carrés)		91
— laine	—		10,9
— soie	—		4,4
Complets d'homme	(en milliers)		1.582
Pneus d'automobile	—		107,5
— de bicyclette	—		1.400

Ces chiffres n'intéressent que quelques branches d'industrie et n'ont d'utilité que pour définir un ordre de grandeur et des rythmes d'accroissement. L'effort industriel est caractérisé, plus encore que par des variations quantitatives, par la diversité des branches d'activité et de fabrication auxquelles il s'applique. Il s'agit, en effet, de créer un système industriel complet, assurant la modernisation du pays, la desserte des besoins les plus divers de la population, l'équipement et la mécanisation de l'agriculture. Parallèlement, s'ouvrent des usines d'outillage industriel, des fabriques de machines agricoles, des usines de tissage et des fabriques de chaussures, des papeteries, des imprimeries. Les vieilles industries de transformation des produits agricoles, les seules qui aient été naguère diffuses dans le pays, sont rééquipées.

L'industrialisation apparaît comme une des conditions de l'accroissement de la productivité de l'agriculture à qui est tracée une double tâche : augmenter le volume des productions traditionnelles et développer de nouvelles cultures.

PRÉVISIONS D'ACCROISSEMENT DE CERTAINES CULTURES

	1938	1954
Blé	12 qx/ha.	15 qx/ha.
Betteraves à sucre	170 —	225 —
Luzerne	31 —	43 —

PRÉVISIONS D'ACCROISSEMENT DU CHEPTEL

	1938	1954
Bovins	1.882.000	2.400.000
Porcs	5.200.000	6.000.000

L'accroissement prévu est à la fois quantitatif et qualitatif, notamment pour l'élevage qui repose sur une politique systématique de développement des races les plus productives.

Parmi les cultures nouvelles, celle dont le développement doit être le plus rapide est celle du coton (1954, 50.000 ha.). Les travaux d'irrigation sont destinés d'autre part à augmenter notamment la récolte de riz (environ 100.000 ha. de terres à irriguer en cinq ans).

L'exécution du plan, outre les opérations d'investissements, les tâches d'organisation et le dévouement civique qu'elle requiert, impliquent une importante redistribution de la main-d'œuvre et un appel à toute la force de travail d'une nation qui comptait avant la guerre de nombreux chômeurs virtuels dans les régions de surpeuplement agricole, et souvent des chômeurs effectifs à Budapest et dans les villes, où la force de travail était dans l'ensemble très mal rémunérée.

3° Du surpeuplement rural à la nécessité d'un accroissement démographique.

La population de la Hongrie (étudiée dans les limites de l'actuelle République hongroise) s'est accrue d'une manière constante jusqu'à la deuxième guerre mondiale. Cet accroissement procède d'une très forte natalité, compensant les effets d'une mortalité infantile statistiquement élevée (183 en 1932), bien que les déclarations de naissance aient souvent été collationnées avec un retard de quelques mois, faisant disparaître la mortalité du premier mois. Après la première guerre mondiale, un reflux des Hongrois résidant dans les anciennes provinces de l'Empire Habsbourg vers le nouvel État national est venu soutenir cet accroissement naturel. De 1869 à 1941, la population de la Hongrie a augmenté de près de 100 %, passant de 5 millions à plus de 9 millions.

Or, pendant la même période, le revenu national n'a augmenté que dans des proportions beaucoup plus faibles, et les bénéfices de cette augmentation n'ont intéressé que des effectifs très limités de la population hongroise : nouvelle bourgeoisie commerçante et industrielle. Le niveau de vie du plus grand nombre a donc souffert de l'accroissement démographique. Dans les régions rurales les plus chargées d'hommes, où l'augmentation de population se traduisait par l'accroissement des effectifs des paysans sans terre, journaliers à l'emploi incertain, l'émigration a été un régulateur de l'accroissement de population : les chiffres d'effectifs de Hongrois résidant en Hongrie n'expriment qu'une partie de l'augmentation réelle de la nation.

La Hongrie était considérée, entre les deux guerres, comme un pays surpeuplé, et, spécialement dans les villes, la tendance générale était à la réduction volontaire du nombre des naissances. La natalité a baissé plus rapidement en Hongrie que dans les pays slaves et roumain voisins à partir de la fin du xixe siècle. En 1938, le taux brut était de 19,5 seulement (pour une mortalité infantile de plus de 120 %), et l'accroissement naturel apparaissait sérieusement freiné. Le développement naturel était d'autre part perturbé par les effets de la première guerre mondiale réduisant en particulier le nombre des jeunes ménages de 20 à 25 ans (individus nés entre 1914 et 1919). La seconde guerre mondiale a frappé durement la population de la Hongrie : 420.000 morts au combat et dans les camps de déportation (plusieurs centaines de milliers de Juifs notamment) et près de 200.000 naissances en moins, soit un déficit total de population de 600.000. En 1949, la population totale était de 9.204.799 habitants.

Malgré des retours de Hongrois résidant hors des frontières de la Hongrie : Hongrois de Slovaquie (une partie de ceux-ci seulement d'ailleurs est venu prendre la place de Slovaques rentrés en Tchécoslovaquie en 1946-1947), d'Autriche, et des collectivités de travailleurs émigrés en Europe occidentale au début du xxe siècle, la Hongrie s'est brusquement trouvée pour la première fois en présence d'un besoin d'hommes pour assurer la transformation de son économie. L'exécution du plan quinquennal requiert l'incorporation dans le secteur industriel de 650.000 nouveaux travailleurs, aux titres divers d'ouvriers, de techniciens et d'employés (1).

Le dégagement des effectifs nécessaires est amorcé par les transformations de l'agriculture. Cependant, les premières conséquences de la réforme agraire ne sont pas spécifiquement favorables au glissement de la population rurale vers les secteurs industriels. En effet, la réforme agraire a eu pour premier effet de réduire le nombre des paysans sans terre en répartissant les terres des latifundia entre les ouvriers agricoles et les très petits propriétaires paysans. Les journaliers des campagnes, qui constituaient 19,3 % de la population active en 1930, n'en représentent plus que 6,5 en 1949. De même, la proportion des paysans possédant moins de 57 a. est tombée de 4 % à 1,8 % et, en compensation, celle des propriétaires de 2 à 15 ha. est passée

_____

(1) La première approximation avait été de 450.000. L'accélération de l'effort industriel a conduit à réévaluer les besoins de main-d'œuvre.

de 11,6 % à 27 %. Il s'agit donc, dans l'immédiat, d'une stabilisation de la population agricole à un niveau de vie supérieur à celui d'avant-guerre. Il demeure assurément possible d'alléger la charge humaine des campagnes en élevant encore le niveau de vie rural, par la rationalisation et l'équipement du travail agricole. C'est un des objectifs de la politique agricole présente. Mais on considère que les réserves de main-d'œuvre ainsi représentées par les excédents de travailleurs des campagnes par rapport aux effectifs rationnels ne sauraient suffire à alimenter les besoins de l'économie nationale dans toutes ses formes d'activité. Les effectifs des travailleurs de l'industrie ont augmenté de 500.000 unités en 1949 par rapport à 1930. En 1954, ils seront supérieurs de plus de 1 million à ceux de 1930.

Dans ces conditions, un accroissement naturel accru est fortement désiré et favorisé. Le taux brut de natalité est actuellement voisin de 30 et l'accroissement naturel annuel (d'autant plus sensible qu'une politique sanitaire vigilante réduit la mortalité infantile — abaissée de 30 % en 1949 par rapport à 1938) est passé à 8 $^o/_{oo}$ en 1950 et a dépassé 10 en 1951. La population totale de la Hongrie était en 1951 de 10 millions d'habitants et est appelée à s'accroître d'une centaine de milliers d'individus chaque année, les retours qui ont accéléré cet accroissement entre 1948 et 1951 pouvant être considérés comme achevés à la fin de l'année 1951.

B) L'INDUSTRIALISATION

L'industrialisation de la Hongrie est définie par quelques caractères essentiels : le développement de la production énergétique, la création ou l'accroissement considérable des industries de base (sidérurgie, métallurgie), l'essor des industries d'équipement et des industries légères, la diffusion de la fonction industrielle dans l'ensemble du pays (politique rationnelle de l'implantation des industries).

1º Le développement des industries lourdes.

Dans l'affirmation de la vocation agricole de la Hongrie s'associaient jadis des postulats négatifs autant que des appréciations positives. La Hongrie était décrite comme pays dépourvu de ressources de base susceptibles d'appuyer une industrialisation, et notamment de ressources énergétiques. Elle ne peut certes pas rivaliser avec des pays mieux doués sur le plan des réserves exploitables, mais il ne s'agit actuellement que d'assurer les conditions de départ d'une économie moderne conforme aux besoins de l'équipement national et à la desserte de la consommation. Et ces conditions sont remplies par la présence de gisements importants de lignite et de charbon à l'échelle d'une génération, sinon à celle d'un siècle ou d'un millénaire. L'économie hongroise doit donc s'organiser à la fois en fonction de l'utilisation immédiate des ressources énergétiques nationales et en considération des systèmes de coordination et d'échanges établis dès à présent et susceptibles d'être complétés et renforcés dans l'avenir. Elle est, de ce fait, caractérisée par une exploitation accélérée des ressources énergétiques et minérales nationales allégeant les charges de la dette publique résultant d'importations qui ne peuvent pas encore être compensées par les ventes massives de produits industriels destinées à équilibrer dans l'avenir les achats de produits de base. Le choix des implantations industrielles s'inspire de la double considération de la localisation rationnelle en fonction de l'utilisation des ressources nationales et des dispositifs de transport permettant de combiner l'utilisation des matières premières hongroises avec le recours aux livraisons demandées à des partenaires commerciaux.

Les objectifs du plan quinquennal ont été réévalués à la fin de l'année 1950 en tenant compte de l'accroissement des possibilités de réalisation et de la pression de la demande. Il est apparu nécessaire d'accroître la production de lignite et de houille et d'accélérer l'équipement des industries lourdes. L'extraction de combustibles solides a été portée, en 1954, à 20 millions de tonnes, représentant un pouvoir calorifique équivalent à celui de 10 millions de tonnes de charbon environ. Un effort particulier est demandé aux gisements de charbon de Pecs et de Komlo (où s'édifie une nouvelle ville de mineurs de près de 15.000 habitants) susceptibles de fournir des charbons maigres et des charbons à coke. Les cokeries traitant des combustibles nationaux sont en construction à Pecs et à Sztalinvaros (Dunapentele). D'autre part, des combinats industriels locaux et des centrales thermiques sont fondés sur l'utilisation rationnelle des lignites et charbons à maigre pouvoir calorifique du revers nord-ouest des monts Bakony et des monts Vertes (gisements de Dorog, Toksol, Tatabanya) et de ceux de la Haute-Hongrie (Salgotaryan, Borsod et Miskolc). L'accroissement rapide de la production repose sur un équipement rationnel de l'exploitation par la mise en service de machines importées d'Union soviétique, de Tchécoslovaquie, de Pologne, et par l'application des progrès techniques réalisés par les innovateurs hongrois (concours et exposition annuelle des innovateurs, comportant en particulier des perfectionnements techniques nombreux dans l'industrie minière). L'industrie hongroise fabrique également en quantités de plus en plus grandes du matériel mécanisé pour les mines. D'autre part, l'utilisation la plus judicieuse des combustibles vise à un rendement énergétique aussi élevé que possible des disponibilités de base.

PRODUCTION DES COMBUSTIBLES SOLIDES
(en millions de tonnes)

1938	9,3	1949	11,5
1945	4,3	1951	15
1946	6,3	1954	20

RÉPARTITION DE LA PRODUCTION SUIVANT LES BASSINS
ET SUIVANT LE POUVOIR CALORIFIQUE DU COMBUSTIBLE

Dorog, Pills, Tatabanya	(4.500 à 5.000 calories)	28 %
Mor	—	20 %
Ajka-Varpalota	(Moins de 4.500 calories)	15 %
Pecs, Komlo	(6.500 à 7.000 calories)	10 % (1)
Salgotaryan	(Moins de 4.500 calories)	8 %
Diosgyör	—	18 %

Les combustibles de médiocre qualité seront utilisés sur place et absorbés pour une large part par des centrales électriques. Un réseau de 850 km. de lignes à 100.000 volts, complétant le dispositif existant en 1950, est en cours d'établissement. Les centrales construites au cours de la période du plan triennal et édifiées au titre du plan quinquennal sur les gisements de combustibles solides sont situées à Ajka, à Banhida (près de Tatabanya) et dans les monts Matra (lignites du bassin de Salgotaryan). Les autres grandes centrales thermiques se trouvent dans les régions industrielles de Györ, à Budapest-Csepel, et à Miskolc. Deux grandes usines ont été achevées en 1951 et 1952, celle d'Inota-Varpalota, mise en service le 7 novembre 1951, et celle de Kazinctarcika (département de Borsod). C'est aux centrales thermiques que sera demandée la presque totalité de l'énergie électrique consommée en 1954 (4.300 millions de kWh.). Cependant, la construction d'usines hydroélectriques est entreprise sur la Raba (les premières génératrices de l'usine d'Ikervar ont été mises en service fin 1951), et surtout dans le bassin de la haute Tisza (Gibort, Felsödobsza, sur le Hernad, Tiszalök et Tiszaluc sur la Tisza).

La construction du barrage de Tiszalök. — Le barrage de Tiszalök est la première grande réalisation hydrotechnique et hydroélectrique de l'actuelle campagne de grands travaux d'aménagement hongrois. Le chantier a été ouvert avec de gros moyens mécaniques à l'ouest de Debrecen. Les infrastructures des installations ont été établies à une centaine de mètres du cours actuel de la Tisza, la mise en eau ne devant être effectuée qu'à la dernière phase des travaux. Le barrage comporte trois grandes portes à ventelles métalliques de 37 m. de largeur chacune. Il élèvera le niveau des eaux de 9 m. en amont et comportera un ascenseur à bateaux pour unités de 1.000 t. ; des prises d'eau d'irrigation accroîtront les disponibilités de l'Hortobagy. Une petite centrale électrique fournira 55 millions de kWh. destinés à l'électrification des campagnes environnantes et de quelques installations industrielles. La superficie des terres rendues utilisables par l'exécution des travaux sera de 120.000 ha. L'eau a atteint l'usine et la production a commencé en 1953.

Le bilan énergétique de la Hongrie comporte l'utilisation des combustibles liquides et des gaz naturels exploités dans trois régions différentes. La plus productive est celle de Lispe, Lovaszi, Hahot, à l'ouest de l'extrémité occidentale du lac Balaton. Elle est réunie par pipe-line aux raffineries de Szöny et de Almasfüzitö (au bord du Danube, près de Komarom), de Pet (Szekesfehervar) et de Budapest. Une centrale thermique utilise les gaz

(1) Le gisement de Pecs et de Komlo est le seul gisement de houille.

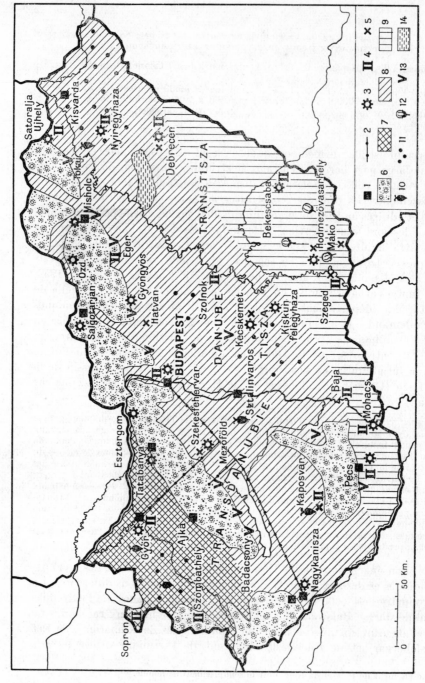

Fig. 70. — **Carte économique de la Hongrie**

1. Industries extractives et industries lourdes. — 2. Pipe-line. — 3. Construction des machines. — 4. Industries textiles et industries du cuir. — 5. Industries alimentaires. — 6. Forêts. — 7. Culture céréalière à blé dominant. — 8. Blé et seigle. — 9. Blé et maïs. — 10. Betteraves à sucre. — 11. Pommes de terre. — 12. Coton. — 13. Vignobles et vergers. — 14. Rizières.

naturels de Lovaszi. A la différence de la région de Lispe, celle de Debrecen ne fournit que du gaz naturel (Debrecen, Hadjuszoboszlo, Hortobágy, Biharnagybajom, Karcag). Enfin, des gaz et des huiles minérales sont extraits en plus petites quantités dans la Haute-Hongrie (Barcika, Bükkszek). La production totale de pétrole brut est de l'ordre de 1 à 1,5 million de tonnes.

L'industrie métallurgique doit répondre à deux sollicitations : couvrir les besoins de l'équipement national en produits industriels à base de fer et d'acier, utiliser dans les meilleures conditions les richesses nationales en bauxite. Les deux branches portées en flèche sont donc la sidérurgie et les diverses fabrications employant de la fonte et de l'acier, et l'industrie de l'aluminium.

Avant la guerre, les principales aciéries hongroises étaient à Csepel (Budapest), à Pest et à Györ. La Hongrie doit produire, en 1954, près de trois fois plus d'acier qu'en 1938 : 1,6 million de tonnes, contre 647.000 t. Cet accroissement de production s'accompagne d'une redistribution géographique de l'industrie sidérurgique. Diverses installations sont équipées près des mines de fer du Nord-Est, à Özd, Salgotaryan et Miskolc-Diosgyör ; les établissements de Csepel, de Györ et de Pecs sont modernisés. Mais l'essentiel de la production sera demandé à brève échéance à un centre métallurgique entièrement nouveau, construit de toutes pièces au bord du Danube, à l'emplacement du petit village de pêcheurs de Dunapentele, appelé, depuis novembre 1951, *Sztalinvaros* (ville Staline). Il s'agit d'un combinat d'une capacité de puissance de 1,1 million de tonnes d'acier comportant hauts fourneaux, fours Martin, cokeries, centrales électriques, industries chimiques et céramiques. A la fin de 1952, la ville nouvelle groupait déjà 40.000 habitants. Un port fluvial est aménagé dans une île du Danube et relié aux installations industrielles par transbordeur enjambant le bras du fleuve.

Le choix de cet emplacement pour la fondation du principal centre sidérurgique hongrois procède du désir d'employer sur place les disponibilités de main-d'œuvre rurale de l'Alföld et d'utiliser la capacité de transport du Danube. Actuellement, une partie du coke est attendu du traitement des charbons de Pecs et de Komlo. Le développement de la navigation du Danube, relié à la Silésie par le canal de Moravie, ouvre pour un avenir de dix à quinze ans de larges prespectives de desserte du nouveau combinat. Celui-ci est à 50 km. de Budapest et à peu près à la même distance des centres de traitement de l'aluminium de la région de Szekesfehervar.

Les principaux centres d'extraction de la bauxite sont groupés entre Tatabanya et Kesthely à l'ouest de Szekesfehervar : Gant, Szöcz, Iszkaszentgyörgy, Halimba, Nyirad, Alsoperepuszta. Isolément, les chantiers de Nagyharsany produisent également de la bauxite au sud de Pecs. La production d'aluminium était de quelques milliers de tonnes seulement avant la guerre (11.000 t. en 1944, pendant l'occupation allemande). La part de bauxite retenue par l'industrie nationale était négligeable (production moyenne des dernières années précédant la deuxième guerre mondiale : 600.000 t., en 1943, 900.000 t.). L'objectif du plan quinquennal est de réaliser une capacité de traitement de 400.000 t. de bauxite par an. Les plus grandes usines sont situées à Ajka où le courant est fourni par la centrale thermique employant le lignite local et, dans les mêmes conditions, à Tatabanya et à Felsögalla.

La métallurgie de transformation continue à tenir une place de premier ordre dans le grand Budapest, notamment à Csepel et à Ujpest. Des usines importantes existent également à Györ, Esztergom, à Salgotaryan, Özd, Miskolc, Kecskemet, Pecs, Nagykanisza, Kiskunfelegyhaza, Szekesfehervar, Gyöngyös, Hodmezövasarhely, Satoralja Ujhely, Debrecen, Nyiregyhaza, Mohacs. Une très grande diversité de fabrications associe la production du matériel de chemin de fer, des camions et des automobiles, des tracteurs, des machines agricoles, de l'outillage industriel lourd et léger, aux industries très spécialisées de la fabrication du matériel de précision, de la petite mécanique, des appareils électriques, du matériel de radio. L'équipement des ateliers et des usines de diverses spécialités a été accéléré et facilité par l'importation d'outillage soviétique.

Les industries chimiques connaissent également un essor rapide. Concentrées surtout à Budapest et entre Budapest et Györ (Veszprem), elles traitent les sous-produits du coke, les lignites, produisent des engrais azotés, des superphosphates, de la soude caustique, des produits gras, du savon, des matières plastiques, des fibres synthétiques, des colorants, des produits pharmaceutiques. Un nouveau combinat est en construction à Kazinctarcika (département de Borsod).

2° Les industries légères.

Les plus anciennes des industries légères hongroises sont les industries alimentaires : sucreries et raffineries de sucre, minoteries, brasseries, distilleries, conserveries et confiseries, manufactures de tabac, etc. Ces industries étaient et restent dispersées dans les villes de la Transdanubie et de l'Alföld. Leur production s'accroît, favorisée notamment par la modernisation et la mécanisation des anciennes installations. Chaque ville garde jalousement la réputation d'une spécialité alimentaire (sucreries et confiseries au miel de Hatvan, de Kaposvar, fabriques de poudre de paprika de Szeged, alcools de fruits (Barack), de Kecskemet, etc.).

L'industrie textile et l'industrie du cuir sont appelées à un développement parallèle, lié à la diffusion des fabrications dans les régions rurales. Si le grand Budapest rassemble toutes les formes de travail des fils et des tissus, jusqu'à la bonneterie et aux industries de la confection, le coton est travaillé à Sopron, Szombathély, Kaposvar, Mosonmagyarovar, Györ, Papa, Baja, Mohacs, Bekecsaba, et surtout à Szeged où a été construit un combinat textile entièrement neuf avec un matériel à haute productivité fourni par l'Union soviétique. Szeged travaille également la soie, la rayonne, le lin, le chanvre, et se classe ainsi comme le second centre d'industrie textile hongrois. Les confections sont fabriquées à Budapest, Zalaegerszeg, Debrecen, les bas à Nyiregyhaza. Le cuir est traité à Debrecen, Szolnok, Marfü, Pecs, et naturellement dans le grand Budapest.

Industries anciennes et industries nouvelles. — Les vieilles industries de la poterie campagnarde et de la céramique d'art se reclassent dans l'effort industriel contemporain. La mécanisation permet d'accroître le rythme de production des articles courants, mais la conservation des types et des qualités de fabrication folklorique et artistique est la source d'une production de luxe expressive de traditions régionales et appelée à alimenter des courants d'exportation. Les ateliers des monts Matra, des Bakony, ceux de Hodmezövasarhely, de Szentes — aux tons noirs — rivalisent avec la céramique industrielle de Pecs.

La verrerie revêt surtout des formes techniques à Csepel, dans le bassin de Tatabanya, dans ceux de Salgotaryan et de Miskolc.

Dans les fabrications textiles, les procédés industriels s'associent à la conservation des thèmes nationaux et régionaux de décoration et à la conservation de formes de travail artisanal (individuel ou coopératif). Broderies, dentelles, tapisserie trouvent leur place dans une économie modernisée et contribuent, par la haute valeur de leurs productions, à en favoriser le développement.

L'industrie du cuir a été orientée vers l'adaptation aux besoins actuels et aux formes de fabrication les plus aptes à offrir des produits d'échange. De la même manière, les industries du bois et du papier ont été considérablement développées sur la base de procédés et de perspectives nouvelles. Les papeteries de Budapest, Csepel, Szentendre, Szolnok, Diosgyör, Füzfö, sont rééquipées pour traiter le plus possible de matières premières nationales : paille, roseaux, tiges de maïs. Leur tâche est en même temps de doubler la production par rapport à 1938 avant la fin du quinquennat.

Toutes les branches de fabrication d'un État industriel moderne sont créées ou développées. La Hongrie offre à l'acheteur étranger des machines industrielles, toute la gamme des produits de l'industrie de l'optique, du matériel chirurgical, de l'équipement ménager, de l'horlogerie, du matériel de laboratoire, de l'orfèvrerie, des films.

Le bâtiment et les travaux publics. — Le très gros effort de construction d'établissements industriels, la restauration des ouvrages d'art détruits par la guerre, les ponts de Budapest notamment, la construction de nombreux quartiers résidentiels dans tout le pays, mobilisent une fraction importante de la main-d'œuvre sur les chantiers de travaux publics et de construction. Des quantités considérables de matériaux sont nécessaires et ont déterminé la création de cimenteries, de briqueteries, de tuileries, d'usines de construction de charpente, de fabrication d'éléments préfabriqués. La présence des matières premières a localisé la majeure partie de ces usines dans les régions accidentées de la dorsale hongroise.

3º La géographie industrielle.

L'exécution du programme de constructions industrielles inclus dans le plan quinquennal comporte la mise en service de 263 usines nouvelles (établissements miniers 21, usines métallurgiques 35, usines de produits chimiques 38, centrales électriques 20, usines textiles 20, fabriques de vêtements 20, usines de chaussures 2, établissements travaillant le bois et le papier 12, usines traitant des produits agricoles 71, fabriques de matériaux de construction 29, etc.).

Si certaines localisations sont imposées par les conditions naturelles, une assez large latitude était laissée aux planificateurs par les considérations de rentabilité économique pour la détermination de l'emplacement des nouveaux établissements industriels.

Deux idées générales les ont guidés : associer matériellement et géographiquement dans tout le territoire les activités industrielles aux activités agricoles traditionnelles, permettre dans la mesure du possible l'utilisation régionale des excédents de main-d'œuvre rurale, en limitant les déplacements de population accompagnant les mutations professionnelles à des déplacements locaux (concentration urbaine dans le cadre de la circonscription administrative). La structure de l'habitat en grosses agglomérations de 10 à 50.000 habitants et plus, où s'accumulaient jadis les paysans sans terre, se prête à cette diffusion de l'industrie dans les grands centres provinciaux. Elle n'en appelle pas moins l'ouverture de chantiers de construction dans toutes les villes, tant pour abriter les nouvelles installations industrielles que pour loger, suivant des normes modernes, la nouvelle population industrielle.

Si un axe de densité industrielle s'identifie avec les versants de la dorsale hongroise, l'industrie pénètre de plus en plus dans le centre de la Transdanubie et dans l'Alföld. Parmi les villes nommément désignées pour recevoir un fort apport industriel au cours du quinquennat, on peut signaler : Szeged, qui est en train de devenir un grand centre textile de l'Europe centrale, Debrecen, Hodmezövasarhely, qui, outre ses traditionnelles fabriques de produits alimentaires et de poteries, devient centre de polyindustrie avec des usines de mécanique et de filature, Bekecsaba, Mako, Szolnok, Kecskemet, Eger, Szekesfehervar, Szombathély, Veszprem, Nyiregyhaza, Gyöngyös, Szekszard.

Cependant, Budapest demeure une grande métropole industrielle où toutes les branches de fabrication de l'industrie nationale sont représentées. Il s'oppose par la diversité de ses activités aux nouvelles créations spécialisées, comme Sztalinvaros ou les métropoles de l'aluminium.

Au début de 1953 ont été rendus publics les objectifs provisoires du deuxième plan quinquennal. L'accent était mis encore sur le développement des industries lourdes : on envisageait une production de combustibles solides de 40 à 50 millions de tonnes, une production d'acier de 3,4 à 4 millions de tonnes, une production de courant électrique de 10 à 12 milliards de kilowatts-heure.

Mais l'effort exigé pour atteindre ces objectifs est apparu excessif pour une période aussi courte et la concentration de l'essentiel des investissements sur l'industrie lourde nuisible au développement également indispensable de l'agriculture et des industries de biens de consommation. Envisagé dans le cadre du développement simultané des pays de démocratie populaire et de l'Union soviétique, celui de la République hongroise ne saurait s'inspirer d'une quelconque recherche d'autarcie économique qui dépasserait les possibilités du pays.

Une modification importante de l'orientation économique est intervenue en juillet 1953. Si la réalisation des objectifs du premier plan quinquennal est demeurée le but des efforts développés au cours des années 1953 et 1954, sous réserve de quelques réductions apportées aux majorations quantitatives décidées en 1951 par rapport au texte initial du plan, l'Office du plan est chargé d'assurer le glissement d'une partie importante des investissements du secteur des industries lourdes vers ceux des industries légères et de la production agricole. La reconsidération des prévisions du commerce extérieur comportant une modification des importations en provenance des pays capables de fournir des instruments de production (Union soviétique, Pologne surtout) est partie intégrante de cette reconversion.

On peut donc considérer les objectifs quantitatifs du premier plan quinquennal hongrois comme un seuil provisoire de stabilisation dans le domaine des industries lourdes, tandis qu'au contraire ils ne constituent qu'une étape dans le processus ascendant des industries légères.

Cette reconversion de l'économie nationale doit avoir des effets profonds sur le développement de l'agriculture, en permettant l'augmentation considérable des investissements consentis dans ce domaine. Elle s'accompagne d'un assouplissement de la politique agraire.

C) L'AGRICULTURE

1° Structure agraire et structure sociale.

Les latifundia, qui représentaient encore à la veille de la deuxième guerre mondiale plus de 20 % de la propriété foncière (1,8 million d'hectares), ont été lotis en application de la réforme agraire. Plus d'un demi-million de paysans ont reçu des attributions, soit à titre de complément de très petites propriétés, soit sous forme de dotations à des paysans sans terre. Le plan parcellaire en a été profondément modifié et une nouvelle hiérarchie sociale rurale s'est trouvée réalisée.

LA PROPRIÉTÉ FONCIÈRE EN 1935 ET EN 1949

Nature et superficies des propriétés	1935 (1)		1949	
	Nombre de propriétaires (en %)	Superficie (en %)	Nombre de propriétaires (en %)	Superficie (en %)
Plus de 115 ha.	0,2	42	néant	néant
De 27 à 115 ha.	1	11	0,5	3,3
– 13,5 à 27 –	10	27	2,2	6,4
– 5,7 à 13,5 –			16,4	20,5
– 2,9 à 5,7 –	63	19	27,6	17,7
Moins de 2,9 ha.			53,3	10,4
Micropropriétaires et paysans sans terre	25,8	1		
	100	100	100	58
Propriétés de l'État et des coopératives :				
Forêts et pâturages				21
Fermes d'État et coopératives				7,2
Improductif (terrain bâti, routes, étangs et lacs).				13,6
				100

(1) D'après A. KEZ, G. MARKOS, M. PECSI, G. SZUROVY, *Magyarorszag Földrajza*, Budapest, 1950, p. 173.

Un sixième environ du sol cultivé est détenu par des paysans riches disposant de plus de 10 ha. en moyenne. Le nombre des journaliers agricoles et des très petits propriétaires paysans a été réduit de près des deux tiers (environ 200.000 familles en 1949 contre plus de 500.000 en 1938). Depuis 1949, l'industrie a absorbé les disponibilités de main-d'œuvre rurale, dans les conditions actuelles d'exploitation du sol. Le paupérisme agraire a disparu, mais la structure sociale à la campagne demeure différenciée.

L'État apporte une aide systématique à la petite exploitation paysanne. Cette aide était d'autant plus nécessaire que l'opposition entre les paysans riches et les petits propriétaires ne se bornait pas à une différence des surfaces exploitées. Beaucoup d'allocataires de la loi agraire n'avaient aucun cheptel, presque pas de matériel de culture, et ne disposaient d'aucune avance. La politique agricole a pour premier objectif d'assurer la viabilité de toutes les petites exploitations paysannes, et de mettre à leur portée des moyens de travail au moins égaux à ceux des paysans riches. Elle doit, ensuite, réduire progressivement les privilèges de fait des gros propriétaires paysans, et assurer l'élévation du niveau de vie des travailleurs des campagnes. Il s'agit donc de rendre ceux-ci capables d'accroître sensiblement le rendement de la surface cultivée et du travail. Le texte du plan et les thèses officielles insistent sur le fait que ce résultat doit être atteint par la transformation progressive et volontaire de l'exploitation de la terre en exploitation socialiste. Celle-ci ne peut être réalisée que lorsque l'ensemble des campagnes disposeront des moyens techniques permettant de la pratiquer utilement, et une fois que la réalité de sa supériorité économique et sociale sera reconnue par la grande majorité des paysans.

Il s'agit donc, au cours des premières années d'économie planifiée, de généraliser l'usage du matériel moderne, et de faire dans les diverses régions la démonstration de l'efficacité du travail organisé par grandes unités d'exploitation au point de vue de la productivité et de la répartition des revenus entre les travailleurs des champs. En outre, les besoins généraux de l'économie nationale en produits alimentaires et en matières premières d'origine végétale tracent la voie de certaines initiatives.

2º L'équipement rural et l'organisation du travail.

L'équipement rural, qui se confond avec l'aide aux paysans pauvres, repose sur l'octroi de crédits publics à la petite propriété paysanne, lui permettant d'acquérir cheptel vif, matériel indispensable, semences et engrais, sur l'électrification des campagnes et sur la fabrication accélérée d'outillage agricole. Mais il revêt, en partie, des formes spécifiques de l'économie de transition entre exploitation individuelle et organisation socialiste du travail à la terre. La principale est la création de stations de machines et de matériel motorisé, et de haras assurant la reconstitution du cheptel dans les meilleures conditions.

La fondation de stations de machines libère les paysans pauvres de l'obligation d'emprunter du matériel et des bêtes de travail au koulak. Elle les habitue, en même temps, à l'usage d'instruments modernes et les incite à organiser leur travail de manière à employer rationnellement les machines. En invitant au remembrement, elle ouvre la voie à la constitution de coopératives de travaux et de production.

Du printemps 1947 au printemps 1952, 365 stations ont été ouvertes sur l'ensemble du territoire hongrois. Il doit en exister 500 au 1er janvier 1955, et le matériel de chacune doit être enrichi en quantité et en diversité. Chaque station comporte, outre un parc de tracteurs et de machines de tous ordres, un stock de menu outillage spécialisé pour l'arboriculture, le nettoyage des étables, le débitage du bois, etc., des ateliers et un centre de formation professionnelle de conducteurs de machines et de mécaniciens (1). Il s'agit d'une véritable organisation couvrant tout le pays et employant plusieurs dizaines de milliers de spécialistes (60.000 en 1954). Le matériel est loué à tout paysan en ayant légitimement besoin. Les coopératives et les paysans pauvres bénéficient de délais pour régler les indemnités de location.

Il existe une évidente disproportion entre le rayon d'action et les conditions d'emploi d'une grande partie du matériel et les dimensions de la petite exploitation paysanne, généralement morcelée. Le paysan est, par ailleurs, plus ou moins ignorant de l'efficacité du matériel mis à sa disposition. Mieux que les informations qui lui sont fournies par les moyens appropriés (presse, radio, cinéma, conseillers agricoles), l'exemple de fermes-pilotes contribue à la réalisation de la révolution technique et à la préparation de la révolution sociale qui en découle.

Comme en Pologne et en Tchécoslovaquie, ce rôle est dévolu aux fermes d'État. En décembre 1952, celles-ci couvraient environ 600.000 ha. Elles ont pour mission de réaliser la meilleure mise en œuvre des techniques agricoles modernes, d'introduire les méthodes comptables dans l'exploitation agricole, de former des spécialistes, de constituer des pépinières, des haras, des champs de sélection et de production de semences. Certaines d'entre elles ont obtenu dès le début des résultats très démonstratifs : en 1950, la ferme d'État de Mariamajor (département de Fejer, canton de Szekesfehervar, a obtenu un rendement moyen de 30 qx de blé par hectare contre moins de 16 dans les exploitations privées du département. Celle de Bernatkut (même département, canton d'Adony), 28,5 qx contre 15, celle de Szerencs (département de Borsod, canton de Szerencs) 30 qx pour le blé, 29 pour le seigle, alors que le rendement moyen départemental était de 15 pour le blé et de 14 pour le seigle (année de récolte moyenne).

(1) En 1952, les stations de machines et tracteurs disposaient de plus de 15.000 tracteurs, d'environ autant de batteuses, de 3.000 moissonneuses, d'un peu moins de 200 moissonneuses-batteuses, etc.

Il est d'ailleurs nécessaire de distinguer les fermes d'État de type ordinaire des fermes expérimentales et stations d'essai qui ont plus précisément un rôle de recherches agronomiques. Ces dernières étaient au nombre de 21 à la fin de la campagne agricole de 1951, couvrant chacune de 500 à 1.500 ha. Généralement, chacune d'elles est spécialisée dans une recherche déterminée : la station expérimentale de sélection et d'acclimatation du coton de Szentes, par exemple.

La constitution des coopératives a débuté lentement, surtout à partir de 1948-1949. Les résultats obtenus par les coopératives ont été immédiatement supérieurs à ceux de la petite propriété paysanne, malgré les conditions difficiles du travail : inexpérience, nécessité de travailler des terroirs dispersés se prêtant mal à un bon rendement des machines, en raison de l'abstention d'un nombre plus ou moins élevé des paysans du village où la coopérative s'était constituée. En 1949 et 1950, les récoltes des coopératives ont été de 15 à 25 % supérieures à celles des petites exploitations. Le mouvement s'est progressivement étendu : à la fin de 1949, 200.000 ha. étaient cultivés par 1.500 coopératives, rassemblant 40.000 anciennes exploitations familiales. En 1950, il en existait 2.272 couvrant 450.000 ha. et groupant 140.000 membres. En décembre 1952, 5.315 coopératives de production agricole, réunissant 318.500 familles, exploitaient 1.254.000 ha. (non compris les 60.000 ha. affectés aux économies familiales des membres des coopératives). Ces coopératives travaillent environ le quart des terres labourables. L'élevage est demeuré, jusqu'au début de l'année 1953, occupation essentiellement individuelle, soit que les principaux éleveurs demeurent en dehors des coopératives, soit que les animaux restent inclus dans l'économie familiale des membres de chaque coopérative. L'élevage collectivisé ne portait à cette date que sur moins de 200.000 bêtes à cornes et de 300.000 moutons. Les dimensions et le terroir des coopératives varient suivant les lieux et suivant les conditions de développement de la coopérative. Quand tous les propriétaires d'un village sont entrés dans la coopérative, son terroir se confond avec celui du village ; c'est ainsi que près de 400 coopératives travaillent plus de 500 ha. chacune. Mais il arrive encore fréquemment qu'une partie seulement des paysans soient groupés : le terroir coopératif est alors inférieur à celui du village et morcelé en un nombre variable d'unités de travail constituées par des groupes d'anciennes parcelles, séparées par les propriétés demeurées hors de l'organisation. On remédie à cet état de fait en procédant à des remembrements successifs à mesure que s'étend le territoire coopératif.

La répartition régionale est aussi inégale. Le développement des coopératives s'effectue généralement en tache d'huile. L'ensemble le plus compact au début de 1952 était celui qui s'était constitué près de Szolnok, à Türkeve. Au total, à la fin de la même année, 665 villes et villages étaient entièrement organisés en coopératives. Les groupes régionaux les plus importants existaient dans la région de Bekescsaba et de Oroshaza. Coopératives agricoles et fermes d'État travaillaient, à la fin de 1952, 37,3 % de la terre arable. Ce pourcentage est le plus élevé de ceux qu'a atteints l'évolution de l'agriculture vers une organisation socialiste en Europe centrale. Il dépasse de beaucoup les prévisions du plan. L'ampleur du mouvement est marquée par la part croissante prise dans la constitution des coopératives par les propriétaires riches. En 1952, la proportion des superficies incorporées aux coopératives par rapport au nombre des familles y apportant leur adhésion a été nettement supérieure à celle des années précédentes qui avaient vu surtout le groupement des paysans pauvres.

Toutefois, il n'y a pas qu'éléments positifs dans cette progression rapide du secteur coopératif. La pression des membres des coopératives sur les paysans individuels, l'exagération de l'application des mesures légales contre les koulaks, étendue abusivement à des paysans moyens, l'instabilité des remembrements remis en cause à chaque modification territoriale de l'assiette des coopératives, ont provoqué des mécontentements à la campagne. L'incertitude à l'égard des conditions de travail de l'année à venir a paralysé les opérations culturales. L'inexpérience de néophytes plus pressés de constituer des coopératives qu'aptes à les gérer a nui au développement de la production dans certaines régions. Par ailleurs, la faiblesse relative des investissements au profit de l'agriculture ne permettait pas toujours de fournir aux coopératives le matériel de travail indispensable pour valoriser le travail collectif par rapport au travail individuel. A cet égard, le dépassement trop rapide des prévisions du plan autant que la transgression des lois relatives à la constitution des coopératives apportait plus de trouble à l'économie rurale que d'avantages.

Devant ce bilan, le gouvernement a décidé, en juillet 1953, en même temps qu'il accroissait les investissements destinés à l'agriculture, de freiner les initiatives inconsidérées et les pressions illégales en matière de développement des coopératives. Tout en confirmant les objectifs de la politique économique à la terre et la valeur intrinsèque de l'exploitation coopérative, il a affirmé à nouveau le principe de la libre adhésion aux coopératives et autorisé les paysans qui estimeraient de leur avantage de quitter celles dont ils font partie à revenir à l'exploitation individuelle tant que les conditions d'une exploitation coopérative hautement progressive ne sont pas localement réalisées et tant que les intéressés ne sont pas persuadés qu'il y a pour eux bénéfice à renoncer au travail individuel. La sortie des coopératives ne peut évidemment s'opérer qu'à la fin de la campagne agricole en cours. Le renforcement de l'équipement des stations de matériel, l'aide financière aux coopératives, la correction des méthodes de gestion par une instruction technique appropriée des cadres ruraux doivent permettre une reprise sur des bases nouvelles du développement du secteur socialiste à la campagne. En attendant, les paysans individuels dont le travail conditionne pour une large part le ravitaillement du pays, bénéficient de la protection et de l'aide matérielle et financière de l'État. Le gouvernement se préoccupe également de maintenir à la campagne les cadres artisanaux que l'appel des industries urbaines contribue à désorganiser. Dans ces conjonctures, les chiffres relatifs au nombre des coopératives, à leur extension en superficie et à travers les diverses régions du pays, n'ont qu'une valeur indicative de l'état de fait au début de 1953.

3° L'aménagement de la terre et les cultures nouvelles.

L'aménagement de la terre comporte en premier lieu l'irrigation des zones sèches et le lessivage des sols salins. Soixante mille hectares ont été gagnés à l'irrigation entre 1947 et 1950 dans la Puszta de l'Hortobagy, la vallée du Hernad, les environs de Hödmezövasarhély.

Les bonifications de la puszta de l'Hortobagy. — La puszta de l'Hortobagy a joué le rôle de banc d'essai des méthodes nouvelles de bonification. Les nivellements, l'exécution des canaux d'irrigation et la construction des routes ont été effectués avec du matériel lourd de travaux publics. Les terres ont été amendées, purgées par des irrigations lessivantes des excédents de sels minéraux. Un centre résidentiel nouveau a été élevé sur le modèle du village-type, dont on envisage la généralisation, *mutatis mutandis* suivant les régions. L'ensemble des travaux porte sur un peu moins de 30.000 ha. Au cours de la campagne agricole de 1952, la moitié environ a été exploitée : 5.000 ha. en cultures irriguées, 8.000 en cultures seulement humectées. Outre des récoltes de riz, l'Hortobagy fournit des fourrages artificiels, des plantes fourragères, des légumes. En dehors des terres irriguées, les terres défoncées et amendées, et simplement humectées, produisent du blé (plus de 20 qx par hectare), du maïs, du tournesol. Les fourrages artificiels et les cultures alimentaires alimentent le bétail de plusieurs stations d'expérimentation et de sélection, pourvues d'ateliers de traitement des produits laitiers et des viandes. La main-d'œuvre de cette agriculture moderne est fournie par la population de la région, qui a reçu une instruction et une éducation appropriées.

De grands travaux ont été entrepris au cours du quinquennat 1949-1954 dans la région Danube-Tisza (en liaison avec la construction du canal Danube-Tisza) et sur la haute Tisza : 65.000 ha., 40.000 à l'est de la Tisza, 15.000 entre Tisza et Danube, 10.000 en Transdanubie dans le Mezöföld et le Petit-Alföld. L'irrigation combinée avec le drainage des zones de marais saisonniers et de solontsi apporte, en même temps que l'humidité nécessaire aux régions les plus sèches, une amélioration des sols et une correction dans le cycle de la circulation de l'eau du sol de la plaine.

La sécheresse et l'altération des sols sont dues en grande partie aux vents (ci-dessus, p. 666). Le déboisement de l'Alföld, effectué à une époque très ancienne, et surtout la mise en culture des lœss après la reconquête de la plaine, sont apparus de longue date comme des dangers graves pour la stabilité du potentiel agricole et responsables de l'irrégularité des récoltes, souvent éprouvées par les sécheresses et les échaudages. Les techniques correctives étaient empiriquement connues. Non seulement les dunes mouvantes avaient été généralement stabilisées par des reboisements, mais quelques grands domaines possédaient leurs réserves de bois abritant leurs meilleures terres. Il s'agit aujourd'hui d'un aménagement général de la plaine, bénéficiant des expériences de l'Ukraine et de la Russie méridionale. L'exécution en est retardée par les hésitations de beaucoup de propriétaires individuels devant les travaux à accomplir et le terrain à sacrifier. Mais les plans et les méthodes ont fait l'objet d'études approfondies. Les travaux de M. Laszlo Papp sur la direction des vents ont abouti à la détermination de la direction des écrans boisés protecteurs dans chaque région. Les botanistes et les agronomes ont établi pour chaque type de sol les listes d'essences à associer. Des arbres de haut jet ou des taillis épais constituent la zone de protection proprement dite. On s'efforce d'en faire une source de bois d'œuvre, de chauffage, ou de caisserie (acacia, peuplier, chêne, frêne, platane, orme, pins, suivant la nature et l'humidité des sols). En arrière, des vergers profitent de l'abri et le consolident. Afin de constituer un véritable rempart contre le vent, des essences buissonnantes sont introduites en sous-bois dans la première zone. Le but à atteindre est le découpage de l'Alföld en un bocage à alvéoles de 500 m. (dans le sens du vent) sur 1 km. Les travaux sont entrepris partout où ils sont d'ores et déjà réalisables : sur le territoire des fermes d'État, des coopératives et lorsque les propriétaires individuels acceptent d'y participer et d'y consacrer une fraction de leurs terres. En 1951-1952, 200 millions d'arbres ont été plantés au cours de l'hiver, sur une superficie globale de 23.000 ha.

L'introduction de cultures nouvelles procède à la fois de la recherche de formes d'exploitations particulièrement avantageuses du sol national et de la nécessité d'alléger les obligations d'importer des matières premières végétales et des produits alimentaires. La culture du *riz* est déjà entrée dans le domaine courant. Elle occupe une partie des terres irriguées de l'Hortobagy où de grandes fermes d'État ont été consacrées à son développement expérimental, et dans l'ensemble des terres arrosées par les nouveaux barrages de la haute Tisza. Le riz est généralement cultivé en grandes exploitations de plusieurs centaines d'hectares. Il a occupé environ 20.000 ha. en 1952 et doit être semé sur 28.000 ha. en 1954.

Les principales cultures industrielles faisant l'objet d'essais d'acclimatation dans les stations expérimentales d'État et les coopératives sont celles du soja, du ricin, du kok-saghyz, de l'arachide, qui a donné plus de 25 qx de grain par hectare en culture expérimentale, du kenaf, de la ramie et surtout du coton. Ces cultures sont toutes introduites dans les provinces du sud-est de la plaine : départements de Bekes et de Csongrad.

Celle qui a le plus vite atteint un vaste développement est la *culture du coton* : passée du stade expérimental au stade pratique entre 1948 et 1950, elle était pratiquée sur plus de 30.000 ha. en 1951 ; elle doit couvrir 110.000

à 120.000 ha. en 1955 et assurer une production équivalente au tonnage de coton consommé par l'industrie nationale à cette époque. L'état actuel des travaux agronomiques portant sur le coton ne permet d'escompter qu'un rendement moyen de l'ordre de 5 qx de coton brut par hectare, mais les expériences réalisées dans de bonnes conditions ont permis d'obtenir jusqu'à 15 qx. Il est donc possible qu'à échéance plus ou moins lointaine des rendements de l'ordre de 10 qx puissent être généralisés sur l'ensemble des terres à coton hongroises. La récolte atteindrait alors, sur 120.000 ha., plus de 1 million de quintaux de coton brut, soit 350.000 qx de « fibre » environ.

Le coton hongrois. — Les premières expériences d'acclimatation du coton en Hongrie, entreprises depuis la Libération, datent de 1948. La culture était pratiquée à titre expérimental sur 15 ha., à partir de graines de semence fournies par l'Union soviétique et la Bulgarie. En 1949, les expériences étaient étendues sur 400 ha., en 1950 le stade des expériences était dépassé : alors que le plan prévoyait l'extension des ensemencements sur 1.500 ha., 5.000 ha. ont été effectivement cultivés en coton : 4.000 dans le cadre des fermes d'État, 400 par les coopératives, 600 par des paysans individuels. Les rendements ont été très inégaux ; certaines fermes d'État ont obtenu plus de 7 qx de coton par hold, les records étant détenus par les coopératives de Kaszaperpuszta, d'Alsokaramas, la ferme d'État de l'île de Mohacs et un cultivateur individuel du département de Baranya, avec des rendements allant de 12,5 à 14 qx à l'hectare. La moyenne générale est beaucoup plus basse : elle est de 5 qx pour les fermes d'État, de 4,75 qx pour les coopératives, de 3,8 qx pour les paysans individuels. Le 15 mai 1951, il a été décidé de modifier les prévisions du plan quinquennal et de fixer à 200.000 arpents au lieu de 100.000 la superficie des ensemencements en coton pour 1954. A raison de 5 qx de coton brut par hectare (un arpent couvre 0,575 ha.), la récolte s'élèverait à 560.000 qx, soit près de 200.000 qx de fibres, et 30.000 t. de graines oléagineuses servant à la fabrication de l'huile et de tourteaux.

La culture du coton paraît ici à sa limite septentrionale. Elle est rendue possible par les hautes températures de l'été continental et par la longueur de la période chaude dans le sud de la Hongrie. Le domaine du coton est considéré comme délimité par l'isotherme de 17°8 pour la saison d'été (avril à septembre). Sur la base des mesures météorologiques effectuées depuis quarante ans, il a été établi que les conditions nécessaires à la vie du cotonnier étaient réalisées pendant une moyenne de cent soixante-trois jours par an, et que les précipitations (346 mm. pendant ces cent soixante-trois jours) permettaient la culture sans irrigation. Il s'agit par conséquent de fixer des variétés à cycle végétatif court (cent cinquante jours environ). Les travaux des douze stations spécialisées en 1949 ont porté sur des hybrides des variétés *G. barbadense et hirsutum* déjà acclimatés en Europe (Ukraine, Bulgarie).

Le coton est semé entre le 25 mars et le 15 mai, la période la plus favorable apparaît être la deuxième quinzaine d'avril. Chaque hectare, soigneusement travaillé, reçoit 4 à 5 qx de superphosphates. Les premières capsules s'ouvrent vers le 15 août. On procède à trois cueillettes entre la fin du mois d'août et les premières gelées (fin octobre). Les soies ont de 20 à 22 mm. de long. Le coton hongrois est un coton très blanc, fin et soyeux.

Les champs de coton sont protégés des vents par des haies, ou encadrés par des cultures de plantes hautes, formant protection naturelle et retenant l'air chaud au contact du sol : maïs et tournesol.

Des méthodes pratiquées en région de climat continental en Union soviétique ont été appliquées à l'introduction des cultures d'agrumes. Des citronniers plantés dans des tranchées abritées, paillés pendant l'hiver, donnent une production dès la deuxième année. Plus d'un millier d'hectares doivent être consacrés à cette forme de culture technique pour fournir une récolte de 150 à 200.000 citrons par an.

4° Production et régions agricoles.

Les cultures céréalières occupent 60 % de la superficie arable. Le blé et le seigle sont les deux céréales principales, mais le maïs tient une place très importante dans les systèmes de culture du Sud ; l'orge, l'avoine, ont leur place partout, et le riz s'étend. Les deux cultures sarclées fondamentales sont celles de la betterave à sucre et de la pomme de terre. Le tournesol, le chanvre, le lin sont incorporés également dans les assolements, ainsi que le coton dans le Sud. Les cultures de légumes sont également importantes : les légumineuses sont cultivées sur près de 500.000 ha., les tomates, les oignons et les paprikas sur 250.000 ha.

Vignobles et vergers occupent des superficies importantes, non seulement sur les versants bien exposés de la dorsale hongroise et des monts Mecsek, mais autour des maisons et des villages de l'Alföld (pruniers, cerisiers, abricotiers surtout).

PRODUCTION DES PRINCIPALES CULTURES

		1938-1939	1949-1950	1953-1954 (Prévisions)
Blé	(Millions de qx)....	26,9	18	22
Seigle....	—	8	5,4	6,7
Orge	—	7,2	6,5	7
Maïs.....	—	26,6	24,6	33
Pomme de terre		21,4	21,9	28
Betterave sucrière		9,7	12,4	15,7
Vin	(Millions d'hl.)	3,3	3,6	4,3

Ce tableau fait apparaître un repli des cultures céréalières, spécialement des cultures de céréales panifiables, mais, ne comportant pas le détail des cultures fourragères et industrielles qui doivent être considérablement accrues, il n'offre qu'une image imparfaite de l'évolution agricole. Un quotient de 2,2 qx de blé et de 0,6 q. de seigle par habitant assure largement la couverture des besoins, tandis que la culture céréalière était jadis poussée en vue de l'exportation. Une réorganisation des assolements appelle un dosage plus harmonieux des diverses cultures nécessaires à l'économie nationale, notamment à l'enrichissement qualitatif de l'élevage et à l'essor des cultures oléagineuses, sucrières, et textiles.

EFFECTIFS DU TROUPEAU

		1938	1946	1950	1954
Bovins	(millions)	1,9	1,1	1,8	2,4
Chevaux	—	0,8	0,4	0,6	0,75
Ovins	—	1,6	0,4	1	1,6
Porcs	—	5,2	3,4	5,9	5,6

Les chiffres d'effectifs du bétail ne donnent aussi qu'une image incomplète de l'effort accompli. La reconstitution s'est effectuée sous le signe de la qualité et de la productivité, et l'on estime que les augmentations de rendement par rapport à l'avant-guerre sont de 20 % pour la production du lait, de 13 % pour celle de la laine, et de 18 % pour la viande de porc.

La terre à blé par excellence est l'Alföld de Transtisza, départements de Szolnok, Csongrad, Bekes, et en partie département de Hajdu-Bihar (Debrecen) où les ensemencements en blé couvrent de 40 à 55 % de la superficie arable. Le blé tient une place encore très importante dans le département de Borsod, dans le sud du département de Bacs-Kiskun et dans celui de Baranya. Le seigle, au contraire, domine sur les terres légères de la région Danube-Tisza où il occupe de 25 à 40 % de la terre arable et est toujours une culture importante dans l'ouest de la Transdanubie. Le maïs occupe plus de 25 % des terres labourées dans la vallée du Danube entre Budapest et Mohacs dans la région de Baja, dans les départements de Csongrad, Bekes et Hajdu-Bihar. Il est cultivé dans toute la Hongrie, mais, dans le Petit-Alföld et le nord du pays, il ne représente que 10 % ou moins de 10 % des ensemencements. Trois régions cultivent la pomme de terre avec une attention particulière : le Nord-Ouest, la région Danube-Tisza et les pays de la haute Tisza. Il reste beaucoup à faire pour développer largement la culture de la betterave à sucre dans l'assolement céréalier. Elle n'occupe en effet plus de 3 % de la superficie qu'autour de Sopron, de Nyiregyhaza, de Bekecsba. D'une manière générale, les trois régions où elle est le plus souvent cultivée sont le Petit-Alföld, le Mezöföld et la plaine de Transtisza. Naturellement, les principales taches de densité sont autour des sucreries (Sopron, Komarom, Szombathély, Kaposzvar, Ercsi, Szeged, Mezöhegyes, Sarhad, Szerencs, Hatvan). La culture de la vigne est pratiquée à la fois sur coteau et en plaine. Les vignobles de coteau sont ceux de la région de Sopron, des coteaux de Gerecse et des Vertes (vignobles de Nesmelyi et de Mor), du versant sud des Bakony (Badacsony), des pentes des monts Mecsek et des talus alluviaux qui dominent la vallée du Danube de part et d'autre de Szekszard et celle de la Drave à Siklos et à Villanyi, enfin ceux du versant sud des monts Matra (Gyöngyös) et les plus célèbres, ceux du Tokaj au pied des Hegyalja. En plaine, la vigne est cultivée surtout autour de Nyiregyhaza et dans la plaine Danube-Tisza au sud de Kecskemet. L'élevage du gros bétail est général. Il atteint cependant une densité particulièrement élevée dans le Nord-Ouest, dans le sud de la Transdanubie et dans le Nord-Est. L'élevage du porc est également général, mais particulièrement dense dans le Sud. La principale région d'élevage ovin est le sud de la Transdanubie.

D) L'AMÉNAGEMENT DU TERRITOIRE. L'URBANISATION

La prédominance de l'économie agricole, et d'une économie agricole de type traditionnel, dans l'ancienne Hongrie, y limitait les aspects urbains à l'agglomération capitale, à quelques noyaux de petites villes provinciales de Transdanubie, à la grande ville de l'Alföld, Szeged, enfin aux centres d'extraction du charbon, Pecs, du lignite, Miskolc.

En dehors de Budapest et de Szeged, de la vieille ville baroque de Sopron, les formes modernes de la ville n'apparaissaient qu'à titre embryonnaire : cités ouvrières de Pecs, ou place monumentale formant le centre de chaque ville de province, avec son encadrement d'églises et d'édifices publics, monuments administratifs et casernes. La Hongrie rurale était pourtant parsemée de très grosses agglomérations, villes par leurs chiffres de population : Hödmezövasarhely 59.000 habitants, Bekecsaba 46.000, Mako 34.000, Szentes 33.000, Kiskunfelegyhaza 37.000, Kecskemet 87.000..., agglomérations rurales par le contenu de leur population et par leur fonction presque exclusivement agricole : l'administration et le commerce n'y employaient qu'une proportion infime de la population active, et les seules industries y existant étaient des industries alimentaires employant saisonnièrement une main-d'œuvre de paysans. Certes, une certaine hiérarchisation pouvait être faite entre ces agglomérations difficiles à qualifier à partir du vocabulaire géographique élaboré en Europe occidentale. La Transdanubie avait de « petites villes » : Kaposvar, Szekesfehervar, Györ, Sopron, Szombathely..., l'Alföld d' « énormes villages » et une seule ville, Szeged. Quelques traits urbains appartiennent cependant à des agglomérations voisines du Danube, comme Baja ou Kalocsa.

La ville de Szeged, Kecskemet et Hödmezövasarhely. — Szeged est une grande ville de près de 150.000 habitants. Elle présente tous les caractères d'une ville. Ancienne métropole régionale, elle présente les aspects extérieurs d'un centre administratif et culturel. Le cœur de la ville est représenté par une grande esplanade autour de laquelle se disposent les grands édifices bâtis au xixe siècle. Il s'agit de l'ancien marché, première forme de la fonction commerciale de la ville, urbanisé et constituant aujourd'hui le foyer administratif et commercial de type moderne, avec, auprès des immeubles administratifs, de l'hôtel de ville notamment, de grands magasins édifiés au xixe et au début du xxe siècle. Le marché, point de contact de la ville et des ruraux, est domicilié sur une autre grande place, hors du centre architectural, encadré par d'autres bâtiments publics (casernes, ancienne prison, etc.). Décorées par des jardins, comme l'esplanade centrale, des avenues monumentales partent du carrefour principal, centre initial du développement urbain, s'épanouissent en places et en jardins : devant l'université monumentale sous laquelle passe par des guichets une des grandes diagonales de la ville. Des théâtres, des cinémas, de grands immeubles bordent ces avenues. Les quais de la Tisza, bordés de jardins, présentent eux aussi une très belle façade urbaine. La masse proprement urbaine de la ville s'étend largement.

Mais les quartiers extérieurs n'échappent pas à la règle commune de toutes les agglomérations de l'Alföld. Progressivement, le long des grandes avenues qui conduisent aux sorties de la ville, le type de maison change. Par l'intermédiaire des maisons, encore urbaines, construites par de riches propriétaires en marge de la ville commerciale, on atteint des ensembles proprement ruraux, composés de « maisons pannoniennes » à pignon sur rue, séparées les unes des autres par une cour fermée sur la rue par une clôture en bois, derrière laquelle on distingue souvent un séchoir à maïs et des dépendances aux murs desquelles pendent des guirlandes de paprikas.

Au nord surtout, cet aspect rural est relayé par des annexes industrielles : usines de produits alimentaires, usines de filature et de tissage parmi lesquelles la plus récente est le grand combinat textile commencé en 1949.

Kecskemet, dont la population s'élève à plus de la moitié de celle de Szeged (du même ordre de grandeur que celle d'Amiens ou de Montpellier, 87.000), ne présente au contraire qu'un aspect urbain des plus discrets : l'esplanade centrale commune à toutes les villes de l'Alföld rassemblant tous les monuments publics autour de laquelle rayonnent des rues commerçantes à maisons basses et, à quelques centaines de mètres déjà, les quartiers ruraux aux maisons plus ou moins urbanisées et plus ou moins cossues.

Hödmezövasarhely répond à très peu de chose près à la même description : centre de gravité urbain, administratif et monumental au carrefour principal des routes, transformé en esplanade ornée de jardins, rues commerçantes à maisons basses, et une série de « faubourgs » ruraux avec chacun leur église. Toutes les classes sociales de la population rurale d'autrefois y avaient leur type de maison : maisons de ville des paysans riches, fermes des paysans « citadins », petites maisons de journaliers et villages tziganes.

Le peuplement de la plaine hongroise libérée des Turcs au XVIIe et au XVIIIe siècles en grosses unités d'habitat rural correspond aux conditions de l'installation dans un pays encore parcouru par des razzias, peu sûr, et mis en exploitation surtout sous la forme de latifundia.

Il est caractéristique d'observer que, tandis que l'Alföld est caractérisé par les centres ruraux de plusieurs dizaines de milliers d'habitants, la Haute-Hongrie et la Transdanubie possèdent un réseau de villages au sens occidental du terme, beaucoup plus dense.

Les incommodités résultant de la concentration de la population rurale dans des agglomérations distantes de plus de 10 à 15 km. les unes des autres, parfois davantage, ont provoqué au XIXe siècle un mouvement de dispersion de l'habitat rural. Le sud de la plaine surtout s'est parsemé de fermes isolées, les *tanyas*. Suivant l'aisance du propriétaire ou du fermier, il s'agit d'exploitations à plusieurs bâtiments séparés, évoquant, *mutatis mutandis*, des cours-masures de la Normandie, ou de modestes chaumines avec quelques dépendances branlantes construites en bois et couvertes de roseaux. Sauf quand il s'agit de très pauvres gens, le souci apparaît toujours de donner à la demeure un aspect pimpant en revêtant les mauvais matériaux de construction d'un enduit blanc.

Ainsi, une grande partie de l'Alföld se trouve caractérisée par la juxtaposition brutale de centres ruraux de plusieurs dizaines de milliers d'habitants et d'un semis de maisons isolées.

Cette structure de l'habitat est en complète transformation. — L'industrialisation des régions rurales donne aux centres de peuplement la fonction urbaine qui leur avait manqué jusqu'à présent en substituant à leurs foules de paysans sans terre ou de petits paysans un prolétariat industriel, en renforçant les fonctions de gestion administrative et économique et les services de desserte des besoins d'une population non agricole et de transports des produits indispensables à l'industrie et des produits fabriqués. D'autre part, l'habitat dispersé est préjudiciable au développement économique et culturel des campagnes. Les premières coopératives agricoles fondées dans le sud de l'Alföld ont dû s'accommoder de la dispersion de la résidence de leurs membres, mais, spontanément, des centres fonctionnels nouveaux se sont créés, amorce de nouveaux villages. Le gouvernement intervient alors pour éviter que ne se constituent des centres trop petits pour bénéficier des formes de résidence et des services qui caractérisent un habitat urbain moderne. Le ministère de l'urbanisme a planifié la constitution de nouveaux centres d'habitat, rassemblant assez de personnes pour pouvoir être structuralement et techniquement de petites villes (6.000 à 8.000 habitants). Suivant les cas, il s'agit de centres d'activité strictement rurale, qui seront urbains par l'organisation de la vie, ou, quand le travail de la terre dans un terroir de dimensions rationnelles autour du centre ne justifie pas le rassemblement d'une population assez nombreuse, de centres d'activités mixtes, agricoles et industrielles. Plus d'une centaine de ces nouvelles agglomérations doivent être aménagées en quelques années.

Un premier résultat de cette politique de l'urbanisation du pays, et spécialement de l'Alföld, est d'atténuer l'opposition entre les formes urbaines de la Transdanubie et de la Haute-Hongrie, d'une part, et celles des pays situés à l'est du Danube et au sud de la dorsale hongroise. Elle s'inscrit dans le cadre général d'une homogénéisation de la structure sociale et de la condition humaine.

Régions naturelles et régions économiques. — La planification régionale distribuant les forces productives à travers le territoire national en fonction des aptitudes naturelles de chaque région et de la politique d'homogénéisation de l'économie par diffusion de l'industrie à travers le pays crée de nouvelles bases d'une division régionale.

M. G. Markos a esquissé la nouvelle géographie régionale de la Hongrie au seuil du plan quinquennal. Une guirlande de régions à dominante industrielle jalonnent la dorsale hongroise :

1. La région industrielle de Salgotarjan, 6.600 km², qui englobe aussi la zone de tourisme des monts Matra. Peu de villes encore : Salgotarjan (20.000 hab.), Eger (29.000), Gyöngyös (22.000 hab.) ;

2. La région industrielle de Borsod-Miskolc, 7.000 km² avec, pour ville principale, Miskolc (104.000 hab.) ;

3. La région industrielle de Tatabanya et de Szekesfehervar englobant les monts Vertes, 7.000 km². Cette région est dominée par les industries de l'aluminium. Elle comporte deux villes principales : Tatabanya, centre minier (40.000 hab.), et Szekesfehervar, vieille ville historique, centre administratif et commercial en cours d'industrialisation (42.000 hab.) ;

4. La région industrielle de Veszprem, qui prolonge au sud-est la précédente jusqu'au département de Zala : région de l'aluminium et du pétrole, pourvue aussi d'industries légères, surtout à Zalaegerszeg, 9.000 km². Peu de villes importantes : Veszprem (18.000 hab.), Papa (22.000 hab.), Zalaegerszeg (15.000 hab.), Nagykanisza (28.000 hab.).

5. La région industrielle de Pecs-Baranyai, 8.000 km², où la fonction industrielle se partage entre Pecs — qui a aussi conservé des souvenirs de la domination turque — (78.000 hab.), Mohacs (19.000 hab.) et Szekszard (15.000 hab.).

Les autres unités régionales sont encore dominées par les activités agricoles, tout en étant pénétrées progressivement par la fonction industrielle :

6. Au Nord-Ouest, le Petit-Alföld, 7.500 km², région rurale, mais aussi vieille région commerciale et urbaine de l'époque moderne avec les villes de Sopron (33.000 hab.), Szombathély (40.000 hab.), Magyarovaron (17.000 hab.), Szentgotthardon et surtout Györ, un des premiers centres industriels hongrois (55.000 hab.).

7. Somogy : il s'agit de la région comprise entre le lac Balaton et les monts Mecsek, 6.700 km². Ce pays est spécifiquement rural, producteur de céréales, de sucre et de fruits, alimentant les industries alimentaires de Kaposvar (33.000 hab.) ;

8. Région Danube-Tisza, 14.700 km². La grande plaine comprise entre Danube et Tisza est une vaste zone agricole ponctuée de très grosses agglomérations qui ont gardé jusqu'aux transformations actuelles le caractère traditionnel des « villes rurales » : Kecskemet (87.000 hab.), Nagykörös (29.000 hab.), Kiskunfelegyhaza (37.000 hab.), Kiskunhalas (32.000 hab.), Cegled (38.000 hab.), Baja (28.000 hab.) ;

9. Viharsarok : 9.000 km². Cette région comprend les deux départements méridionaux de Bekes et de Csongrad. Elle possède les terres les plus riches par leurs sols et leur climat méridional. A côté de la ville de Szeged (133.000 hab.), de gros centres agricoles sont en voie d'industrialisation rapide : Bekescsaba (46.000 hab.), Hodmezövasarhely (59.000 hab.), Mako (34.000 hab.), Gyula (24.000 hab.) ;

10. Tisza moyenne : 5.500 km². Campagnes grosses productrices de blé et de maïs sans grandes concentrations urbaines : Szolnok (37.000 hab.), Mezötur (27.000 hab.), Jaszbereny (28.000 hab.) ;

11. Haute-Tisza, 12.000 km², régions très fortement peuplées où s'édifient les plus grands complexes d'irrigation et où disparaissent les derniers vestiges de la puszta. La grande ville, une agglomération rurale de 120.000 habitants, en voie d'industrialisation, utilisant notamment les gaz naturels de l'Alföld, est Debrecen. Hajduböszörmeny groupe 30.000 habitants, Hajdunanas (18.000), Hajduszoboszlo (19.000).

Cette division régionale est évidemment provisoire. Elle correspond à une étape de l'organisation économique hongroise. A l'intérieur de ses cadres, la vie locale se transforme, et surtout les grandes constructions urbaines d'une part, la mécanisation des campagnes d'autre part, font craquer l'ancien décor médiéval. Mais d'autres groupements s'esquissent. La fondation d'une ville qui groupera environ 100.000 habitants à l'emplacement de Dunapentele sur la façade danubienne du Mezöföld : Sztalinvaros, la ville du principal combinat sidérurgique de la Hongrie actuelle, modifiera à brève échéance l'équilibre de la grande région industrielle à l'extrémité orientale de laquelle elle se trouve : la région de Tatabanya-Szekesfehervar.

Le grand Budapest constitue, de toutes manières, une région originale. La capitale hongroise a enregistré les phases principales de l'histoire moderne de la Hongrie. Elle est au cœur de la transformation contemporaine du pays, et son aménagement est un raccourci de celui du pays tout entier.

Budapest. — La structure de la capitale a exprimé jusqu'à la deuxième guerre mondiale celle de la société hongroise. Budapest était jusqu'alors le siège du gouvernement, la résidence — au moins la résidence d'hiver — de l'aristocratie foncière, dont le gouvernement était l'émanation, le siège social des succursales des sociétés étrangères exerçant une activité en Hongrie, un centre de commerce et d'affaires, le foyer des activités intellectuelles et la principale ville industrielle du pays.

La société urbaine était coiffée par une classe dirigeante, à base économique mixte, comprenant essentiellement les représentants des grandes familles de l'aristocratie foncière dans lesquelles se recrutaient les cadres supérieurs de l'État, de la haute administration, de l'Église et de l'armée, et une minorité d'hommes d'affaires, issus de la couche supérieure de la bourgeoisie commerçante. Cette classe dirigeante entraînait dans son sillage des membres des professions libérales, juristes, médecins, universitaires, artistes, journalistes. Ses formes d'existence étaient partagées par les diverses collectivités étrangères résidant à Budapest à titre diplomatique ou commercial.

Le second élément social de la population urbaine était représenté par

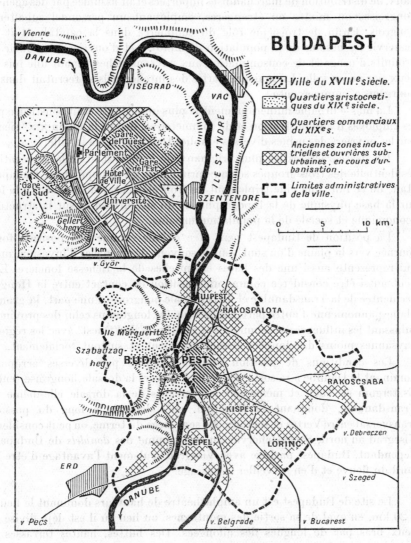

Fig. 71. — **La ville de Budapest**
Extrait de Pierre GEORGE, *La ville*, P. U. F., 1952

l'ensemble hétérogène des commerçants. Le commerce urbain comportait, en premier lieu, le commerce spécifique de toute capitale, résidence d'une catégorie sociale à haut pouvoir d'achat et centre d'attraction d'une riche clientèle nationale et internationale : hôtels, magasins de luxe, établissements de crédit, etc. La fonction de collectage et d'exportation de produits nationaux, de distribution de marchandises importées était assumée par des agences hongroises ou mixtes ou étrangères, employant un personnel subalterne hongrois. Enfin, le troisième rôle du commerce dans la capitale était de desservir les besoins de la population d'employés et d'ouvriers et d'offrir les produits d'usage et de consommation aux paysans riches venant une fois ou deux par an en ville. La majeure partie des intellectuels se recrutait dans la bourgeoisie commerçante.

La masse urbaine numériquement la plus importante était constituée par les employés d'administration et de commerce et, depuis la fin du XIXe siècle, par les ouvriers des usines diverses établies tout autour de la ville.

Un des caractères les plus originaux de Budapest était la ségrégation résidentielle des trois groupes sociaux principaux de sa population. Budapest était, de ce fait, une ville triple dont les trois éléments s'articulaient à la fois sur la base physique de la topographie et du site urbain et sur la structure économique et sociale de la population urbaine.

La position de Budapest peut être définie comme une position forte tournée vers la plaine d'où sont venues souvent des menaces d'invasion, mais qui représente aussi une des bases essentielles de la richesse foncière. Elle peut aussi être considérée comme une position de contact entre la Hongrie accidentée de la Transdanubie et de la dorsale hongroise d'une part, la grande plaine pannonienne d'autre part, contact qui fut longtemps celui des provinces subissant les influences économiques et politiques de l'Ouest, avec les régions paysannes moins développées économiquement et surtout socialement.

Ces conditions de position étaient remplies par diverses acropoles dominant le Danube à sa sortie du défilé à travers la dorsale hongroise (entre Esztergom et Vac), et même par les versants de la dorsale elle-même en Transdanubie, dominant le Mezöföld, spécialement le long du passage transversal entre Vertes et Bakony. Au sens large du terme, on peut considérer Visegrad au nord, Szekesfehervar au sud comme des *doublets* de Budapest. Cependant, Budapest partage avec Visegrad seulement l'avantage d'être au bord du fleuve et d'en surveiller le passage.

Le site de Budapest est un amphithéâtre de hauteurs dominant le fleuve à 20 km. en aval de sa sortie des montagnes, au lieu où il est déjà divisé en deux bras par de longues îles allongées. Des buttes, hautes terrasses et pointements calcaires, aux versants très raides, ont joué autrefois le rôle de positions fortes. La plus vaste a été le siège de la vieille citadelle militaire et

(Cl. P. George)

A. — VILLAGE DE TYPE PANNONIEN PRÈS DE MAKO

(Cl. P. George)

B. — MAISON RURALE EN HONGRIE DU SUD PRÈS DE BAJA
Paprikas au séchage sous l'auvent

(Cl. Inf. hongr.)

A. — Repiquage du riz dans l'ancienne puszta de l'Hortobagy aujourd'hui irriguée

(Cl. Coll. France-Roumanie)

B. — Elément d'une raffinerie de pétrole près Ploesti

(Cl. Coll. France-Roumanie)

C. — Paysage d'hiver dans les Carpates roumaines

politique de *Buda*. A quelques kilomètres au nord, on poursuit le dégagement entre un versant boisé et la rive droite du fleuve des importantes ruines romaines de la colonie militaire et de l'emporium d'*Aquincum*, qui fut une des garnisons du limes pannonien au IIe siècle. En arrière, les vasques des petites vallées qui entament les hauteurs du Szabadsaghegy et de Pesthildegkut dominant le Danube de 300 à 400 m., offrent les conditions d'une extension de quartiers accidentés, mordant sur les bois. En face, au contraire, s'étale, au delà du fleuve, la plaine alluviale très basse où les contrastes d'altitude entre un éventail de petites vallées convergeant vers le Danube, la principale est celle du Rakos, et les interfluves qui les séparent sont imperceptibles. Sans transition, on passe à la grande plaine rurale d'entre Danube et Tisza.

Le nom double de Budapest évoque la dissymétrie des deux rives du Danube : Buda, la rive escarpée hérissée de buttes, Pest, la rive de plaine ; Buda, la ville aristocratique et officielle, Pest, la ville marchande. Mais le développement industriel de la fin du XIXe siècle, et surtout du XXe, a enveloppé le vieux Buda et le vieux Pest d'une ceinture de quartiers et de faubourgs ouvriers beaucoup plus largement épanouie sur la rive gauche (Pest) où les espaces plats se prêtaient mieux aux installations industrielles et à l'improvisation de zones résidentielles ouvrières à l'écart du centre de la ville.

La butte de Buda a conservé son rôle de centre politique jusqu'à la deuxième guerre mondiale. L'espace étroit du sommet de la colline dominant directement le fleuve était partagé entre la cathédrale, l'immense château des « rois » de Hongrie et des résidences princières serrées le long de rues étroites. Des fenêtres du château royal, ou des voûtes du Bastion des Pêcheurs, en contrebas de la cathédrale, on surveillait la basse ville et le palais du Parlement qui dressait sur l'autre rive du fleuve sa façade imitant celle de Westminster. Autour de la citadelle seigneuriale de Buda et de la butte du mont Gellert située au sud, des quartiers riches se sont édifiés à la fin du XIXe siècle et au XXe siècle ; des villas se sont égaillées au delà des limites de la ville dans la verdure des coteaux. La riche bourgeoisie s'est associée à l'aristocratie dans les quartiers résidentiels du bas-Buda autour de la « cité » noble ; au nord de la ville, l'île Margit était le parc aristocratique.

La ville bourgeoise par excellence est la ville basse de Pest, formant une masse elliptique allongée au bord du Danube, entre le fleuve et les parcs de Varosliget, Kerepesi-Temeto, Orgzy-Kert. Comme dans toutes les vieilles villes européennes, on y distingue plusieurs générations. Le plus vieux noyau commercial est situé en face du mont Gellert et de la trouée entre mont Gellert et citadelle de Buda autour de la croisée de la route nord-sud : la rue de Vac et de la transversale est-ouest, avenue Kossuth. Cette fraction de la ville borde le Danube de ses quais monumentaux ; elle est délimitée du côté de l'extérieur par une première auréole de boulevards. C'est là le cœur de la ville libérale de 1848 avec le musée dont la terrasse servit de tribune à Kossuth.

Deux auréoles successives enveloppent le premier noyau de la ville marchande. Progressivement, l'architecture devient plus monotone ; un réseau orthogonal de rues assez étroites aligne les maisons bourgeoises du début du siècle, tandis que les grands magasins, les banques et des résidences somptueuses avaient été construits le long des grandes avenues radiales aboutissant aux gares et aux parcs (ancienne avenue Andrassy, aujourd'hui avenue Staline). Des jets de vapeur sortent du sol : les sources thermales jaillissent du sous-sol de la ville.

Au delà de la ville marchande et de son orgueil de grande capitale, commençait l'interminable succession des zones industrielles, l'improvisation désordonnée des usines, des voies de triage, des déblais, des longues rues de petites maisons provinciales, sans eau ni gaz, des campements ouvriers, des essais d'urbanisme du xxe siècle ; quelques casernes prolétariennes, des lotissements lépreux. Longs murs des usines, terrains vagues, fumée des locomotives à l'odeur âcre du lignite brûlé, passages à niveau, masures, cadre de la vie de misère et de révolte des ouvriers d'autrefois. Ujpest, Rakospalota, Kispest, Erszebet, et surtout, dans son île basse couverte de fumée ou de brume, Csepel.

La zone industrielle débordait un peu sur la rive de Buda : au nord, Obuda et au sud, Budafok. Chaque faubourg ou banlieue formait un milieu de vie fermé. Les zones industrielles étaient, à tous les sens du mot, hors la ville. Leurs misères et leurs tares étaient spécifiques des zones prolétariennes non urbanisées : la mortalité infantile y était de 143 $^o/_{oo}$ tandis qu'elle n'atteignait pas 100 dans la ville proprement dite (94). L'équipement scolaire était aussi déficient que l'équipement médico-social. Ni écoles secondaires, ni centres culturels.

A la Libération, les ponts du Danube étaient tous détruits, les bombardements et les canonnades avaient creusé des brèches profondes dans Buda, le long des quais, dans les quartiers industriels. Mais, plus encore que les démolitions, l'inadaptation de la ville élaborée par l'association de la féodalité foncière et de la spéculation financière et commerciale à la société nouvelle posait aux urbanistes des problèmes urgents et difficiles. Il s'agissait d'articuler les trois villes du passé dans une seule et même unité urbaine, destinée à être la ville d'une société sans classes. Cette unification a été précédée d'une unification administrative (1950) plaçant sous une même administration tout le grand Budapest : 20 km. du nord au sud sur 30 de l'est à l'ouest, divisé en 22 arrondissements.

La République populaire a recueilli l'héritage de la capitale de la Hongrie. Elle érige ses bâtiments administratifs, ministères, maisons des syndicats, ses Universités, à Buda et dans le vieux Pest, transforme le Palais royal en Cité universitaire. Les théâtres, les musées s'ouvrent à des foules qui les ignoraient. Les magasins changent aussi de caractère et de destination. Les grands magasins nationalisés, les foyers des gares accueillent une clientèle nouvelle. La forme des bâtiments demeure, mais le contenu et l'usage en ont déjà changé.

Le centre historique reste la capitale, au sens politique et administratif du mot, et associe curieusement l'architecture sobre des grands bâtiments neufs aux édifices orgueilleux et lourds du XIXe siècle. Il cesse d'être une résidence de classe et il cesse aussi d'être la partie de la ville qui bénéficie des plus gros efforts de construction et d'embellissement. Les travaux majeurs ont porté sur la reconstruction des ponts détruits et l'édification d'un nouveau pont, au nord de la ville, unissant Ujpest à l'île Margit et au 3e arrondissement (Buda-Nord) — le pont Staline —, la restauration des monuments historiques de Buda, l'aménagement de la circulation à Pest et le dégagement d'espaces verts.

Les plus grands chantiers de construction et d'urbanisme intéressent les zones externes jadis deshéritées et l'organisation d'un réseau unifié de transports urbains. Les deux problèmes principaux à résoudre dans l'immédiat sont le colmatage du retard accumulé par les zones suburbaines d'autrefois à l'égard du bénéfice des services publics les plus élémentaires et de la satisfaction des besoins de logement, d'une part, la rupture de l'isolement des anciennes banlieues par rapport à la ville et les unes par rapport aux autres, d'autre part.

L'urbanisation des quartiers extérieurs comporte la satisfaction des besoins les plus urgents en logements et l'harmonisation de la fonction résidentielle, l'équipement en services publics. Il s'agit en premier lieu de mettre fin à l'anarchie et à l'inégalité des conditions résidentielles rassemblant en un même lieu la baraque insalubre des plus déshérités, la chaumine qui exprime la nostalgie du paysan déraciné, dans une ville qui n'a pas su l'assimiler, et la caserne ouvrière ou la colonie de pauvres pavillons standard montés à l'allemande sous le gouvernement Horthy ou pendant l'occupation.

La nécessité apparaît de planifier l'espace urbain afin de répartir sur la surface disponible les constructions destinées au relogement des travailleurs occupant campements et lotissements appelés à disparaître dans la nouvelle ville. La première phase de cette transformation ne manque pas d'étrangeté. On voit surgir au milieu d'un terrain vague, parmi de pauvres jardins, ou en bordure d'un lotissement de maisonnettes légères, un alignement de grands immeubles à trois ou quatre étages dominant masures et décharges. Il est impossible au début de mettre en place ces bâtiments dans la structure future de la ville si l'on n'a pas le plan sous les yeux. Petit à petit, cependant, l'énigme apparaît moins obscure. Telle décharge d'hier est transformée en stade ou en square, le creusement des tranchées pour la pose des canalisations révèle le tracé et la largeur des futures chaussées. De 1947 à 1954, 80.000 nouveaux logements représentant une capacité de réception de près de 350.000 personnes auront été mis à la disposition de la population de la ville.

De la même manière, la mise en place des centres sociaux principaux et secondaires constitue progressivement l'armature du nouveau dispositif urbain : grands hôpitaux, dispensaires de quartiers, maisons de la culture, piscines, bains chauds, stades, magasins, écoles moyennes ; à l'échelle de l'îlot, crèches, écoles maternelles et primaires, salles de réunion, terrains de jeux...

Ainsi se transforment, par exemple, les quartiers lépreux d'autrefois, de Ujpest et d'Engelföld, 4e et 13e arrondissements. Les grands corps de bâtiment, les chantiers ponctuent le paysage. Les centres sociaux prennent rapidement forme, avec le grand dispensaire d'Ujpest, lumineux comme un aérium, la maison de la culture d'Engelföld, la piscine d'hiver aménagée au bord du Danube sur une source d'eaux chaudes, les squares et les jardins d'enfants... et partout des parterres de fleurs. Les corps de bâtiments à logements s'érigent à un rythme rapide ; les chantiers sont le théâtre d'application des méthodes « torrentielles » et de la plus vive émulation socialiste. A l'autre extrémité de l'agglomération, Csepel, naguère complètement coupé de la ville, se transforme rapidement, tandis qu'une autostrade et un chemin de fer de banlieue à gros débit le relient à Pest. De grands immeubles, des magasins, un vaste stade, des écoles primaires et moyennes, des bibliothèques, des dispensaires constituent les premiers jalons de l'urbanisation.

Le même équipement urbain, les mêmes travaux de transformation s'étendent à l'ensemble des zones extérieures de l'agglomération, à Matyasföld comme à Budafok.

En même temps, les avantages du site de Budapest jadis monopolisés par la classe dirigeante sont mis à la portée de l'ensemble de la population de la ville. Le chemin de fer des pionniers dans les bois du Szabadsaghegy, les grandes promenades dans la forêt, les sports d'hiver sur les pentes du Janoshegy sont entrés dans le domaine public.

Reste à assurer la liaison matérielle entre les différents quartiers de Budapest. Certes, la diffusion de l'équipement social et culturel dans l'ensemble de la ville, les tournées d'artistes des grands théâtres dans les maisons de la culture des arrondissements extérieurs, les conférences de professeurs et d'écrivains à Csepel ou à Kispest rompent le cloisonnement de jadis. Mais la ville reste un agrégat hétérogène, et la réalisation de l'unité de cet agrégat est dans l'immédiat un problème de transports. La réfection des chaussées, la rectification de certains itinéraires, la suppression des passages à niveau améliorent les conditions de base de la circulation. La création de lignes d'autobus et de trolleybus complétant le réseau de tramways crée les moyens de circuler. Un des gros œuvres du plan quinquennal est la construction d'une première ligne de métro moderne à gros débit (80.000 voyageurs par jour dans chaque sens) sur 8 km. d'est en ouest, relayant la petite ligne qui servait jadis de jouet à la bourgeoisie entre Varosliget et le Danube.

La disparition progressive des inégalités sociales entre les différentes parties de la ville prépare la redistribution de la population à l'intérieur de l'ensemble urbain. L'organisation des transports rapides à grande distance au sein de l'agglomération, la construction de zones résidentielles confortables et agréables encadrées de parcs et de stades isolant quartiers d'habitation et zones industrielles, rendent désirable l'installation dans les quartiers extérieurs pour beaucoup d'habitants du centre de la ville. Il devient alors possible de décongestionner les vieux quartiers de Pest qui, en dépit de la majesté du style XIXe siècle, apparaissent vite d'un niveau d'habitabilité dépassé. Une répartition plus harmonieuse de la population permettra, à une étape ultérieure de l'aménagement urbain, de moderniser les quartiers anciens en dégageant monuments historiques et édifices publics, en ouvrant de vastes perspectives et en introduisant plus largement verdure et parterres fleuris au cœur de la ville.

La fonction de capitale se trouve désormais intimement associée à celle de grands centres de production industrielle. Budapest est aménagé à la mesure d'une ville de 1 million d'habitants. La politique d'équipement industriel de l'ensemble du territoire la met à l'abri de l'hypercentralisation industrielle qui la menaçait en 1940, mais il ne s'agit pas pour autant de démanteler industriellement la capitale hongroise qui reste un centre complet d'industries où sont représentées à peu près toutes les formes d'activités productives développées dans la Hongrie moderne : industrie métallurgique et mécanique, y compris les fabrications spécialisées, industrie chimique, industrie textile et fabrication des vêtements, industries du cuir, industries alimentaires, industries du papier et du livre, industries du bois et des meubles, fabrication des industries de luxe, etc.

Homogénéisation de la fonction résidentielle, unification de la ville, association des fonctions de production et des fonctions politiques et culturelles, tels sont les caractères dynamiques de la capitale hongroise au milieu du siècle.

ORIENTATION BIBLIOGRAPHIQUE

Agriculture hongroise (L'), *Études et conjoncture*, I. N. S. E. E., Paris, V, n° 6 (Économie mondiale), nov.-déc. 1950, p. 56-84.

Nandor BACSO, *A hömerseklet elazlasa magyarorszagom 1901-1930 (Distribution de la température en Hongrie, 1901-1930)*, Publications Institut météorologique de Hongrie, Le climat de la Hongrie, 1948, in-8°, 132 p.

Büdapest Környeke (Les environs de Budapest), 200.000° Magyar Földrajzi Intezet R. T., Budapest, 1948.

RÉPUBLIQUES POPULAIRES DE L'EUROPE CENTRALE

Büdapest Belsö Területe (La surface bâtie de Budapest), 16.000ᵉ Magyar földrajzi Intezet R. T., Budapest, 1948.

Pierre GEORGE, L'industrialisation de la Hongrie, *La Pensée*, nouv. sér., nᵒ 32, sept.-oct. 1950, p. 61-72.

Pierre GEORGE, Transformations économiques et répartition de la population en Hongrie, *Bulletin Association de géographes français*, nᵒˢ 212-213, nov.-déc. 1950, p. 3-12, 2 fig.

Pierre GEORGE, Les transformations des campagnes hongroises, *Annales de Géographie*, LX, 1951, p. 199-209, 2 fig., 1 pl.

Pierre GEORGE, Génie rural et agronomie dynamique en Hongrie, *La Pensée*, nouv. sér., nᵒ 37, juil.-août 1951, p. 14-25.

Pierre GEORGE, La population de la République hongroise. État et perspectives, *Population*, VI, nᵒ 4, oct.-déc. 1951, p. 625-634.

Pierre GEORGE, *La ville*, Paris, Presses Universitaires de France, 1952, Budapest, p. 374-381, 1 fig.

Industrie hongroise (L') depuis la fin de la guerre, *Études et conjoncture*, Économie mondiale, IV, 1949, nᵒ 3, mai-juin 1949, p. 30-70.

A. KEZ, G. MARKOS, M. PECSI, G. SZUROVY, *Magyarorszag földrajza (Géographie de la Hongrie)*, Budapest, 1950, Manuel pour les classes terminales de l'enseignement secondaire, 250 p., nb. cartes et fig.

Egon KLEMENES, Külkereskedelmi tervezesünk es statisztikank feladatai es nehezsegei (Tâches et difficultés de la planification et de la statistique du commerce extérieur hongrois), *Statisztikai Szemle (Revue de statistique)*, Budapest, juin-juil. 1950, p. 387-391.

Ferenc KOCH, Emma BONYHADINE SZABO, L. GYENES, B. MOLNAR, M. MOSONYI, *Földrajz/Géographie (de la Hongrie)*, Manuel pour les classes terminales de l'enseignement secondaire, Budapest, 150 p., nb. illustr.

A. KOSZEGI, A termelöszövetkezeti esoportok 1949 dec. havi adatfelvetele (Relevé statistique des coopératives agricoles en Hongrie en décembre 1949), *Statisztikai Szemle (Revue de Statistique)*, Budapest, janv.-févr. 1950, p. 48-55.

Henri LEFEBVRE, Les transformations de la structure agraire en Hongrie, *Problèmes de planification*, Paris, École pratique des Hautes Études et Centre de politique étrangère, I, 1950, p. 137-148.

Emm. DE MARTONNE, *Europe centrale, ouv. cit., Hongrie*, p. 508-532.

Aldarno MOD, Termesünk eredmenye (Résultats de la récolte) (1950), *Statisztikai Szemle (Revue de statistique)*, Budapest, août 1950, p. 450-454.

Laszlo PAPP, A meszövedö erdöpasztak ehelyezeenek iranya a szeliranymeresi adatok alajplan (Sur le plan de création de bandes forestières de protection et sur leur direction d'après l'orientation des vents), *Agrartudomony (Revue d'agriculture)*, II, 8, Budapest, août 1950, p. 449-458, fig.

E. PETRI, *Géographie de la Hongrie*, Budapest, 1950, 100 p., 2 cartes, fig.

Planification (La) de l'économie hongroise, Institut national de Statistiques et Études économiques, *Études et conjoncture*, II, nᵒˢ 14-15, Paris, juil.-août 1947, p. 105-131.

Premier plan quinquennal (Le) et le contrôle financier de l'État de Hongrie, *Notes et études documentaires*, Paris, 30 mai 1950, nᵒ 1335, 16 p.

Plan quinquennal de la République populaire hongroise, Budapest, Éditions du bulletin hongrois, 1950, 53 p. (texte de la loi accompagné de graphiques).

Plan quinquennal hongrois, 1950-1954 (Le), *Économie soviétique et économie planifiée*, Paris, octobre 1949, p. 14-21.

Guy STORS, Les structures de la planification en Hongrie, *Problèmes de la planification*, Paris, École pratique des Hautes Études et Centre de Politique étrangère, 1950, p. 107-135.

Joszef TAKACS, Gabor BOGNAR, *Földrajzi Terkepfüzet (Atlas géographique)*, Budapest, 1950.

Chapitre V

LA ROUMANIE

A. — LES CONDITIONS NATURELLES ET HUMAINES DU DÉVELOPPEMENT ÉCONOMIQUE

La Roumanie a une forme très massive, moulée sur la partie orientale de l'arc carpatique et ses avant-pays.

Pour une superficie de 237.384 km², elle a environ 2.000 km. de frontières terrestres et 250 km. de frontières maritimes. La frontière septentrionale, commune avec l'Union soviétique, chevauche le 48e parallèle, dans l'axe de la vallée de la haute Tisza. Le territoire de la République roumaine est ensuite séparé de celui de l'Union soviétique par le Prut que la frontière suit jusqu'à son confluent avec le Danube, sur plus de 500 km. et par le bras septentrional du delta du Danube. Entre Bulgarie et Roumanie, la frontière suit le rebord septentrional du plateau sud dobrogéen sur environ 150 km. et se confond ensuite avec le Danube jusqu'au confluent du Timok. Avec la Yougoslavie, la frontière est constituée à l'est par le lit du Danube, à l'ouest par une ligne conventionnelle coupant le Banat. C'est également une frontière conventionnelle qui sépare la Roumanie de la Hongrie (voir ci-dessus, p. 658).

La Roumanie peut être divisée en deux grands ensembles régionaux comportant chacun des caractères physiques et un potentiel économique spécifiques : la Roumanie occidentale, qui comprend la Transylvanie, les collines qui précèdent la plaine pannonienne et l'essentiel des montagnes carpatiques, la Roumanie orientale et méridionale ou pontique : les plaines de Valachie et de Moldavie, le piémont sud et est carpatique.

1° Les Carpates et la Roumanie pannonienne.

L'épine dorsale de la Roumanie est la chaîne arquée des Carpates. A l'intérieur de la concavité de l'arc carpatique, la Transylvanie forme un complexe de massifs et de bassins intérieurs isolés, dominant un liséré de plaines et de collines qui borde le bassin pannonien.

A) *L'arc carpatique.* — L'arc carpatique comporte deux points d'appui, deux nœuds orographiques essentiels : au nord le massif de Maramures, au sud

— 701 —

le massif transylvain-banatique. Entre les deux, le raccordement s'effectue par un ensemble de crêtes moins compactes, les Carpates moldaves.

a) *Le massif de Maramures.* Le massif de Maramures entre Transylvanie et Bucovine est assez comparable, par sa structure et la disposition du relief, aux Carpates occidentales. Un noyau de roches cristallines morcelé par les dislocations et truffé de montées éruptives accompagnées de phénomènes de minéralisation rappelle les Tatry : c'est le massif du Rodna (2.305 m.), éventré par l'axe de la vallée du haut Viseu (bassin de Borsa) et de la haute Bistritza, comme les Hautes-Tatry sont séparées des Basses-Tatry par l'axe Vah-Hernad. Autour de ce massif se moulent des chaînes de flysch : au nord-est les montagnes de la haute Bucovine, au sud les hauteurs du haut Somes.

Un accident de relief original est dû à l'épanchement d'une masse éruptive constituant sur le haut Mures le lourd ensemble du Caliman (plus de 2.000 m.).

Cette région montagneuse est demeurée jusqu'à présent une contrée économiquement pauvre. Elle a été en partie dépouillée de son manteau forestier surexploité depuis quinze ans surtout ; la médiocrité des sols de vallée, la vigueur du relief et la rudesse du climat n'y offrent que peu de possibilités aux cultures limitant l'essentiel de l'économie agricole à l'élevage. Mais, par sa position et son relief, elle servit de refuge aux périodes d'insécurité, et la population s'est accumulée dans les bassins supérieurs de la Bistritza et du Somes. La dureté et la longueur des hivers y ont engendré un vieux type d'économie de misère associant aux maigres ressources des cultures et de la vie pastorale les produits des travaux forestiers et d'un artisanat familial villageois. Toutefois, cette misère, due à un surpeuplement relatif en fonction des ressources agricoles et d'une technique primitive très peu productive du travail de la mine n'implique pas condamnation de la région. Le reboisement et l'exploitation forestière rationnelle, la normalisation du pâturage et l'utilisation systématique des gisements miniers avec des moyens techniques appropriés peuvent modifier considérablement les conditions de la vie dans ce haut pays qui peut fournir aussi de notables quantités d'énergie hydro-électrique.

b) *Les Carpates moldaves.* L'essentiel du relief est constitué, entre massif de Maramures et hauts massifs dits transylvains-banatiques, par des crêtes gréso-schisteuses (flysch) boisées, disposées en arc, tournant leur convexité vers l'est-sud-est. Ces crêtes ont des sommets émoussés (vestiges d'anciens aplanissements), des versants raides, et dominent brusquement l'avant-pays externe. Sur le versant occidental ou interne, le passage au bassin transylvain s'effectue par une zone de relief assez mouvementée procédant de la présence de petits massifs cristallins et surtout de vastes zones d'épanchement basaltique (Hargitta). C'est dans cette partie de la montagne que le relief est le

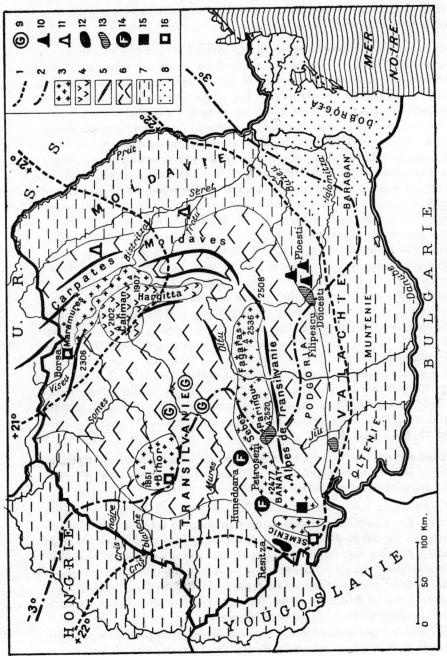

FIG. 72. — **Les conditions naturelles de l'économie roumaine**

1. Isothermes de juillet. — 2. Isothermes de janvier. — 3. Terrains anciens. — 4. Terrains éruptifs récents. — 5. Chaîne plissée. — 6. Régions de collines. — 7. Plaines à sols de loess. — 8. Plaines arides. — 9. Gaz naturel. — 10. Pétrole exploité. — 11. Pétrole reconnu. — 12. Houille. — 13. Lignite. — 14. Fer. — 15. Bauxite. — 16. Autres métaux.

plus aéré par des épanouissements des vallées en petits bassins intérieurs et en golfes du grand bassin transylvain.

c) *Le massif transylvain-banatique.* Le massif transilvain-banatique est le second pilier de l'arc. Il s'agit d'un haut ensemble de roches anciennes rajeuni par des dislocations récentes et furieusement mordu par l'érosion glaciaire et torrentielle (ci-dessus, p. 154). Les formes de hautes surfaces constituant des pâturages d'été voisinent de ce fait avec des parois ourlées de cirques et de ravinements sauvages. La densité du réseau hydrographique à l'est a découpé profondément le matériel cristallin, lui donnant un faciès alpin (« Alpes de Transylvanie »). Les *monts de Fagaras* constituent une longue sierra d'une soixantaine de kilomètres avec une altitude de plus de 2.000 m. (2.536 m. au Negoïu). La vallée de l'Oltu, qui occupe le long sillon séparant les crêtes de flysch des Carpates moldaves des basaltes du Hargitta, s'épanouit à l'extrémité des monts de Fagaras dans le bassin de Ville-Staline (ancienne-ment Brasov ou en allemand Kronstadt) pour constituer un nouveau couloir suivant la direction est-ouest le long de la bordure nord de la chaîne, avant le coude qui amorce la percée épigénique vers le sud. Les monts de Fagaras sont séparés par la cluse de l'Oltu d'un complexe plus épais groupant deux unités : massif du Sebes au nord, massif du Paringu au sud (2.000 à 2.500 m.). Le relief reprend un aspect de forteresses aux larges alpages, dominant un réseau de vallées encaissées. A l'ouest, mal séparé des montagnes précédentes par les vallées du Streiu et du Jiu, l'arc carpatique se termine au-dessus du Danube par le *massif du Banat.* Il s'agit encore d'une masse de roches anciennes diaclasées ou fracturées, burinées par la glaciation comme les Tatry, attei-gnant encore 2.506 m. dans le Retezat. Une grande coupure tectonique, couloir de Caransebes-Mehadia, sépare ce haut pays d'une zone montagneuse plus différenciée et moins élevée, qui domine directement la plaine du Banat et le défilé des Portes de fer.

Tandis que l'ensemble des redoutes montagneuses du massif transylvain-banatique jouent un rôle répulsif, deux groupes de pays présentent pour des raisons diverses un intérêt humain très vif :

1. Les bassins intérieurs de Vulcan, de Petroseni, de Hatzeg, petits foyers de vieille vie villageoise appelés à devenir siège d'activités industrielles importantes. Le bassin de Petroseni est, depuis 1870, lieu d'exploitation de charbon à pouvoir calorifique médiocre et de lignite. La proximité de gise-ments métallifères, en particulier notables amas de bauxite, appelle le déve-loppement de l'électrométallurgie tant à partir de courant d'origine thermique fourni par l'emploi du lignite et des bas charbons que de courant d'origine hydraulique susceptible d'être produit sur place.

2. La région des monts Métallifères, qui constitue la principale province minière de la Roumanie, autour de Resitza. Les monts Métallifères sont un

bloc basculé, tournant son versant abrupt vers l'est (1.477 m. au Semenic), légèrement ciselé en relief appalachien. Au bas de la pente longue du bloc, on trouve le charbon, le minerai de fer, des filons aurifères, et des filons polymétalliques.

B) *La Transylvanie*. — La dépression structurale de la Transylvanie est occupée par une topographie différenciée de collines tertiaires aux formes généralement molles ressemblant, avec des contrastes d'altitude plus marqués, aux Kulsö Somogy de la Transdanubie. Ici, en effet, les dénivellations sont de l'ordre de 300 à 400 m. Les formes sont variées, suivant qu'il s'agit d'une plastique lacustre comparable à celle des bassins intérieurs de la péninsule balkanique ou d'une topographie structurale d'anticlinaux plus ou moins faillés et affectés de diapirisme des terrains salifères.

Cette région accidentée et variée a été largement déboisée, à l'exception des crêtes ; les terroirs de sols changeants présentent de grandes superficies de prairies et de pâturages. Les meilleures contrées sont les couloirs de vallées (plaine du Mures). La fréquence des affleurements salifères a attiré de très bonne heure l'exploitation du sel. Les mêmes séries sédimentaires sont riches en gaz naturels. Il s'agit d'une zone de très ancienne colonisation rurale où se sont superposés les apports de divers éléments de peuplement (ci-dessus, p. 245). Une économie agricole différenciée, associée à l'utilisation des gaz naturels, peut se développer sur la vieille souche de polyculture et d'élevage, qui a médiocrement nourri les populations diverses issues des vagues successives de colonisation.

Le contact entre la Transylvanie et le bassin pannonien est accidenté par la présence du massif du Bihar ou Bihor. La transition directe entre les collines transylvaines et la grande plaine s'effectue au nord par le bassin du Samos le long duquel les altitudes moyennes s'abaissent progressivement vers la frontière hongroise, au sud par le couloir du Mures, plus directement dominé au sud par les Carpates, au nord par le Bihor. Le *massif du Bihor* forme au contraire un écran entre la plaine et le centre du bassin transylvain. Le Bihor est un morceau du système carpatique. Il en partage la structure, la lithologie, l'histoire morphogénique. Mais il est affecté, au moins depuis le début du Tertiaire, par des phénomènes de fragmentation et d'ennoyage. Le noyau du massif dépasse 1.800 m. : c'est un bloc de terrains anciens aux formes lourdes (Cucurbeta 1.849 m.) qu'enveloppent de petites régions de topographie différenciée, résultant d'une adaptation du relief à divers types de composition lithologique : crêtes de flysch du bassin de l'Ariès au sud-est, alignements calcaires formant de grandes barres décharnées à l'est, ensemble plus différencié et plus confus du sud-ouest. Par opposition aux collines défrichées très anciennement du haut bassin du Mures et du Somes, le Bihor fait figure d'îlot forestier et appelle la comparaison avec les massifs plus élevés situés au sud et au nord-est dans l'arc carpatique. Cette comparaison ne se borne pas au strict domaine physique des formes de relief et de végétation, mais s'étend aussi à la persistance, jusqu'à l'époque contemporaine, de types d'organisation de la vie rurale, pastorale, forestière et artisanale.

Le passage à l'Alföld hongrois s'effectue par des zones de glacis très mollement différenciés, le long du cours du Somes et des Cris (en hongrois Körös) qui descendent du Bihor. Au sud-ouest, la vallée du Mures s'épanouit dans un large golfe de plaine qui présente tous les caractères de l'Alföld : le Banat roumain. Le Banat roumain appartient à un des plus riches terroirs du bassin pannonien, partagé entre la Yougoslavie (Banat Yougoslave) et la Hongrie : département de Bekecsaba (ci-dessus, p. 692). Les sols sableux (anciennes zones de dunes) y interrompent seulement les larges étendues de lœss.

Les plaines occidentales de la Roumanie présentent des caractères climatiques très voisins de ceux de l'Alföld hongrois. Elles n'en diffèrent que par une plus grande humidité, le voisinage des Carpates et du Bihor provoquant une recrudescence des précipitations.

La Transylvanie, et surtout les Carpates, sont affectées d'hivers très durs, dus à la fois à l'accroissement progressif des faciès climatiques continentaux et à l'influence de l'altitude. A Cluj, 360 m. d'altitude, la moyenne de janvier est inférieure à — 5°. Le gel dure de décembre à fin mars, la neige couvre le sol de manière continue. Les bassins intérieurs des Carpates sont des lieux d'accumulation d'air froid en hiver, et la température y est plus basse que sur les versants qui les dominent (inversion de température). Pendant plusieurs semaines, le thermomètre reste stabilisé autour de — 10°. Les montagnes reçoivent des précipitations abondantes. Bien que l'été soit la saison la plus arrosée, la couverture neigeuse est épaisse et très stable. Les Carpates reçoivent plus de 800 mm. de précipitations, les hauts massifs de 1 m. à 1,50 m. Mais les bassins intérieurs, balayés par des vents descendants, sont généralement secs.

L'été est chaud dans les plaines du Banat, et encore en Transylvanie. Il est tempéré par l'altitude en montagne. La période végétative, qui s'étend d'avril à septembre, bénéficie d'une moyenne égale ou supérieure à 15° dans le Banat qui a les mêmes caractéristiques climatiques que la Bekecsaba hongroise et dans la cuvette transylvaine. Le déboisement du bas-pays a accru l'aridité de l'été, mais, à la différence de l'Alföld, la plaine ou les basses collines bénéficient ici du voisinage tout proche des montagnes chaussées de forêts, coiffées de pâturages d'altitude, milieu éminemment favorable aux migrations pastorales saisonnières.

2º La Roumanie pontique.

La Roumanie pontique forme l'avant-pays externe de l'arc carpatique. Le golfe tertiaire qui sépare les Carpates méridionales de la chaîne du Balkan, et dont la partie septentrionale, située au nord du Danube et du 44e parallèle est roumaine, est occupée aujourd'hui par un bas-pays de plaines et de collines. Il s'agit de deux provinces historiques : *Valachie* et *Moldavie*. La Valachie est divisée à son tour en deux régions : à l'ouest de l'Oltu, l'*Olténie*, à l'est la *Munténie*. Au sud du bas Danube, la Dobrogea ou Dobroudja septentrionale prolonge la Munténie jusqu'à la côte de la mer Noire.

Le contact entre la dépression pontique et les Carpates s'effectue par une zone de dépressions et de bassins subcarpatiques, encadrés par des massifs de collines où l'action des plissements carpatiques les plus récents exerce une influence sensible dans l'organisation du relief et du drainage.

A) *La zone subcarpatique.* — La zone subcarpatique est une zone de déformations récentes ayant affecté le Tertiaire et le Quaternaire. Les aires de subsidence possèdent les principaux gisements pétrolifères roumains. Tout le Miocène est imprégné, et les meilleures conditions d'exploitation se rencontrent dans les dômes anticlinaux et les diapirs. Les couches productives (roches magasins) sont atteintes à quelques centaines de mètres de profondeur seulement. Les pressions et les très hauts rendements moyens par forage sont caractéristiques de gisements puissants. La région où l'on accède le plus facilement au naphte est le département de la Prahova. Mais l'imprégnation pétrolifère apparaît spécifique de tout le bassin miocène du bas Danube.

Bassins et collines constituent des terroirs différenciés où les précipitations, qui vont devenir rares dans la plaine, sont encore abondantes, où les alignements de hauteurs abritent les vallées intérieures des vents glacés l'hiver, desséchants l'été. Les hommes y ont trouvé un abri contre les raids dévastateurs désolant la plaine, y ont défendu leur autonomie contre les maîtres de celle-ci. Il s'agit donc d'un milieu de peuplement ancien et de tradition nationale où se sont élaborés, au cours de longues périodes de sécurité relative, des systèmes de culture complexes associant la production du grain aux cultures de plantation et à l'élevage du bétail.

Les vallées parallèles découpent les collines et le glacis conduisant à la plaine en une série de dos de terrain allongés, suivant une direction générale nord-nord-ouest, sud-sud-est, s'infléchissant au nord-ouest sud-est, puis à la direction ouest-est vers l'est. Elles constituent un obstacle notable aux communications suivant l'axe des Carpates.

A l'est, en Moldavie, la zone subcarpatique s'identifie avec la vallée du Seret, dominée à l'est par des collines en partie assimilables à des cuestas. Couloir naturel de communications sud-nord, ce sillon est aussi un axe de peuplement agricole. Les collines situées entre Seret et Prut prennent un caractère de plus en plus âpre vers le sud. L'altitude relative des reliefs s'atténue, mais l'aridité devient plus grande et annonce les paysages plus monotones, aux étés brûlants, de la steppe moldave et ukrainienne voisine et aussi de la Valachie. Cette région bénéficie cependant, surtout au nord, des réserves d'eau de la montagne qui peuvent être stockées pour la période sèche et fournir à la fois de l'énergie et de l'eau d'irrigation.

B) *La plaine, le Danube.* — a) *La plaine valaque.* La plaine valaque se différencie nettement du Piémont carpatique (Podgoria) par l'uniformité du paysage ouvert lié à la présence du lœss où la couverture forestière ne semble jamais avoir été bien solide depuis le Quaternaire et a été de très bonne heure détruite par l'homme. Une analyse morphologique détaillée y fait apparaître une succession d'unités alluviales, un glacis de Piémont formé de cônes de déjections juxtaposés qui enveloppe la base des collines tertiaires subcarpatiques, des hautes terrasses couvertes de lœss, et la plaine alluviale récente. Les terrasses sèches couvertes de lœss sont, depuis la préhistoire, occupées par la steppe. Le paysage de la steppe brute, comparable à celui de l'ancienne puszta hongroise, s'est longtemps conservé à l'est de la Valachie dans le Baragan. Son sort est celui de la puszta. Progressivement gagné à la colonisation rurale, le Baragan s'est transformé en campagne céréalière.

Les sols limoneux de la Valachie, comme ceux de la Moldavie méridionale qui lui fait suite à l'est, sont des terroirs de grosse culture à base de production de grain, mais l'économie agricole doit tenir compte des sécheresses assez accusées même l'été, plus ou moins sensibles suivant les années.

b) *Le Danube* (ci-dessus, p. 199). Le Danube pénètre en Roumanie par le défilé des Portes de Fer qui sépare l'extrémité sud-occidentale des Carpates du Balkan. Il coule jusqu'à son delta en contrebas des terrasses valaques, dans un large couloir d'inondation où s'enchevêtrent faux bras, étangs, méandres recoupés et marais devenant lagunes en s'approchant de la mer.

Il se termine par un delta de 3.500 km² en croissance rapide. Gros transporteur, le Danube pousse ses bouches vers le large. Le delta forme une saillie de 30 km. en avant de la côte. Un enchevêtrement de flèches d'alluvionnement et de cordons littoraux dépassés par la progression de l'alluvionnement crée un pays difficile d'accès où les constructions boueuses dépassent de 1 mètre à peine les lagunes et les vasières. La navigation est difficile sur les bouches du Danube. Elle n'est permise qu'à des flottilles à faible tirant d'eau. Le delta termine en impasse la grande voie navigable européenne qu'est le Danube.

c) *La Dobrogea septentrionale.* Ce fait donne une importance particulière à la Dobrogea septentrionale, qui s'étend au sud du delta à l'est du coude décrit par le fleuve à partir de Silistra. Immédiatement au sud du bras le plus méridional du fleuve, la branche de Saint-Georges, une zone de collines de faible altitude, mais de topographie vigoureuse, sépare la tête du delta des lagunes de Razelm et de Sinœ. Elles marquent l'emplacement du massif ancien nord-dobrogéen à esquisse de topographie appalachienne.

Au sud, une dépression de structure tabulaire (Crétacé), affectée de phénomènes d'ennoyage récents, forme l'isthme nord-dobrogéen, la voie naturelle de passage direct entre le fleuve et la côte de la mer Noire. Cet isthme est dominé au sud par le talus de la plate-forme sud-dobrogéenne que suit la frontière bulgare. Traversé par la voie ferrée Bucarest-Constantza, il est demeuré jusqu'à la deuxième guerre mondiale domaine de marais malariens assez comparables aux marais Pontins avant leur assainissement.

La Roumanie pontique a un climat continental qui présente des caractères originaux. Il est marqué d'abord par une amplitude thermique très forte, qui impose à Bucarest, très près du 44e parallèle (celui de Florence et de Nice), une moyenne de janvier de — 3º 5 semblable à celle de Varsovie (au nord du 52e parallèle), et porte celle de juillet à 23º. Cette affirmation de la continentalité est due en grande partie à la libre pénétration dans le bassin pontique du Danube des vents du Nord-Est apportant de la plaine russe le froid en hiver, une chaleur desséchante en été. Le climat pontique se distingue en effet des autres climats continentaux, et notamment du climat continental polonais ou russe par la pénurie relative des précipitations estivales. La saison la plus arrosée est ici le printemps. La tendance à l'aridité de l'été, sensible déjà dans la plaine hongroise, s'affirme nettement ici et influe sur les conditions de développement de l'agriculture.

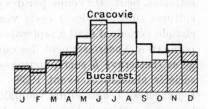

FIG. 73. — **Comparaison des diagrammes pluviométriques de Cracovie et de Bucarest**

La réduction des précipitations d'été en Valachie est très perceptible.

PRÉCIPITATIONS MENSUELLES A CRACOVIE, BUDAPEST ET BUCAREST
(moyennes sur cinquante années)

	Janv.	Févr.	Mars	Avr.	Mai	Juin	Juill.	Août	Sept.	Oct.	Nov.	Déc.	Année
Cracovie	27	25	35	44	71	91	88	89	60	50	59	37	656
Budapest	38	27	47	52	61	69	51	53	50	55	55	53	611
Bucarest	31	27	42	51	63	84	72	48	37	38	46	44	583

La formule saisonnière de répartition des précipitations qui est nettement E. P. A. H. à Cracovie (avec respectivement 267, 206, 146 et 87 mm.) est au contraire P. E. A. H. à Budapest et à Bucarest (pour chacune de ces deux stations : 182, 173, 163 et 112 ; 198, 157, 128, 100).

— 709 —

3° Les conditions naturelles du développement de l'économie nationale.

La valorisation du potentiel agricole de la Roumanie a rencontré de multiples obstacles dans son développement ancien : la désertion des meilleures terres de plaine, soumises aux invasions et au régime du tchiflik jusqu'au milieu du XIXe siècle, l'accumulation de populations rurales trop nombreuses, dépourvues d'instruments d'exploitation efficaces dans les bassins des Carpates et de Transylvanie, la persistance du régime des latifundia et l'échec de la réforme agraire entreprise en 1919. Les meilleures terres n'étaient pas les mieux cultivées ni les plus productives. De vastes espaces malariens subsistaient dans la basse vallée du Danube. L'irrégularité des saisons pesait lourdement sur les récoltes et sur le ravitaillement des campagnes.

Les conditions naturelles autorisent une productivité du sol quantitativement et qualitativement supérieure à celle qui a été obtenue jusqu'à présent. Les facteurs défavorables ne sont pas de ceux dont la correction exige la mise en œuvre de techniques très compliquées. Les drainages des fonds de vallée et de la Dobrogea peuvent accroître les disponibilités en terres fraîches et faire disparaître la malaria. Le redoutable *crivet*, qui aggrave les sécheresses estivales, peut être coupé par des écrans appropriés. Le climat se prête aux cultures subtropicales à cycle végétatif assez court pour s'insérer dans la chaude période d'avril à septembre, coton, riz, kenaf, saghyz. Climat et sols permettent l'accroissement des cultures industrielles et des cultures fourragères (betterave à sucre, tournesol, lin, chanvre, soja — introduit par les sociétés allemandes avant 1938 —, prairies artificielles et cultures sarclées fourragères). L'agriculture roumaine peut faire aisément face aux besoins de la consommation nationale, qui, très basse avant la guerre, est en accroissement. Les conditions de son accroissement ne sont pas tellement dans l'adaptation de cultures ou de formes nouvelles d'élevage au milieu naturel que dans le passage de l'agriculture extensive à l'agriculture intensive.

Les forêts constituent une richesse très importante, susceptible de fournir des produits d'exportation, mais l'exploitation forestière doit être normalisée, les régions situées à proximité des axes de transport ayant été dévastées pendant la guerre.

Le fait le plus nouveau est la prise en considération des conditions de développement d'une économie industrielle. La Roumanie, traditionnellement considérée comme riche de son pétrole, vendu à l'étranger, mais pauvre en bases énergétiques d'une industrialisation nationale, possède en fait de notables ressources en combustibles minéraux, en gaz naturels, et un potentiel hydroélectrique élevé. Charbon et lignite de Transylvanie et de Resitza peuvent être exploités au rythme de 10 à 15 millions de tonnes pendant plusieurs décades. Les principaux gisements de charbon sont ceux de Petroseni (combustible assez pauvre, tantôt classé comme lignite tantôt comme charbon) et de Anina (monts Métallifères). Le lignite est connu ou exploité à Petroseni, Doicesti Satanga, Filipescu de Padure (Munténie), Capeni, Sarmasag, Valea, Timisului (Banat), Carbunesti (Oltenie). L'utilisation du gaz méthane est à la mesure des canalisations et des installations de stockage plus qu'à celle des puits, nombreux et faciles à forer en Transylvanie (le gaz naturel contient 95 à 99 % de méthane), ou dans les zones pétrolifères sub-carpatiques d'Olténie et de Munténie. Les disponibilités sont très élevées. L'abondance des eaux courantes dans toute la montagne carpatique fait de la Roumanie le pays d'Europe centrale qui a le potentiel hydraulique équipable le plus élevé. On a évalué ce potentiel à environ 6 millions de kWh., susceptible de fournir à un rythme de cinq mille heures d'utilisation par an 30 milliards de kWh.

Avec ses ressources de pétrole applicables en grande partie au développement de l'économie nationale, la Roumanie peut prétendre en dix ou quinze ans à un potentiel énergétique national d'ensemble (pétrole, charbon, lignite, gaz naturel et énergie hydraulique équipée) de l'ordre de la centaine de milliards de kWh., représentant un quotient de 5.000 kWh. par habitant et par an, c'est-à-dire un quotient de grande puissance industrielle. Dans l'état présent de l'équipement des ressources énergétiques, la Roumanie dispose, dès 1953, d'environ la moitié de ces ressources, exprimées par un quotient de 2.500 kWh. par habitant et par an, correspondant à celui de la France, mais avec une structure différente, le pétrole et le gaz naturel représentant la source principale de l'énergie disponible. Le charbon et les lignites sont par ailleurs applicables en partie à la fabrication de coke et de semi-coke requis par la métallurgie.

La Roumanie possède aussi d'importantes ressources en minerais métalliques, fer, manganèse, cuivre, plomb, zinc, bauxite et en sels minéraux. Les principales provinces minéralogiques sont celles de Resitza (monts Métallifères) et du Bihor, mais les prospections récemment menées dans les massifs de Maramures et dans les Carpates occidentales ont montré que les gisements naguère exploités par des méthodes artisanales se prêtaient à une exploitation industrielle. Le bassin de Borsa se trouve au centre d'une région de production de minerais divers comparable à celle des monts Métallifères slovaques. Dans les Carpates occidentales et les monts Métallifères transylvains, la bauxite se joint aux gisements de fer, de manganèse, de plomb et de zinc. Le Bihor a de l'or, du cuivre, du nickel.

4° La population roumaine.

La population de la Roumanie s'élevait avant la guerre à environ 16 millions d'habitants, représentant une densité de près de 70 habitants au kilomètre carré, densité très élevée pour un pays d'économie strictement rurale.

Sur une population active totale de 10,4 millions de personnes (les deux tiers de la population totale), 8.231.539 étaient employées dans le secteur agricole (dont 1,5 million d'ouvriers agricoles), soit 78,5 %. Les mines, l'industrie, l'artisanat et le bâtiment occupaient 750.000 travailleurs (dont 500.000 salariés ou chômeurs), 7,1 % ; le commerce, les activités financières et les transports 530.000, 5 %. La densité de la population agricole par rapport à la superficie labourée s'élevait à une personne active pour 2 ha. En moyenne, 4 ha. de terres à productivité très basse devaient nourrir trois personnes au prix d'un très lourd travail.

La population urbaine ne représentait que 15 % de la population totale. En dehors de la capitale (639.000 habitants en 1930), quinze villes seulement avaient plus de 50.000 habitants.

Le niveau de vie très bas de la population s'accompagnait d'une très forte mortalité, notamment d'une très forte mortalité infantile (taux brut pour la moyenne 1932-1940 : 20 ; mortalité infantile pour la même période : 181 (1)). Une natalité élevée (taux brut pour la moyenne 1932-1940 : 31, en légère baisse au cours de la période envisagée) provoquait cependant un accroissement régulier de la population, un surpeuplement chronique et une forte émigration.

La Roumanie, surpeuplée dans le cadre d'une économie fondamentalement agricole, éprouve aujourd'hui de forts besoins de main-d'œuvre pour réaliser les grands travaux de son équipement et son industrialisation. En 1949-1950, l'économie industrielle a absorbé 350.000 travailleurs nouveaux ; au cours du quinquennat 1951-1955, l'effectif des ouvriers d'industrie doit s'être élevée encore de plus d'un demi-million. En 1955, le nombre des ouvriers est d'environ 1.800.000 (contre un demi-million au cours des périodes de plein emploi de l'avant-guerre).

La nouvelle orientation économique pose deux problèmes : celui du nombre et celui de la qualification.

Le dénombrement du 25 janvier 1948 a mis en valeur les effets néfastes de la période de la guerre sur la natalité (le taux brut est tombé de 31 pour la moyenne 1932-1940 à 20 à peine pour la période 1941-1948). La mortalité infantile s'est accrue entre 1941 et 1948 pour atteindre près de 200, c'est-à-dire un des taux les plus élevés du monde. Aussi, la pyramide d'âges à la date du dénombrement est-elle nettement pincée à la base. Les sept plus jeunes classes ne rassemblent alors que 12,7 % de la population totale contre 16,8 % aux sept classes de 7 à 14 ans, tandis que les sept plus jeunes classes groupaient 19,3 % de la population en 1930.

La lutte a été engagée à partir de 1948 contre la mortalité, spécialement contre la mortalité infantile, et pour la reprise de la natalité. En 1949, la

---

(1) Chiffres inférieurs à la réalité en raison des délais apportés à l'enregistrement des naissances et de la non-déclaration des enfants morts au bout de quelques jours ou des premières semaines.

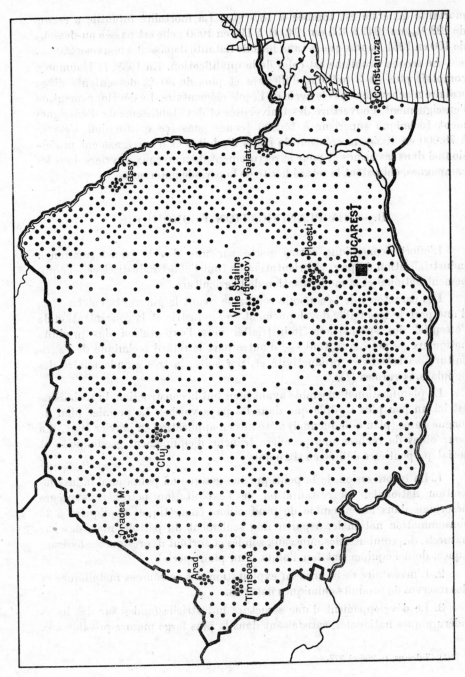

FIG. 74. — **La répartition de la population en Roumanie**

Un point représente 10.000 habitants, un carré noir une agglomération de plus de 500.000 habitants.

mortalité générale est tombée à 13,7 %. La mortalité infantile a reculé de 198 %oo en 1947 à 135 en 1949 et à 110 en 1950 ; elle est passée au-dessous de 100 en 1951, tandis que le taux brut de natalité dépassait à nouveau 25 %oo.

Le second problème est celui de la qualification. En 1938, la Roumanie comptait plus de 3 millions d'illettrés et plus de 30 % des enfants d'âge scolaire n'achevaient pas le cycle de l'école élémentaire. Le développement de l'enseignement, l'ouverture des Universités et des établissements d'enseignement technique supérieur à 55.000 jeunes gens (ce chiffre doit s'élever à 78.000 en 1955), la création de cours d'adultes et d'enseignement professionnel dans les usines et pour le recrutement de nouveaux ouvriers dans les campagnes, colmatent le retard hérité de la période antérieure.

B. — LA PLANIFICATION ÉCONOMIQUE

L'effort économique actuel porte sur une double transformation : industrialisation du pays et orientation de tout l'effort industriel vers l'équipement national et la modernisation de l'agriculture.

Les caractères de l'économie roumaine avant la guerre étaient en effet, d'une part le très faible développement de l'industrie et la concentration de l'essentiel des spéculations industrielles vers l'exportation des produits nationaux — pétrole surtout —, d'autre part le retard technique de l'agriculture, sa très basse productivité et, par suite, la très grande misère des populations rurales (1).

La planification d'ensemble ayant pour but la construction du socialisme est ici un peu plus tardive que dans les pays voisins. Le premier plan de longue durée (plan quinquennal) a été mis en application en janvier 1951. Il a pour objet de réaliser une première tranche d'équipement économique et social qui peut être définie en six points :

1. La reconversion de la politique énergétique en politique d'industrialisation nationale. La restauration de l'exploitation pétrolière s'intègre désormais dans un ensemble de productions énergétiques appliquées à la consommation nationale, à partir non seulement du pétrole, mais des gaz naturels, des combustibles minéraux solides et surtout des ressources hydrauliques, dont l'équipement fait l'objet d'un plan spécial.

2. L'inventaire et la mise en exploitation des ressources métalliques et des réserves de produits chimiques naturels.

3. Le développement d'une structure industrielle fondée sur des bases sidérurgiques nationales, satisfaisant dans la plus large mesure possible aux

(1) Ci-dessus, p. 266 et 277.

1937

1. *Énergie et industrie lourde :*

Énergie électrique	4.700.000.000 de kWh.	1.077.000.000
Charbon (et lignite)	8.533.000 t.	2.100.000
Pétrole brut	10.000.000 –	7.153.000
Gaz naturel	3.900.000.000 de m³	2.000.000.000
Coke métallurgique......................	700.000 t.	80.000
Fonte..................................	800.000 –	127.000
Acier	1.252.000 –	239.000
Aluminium	5.500 –	

2. *Matériel d'équipement :*

Moteurs à combustion interne	98.000 CV
— électriques......................	433.000 kW.
Générateurs électriques	184.000 —
Transformateurs	850.000 kVh.
Machines rotary	90 unités
Treuils de forage	90 —
Tracteurs	5.000 —
Charrues tractées	6.250 —
Moissonneuses-batteuses..................	420 —
Moissonneuses-lieuses	2.500 —
Wagons de marchandises et citernes (sur 4 essieux)	5.200 —

3. *Construction :*

Ciment.................................	2.855.000 t.
Tuiles et briques.......................	1.122.000.000 de pièces
Pièces de maisons préfabriquées	300.000 m²

4. *Industries légères :*

Papier	180.000 t.
Cotonnades	266.500.000 m²
Lainages	39.400.000 –
Tissus en lin et chanvre	40.300.000 –
Soieries	41.800.000 –
Chaussures cuir	20.700.000 paires
— caoutchouc	2.700.000 –

5. *Production agricole :*

Céréales panifiables	3.740.000 t.
Maïs	4.030.000 –
Légumineuses	315.000 –
Betteraves à sucre	2.125.000 –
Pommes de terre	2.775.000 –
Graines oléagineuses	600.000 –
Coton	230.000 –
Fibres de lin	90.000 –
— chanvre	325.000 –

Cheptel :

Chevaux	1.200.000
Bovins	4.700.000
Ovins	12.500.000
Porcs	4.500.000

besoins d'instruments mécaniques de production industrielle et agricole.

4. La modernisation de l'agriculture et l'aménagement du paysage rural par la mise au point de dispositifs de protection contre les calamités agricoles chroniques.

5. La rationalisation des transports et l'ouverture de voies nouvelles, spécialement du canal Danube-mer Noire.

6. L'amélioration des conditions d'existence par le développement des industries légères, l'élévation du niveau de vie, l'amélioration du système scolaire et universitaire, l'aménagement urbain.

1° L'aménagement de l'appareil énergétique.

Les perspectives de production d'énergie pour 1955 représentent, convertis en kilowatts-heure conventionnels à raison de 0,400 kg. de produits pétroliers, de 0,5 m³ de gaz et de 1 kg. de houille et lignite pour 1 kWh., un total de plus de 40 milliards de kWh., correspondant à un quotient individuel nettement supérieur à 2.000, presque égal au quotient français. Cette disponibilité repose sur la restauration de la production pétrolière, sur l'équipement hydraulique et sur une utilisation systématique des combustibles minéraux solides.

La reconstitution de la production de pétrole et de gaz méthane. — La production pétrolière roumaine était en déclin continu depuis 1936, année d'exploitation record avec 8 millions de tonnes, et l'on admettait généralement que la chute constante de la production indiquait l'épuisement prochain de gisements qui avaient fourni 140 millions de tonnes depuis le début de la mise en valeur par les sociétés étrangères, et auxquels on attribuait environ 180 millions de tonnes de réserves.

En fait, on enregistre surtout une réduction progressive des travaux de forage, tant pour renouveler les puits productifs que pour prospecter de nouvelles nappes : 329.000 m. forés en 1936, 288.000 en 1938, 256.000 en 1939. La guerre a réduit encore les investissements : le nombre de mètres forés est tombé à 154.586 en 1946. Pratiquement, l'exploration est alors au point mort ; on ne fore que dans les gisements exploités depuis cinquante ans. Or, il est certain que les nappes utilisées dans le bassin de la Prahova doivent être relayées. Les réserves reconnues dans l'ensemble de la zone carpatique sont considérables et la notion d'épuisement n'est valable qu'à l'échelle locale. La réorganisation de la production requiert un important travail de forage. Le plan envisage de porter le nombre de mètres forés à 550.000 pour l'exploration et à 700.000 pour l'exploitation en 1955.

Ces forages seront effectués dans l'ensemble des régions pétrolières de la Roumanie afin de mobiliser progressivement des réserves neuves, notamment en Moldavie, entre les vallées du Trotus et du Tazlău. Cette extension géographique de la production implique la pose de nouveaux pipe-lines. Au cours du quinquennat 1951-1955, le débit du réseau d'évacuation du pétrole doit être accru de 2.600.000 t. et l'ampleur du réseau spatialement accrue.

La production, tombée en 1944 à 3.525.000 t., s'est progressivement relevée à 3.770.000 t. en 1947, à 5,5 millions en 1950 et à 6,6 millions en 1951 (soit l'équivalent du chiffre de 1938). Le chiffre record de 1936 doit être dépassé en 1953.

L'importance des travaux de restauration et d'exploration abaisse provisoirement le rapport entre production et nombre de mètres forés. Cependant, avec une production de 10 millions de tonnes pour 1.250.000 m. forés, dans le cadre des prévisions pour 1955, on atteint une moyenne de 8 tonnes par mètre foré, presque équivalente à la moyenne des États-Unis (8,5 à 10), tandis que par les méthodes d'exploitation pratiquées avant la guerre, sans investissements conservateurs du potentiel productif du gisement, on était arrivé au chiffre de 25 à 30 tonnes par mètre foré.

La condition préjudicielle de la restauration de la capacité de production des gisements pétroliers roumains était la possession des moyens d'investissement et de l'armature technique nécessaire. L'exploitation pétrolière de l'ancienne Roumanie était aux mains des sociétés étrangères. Les Roumains n'intervenaient dans les processus d'exploitation qu'à titre de main-d'œuvre non qualifiée. Il semblait, dans ces conditions, que la Roumanie ne puisse pas immédiatement prendre le relai des filiales des sociétés anglo-américaines. La solution financière et technique a été fournie par la constitution de deux sociétés mixtes à 50 % de capital roumain et 50 % de capital soviétique, l'apport matériel et la contribution à la production de chaque partenaire entrant en compte pour le calcul du capital social : la *Sovrommetal* de Resitza et la *Sovrompetrol*. La *Sovrommetal* est une société de construction de matériel de forage et de tout appareillage nécessaire à l'extraction, au transport et au raffinage du pétrole. La *Sovrompetrol* a pour objet l'extraction et le traitement du naphte. Elle bénéficie de la présence de techniciens soviétiques qui dirigent les travaux délicats, et l'enseignement professionnel et technique supérieur formant les futurs cadres industriels roumains.

La production pétrolière est épaulée par celle du gaz méthane. Les réserves de la Transylvanie sont évaluées à 500 milliards de mètres cubes. Des gisements importants ont été découverts en Moldavie. La production a été poussée à 1,8 milliard en 1950, tandis qu'avant la guerre on n'utilisait, en plus des gaz naturels extraits des puits de pétrole, que 300 millions de mètres cubes de gaz méthane transylvain (gaz naturel à 95-99 % de méthane). Le gaz est destiné à la consommation domestique et industrielle des centres urbains et aux industries chimiques. Les principaux axes de pipe-lines à gaz sont la liaison Transylvanie-Bucarest en cours d'intensification et les liaisons avec les centres industriels, notamment Ville-Staline (ex-Brasov) et Bacau. Le gaz méthane est employé, outre ses utilisations comme source d'énergie, à la fabrication du noir de gaz, du caoutchouc synthétique et de divers produits chimiques utilisés notamment en pharmacie, à base d'acide formique et d'acide oxalique.

L'exploitation charbonnière. — La Roumanie possède des réserves de combustibles minéraux de tous ordres, des tourbes aux anthracites, mais ses disponibilités essentielles sont représentées par les lignites et les charbons gras.

La classification des combustibles est d'ailleurs assez discutable pour une fraction importante des réserves qui se trouve chevaucher les limites discriminatoires : les lignites de la vallée du Jiu ont une teneur en matières volatiles qui justifie leur appellation, mais un pouvoir calorifique de 7.000 à 7.200 calories qui est déjà celui du charbon.

Une répartition des combustibles d'après leurs aptitudes industrielles, et suivant l'usage le plus rationnel qui peut en être fait, conduit à employer les ressources de la vallée du Jiu pour la production d'énergie industrielle et de combustible de chemin de fer, à valoriser le plus possible sur place les lignites à pouvoir calorifique inférieur à 6.000 calories en construisant des centrales thermiques et à réserver les charbons gras du Banat à la fabrication du coke qui doit s'élever à 700.000 t. en 1955. Mais on fabrique aussi du semi-coke avec les charbons du Jiu. L'usine en construction de Hunedoara doit en traiter 160.000 t. à partir de 1955.

D'autre part, un tri rationnel et mécanisé des combustibles au carreau des mines permet de séparer les qualités industrielles des bas produits à brûler sur place dans des centrales thermiques. Celle de Petroseni, utilisant les déchets de lavage du charbon, est construite sur la base d'une puissance installée de 150.000 kW.

Les mines de charbon et de lignite sont l'objet d'un effort d'équipement et de mécanisation simplifiant les opérations d'extraction et accélérant la production avec le minimum de main-d'œuvre.

Le plan d'électrification. — La Roumanie était jusqu'à la guerre un des pays les moins électrifiés d'Europe. La puissance installée en 1949 était de 740.000 kW. dont 600.000 kW. utilisables. Il s'agissait surtout de petites usines urbaines à faible rayon d'action : 603 centrales consommant sans discernement des combustibles à bas prix et des combustibles susceptibles d'une meilleure utilisation : 250.000 t. de produits pétroliers, 500 millions de mètres cubes de gaz, de bons charbons. Le réseau à haute tension ne dépassait pas 2.500 km.

Un plan d'équipement électrique réalisable en dix ans a été mis en application à partir de 1951. Les bases de la production du courant sont les lignites qui assureront en 1960 une offre de 2,3 milliards de kWh. par an (à raison d'une consommation de 3,2 millions de tonnes), les déchets de charbon : 1 million de tonnes donnant 1 milliard de kWh. et l'énergie hydraulique dont le potentiel total utilisable — à échéance lointaine — a été évalué à 5.650.000 kW. pouvant donner lieu à une production de 27,2 milliards de kWh.

La puissance hydraulique de la Roumanie procède de deux types de possibilités d'aménagement : de grands travaux sur le Danube, et l'organisation énergétique des cours d'eau secondaires. Dans tous les cas, l'aménagement hydroélectrique est couplé avec des travaux de régularisation de la distribution des eaux, correction des régimes fluviaux et irrigation. L'aménagement du Danube pose par ailleurs le problème de l'organisation de la grande navigation. La région des Portes de Fer pourrait supporter un ensemble de centrales d'une puissance installée de 1.280.000 kW. distribuant 8 à 9 milliards de kWh. D'importants travaux réalisables dans la basse plaine et dans le delta permettraient d'améliorer plusieurs centaines de milliers d'hectares. Mais l'aménagement du fleuve est un problème international qui ne peut être résolu dans l'immédiat.

Le plan de dix ans s'attaque en revanche à l'aménagement des cours d'eau secondaires. La pièce essentielle est la construction de la centrale *Stejar* sur la Bistritza, pour une puissance de 210.000 kW. et une distribution de 430 millions de kWh. A la centrale est associé le barrage de retenue d'Izvorul Muntelui, point de départ d'un système d'irrigation intéressant 300.000 ha. dans le sud de la Moldavie et le nord du Baragan.

Le lac-réservoir, retenu par une masse de béton de 1 million de mètres cubes, se développera sur une longueur de 35 km. (1.400 à 1.800 millions de mètres cubes de capacité).

La deuxième grande installation hydroélectrique en construction est celle du Raul Mare au sud de Hatzeg, dont la production sera couplée avec celle des installations thermiques de la vallée du Jiu et du Banat.

Enfin, un troisième groupe est en cours de réalisation dans la vallée de la Ialomitza : Moroeni, Scropoasa, Bolboci.

Au total, 24 hydrocentrales seront construites en dix ans, soit un potentiel installé de 835.000 kW., dont plus du quart à Stejar. Dans ce chiffre entrent en ligne de compte les puissances de petites centrales rurales pour un total de 40.000 kW.

Les principales centrales thermiques également mises en chantier dans le cadre du plan sont celles de Munténie et du Sud-Ouest. En Munténie, il s'agit d'utiliser les lignites à Filipescu de Padure et à Doicesti pour alimenter les industries de la Prahova et d'Arges et la ville de Bucarest. L'usine de Doicesti avait, en 1952, 60.000 kW. de puissance installée. Celle-ci sera portée, en 1955, à 120.000 kW. L'électrification de la voie ferrée Bucarest-Ville-Staline est menée de front avec l'achèvement des travaux de la centrale. L'usine de Filipescu de Padure aura une puissance analogue. Ce groupe régional débitera, en 1960, plus de 1,5 milliard de kilowatts-heure.

Le second groupe est axé sur les centrales de Petroseni et de Valisoara. La puissance installée à Petroseni doit s'élever à 150.000 kW.

Enfin, en Dobroudja, la centrale d'Ovidiu est destinée à fournir le courant nécessaire aux installations du canal Danube-mer Noire.

Le plan comporte, d'autre part, la construction de centrales d'intérêt local ou régional d'une puissance moindre. Au total, les constructions nouvelles d'usines thermiques porteront sur une puissance installée de 1.039.000 kW. en treize usines, les agrandissements d'usines existantes sur 59.000 kW. (cinq usines), la construction de centrales de service intégrées à des complexes industriels (autoproducteurs), 80.000 kW.

Les usines nouvelles et les anciennes seront groupées en sept réseaux régionaux : Munténie, Olténie, Moldavie du Nord, Moldavie du Sud et Dobroudja, Transylvanie centrale, Transylvanie du Nord-Ouest, Transylvanie du Sud-Ouest. Les 7 milliards de kWh. distribués en 1960 seront répartis entre les divers secteurs d'activité nationale suivant le schéma ci-dessous :

Industries, mines	4.330.000.000 de kWh.
Traction électrique	300.000.000 —
Services communaux	520.000.000 —
Consommation domestique et consommation des magasins et bureaux	750.000.000 —
— rurale	230.000.000 —
— des centrales et pertes en ligne	870.000.000 —

Une des applications les plus neuves de l'électrification en Roumanie est l'électrification rurale. Au cours du quinquennat 1951-1960, 50 % des communautés rurales seront reliées au réseau, la majeure partie des autres pourvues de petites centrales locales (notamment de microcentrales hydro-électriques d'environ 500 kW.).

La première tranche d'exécution du plan, au cours du quinquennat 1951-1955, comporte la pose d'un réseau de 3.960 km. et la mise en place des stations de transformation correspondantes.

2º Le développement des industries d'équipement.

Les industries d'équipement, surtout les industries d'équipement lourd, sont fortes consommatrices de fer et de métaux non ferreux. La production de minerai de fer doit être portée dans la région des monts Métallifères à 740.000 t. et assurer environ la moitié des besoins des hauts fourneaux. Les deux centres sidérurgiques principaux sont celui de Resitza et de Hunedoara où les installations anciennes sont en reconstruction et en agrandissement. Au cours du quinquennat 1951-1955 seront construits sept hauts fourneaux de grande capacité, des batteries de fours Siemens-Martin, six trains de laminoirs et un combinat d'alliages ferreux. La production de fonte (800.000 t. en 1955) et d'acier (1.252.000 t.) est orientée vers les besoins des chemins de fer, de l'industrie pétrolière, de l'équipement agricole et de l'outillage des usines. Il sera livré aux industries utilisatrices, en 1955, 828.000 t. de laminés et 190.000 t. de tuyaux.

Parallèlement, l'extraction des métaux non ferreux est activement poussée : objectifs 1955, 14 à 15.000 t. de zinc, 15.000 t. de plomb. La Roumanie sera également productrice de cuivre et une industrie nouvelle de l'aluminium sera créée dans les Carpates occidentales : l'équipement, mis en place en 1955, doit permettre d'atteindre, au cours du quinquennat suivant, une production de 25.000 t.

L'équipement des industries de la métallurgie de transformation s'effectue en partie dans le cadre des sociétés mixtes soviéto-roumaines qui assurent à la Roumanie le concours des techniciens et d'un premier fond d'outillage soviétiques, notamment la Sovrommetal de Resitza et la Sovromtractor de Ville-Staline.

Les principales branches de fabrication sont la production de l'outillage destiné à l'industrie extractive, celle de machines agricoles et de tracteurs (21.000 tracteurs doivent être produits en cinq ans, de 1951 à 1955), la fabrication des machines-outils pour le façonnage des métaux (le chiffre de 1955 est de 1.540 grosses machines-outils dont 645 tours), la production de moteurs thermiques, de pompes, de compresseurs et d'outils pneumatiques, les constructions de matériel de transport, spécialement matériel de chemin de fer, batellerie fluviale et constructions navales.

Une partie de ces industries intéresse des branches de fabrications nouvelles pour le pays.

« Dans le domaine des constructions mécaniques, notre premier plan quinquennal prévoit de grandes et importantes tâches en ce qui concerne la production de machines qui, jusqu'à présent, n'étaient pas fabriquées dans notre pays, telles que des turbines à eau et à vapeur ainsi que les chaudières à vapeur à haute pression et de grand débit pour l'équipement des centrales électriques ; des tours rapides, des fraiseuses et des rectifieuses nécessaires à nos entreprises métallurgiques : des haveuses et des bandes transporteuses pour la mécanisation du travail dans les mines de charbon ; des compresseurs de gazlift pour les puits de pétrole ; des wagons métalliques de grand tonnage à déchargement automatique, pour le transport du minerai et du charbon ; des tracteurs agricoles de type soviétique, sur chenilles, de même que des moissonneuses-batteuses autopropulsées et des semeuses pour plantes industrielles ; des agrégats frigorifiques pour l'industrie alimentaire ; des machines à carder et des métiers pour l'industrie textile ; des bateaux de pêche métalliques ainsi que des remorqueurs et des cargo-boats de type plus grand que jusqu'à présent ; et pour le développement des transports en commun, la production en série de trolleybus de grande capacité. » Rapport sur le plan quinquennal par M. Constantinesco, président de la Commission nationale de Planification.

La seule exécution du plan d'électrification implique la mise en œuvre d'une industrie électrotechnique entièrement nouvelle dont les pièces essentielles sont la création à Resitza, dans le cadre de la Sovrommetal, d'une entreprise d'équipement énergétique (turbines et générateurs), l'ouverture d'ateliers de chaudières aux usines Vulcan de Bucarest, l'édification à

Craïova de l'usine *Electro-Putere* pour la fabrication des transformateurs, d'appareillage à haute tension et de diverses machines électriques (les premières machines sont sorties en 1951). On a entrepris par ailleurs l'accroissement des usines *Electro-Precizia* de Satu-Lung pour la fabrication des moteurs asynchrones et des micromoteurs, *Electro-Motorul* de Timisoara pour les moteurs asynchrones également, *Dinamo* de Bucarest pour les moteurs synchrones, les machines à courant continu, les générateurs pour l'électrification rurale, *Vestitorul* pour les appareils de mesure, les téléphones automatiques, création d'usines nouvelles pour la fabrication des câbles, de l'appareillage à basse tension (Bucarest), du matériel radio, des isolants, etc. En liaison avec l'exécution de ce plan de travail, le nombre des spécialistes formés dans des écoles techniques passera de 26.400 en 1951 à près de 70.000 en 1955. Pour assurer les réalisations immédiates, plusieurs centaines de spécialistes ont été envoyés par l'Union soviétique.

Les principaux centres d'industrie métallurgique de transformation sont Ville-Staline avec les deux grandes usines de la *Sovromtractor* et de *Steagul Rosu*, Sibiu (usines de matériel textile), le Banat avec Timisoara (électrotechnique) et Arad, usines *Victoria* et *Flamura Roşie* (matériel de chemin de fer), l'Olténie avec Craïova, et enfin l'agglomération de Bucarest (usines *Vulcan*, *23 août*, *Timpuri Noi*). Les chantiers de construction navals sont à Galatz, Turnu Severin et Constantza.

Généralement, il s'agit de centres d'industrialisation anciens qui avaient végété jusqu'à présent et qui reçoivent aujourd'hui une très vive impulsion. Le personnel employé s'accroît dans des proportions considérables et le développement industriel doit s'accompagner de la construction de nouvelles cités résidentielles (Resitza, Hunedoara, Ville-Staline notamment).

L'industrie chimique, sous ses formes actuelles, est entièrement nouvelle. Elle est liée d'une part à l'utilisation des produits chimiques naturels tirés du sol roumain, d'autre part aux besoins des industries d'équipement et de fabrication de produits d'usage. Les sels de soude sont traités à Ocna Muresului à raison de 100.000 t. par an (soude calcinée, soude caustique électrolytique, acide sulfurique). On développe les intégrations chimiques des cokeries pour la fabrication de colorants, de médicaments, de matières plastiques (vallée du Jiu et Hunedoara). Parmi les nouvelles fabrications en cours de développement, on peut signaler celles des électrodes pour la sidérurgie et l'industrie chimique, la magnésite pour les briques réfractaires, les tannants synthétiques, des poudres insecticides, des médicaments (pénicilline, arséniates, vitamines), des engrais. Les matières premières essentielles sont fournies par les composés cellulosiques d'une part, par le charbon, le pétrole et le gaz méthane, d'autre part.

En liaison avec le développement rationnel de l'exploitation forestière, d'importants investissements sont apportés aux industries de la cellulose, des textiles artificiels, du papier.

Une troisième série d'industries d'équipement est représentée par les fabriques de matériel de construction, qui reçoivent de grosses commandes pour l'édification des travaux publics, des usines, et la construction urbaine : cimenteries, fabriques de briques et de tuiles, de carrelages, d'éléments préfabriqués, de verre à vitre.

3º Les industries légères.

L'essor des industries légères intéresse deux secteurs différents, celui des industries du vêtement et de la chaussure, et celui des industries alimentaires.

Le développement des industries textiles et des industries de la chaussure comporte à la fois un aspect quantitatif défini par les perspectives numériques du plan et un aspect qualitatif concernant la diversification des produits. Étant donné le caractère rudimentaire de ces industries autrefois, il s'agit essentiellement de constructions nouvelles utilisant généralement des machines soviétiques. Les plus grandes usines sont situées à Bucarest et dans des villes de province où l'industrie textile a été introduite pour employer sur place la main-d'œuvre rurale des régions voisines : à Botosani et à Iassy en Moldavie septentrionale. Les constructions de la période 1951-1955 porteront, pour les filatures de coton, sur la mise en place de 285.000 broches nouvelles.

L'industrie des chaussures produira, en 1955, vingt fois plus qu'en 1938. Outre les usines de Bucarest, les nouveaux établissements de Bacau et de Botosani (capacité de fabrication à Botosani : 2,5 millions de paires), les usines rénovées de Cluj participent le plus activement à cet accroissement de la production.

Plus mobile que l'industrie lourde, l'industrie légère est systématiquement dispersée et permet d'associer, jusque dans les régions naguère les moins évoluées, les activités industrielles aux activités agricoles. La Moldavie est, en particulier, une des principales régions d'implantation d'industries nouvelles. La seule ville de Botosani a bénéficié de la construction d'une nouvelle usine textile, de deux usines de sucre et d'une fabrique de chaussures au cours des années 1949-1952.

Le développement de l'économie industrielle a pour effet l'accroissement rapide de la population urbaine et pose ainsi de nouveaux problèmes à l'organisation de l'alimentation. Il est nécessaire d'organiser la collecte des produits agricoles, leur transformation, leur stockage et leur livraison à la consommation sous les formes qui conviennent au marché urbain. C'est dans ces conditions que s'organise une nouvelle industrie alimentaire comportant des centres d'abatage régionaux du bétail, des chaînes frigorifiques, des usines

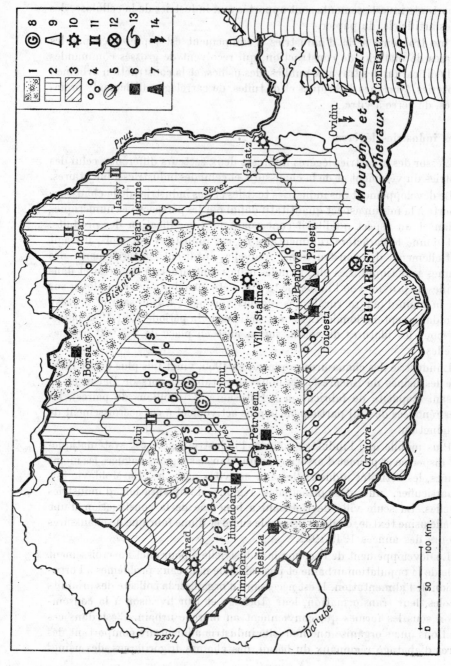

Fig. 75. — **Carte économique de la Roumanie**

1. Forêts. — 2. Culture céréalière à prédominance de blé. — 3. Culture céréalière à prédominance de maïs. — 4. Vergers et vignobles. — 5. Coton. — 6. Industrie extractive et industrie lourde. — 7. Forages pétroliers en exploitation. — 8. Production de gaz naturel. — 9. Forages pétroliers de prospection. — 10. Industrie mécanique. — 11. Industries légères. — 12. Industries diverses. — 13. Industrie chimique lourde. — 14. Principales centrales électriques.

de conserve de viande et de charcuterie, des usines de fabrication de lait concentré et de lait en poudre, des usines de conserves de légumes et de fruits. La réorganisation de la pêche, notamment dans le delta du Danube, s'associe à la création d'usines de conserves de poisson.

D'autre part, des investissements sont consacrés à la modernisation et à l'accroissement de l'industrie sucrière, des minoteries, des fabriques d'huiles végétales.

QUELQUES CHIFFRES RELATIFS A LA PRODUCTION DE DENRÉES ALIMENTAIRES ÉLABORÉES

(prévisions 1955)

Pain	1.240.000 t.	Conserves de viandes	26.500 t.
Pâtes	95.000 –	Huiles végétales	72.200 –
Lait pasteurisé	2.500.000 hl.	Beurre	13.000 –
Sucre	278.000 t.	Fromages	27.000 –
Viande	520.000 –	Bière	1.200.000 hl.
Poisson	37.000 –		

Des usines fabriquant les jus de fruits, les fruits congelés, sont en construction.

4º Les forêts et l'agriculture.

La Roumanie actuelle est plutôt un pays à vocation forestière qu'un pays forestier, tant ont été importants et inconséquents les déboisements pratiqués depuis environ un siècle. En 1930, la superficie forestière ne représentait déjà plus le quart de la superficie nationale. L'accélération de l'exploitation du bois pendant la guerre a provoqué de véritables dévastations locales à proximité des voies de communication permettant de transporter les bois abattus. Le massif de Maramures, en particulier, a gravement souffert. La montagne roumaine offre ainsi le curieux contraste de massifs forestiers quasiment vierges conservés dans les régions écartées des axes de circulation et de versants dépouillés dangereusement de leur couverture et en proie au ravinement.

L'économie forestière doit donc résoudre deux problèmes : la reconstitution du capital forestier dans les régions surexploitées et la mise en défense des quartiers en cours de reboisement, l'organisation de l'exploitation rationnelle dans les régions capables de la supporter afin de satisfaire une demande très tendue en bois de tous usages.

Les travaux de reboisement portent, pour la période 1951-1955, sur un peu plus de 400.000 ha. : 390.000 ha. de terrains menacés par l'érosion seront replantés, 7.000 ha. de ravins seront consolidés, 40.000 ha. de terrains ravinés seront également fixés par des plantations ; 5.500 ha. de pépinières fourniront à cet effet 2,2 milliards de plants de mélèze, de chêne, de frêne, de peupliers. Les reboisements intéressent surtout les régions de montagne, mais seront également étendus à certaines terres basses de la vallée du Danube (boisement de peupliers).

L'exploitation forestière abordera les secteurs demeurés jusque-là à l'écart des grands chantiers d'abatage du bois et comportera une utilisation rationnelle du hêtre qui est l'essence dominante. A cet effet, il convient d'envisager une redistribution des centres de traitement du bois brut par l'équipement des régions jusque-là inexploitées, de construire des chemins de fer forestiers, des funiculaires, des téléfériques. La mise en œuvre d'un matériel mécanisé et l'utilisation du courant électrique pour l'alimentation énergétique des stations de débitage, de scierie, et la manœuvre de certains funiculaires et téléfériques, l'emploi de tracteurs Diesel permettent la mise en valeur de régions nouvelles avec un minimum de main-d'œuvre et en réduisant l'importance des travaux durs. On estime ainsi pouvoir obtenir, en 1955, une production de bois de charpente de 3.500.000 m³ et de bois d'usages divers de 800.000 m³ centrée sur l'utilisation du hêtre.

Des usines nouvelles sont en construction pour la fabrication de meubles, de tonneaux, de récupération des déchets de bois pour la fabrication de plaques de fibre de bois destinées à la construction. La papeterie et les fabriques de cellulose ont de gros besoins de pâte de bois, mais, pour alléger la demande de produits forestiers, on envisage une utilisation industrielle des plantes de marais, roseaux et joncs.

La structure agraire et l'équipement rural. — L'échec de la réforme agraire, entreprise après la première guerre mondiale sur des superficies importantes, apparaît dans l'état de la répartition des terres en 1941 : 7.839 grands propriétaires possédaient chacun plus de 100 ha., les 215 plus riches d'entre eux détenaient des domaines de plus de 1.000 ha. Sur environ 5 millions de foyers agricoles, 2.260.000 seulement possédaient de la terre ; 1.220.000 de ces propriétaires disposaient de moins de 3 ha. chacun. Près de 1 million de familles n'avaient pour vivre que des salaires de journaliers agricoles.

La réforme agraire de 1945 a libéré 1.400.000 ha. qui ont été attribués à 730.000 paysans sans terre. Elle avait laissé aux grands propriétaires expropriés une superficie de 50 ha., à charge de l'exploiter directement. Ces terres ayant été laissées généralement en friches ont été incorporées au fonds agraire en 1949. Les terres étaient cédées aux paysans moyennant le paiement, en plusieurs échéances, d'une indemnité d'acquisition correspondant en gros à une année de récolte. Les paysans ont été libérés de cette obligation en décembre 1950.

Une des causes de l'échec de la réforme de 1918-1921 avait été la pénurie de moyens de travail des allocataires paysans, qui les avait mis à la merci des usuriers et des paysans riches. Par le jeu des dettes hypothécaires, ceux-ci avaient regroupé une notable partie des terres. La nouvelle réforme s'est accompagnée immédiatement d'une œuvre importante d'équipement mécanique. Dans toutes les régions rurales ont été créées des stations de machines et de tracteurs qui disposaient, à la fin de 1952, de 15.000 tracteurs, de plus de 3.000 batteuses, de 6.000 charrues tractées, d'un peu plus de 1.000 cultivateurs et d'environ 1.500 scarificateurs. Au cours du quinquennat 1951-1955, le nombre des stations doit être porté de moins de 150 à 455 (1), le nombre des ateliers de mécanique rurale de 35 à 60. Le matériel attaché à ces stations doit augmenter de 10.000 unités pour les tracteurs, de 18.000 pour les charrues, de 1.000 pour les moissonneuses-batteuses, de 6.700 pour les moissonneuses-lieuses, de 6.000 pour les cultivateurs, de 8.700 pour les semoirs, etc. La capacité de travail de ce matériel s'élèvera à 15.300.000 ha. Les fermes d'État occupant 7 % de la superficie arable (852.000 ha.) jouent le rôle qu'elles assument dans tous les pays de démocratie populaire : fermes-pilotes, stations d'essai, lieux d'apprentissage des méthodes de travail et de gestion de la grande entreprise agricole. Stations de machines et tracteurs et fermes d'État ouvrent la voie à l'organisation coopérative.

Celle-ci a débuté lentement, en 1949, avec la constitution de 56 exploitations collectives, grossies d'une cinquantaine d'autres au début de la campagne agricole de 1950. A la fin de 1951, on en dénombrait plus d'un millier. Le mouvement a été sensiblement accéléré par les échanges de visites de paysans roumains et de paysans de l'Union soviétique. En juin 1953, le nombre des coopératives agricoles de production s'élevait à 1.966, groupant plus de 280.000 familles. La possibilité de travailler la terre ainsi remembrée avec des moyens techniques plus efficaces a pour résultat immédiat un accroissement sensible des rendements ; en 1951, les coopératives ont obtenu en moyenne deux fois plus de blé et de maïs, trois fois plus de coton que les exploitations individuelles environnantes. Ces résultats sont le plus fort levier en faveur de la constitution des coopératives ou de l'adhésion des paysans individuels aux coopératives existantes.

Projets d'aménagement du sol à longue échéance. — Le rapport de présentation du plan d'électrification (26 octobre 1950) (2) contient l'indication des lignes générales d'une politique d'aménagement du territoire agricole :

« En étudiant le régime des pluies dans notre pays, on a constaté qu'une grande partie des terres cultivées du pays souffre de la sécheresse, ce qui nuit beaucoup à l'économie nationale. Durant les années de sécheresse, la production moyenne est cinq fois moindre pour le blé et sept fois moindre pour le maïs, comparativement à la production réalisée au cours des années normalement productives. La superficie totale des terrains agricoles où sévit la sécheresse atteint environ 2,7 millions d'hectares, dont jusqu'à présent nous n'avons irrigué que 50.000 ha., ce qui est tout à fait insignifiant.

En irriguant, on peut assurer l'augmentation constante de la production agricole. Cet accroissement obtenu au moyen de l'irrigation est considérable. En irriguant les cultures de

(1) A la fin de 1952, il en existait 218, assurant le traitement d'un peu plus de 3 millions d'hectares.
(2) Rapport présenté par M. G. G. Dej.

— 727 —

coton de notre pays, nous avons enregistré par exemple, au cours de l'année 1950, une augmentation de la production de coton de plus de 250 %.

Les rivières des régions ravagées par la sécheresse — le Seret, la Ialomitza, l'Arges, l'Olt et le Jiu — pourraient irriguer (sans travaux spéciaux de retenue d'eau) environ 200.000 ha., c'est-à-dire moins de 8 % de la superficie qui souffre du manque d'eau.

Dan ces mêmes régions, avec l'eau de lacs d'accumulation, on pourrait assurer l'irrigation d'une superficie d'environ 500.000 ha. Dans d'autres régions, telles que celle qui se trouve au bord du Danube, l'eau nécessaire à l'irrigation peut être obtenue à l'aide de pompes. Par cette méthode, on pourrait irriguer encore 400.000 à 500.000 ha.

Environ 1,2 million sur les 2,7 millions d'hectares, superficie totale des terres souffrant de la sécheresse, pourraient être irrigués, grâce aux mesures que nous venons d'énumérer. Une étude approfondie du problème permettra de trouver de nouvelles possibilités de combattre la sécheresse : aménagement de barrages, de réservoirs, pompage, utilisation des eaux souterraines, rideaux de protection, etc.

D'après des calculs sommaires, nous pourrions obtenir par l'irrigation de 1,2 million d'hectares environ 240.000 wagons de céréales de plus annuellement...

Selon les données provisoires que nous possédons, la capacité d'accumulation des barrages qui peuvent être construits sur certaines rivières est d'environ 4,2 milliards de mètres cubes. Des barrages et des lacs d'accumulation seront créés en premier lieu sur les principaux cours d'eau : le barrage Izvorul Muntelui sur la Bistritza, Tunel sur l'Arges, Boloci sur la Ialomitza, Vidra sur le Lotru, Prisaca Dornei sur la Moldova et d'autres sur l'Olt, la Dambovitza, le Buzau, la Putna, le Somes, le Mures, etc. L'on peut également aménager des lacs d'accumulation dans les régions montagneuses et dans les régions de plaines, surtout là où sévit la sécheresse : la plaine de la Munténie, le bassin de la Jija, etc.

La lutte contre l'érosion a été complètement négligée par le passé. Dans l'ensemble du pays, environ 700.000 ha. de terre sont complètement détruits et 2.300.000 ha. en cours de dégradation. Si ce processus continue, il aura pour résultat aussi bien de diminuer graduellement la production agricole, que de mettre en péril les ouvrages bâtis sur les cours d'eau, les voies de communication publiques, les habitations, etc. Il est donc nécessaire de prendre une série de mesures pour préserver le sol, tant sur les rives des principaux fleuves que sur celles de leurs affluents, et pour bonifier les terrains abîmés ou en voie de dégradation.

L'assainissement des marais et des régions insalubres par le renouvellement de l'eau à l'aide des réserves des lacs d'accumulation et par le drainage présente une grande importance. Ces travaux sont très utiles pour l'agriculture et la pisciculture et éliminent en même temps les foyers de paludisme.

La pisciculture pourra prendre une grande extension grâce à la création de nouveaux lacs, à la régularisation du débit des rivières et à l'assainissement des marais et des lacs existants.

Selon une évaluation sommaire, on pourrait aménager des marais et des étangs sur une superficie de 400.000 ha. environ, ce qui pourrait rapporter annuellement une production constante d'environ 35 millions de kilos de poisson de bonne qualité.

Le delta du Danube et les questions économiques ayant trait à cette région méritent une attention particulière. Sur une superficie totale de 430.000 ha., 108.000 ha. sont des étangs et des ruisseaux, qui ne peuvent être mis en valeur que par la pêche ; 276.000 ha. sont couverts de roseaux fixes et de joncs flottants, plantes qui représentent une importante matière première pour l'industrie.

Environ 55.000 ha. de la superficie du Delta sont des terres cultivées, des pâturages, des forêts et des lieux d'habitation.

Ces superficies se prêtent aux cultures intensives par irrigation. Les vergers et les industries alimentaires liées à la production de fruits peuvent prendre un grand développement. Les vergers irrigués, et surtout les espèces d'arbres peu résistantes à la sécheresse, peuvent assurer une production importante et précieuse.

Le Delta peut devenir, grâce à l'irrigation des jardins potagers, une riche source de production en masse des légumes, assurant le développement d'une industrie alimentaire locale.

Étant données les conditions naturelles favorables, on pourra développer la culture des plantes subtropicales (thé, citrons, etc.). »

Ces perspectives générales étant indiquées à titre de toile de fond, des travaux d'exécution immédiate ont été entrepris au cours du quinquennat 1951-1955 sur 670.000 ha., dont 170.000 à protéger des inondations et à assécher, dans la vallée du Danube surtout. Une fois le barrage de Izvorul Muntelui mis en eau, 300.000 ha. seront irrigués en Moldavie méridionale. En 1951, 17.000 ha. de terres arrosées étaient consacrés à la culture du riz, 65.000 à celle des légumes, de grands travaux en cours d'achèvement le long du Prut inférieur et du canal Danube-mer Noire.

Les objectifs de l'effort agricole. — Deux objectifs sont fixés à l'agriculture : l'accroissement de la production des récoltes traditionnelles et de la production en général, accroissement en quantité et en valeur (qualité de la production), et la diversification de la production, plus ou moins directement liée avec la transformation des systèmes de culture et, du même fait, avec l'accroissement de la productivité du terrain cultivé.

L'accroissement de la production. — Pour une augmentation de la superficie cultivée de 6 %, le plan fixe comme objectif un accroissement de la valeur de la production de plus de 80 % par rapport à l'année 1950.

L'augmentation de la production est attendue d'une amélioration systématique des méthodes de travail demeurées jusqu'à présent très archaïques. Il s'agit d'introduire les résultats des expériences réalisées en Union soviétique sur des terres semblables. En premier lieu, la préparation de la terre par un déchaumage d'été, des labours d'automne sur plus des trois quarts des terres destinées aux ensemencements de printemps et l'accroissement de l'emploi des engrais (leur consommation doit être multipliée par 12 en cinq ans) constituent un premier ensemble de conditions favorables que rend effectives l'utilisation d'un matériel plus efficace que celui de la petite exploitation paysanne traditionnelle, relayé le plus souvent possible par les machines des stations d'État. Par ailleurs, l'emploi de semences sélectionnées, le choix d'assolements rationnels apporteront une seconde contribution à l'effort d'accroissement de la productivité du sol. A titre de repères numériques, les objectifs suivants ont été fixés par le plan (en quintaux par hectare) :

	Moyenne générale	Fermes d'État
Blé	12,5	13
Maïs	14	16
Riz	31,5	33
Fibres de lin	25,7	30
Coton non égrené	6,5 (1) 15 (2)	8 (1) 15 (2)
Betterave à sucre	177	200
Chanvre	39	43

(1) En terre asséchée.
(2) En terre irriguée.

Les chiffres de prévision de récoltes du plan quinquennal ont été calculés sur la base de ces rendements (ci-dessus, p. 715). Ils assurent les disponibilités moyennes suivantes pour les denrées alimentaires végétales de base :

Céréales panifiables	1,7	quintal
Maïs	1,8	—
Pommes de terre	1,2	—
Légumineuses	0,13	—
Sucre de betterave	0,4	—

Les productions ne sont que légèrement supérieures à celles de la période précédant la guerre (37,4 millions de quintaux de céréales panifiables contre 30, 40 millions de quintaux de maïs contre 40 à 45), mais, d'une part, les disponibilités réelles de la consommation sont accrues du fait que les produits alimentaires ont cessé d'être denrées d'exportation, et, d'autre part, ces récoltes sont obtenues sur des superficies moins grandes. Il s'agit en effet d'intégrer la culture des céréales dans un système d'assolement rationnel. La superficie consacrée aux cultures fourragères passe de 865.000 ha. en 1950 à 1.243.700 ha. en 1955. La superficie ensemencée en luzerne est triplée, celle cultivée en trèfle et en racines fourragères quadruplée. Les cultures industrielles voient aussi leur place s'accroître considérablement dans l'assolement de chaque région.

Développement et introduction de cultures industrielles et de cultures nouvelles. — Les cultures industrielles alimentaires avaient déjà été introduites en Roumanie, notamment par les sociétés étrangères de culture (sociétés allemandes surtout). La plus connue est celle du soja qui couvrira, en 1955, 30.000 ha. (15.000 en 1950). L'ensemble des cultures oléagineuses, qui doit pallier l'impossibilité d'importer les quantités d'huiles exotiques nécessaires, fait l'objet d'un accroissement sensible : lin pour la fabrication de l'huile (40.000 ha.), et tournesol. La superficie consacrée à la culture de la betterave à sucre doit atteindre 100.000 ha. contre 55.000 en 1950. Les plantes médicinales, qui n'étaient cultivées que sur 1.700 ha. en 1950, en occuperont 9.000 en 1955.

On poursuit actuellement des essais d'acclimatation de sorghos, notamment du sorgho sucré dit gaolian.

Les cultures de plantes textiles doivent couvrir près de 500.000 ha. Le lin et le chanvre étaient déjà cultivés en Roumanie. Par contre, la culture en grand du coton est nouvelle. Les ensemencements en coton doivent intéresser, en 1955, une superficie de 300.000 ha. dont 40.000 en terre irriguée (1). La récolte doit approcher de 2,5 millions de quintaux de coton non égrené, soit

(1) 153.000 ha. en 1951.

environ 800.000 qx de coton-fibre. On cherche en outre à acclimater le
kénaf. En 1952 ont commencé les ensemencements en kok-saghyz, pour la
production du latex.

Entre les deux guerres, le troupeau s'était sensiblement réduit par suite
de la disette de terres labourables qui avait fait refluer l'élevage vers la
montagne. L'introduction des fourrages dans les assolements céréaliers modifie
la répartition géographique de l'élevage en associant à l'élevage de montagne
un élevage lié à la grande culture en plaine. En même temps, la qualité du
troupeau peut être améliorée à la fois par la sélection des races et par l'amélioration de leur nourriture. Les chiffres d'effectifs ne peuvent donc être comparés
terme pour terme, encore que l'on doive tenir compte, dans l'examen du
nombre des animaux, de l'effort de reconstitution imposé par la destruction
de plus de la moitié du cheptel pendant la guerre.

En 1950, le troupeau bovin était de 4,3 millions de têtes contre un peu
plus de 5 millions avant la guerre. Le chiffre de prévision de 1955 est de
4,7 millions de bêtes à haut rendement, fournissant près de 20 millions d'hectolitres de lait et plus d'un demi-million de tonnes de viande de bœuf et de
veau. Le troupeau ovin, tombé à environ 7 millions de têtes en 1945, sera
ramené à 13 millions. L'élevage des porcs sera plus important qu'avant la
guerre : 4,5 millions contre 3 millions en 1930 (3,2 millions en 1950). L'élevage
des volailles, développé suivant des méthodes nouvelles, intéressera 50 millions d'animaux.

Parallèlement, l'apiculture et la sériciculture recevront une impulsion
nouvelle. La production de miel doit s'élever à 7.000 t. et celle des cocons
à 2.000 t.

Le plan ne fixe pas d'objectifs pour la culture maraîchère et la culture
fruitière qui sont étroitement liées à l'économie domestique rurale et ne pour-
ront être incorporées au circuit général des marchandises (le cas des cultures
maraîchères des environs des villes et en particulier des environs de Bucarest
mis à part) qu'une fois réalisé le dispositif prévu de dispersion des usines de
produits alimentaires et aménagés les grands réseaux d'irrigation. Cependant,
des pépinières ont été créées pour introduire des arbres fruitiers à haute productivité, et on étudie la possibilité de cultiver les agrumes sur le bas Danube.

Les conditions de milieu naturel maintiennent une diversification
régionale sensible. Les plaines de Valachie et de Moldavie se prêtent aisément
à la mécanisation et à la généralisation des assolements rationnels, associant
la céréaliculture aux cultures de prairies artificielles, de racines fourragères et
de betteraves à sucre. Elles sont susceptibles d'assurer les plus hauts rendements, mais sont aussi les plus sensibles aux sécheresses, surtout la Valachie
orientale et la Moldavie méridionale. Les terres basses, drainées et irriguées,
attirent les rizières et les cultures de coton.

La Transylvanie, qui a une vieille tradition de polyculture, garde ses cultures de céréales, de légumineuses, de pommes de terre, de soja, de lin, et élève du bétail à l'étable, pratiquant, sur une échelle plus ou moins réduite, les migrations pastorales avec la montagne toute proche.

Les bassins intérieurs des Carpates, et ceux de l'avant-pays externe des Carpates, pratiquent une culture assez comparable, où l'arboriculture garde une place considérable. C'est là que l'apiculture et la sériciculture sont appelées au plus large développement. L'élevage du porc, celui de la volaille y complètent un système de polyculture qui est en cours de modernisation, mais s'appuie sur des habitudes de travail beaucoup plus différenciées que dans les anciennes terres d'exploitation spéculative et extensive des plaines.

La modernisation des transports. Le canal Danube-mer Noire. — L'ancien réseau de transports avait été conçu essentiellement en fonction des relations internationales à travers le territoire roumain et par rapport aux commodités d'exportation des produits bruts extraits du sol et du sous-sol. Si l'administration austro-hongroise avait apporté un certain soin à l'équipement en voies ferrées de la Transylvanie, la Valachie et la Moldavie ne possédaient que des voies à trafic lent dont les deux axes principaux, parallèles aux Carpates, convergeaient vers le port de Constantza. Le matériel roulant était très insuffisant, et, sur ces lignes à voie unique (218 km. seulement à double voie en 1930), le trafic ne pouvait être que très médiocre. Le réseau routier était également déplorable. Le Danube était abondamment utilisé, mais le commerce fluvial souffrait de la difficulté d'usage des bouches du fleuve.

L'œuvre à accomplir est énorme. La création d'un réseau ferré à la mesure des besoins représente une demande considérable d'acier au moment même où tout l'équipement industriel est hautement demandeur. On se préoccupe donc seulement, au cours de la période actuelle, d'assurer les liaisons indispensables à l'organisation industrielle en cours, réservant pour plus tard le soin d'harmoniser l'ensemble. En 1949 a été achevée la ligne Salva-Viseu, débloquant le Maramures. Environ 400 km. de voies ferrées nouvelles seront posées au cours du quinquennat, le parc roulant enrichi de 7.750 wagons de marchandises sur quatre essieux, de 2.000 wagons de marchandises sur deux essieux, de 400 wagons de voyageurs sur quatre essieux, de 30 autorails sur quatre essieux et de quelques centaines de locomotives. La ligne Campina-Ville-Staline est en cours d'électrification, et l'on généralise les méthodes modernes.

Cependant, on ne s'est pas fixé d'objectifs trop ambitieux : la vitesse commerciale des trains de marchandises sera portée de 15 à 17,5 km./h., celle des trains de voyageurs de 32 à 35 km./h.

Sur les routes, les travaux de modernisation portent sur 1.190 km. et sur la réfection des ponts principaux.

Mais le grand œuvre de la période est la construction du canal de liaison entre le Danube et la mer Noire, de Cernavoda à cap Midia. Les travaux ont été commencés au cours de l'été 1949 et seront achevés avant la fin du quinquennat 1951-1955. Le canal a 60 km. de long sur une largeur de 160 à 180 m. Il sera accessible à la plus grosse batellerie fluviale du Danube avec un tirant d'eau d'au moins 4 m. L'ouverture du chantier a exigé la réalisation d'une série de travaux préliminaires qui ont transformé la Dobroudja septentrionale : assainissement, dessèchement de marais paludéens, développement de cultures maraîchères irriguées, de centres d'élevage du bétail, construction de routes et de plus de 100 km. de voies ferrées, création de cités résidentielles pour les travailleurs du canal et amorce de nouvelles villes permanentes. Après achèvement des travaux, le paysage rural aura été transformé sur plus de 100.000 ha., drainés et régulièrement irrigués, coupés par des écrans forestiers et semés de lacs aux eaux renouvelées utilisés pour la pisciculture. Deux grands ports sont en cours d'aménagement : Cernavoda, à la jonction du canal et du Danube, et Midia sur la mer Noire, port artificiel couvert par une digue de 3,5 km. appelé à être plus important que Constantza. Le courant électrique est fourni aux chantiers et aux nouvelles

Fig. 76
Le canal Danube-mer Noire

villes par la centrale thermique d'Ovidiu. Les travaux sont entièrement mécanisés grâce aux fournitures de matériel de terrassement par l'Union soviétique.

5º L'aménagement régional.

Comme les plans économiques des autres pays de démocratie populaire, le plan quinquennal de la République roumaine comporte l'équipement particulier des régions économiquement arriérées.

Sont considérées comme telles la Moldavie, la région de Maramures, le sud-est de la Transylvanie, une partie de l'Olténie, la Dobroudja et le delta du Danube.

La Moldavie doit bénéficier de la réalisation de l'hydrocentrale de Stejar sur la Bistritza et du réseau d'irrigation qui en dépend. Iassy et Botosani deviennent de grands centres industriels, surtout par l'implantation de nouvelles usines de filatures et de tissage ; l'industrie métallurgique y fait son apparition sous forme de fonderies et aciéries, d'usines de roulements à bille et de matériel de chemin de fer. La vallée du Trotus devient une nouvelle région pétrolière, les charbons de Comanesti alimentent une centrale thermique. Le Sereth, rendu navigable entre Bacau et Galatz, sa vallée protégée des vents par des écrans forestiers couvrant des vents plus de 200.000 ha. et en partie irriguée, sont les éléments les plus nouveaux du paysage et de l'économie régionale.

Dans la région du Maramures, le développement de l'économie minière doit être à l'origine de la transformation régionale : exploitation des minerais métalliques et travail des métaux non ferreux à Borsa. Une grande filature animée par l'hydrocentrale de Dragani-Rametzi, des combinats de bois compléteront l'armature industrielle régionale. De nouvelles voies ferrées — notamment la ligne Brad-Deva — rompront l'isolement de ce haut pays.

Le sud-est de la Transylvanie reçoit d'importants investissements pour le développement des industries chimiques (fabriques d'engrais azotés), des fabriques de ciment, d'usines produisant de l'outillage pour le travail forestier. Située sur le passage des canalisations acheminant le méthane de Sanguiurgiu à Bacau, la région utilisera une partie du gaz naturel.

L'Olténie doit bénéficier de l'application de l'énergie électrique du Jiu et de la Lotrioara à l'électrochimie et à l'exploitation forestière (usines de traitement du bois à Tismana). Les usines de matériel électrique de l'*Electro-putere*, des raffineries de sucre, des usines de chaussures, des filatures et des tissages emploieront les excédents de main-d'œuvre rurale et élèveront le niveau de vie moyen.

La Dobroudja est transformée par le passage du canal Danube-mer Noire. Plusieurs villes sont en construction sur ses bords : Navodari, Cernavoda, Medgidia, Poarta Alba et le port de Midia. Les ressources industrielles sont les matériaux de construction et la cellulose tirée des roseaux du delta. L'agriculture et la pisciculture, sous leurs formes nouvelles, feront de cette région, jadis malarienne, une des zones de cultures délicates à haute productivité grâce à l'irrigation.

Au terme du quinquennat, les conditions seront réalisées d'un colmatage du retard économique et social des régions antérieurement les plus déshéritées. D'autre part, elles seront allégées de leurs excédents de population par l'absorption de main-d'œuvre du secteur industriel et l'urbanisation.

L'urbanisation. — L'entrée dans la production industrielle de plus d'un million de familles, la création de centres industriels nouveaux dans des regions jadis strictement rurales, en Dobroudja, dans le Maramures, dans les Carpates occidentales, impliquent une urbanisation accélérée.

Les villages ont jusqu'à présent peu changé, sinon par l'adjonction de bâtiments publics, écoles, dispensaires, ateliers mécaniques, stations de machines et tracteurs. La collectivisation des campagnes est encore trop partielle et trop récente pour avoir introduit des transformations importantes dans l'habitat rural, d'ailleurs traditionnellement groupé et se prêtant, sans modification fondamentale, à l'exploitation coopérative du terroir.

Au contraire, les villes sont rapidement transfigurées. La Roumanie ne possédait qu'un petit nombre de villes proprement urbanisées : le centre de Bucarest, Cluj, les villes du Danube, anciennes forteresses turques et marchés, Iassy... La physionomie urbaine s'évanouissait rapidement hors d'un centre peu étendu, comme dans les villes de la plaine hongroise. De longues rues non pavées, non éclairées, bordées de maisons de type rural, constituaient des quartiers périphériques très étendus. Les petits centres industriels des régions d'extraction minière et de concentration du bois n'étaient que des bourgades rurales aux pauvres maisons et aux quartiers de baraquements. L'industrialisation s'accompagne de la construction de quartiers urbains articulés sur un centre social (hôpital, dispensaire, écoles, club et palais de la culture) et enveloppées d'espaces verts comportant parcs, jardins d'enfants, stades. Le caractère des bâtiments est différencié suivant les régions et à l'intérieur de chaque quartier urbain.

Une des principales créations urbaines des années 1949 et 1950 est la ville industrielle de Hunedoara. Hunedoara était une petite bourgade semi-rurale pourvue de quelques forges, devenue, avec Resitza, un des principaux centres sidérurgiques de la Roumanie. De quelques milliers, la population est passée en moins de trois ans à 25.000. En 1947, le plan de la nouvelle cité d'habitation a été tracé sur la colline du Kizit dominant l'ancien centre où s'élèvent grands magasins, instituts culturels, écoles et hôpitaux. Deux mille logements ont été construits au cours de l'année 1949. Trois types principaux de maisons ont été retenus : les petites maisons individuelles, isolées ou groupées deux par deux, pourvues d'un jardin et construites suivant l'inspiration de la construction rurale transylvaine avec entrée sous auvent supporté par des colonnes ; les immeubles collectifs à deux étages (quatre à six logements) et les immeubles pour célibataires, associant aux logements un grand hall, des bibliothèques et un club au rez-de-chaussée.

Des quartiers neufs ont été construits dans les centres miniers d'Aninoasa, de Petrosani, de Baia-Mare. Ploesti, en reconstruction, est pourvu de vastes espaces verts isolant les quartiers résidentiels des installations pétrolières. L'ancienne ville de Brasov, Ville-Staline, un des plus grands centres de métallurgie de transformation, est entourée de chantiers de construction. Une grande cité est élevée près de l'usine Steagul Rosu (110.000 m² de logements construits en 1951).

La Dobroudja a ses villes toutes neuves surgies le long du canal Danube-mer Noire : Navodari, Poarta Alba, Midia. Constantza, d'aspect assez triste avant la guerre, s'orne de grands édifices modernes et de parcs. Iassy, gravement sinistrée, est reconstruite suivant les mêmes principes d'urbanisme : un centre fonctionnel groupe les bâtiments administratifs, les grands magasins, les grandes écoles (Institut agronomique, Institut des Sciences économiques et de planification), les établissements culturels, bibliothèques, théâtres, etc. Les usines (anciennes fabriques textiles reconstruites et agrandies : Tesatura, Victoria, Textila Rosie, usines métallurgiques — 23 août —) alternent avec les zones résidentielles et les parcs suivant un zoning rationnel.

La capitale, Bucarest, fait l'objet de travaux à la mesure de son rôle politique et économique, et aussi de sa population qui a presque doublé : 1930, 639.000 habitants, 1948, 1.041.807. Cette grande agglomération était peu urbanisée avant la guerre. M. Emm. de Martonne la décrit ainsi en 1930 : « La physionomie reste celle de tous les centres urbains du bas Danube : un grand village aux petites maisons dispersées dans les jardins, avec un noyau moderne à artères régulièrement bâties. L'importance de ce noyau est seulement plus grande qu'à Ploesti ou à Craïova, en rapport avec les exigences d'une capitale qui règle la vie politique et le commerce de tout le pays, attirant capitaux, énergies et initiatives de tout genre. En outre, le village s'est transformé, dans un rayon plus ou moins étendu autour du centre, en une agglomération de villas ou hôtels particuliers, résidence de tout ce qui compte par la fortune ou la position sociale...

L'étranger circulant dans le cercle, relativement étroit, où bat la vie fiévreuse des ministères, théâtres, banques et grands magasins, peut ignorer les rues tortueuses aux trottoirs étroits, où les petites maisons succèdent aux riches villas toujours accompagnées d'un jardin et les vastes étendues de faubourgs misérables, avec leurs terrains vagues, qu'on désigne toujours sous le nom de Mahalas » (1) :

En 1935, un plan d'urbanisme avait été élaboré pour canaliser le développement vigoureux de la ville dû à la création d'établissements industriels nouveaux et à l'afflux de ruraux ruinés s'entassant dans des « réserves » suburbaines de main-d'œuvre en attendant une offre d'emploi. Ce plan ne fut pas respecté : la ville bourgeonna empiriquement au gré des spéculations privées. Des terrains vagues, dont on avait pensé faire des parcs suburbains, se couvrirent de lotissements lépreux et de bidonvilles. A peu de distance du centre de Bucarest, « le petit Paris » des quartiers résidentiels riches à l'architecture cosmopolite où le style cubiste le disputait aux villas « mexicaines » et « californiennes », les quartiers pauvres sans voirie organisée, sans adductions d'eau, sans lumière, abritaient sommairement des foules misérables, coupés de voies ferrées, hérissés d'établissements industriels au voisinage désagréable ou malsain : cimenteries, tanneries, abattoirs, usines de glucose.

Le schéma général du zoning social ressemblait à celui de la capitale hongroise. Les travaux d'aménagement correspondant aux mêmes nécessités s'inspirent des mêmes principes. Il s'agit d'adapter le centre aux nouvelles conditions d'organisation et d'existence et d'urbaniser les quartiers extérieurs. L'armature du centre a été complétée par la construction de nouveaux bâtiments de service, l'édification des halles centrales, la création d'Instituts et de bâtiments culturels. Les jardins et les parcs urbains ont été embellis (Jardin Sismigiu, grand parc national), d'autres aménagés sur des espaces libres.

Des cités neuves s'élèvent dans les quartiers de Grivitza, de Ferentari, de Vatra Luminoasa, zones suburbaines ouvrières, naguère les plus sordides

(1) Emm. DE MARTONNE, Europe centrale, *Géographie universelle*, Paris, A. Colin, t. IV, 2e partie, p. 770.

et les plus mal famées. La grande avenue de la Calea Grivitzei, jadis bordée de tavernes, est devenue une artère urbaine moderne dominée par les habitations ouvrières à plusieurs étages, et pourvue de magasins d'alimentation, de restaurants, de théâtres et de cinémas. Un parc et des cités d'habitation occupent le quartier de la gare de Grivitza qui avait été détruit par les bombardements. A Ferentari, les cités nouvelles se dressent à l'emplacement d'anciens terrains vagues servant de décharges. Les cités pourvues de leur dispositif social, ayant, dans toutes les parties de la ville, écoles, cinémas et théâtres, se composent généralement d'immeubles à quatre étages comportant de vingt à quarante logements. Un zoning méthodique répartit les parcs et les stades autour des quartiers d'habitation afin de les isoler des usines. Chaque quartier a ses clubs culturels, les athénées, au nombre de soixante-treize. Au cours du quinquennat 1951-1955, on aménage autour de la ville une vaste ceinture de bois, de lacs, de parcs, de stades et de maisons de repos.

La plus petite des capitales de l'Europe centrale avant la deuxième guerre mondiale, qui a aujourd'hui une population du même ordre de grandeur que Prague, Budapest ou Varsovie, rattrape également le retard qui la séparait des capitales voisines au point de vue de l'urbanisme. Elle s'inscrit sur la liste des grandes villes adaptées à une nouvelle structure sociale.

Un plan d'urbanisme à longue échéance. — En 1952, a été rendu public un plan d'aménagement urbain à réaliser en dix ou quinze ans. Les principales directives de ce plan sont le rétablissement de la voie d'eau axiale de la ville, la Dambovitza, l'aménagement du centre monumental de la ville, le dégagement des grandes percées de circulation, la concentration des grandes industries dans des zones réservées, la concentration de l'habitat dans des îlots de grandes maisons, dégageant de l'espace pour le développement de parcs et de jardins, la réduction de l'espace urbain, la constitution d'un réseau de transports rapides et pratiques à l'intérieur de la ville et entre la ville et les établissements suburbains (usines et quartiers résidentiels extérieurs).

La Dambovitza avait été transformée en égout au cours de la période précédente, et recouverte. Il s'agit de constituer un réseau d'égouts indépendant, de rétablir l'écoulement de la Dambovitza à air libre, sous forme d'un chenal de 50 à 60 m. de large, bordé de quais modernes. La Dambovitza, dont le débit sera régularisé par la construction d'un réservoir près de Ciurel, aboutira à la sortie de la ville au port fluvial de Bucarest, qui sera relié au Danube par un canal de navigation.

Au centre de la ville, de grandes places, élargies, seront encadrées par des ensembles architecturaux abritant les grands services, les établissements culturels, les grands magasins, les hôtels. Seuls les bâtiments présentant un caractère historique et artistique seront sauvegardés au cours de ces travaux. De grands parcs sont déjà en voie d'aménagement, les avenues plantées.

Par l'homogénéisation des constructions résidentielles et le refoulement des industries encombrantes — les industries légères étant conservées dans la ville — les oppositions entre l'ancien centre et les anciens faubourgs seront progressivement abolies. En 1954 seront ouverts les premiers chantiers d'un métro.

RÉPUBLIQUES POPULAIRES DE L'EUROPE CENTRALE

ORIENTATION BIBLIOGRAPHIQUE

L'ouvrage de base est celui d'Emm. DE MARTONNE, non remplacé pour la description physique et régionale :

Emm. DE MARTONNE, *Europe centrale, Géographie universelle*, Paris, A. Colin, 1932, t. IV, vol. 2, p. 699-810. Ce volume fournit la meilleure image de la Roumanie d'avant guerre.

Sur les transformations de ce pays depuis 1945, une seule étude géographique en langue française, par ailleurs sommaire, celle de :

J. SURET-CANALE, Roumanie 1951, *L'information géographique*, XVI, n° 3, mai-juin 1952, p. 85-97.

Aspects de la question paysanne dans la République populaire de Roumanie, Bucarest, I, brochure, 47 p., 1948.

S. F. BURENKO, Novoe administrativno-ekonomičeskoe raionirovanie narodnoi respubliki Rumynii, *Izvestiia vsesojuznogo geografičeskogo obščestva* (Nouvelle division politique et économique de la République roumaine, *Bulletin de la société géographique de l'U. R. S. S.*), Moscou, t. LXXXII, fasc. 6, 1950, nov.-déc., p. 623-625, une carte.

S. F. BURENKO, Nekotorye itogi perepisi naseleniia nodrodnom respubliki Rumynii 25 Ianvaria 1948 g., Isz ; vsesojunz. g. obšč. (Quelques résultats du recensement de la population de la République roumaine du 25 janvier 1948, *Bull. Soc. de G. de l'U. R. S. S.*), Moscou, t. LXXXIII, fasc. I, 1951, janv.-févr., p. 66-76, 3 fig., tableaux.

Développement planifié de la République populaire roumaine (Le), Bucarest, 1950, 162 p. (Textes du plan quinquennal et des lois de finances, accompagnés de commentaires sur les méthodes et les conditions du développement économique.)

Al. CONSTANTINESCU, H. DONA, *La République populaire roumaine. Présentation géographique et politique*, Bucarest, 1948, I vol., 64 p., XI pl., 3 cartes.

L'édification de la vie nouvelle dans la République populaire roumaine, Bucarest, 1951, 1 vol., 146 p., fig. (Recueil de textes, notamment plan quinquennal et plan d'électrification.)

I. N. S. E. E., Le plan roumain de redressement économique et financier, *Études et conjoncture*, Économie mondiale, II, n°s 14-15, Paris, 1947 p. 133-144.

INDEX DES NOMS DE LIEUX

48

TABLE GÉNÉRALE DES FIGURES

TABLE GÉNÉRALE DES PLANCHES

L'EUROPE CENTRALE

TABLE GÉNÉRALE DES MATIÈRES

1954. — Imprimerie des Presses Universitaires de France. — Vendôme (France)
ÉDIT. N° 23.606   IMP. N° 13.609